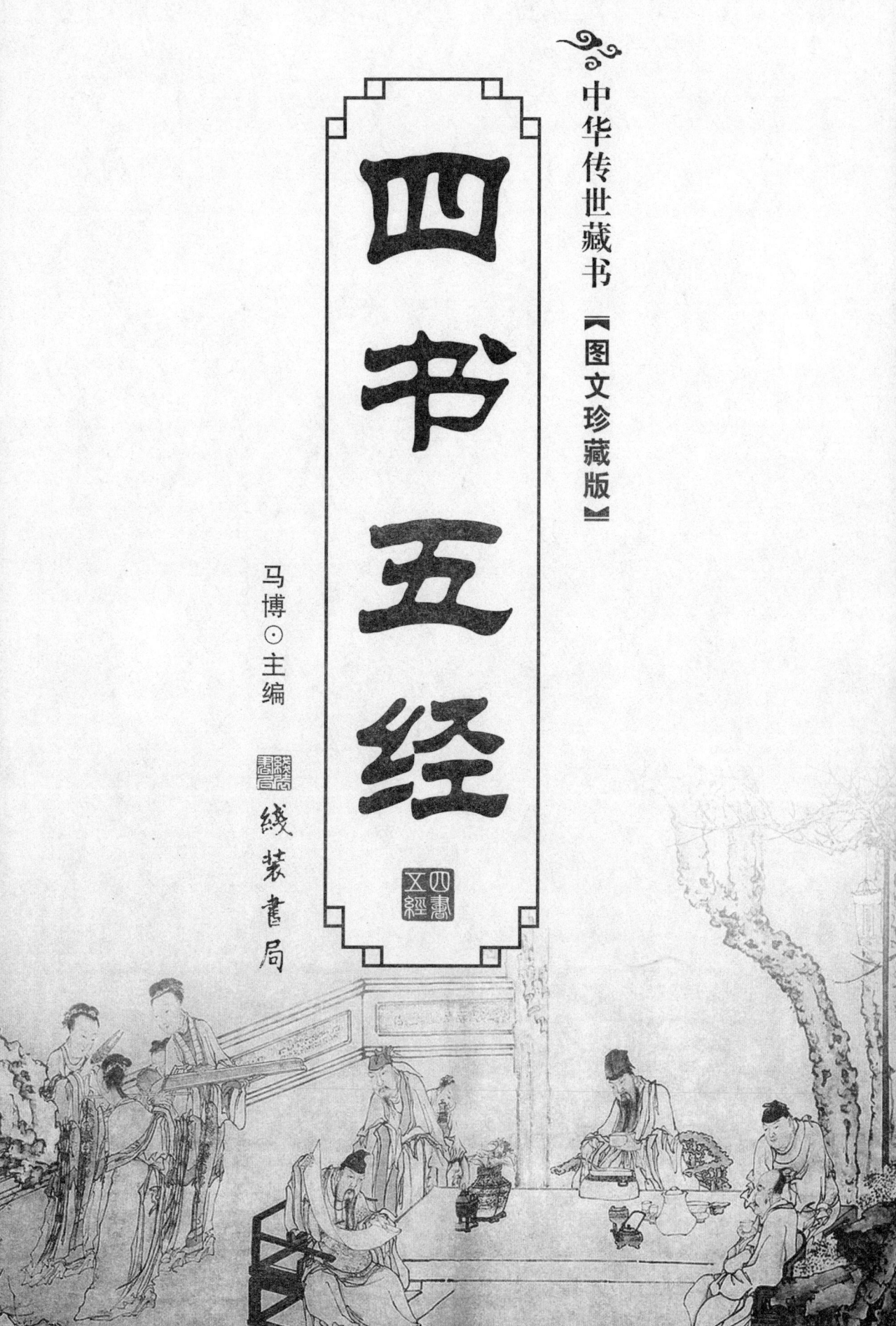

四书五经

中华传世藏书 【图文珍藏版】

马博·主编

线装书局

哀公二十二年

【原文】

二十二年夏四月，邾隐公自齐奔越，曰："吴为无道，执父立子。"越人归之，大子革奔越。

冬十一月丁卯，越灭吴，请使吴王居甬东。辞曰："孤老矣，焉能事君？"乃缢。越人以归。

【译文】

鲁哀公二十二年夏四月，邾隐公从齐国逃亡到越国，说："吴国施行暴政，逮了父亲立了儿子。"越国人把他护送回国，太子革逃亡到越国。

冬十一月二十七日，越国灭亡吴国，表示要让吴王夫差住到甬东去，吴王拒绝说："我老了，怎么能事奉君王？"就自缢而死。越国人把他的尸体送回。

哀公二十三年

【原文】

二十三年春，宋景曹卒。季康子使冉有吊且送葬，曰："敝邑有社稷之事，使肥与有职竞焉，是以不得助执绋，使求从舆人，曰：'以肥之得备弥甥也，有不腆先人之产马，使求荐诸夫人之宰，其可以称旌繁乎！'"

夏六月，晋荀瑶伐齐。高无㔻帅师御之。知伯视齐师，马骇，遂驱之，曰："齐人知余旗，其谓余畏而反也？"及垒而还。将战，长武子请卜，知伯曰："君告于天子，而卜之以守龟于宗祧，吉矣；吾又何卜焉？且齐人取我英丘；君命瑶，非敢耀武也，治英丘也。以辞伐罪足矣，何必卜？"壬辰，战于犁丘。齐师败绩，知伯亲禽颜庚。

秋八月，叔青如越，始使越也。越诸鞅来聘，报叔青也。

牺尊

【译文】

鲁哀公二十三年春，宋元公夫人景曹死了。季康子派冉有前去吊唁，并且送葬，说："敝国有重要国事，使得我参与其中而职事繁忙，因此不能帮助送葬，派冉有前来跟从舆人送葬。"又说："由于我得以充做远房外甥，有先人饲养的几匹劣马，派冉有把它们进献给夫人的宰臣，也许可以用来与夫人的马饰相配吧！"

夏六月，晋将荀瑶攻打齐国，高无丕率军抵御晋军。荀瑶观察齐军，马受惊，于是就驱马迫近齐军，说："齐国人认识我的旗帜，不向前恐怕会说我是害怕而返回去了。"到达齐军的营垒边才返回。

将要开战，长武子请求占卜，荀瑶说："君主报告了天子，并且用龟甲在宗庙占卜过此事，是吉兆了，我又占卜什么呢？况且齐国人占取了我国的英丘，君主命令我来，不敢炫耀武勇，而是要收复英丘。据理讨伐有罪就足够了，何必占卜？"二十六日，在犁丘交战，齐军大败，荀瑶亲手俘虏了齐将颜庚。

秋八月，叔青前往越国，这是鲁国人首次出使越国。越国的诸鞅前来鲁国聘问，是对叔青出使越国的回报。

哀公二十四年

【原文】

二十四年夏四月，晋侯将伐齐，使来乞师，曰："昔臧文仲以楚师伐齐，取榖；宣叔以晋师伐齐，取汶阳。寡君欲徼福于周公，愿乞灵于臧氏。"臧石帅师会之，取廪丘。军吏令缮，将进，莱章曰："君卑政暴；往岁克敌，今又胜都，天奉多矣，又焉能进？是躗言也。役将班矣！"晋师乃还。饩臧石牛，大史谢之，曰："以寡君之在行，牢礼不度，敢展谢之！"

邾子又无道，越人执之以归，而立公子何。何亦无道。

公子荆之母嬖，将以为夫人，使宗人衅夏献其礼。对曰："无之。"公怒，曰："女为宗司；立夫人，国之大礼也，何故无之？"对曰："周公及武公娶于薛，孝、惠娶于商，自桓以下娶于齐，此礼也则有。若以妾为夫人，则固无其礼也。"公卒立之，而以荆为大子，国人始恶之。

闰月，公如越，得大子适郢，将妻公而多与之地。公孙有山使告于季孙。季孙惧，使因大宰嚭而纳赂焉，乃止。

【译文】

鲁哀公二十四年夏四月，晋出公准备攻打齐国，派人前来鲁国请求出兵。说："从前臧文仲率领楚军攻打齐国，攻取谷地；宣叔率领晋军攻打齐国，攻取汶阳。寡君想要从周公那儿求取福泽，也希望向臧氏求福。"臧石率领鲁军与晋军会合，攻取廪丘。军吏命令整修军备，准备进军。齐将莱章说："晋国君主地位卑贱，政治暴虐，去年战胜对手，现在又攻陷都邑，上天赐给他们的很多了，又哪能再前进？这是大话，晋军将要收兵回朝了。"晋军果然退兵了。晋国人赠送给臧石活牛，太史并且致歉说："因为寡君身在军中，赠奉的牲口够不上礼度，谨此告歉！"

邾隐公又施行无道，越国人逮了他带回去，立了公子何为君。公子何同样无道。

公子荆的母亲受到哀公宠幸，打算立她为夫人，就让宗人衅夏来禀报立夫人的礼节。衅夏回答说："没有这样的礼节。"哀公发怒说："你身为宗人，立夫人，是国家的重大典礼，为什么说没有这礼节？"衅夏回答说："周公和武公从薛国娶妻，孝公、惠公从宋国娶妻，从桓公以下都在齐国娶妻，这种礼节倒是有。至于立妾做夫人，则本来就没有那样的礼节。"哀公最终还是立了她，并立公子荆为太子，国内人们开始讨厌哀公。

闰月，鲁哀公去到越国，很得越太子适郢的欢心。适郢打算把女儿嫁给哀公，并且给他很多土地。公孙有山派人把这事告诉季康子，季康子害怕，派人通过越国太宰嚭劝说并献上财礼，事情才平息。

哀公二十五年

【原文】

二十五年夏五月庚辰，卫侯出奔宋。

卫侯为灵台于藉圃，与诸大夫饮酒焉。褚师声子袜而登席，公怒；辞曰："臣有疾，异于人；若见之，君将（殻）〔𦤜〕之。是以不敢。"公愈怒。大夫辞之，不可；褚师出。公戟其手，曰："必断而足！"闻之，褚师与司寇亥乘，曰："今日幸而后亡！"

公之入也，夺南氏邑，而夺司寇亥政。公使侍人纳公文懿子之车于池。

初，卫人翦夏丁氏，以其帑赐彭封弥子。弥子饮公酒，纳夏戊之女。嬖，以为夫人。其弟期，大叔疾之从孙甥也；少畜于公，以为司徒。夫人宠衰，期得罪。公使三匠久。公使优狡盟拳弥，而甚近信之。

故褚师比、公孙弥牟、公文要、司寇亥、司徒期因三匠与拳弥以作乱。皆执利兵，无者执斤。使拳弥入于公宫，而自大子疾之宫噪以攻公。鄄子士请御之，弥援其手，曰："子则勇矣，将若君何？不见先君乎？君何所不逞欲？且君尝在外矣，岂必不反？当今不可，众怒难犯。休而易间也。"乃出。

将适蒲，弥曰："晋无信，不可。"将适鄄，弥曰："齐、晋争我，不可。"将适泠，弥曰："鲁不足与。请适城鉏以钩越，越有君。"乃适城鉏。弥曰："卫盗不可知

也。请速！自我始。"乃载宝以归。

公为支离之卒，因祝史挥以侵卫。卫人病之。懿子知之，见子之，请逐挥。文子曰："无罪。"懿子曰："彼好专利而妄。夫见君之入也，将先道焉。若逐之，必出于南门而适君所。夫越新得诸侯，将必请师焉。"挥在朝，使吏遣诸其室。挥出，信，弗内。五日，乃馆诸外里，遂有宠；使如越请师。

六月，公至自越，季康子、孟武伯逆于五梧。郭重仆，见二子，曰："恶言多矣，君请尽之！"公宴于五梧，武伯为祝；恶郭重，曰："何肥也？"季孙曰："请饮彘也！以鲁国之密迩仇雠，臣是以不获从君，克免于大行。又谓重也肥？"公曰："是食言多矣，能无肥乎？"饮酒不乐。公与大夫始有恶。

【译文】

鲁哀公二十五年夏五月二十五日，卫出公逃亡到宋国。

卫出公在藉圃修建了灵台，和大夫们在那儿饮酒。褚师比穿着袜子走上席子，卫出公发怒。褚师比解释说："下臣脚上有疮，和别人不一样，如果看到我的脚，君主会呕吐的，因此不敢脱袜。"卫出公更加愤怒，大夫们都劝说此事，卫出公还是不听。褚师比退出，卫出公一手叉腰，说："一定要砍断你的脚！"褚师比听到了，和司寇亥同坐一辆车，说："今天幸运才逃出来。"

卫出公回国时，剥夺了公孙弥牟的封邑，又夺取了司寇亥的权。还派侍人把公文懿子的车子投进池塘里。

起初，卫国人灭了夏戍家族，把他们的财产赐给彭封弥子。弥子请卫出公喝酒，把夏戍的女儿送给他，很受出公宠爱，让她做了夫人。她的弟弟夏期，是太叔疾的从外甥。小时候放在公宫里养育，卫出公让他做了司徒。夫人的受宠衰落之后，夏期也因而获罪。卫出公使用工匠们长时间不让休息，又让名叫狡的优人与拳弥盟誓，而且非常亲近信任他。所以褚师比、公孙弥牟、公文懿子、司寇亥、司徒夏期就利用工匠们和拳弥来发动叛乱，都手持锐利的武器，没有武器的拿着斧子。他们让拳弥进入公宫，其余从太子疾的宫里哄叫着攻打卫出公。鄄子士请求抵抗，拳弥牵住他的手，说："您倒是勇敢，但打算把君主怎么办？您没看到先王的事吗？君主在哪个地方不能满足欲望？而且君主曾经在国外待过了，难道一定不能回来？在现在不可抵抗，众怒难犯，等平息后就容易分化了。"于是卫出公就出走。打算前往蒲地，拳弥说："晋国没有信用，不能去。"准备前去鄄地，拳弥说："齐、晋两国都在争夺我们，不可去。"将要去泠地，拳弥说："鲁国不足以相处，请到城鉏去，以便和越国联络，越国有好君主。"于是前往城鉏。拳弥说："卫国的盗贼难以防备，请快点离开，由我先离开。"就装了宝物带回了卫国。

卫出公部署了分散的军队，凭着祝史挥做内应而侵袭卫国。卫国人对此感到担忧。公文懿子了解到这一情况，就去会见公孙弥牟，请求赶走祝史挥。公孙弥牟说："祝史挥没有什么罪过。"懿子说："那个人喜欢专横谋利而又狂妄，要是看到君回国，会为君在前面引路的。如果驱逐他,他一定会从南门出去而前往国君那里。越国刚获得诸侯拥护,他们一定会向越国请求出兵的。"祝史挥在朝廷上,公孙弥牟就派官吏把他遣送回家。祝史挥出朝后,过了两天,朝廷不再接纳他。第五天就将他迁居到都外的乡里。于是祝史挥得到卫出公宠幸,派他前往越国请求援军。

六月,鲁哀公从越国回到国内,季康子、孟武伯到五梧迎接。郭重做哀公的随从,见到了他们两位,对哀公说:"他们说的坏话可多了,君主请听他们全部说出来吧。"哀公在五梧设宴,孟武伯在席上祝酒,厌恶郭重,就说:"多么肥啊!"季康子说:"请让我罚孟孙彘喝酒!因鲁国紧靠仇国,下臣因此不能跟随君主,得以免于远行,却又去说郭重很肥。"哀公说:"这是食言太多了,能不肥吗?"喝酒喝得很不愉快,哀公开始和大夫有了嫌恶。

哀公二十六年

【原文】

二十六年夏五月,叔孙舒帅师会越皋如、(后)〔舌〕庸、宋乐茷纳卫侯。文子欲纳之,懿子曰:"君愎而虐。少待之,必毒于民,乃睦于子矣。"师侵外州,大获。出御之,大败。掘褚师定子之墓,焚之于平庄之上。

文子使王孙齐私于皋如,曰:"子将大灭卫乎?抑纳君而已乎?"皋如曰:"寡君之命无他,纳卫君而已。"文子致众而问焉,曰:"君以蛮夷伐国,国幾亡矣,请纳之。"众曰:"勿纳!"曰:"弥牟亡而有益,请自北门出。"众曰:"勿出!"重赂越人;申开守陴而纳公,公不敢入。师还。

立悼公,南氏相之。以城钮与越人,公曰:"期则为此。"令苟有怨于夫人者报之。司徒期聘于越,公攻而夺之币。期告王;王命取之,期以众取之。公怒,杀期之甥之为大子者,遂卒于越。

宋景公无子,取公孙周之子得与启畜诸公宫,未有立焉。于是皇缓为右师,皇非我为大司马,皇怀为司徒,灵不缓为左师,乐茷为司城,乐朱钮为大司寇。六卿三族降听政,因大尹以达。大尹常不告,而以其欲称君命以令;国人恶之。司城欲去大尹,左师曰:"纵之,使盈其罪。重而无基,能无敝乎?"

冬十月,公游于空泽。辛巳,卒于连中。大尹兴空泽之士千甲,奉公自空桐入,如沃宫。使召六子,曰:"闻下有师,君请六子画。"六子至,以甲劫之,曰:"君有疾病,请二三子盟。"乃盟于少寝之庭,曰:"无为公室不利!"大尹立启,奉丧殡于大宫,三日而后国人知之。司城茷使宣言于国曰:"大尹惑蛊其君而专其利;(令)〔今〕君无疾而死,死又匿之。是无他矣,大尹之罪也!"

得梦启北首而寝于卢门之外,己为(鸟)〔乌〕而集于其上,咮加于南门,尾加于桐门,曰:"余梦美,必立!"

大尹谋曰:"我不在盟,无乃逐我?复盟之乎!"使祝为载书。六子在唐盂。将盟之,祝襄以载书告皇非我。皇非我因子潞、门尹得、左师谋曰:"民与我,逐之乎?"皆归授甲,使徇于国,曰:"大尹惑蛊其君,以陵虐公室。与我者,救君者也!"众曰:"与之!"大尹徇曰:"戴氏、皇氏将不利公室。与我者,无忧不富!"众曰:"无别!"戴氏、皇氏欲伐公,乐得曰:"不可!彼以陵公有罪。我伐公,则甚焉。"使国人施于大尹,大尹奉启以奔楚。乃立得,司城为上卿。盟曰:"三族共政,无相害也!"

卫出公自城鉏使以弓问子赣,且曰:"吾其入乎?"子赣稽首受弓,对曰:"臣不识也。"私于使者曰:"昔成公孙于陈,宁武子、孙庄子为宛濮之盟而君入。献公孙于(卫)齐,子鲜、子展为夷仪之盟而君入。今君再在孙矣,内不闻献之亲,外不闻成之卿,则赐不识所由入也。《诗》曰:'无竞惟人,四方其顺之。'若得其人,四方以为主,而国于何有?"

【译文】

鲁哀公二十六年夏五月,鲁将叔孙舒率领军队会合越国的皋如、舌庸和宋国的乐茷,护送卫出公回国,公孙弥牟想要接纳。公文懿子说:"国君固执而又暴虐,只要稍等些时候,他一定会加害百姓,百姓就和您亲睦了。"联军侵袭外州,大肆劫掠。卫军出城抵抗,大败。卫出公挖开褚师定子的坟墓,在平庄陵上把棺材烧了。

公孙弥牟派王孙齐去和皋如私下见面,说:"您是打算彻底灭亡卫国呢?还是把国君送回去罢了呢?"皋如说:"寡君的命令没有别的,送回卫君罢了。"公孙弥牟召来众人征求意见,说:"国君利用蛮夷来攻打国家,国家几乎要灭亡了,请接纳他。"大家说:"不要接纳。"公孙弥牟又说:"如果我逃亡而对国家有好处,请让我从北门逃出。"众人说:"不要出逃。"于是送给越国人很多的财货,层层打开城门,守住城墙而接纳卫出公,但卫出公不敢进入都城。联军撤回去了。卫国立了悼公为国君,公孙弥牟做他的宰相。把城鉏给了越国人。卫出公说:"司徒期干的这事!"就叫对夫人如果有怨恨的人报复夫人。司徒期到越国聘问,出公攻击他并且夺走了他带的礼物。司徒期报告越王,越王命令把财礼夺回,司徒期率领部众又夺回了财礼。出公发怒,杀了司徒期的外甥中可以立为太子的人。出公最后死在越国。

宋景公没有儿子,收了公孙周的儿子得和启两人,抚养在公宫里,没有立他们为继承人。当时皇缓做右师,皇非我做大司马,皇怀做司徒,灵不缓做左师,乐茷做司城,乐朱鉏做大司寇,六卿三族共同掌政,通过大尹上达宋景公。大尹常常不禀告景公,而按照他自己的意愿假称君令来发号施令,国内人们都厌恶他。司城想要去掉大尹,左师说:"先放一放,让他恶贯满盈。权势过重而没有基础,能不败坏吗?"

冬十月,宋景公在空泽游览。初四日,死在连中馆。大尹发动空泽的甲士一千人,护送景公的尸体从空桐进入都城,回到沃宫,派人召来六卿,说:"听说底下有军队造反,君主请六位前来策划。"六卿到达,大尹派甲士劫持他们,说:"君主有重病,请各位盟誓。"于是在景公小寝的庭院里盟誓,说:"不要干对公室不利的事!"大尹立启为继承人,护送景公的灵柩停放到祖庙大宫。三天后,国人才知道景公死了。司城茷派人在国都宣传说:"大尹蛊惑他的国君并且独揽权利,现在君主没有疾病就死去,死了又被隐瞒,这没有别的,就是大尹的罪过。"景公的养子得梦见启头向北边睡在卢门之外,自己变成乌鸦停在他身上,嘴巴搁在南门上,尾巴架在桐门上。得因此说:"我的梦很好,我必定会立为国君。"

大尹和人商议说:"我没参加盟誓,恐怕会赶我走,再举行一次盟誓吧!"叫祝人起草了盟书。六卿正在唐盂,打算与大尹盟誓。祝襄拿盟书去报告皇非我,皇非我与乐茷、乐得、左师商议说:"老百姓赞成帮助我们,把大尹赶跑吧!"都回去发放武器装备,让部下在国都内巡行宣扬说:"大尹蛊惑他的国君,欺凌残害公室成员。帮助我们的人,就是救助君主的人。"大伙说:"帮助他们。"大尹也派人巡行宣布说:"戴氏、皇氏两族将要危害公室,帮助我的人,不必担忧不富裕。"大家说:"他和危害公室的人没有区别。"戴氏、皇氏想要攻打新立为君的启,乐得说:"不可以。大尹因欺凌国君而有罪,我们攻打国君,就比他更过分了。"就动员国内人们清算大尹的罪行,大尹侍奉启逃奔楚国,于是立了得为国君,司城乐茷做了上卿。盟誓说:"三族共掌国政,不要互相残害。"

卫出公从城鉏派人带了宝弓去问候子赣,并且说:"我可以回到国内吗?"子赣磕头接受了宝弓,回答说:"我不知道。"私下对使者说:"过去成公流亡陈国,宁武子、孙庄子订立宛濮之盟然后成公回国。献公流亡齐国,子鲜、子展订立夷仪之盟然后献公回国。如今国君两度流亡在外了,在国内没听说有献公亲信那样的人,在国外没听说有成公贤卿那样的人,所以我就不知道有什么条件回国了。《诗》中说:'最强不过得贤人,四方人们都顺从。'如果得到那样的贤人,四方的人们把他作为主人,要得到国家有什么难的。"

哀公二十七年

【原文】

二十七年春,越子使(后)〔舌〕庸来聘,且言邾田,封于骀上。二月,盟于平阳,三子皆从。康子病之,言及子赣,曰:"若在此,吾不及此夫!"武伯曰:"然。何不召?"曰:"固将召之。"文子曰:"他日请念。"

夏四月己亥,季康子卒。公吊焉,降礼。

晋荀瑶帅师伐郑,次于桐丘。郑驷弘请救于齐。齐师将兴,陈成子属孤子,三日朝。设乘车两马,系五邑焉。召颜涿聚之子晋,曰:"隰之役,而父死焉。以国之多难,未女恤也。今君命女以是邑也,服车而朝,毋废前劳。"乃救郑。及留舒,违穀七里，谷人不知。及濮，雨，不涉。子思曰："大国在敝邑之宇下，是以告急。今师不行，恐无及也！"成子衣制杖戈，立于阪上；马不出者，助之鞭之。知伯闻之，乃还，曰："我卜伐郑，不卜敌齐。"使谓成子曰："大夫陈子，陈之自出。陈之不祀，郑之罪也，故寡君使瑶察陈衷焉，谓大夫'其恤陈乎'？若利本之颠，瑶何有焉？"成子怒，曰："多陵人者皆不在，知伯其能久乎？"

中行文子告成子。曰："有自晋师告寅者，将为轻车千乘，以厌齐师之门，则可尽也。"成子曰："寡君命桓曰：'无及寡，无畏众。'虽过千乘，敢辟之乎？将以子之命告寡君。"文子曰："吾乃今知所以亡。君子之谋也，始、衷、终皆举之而后入焉。今我三不知而入之，不亦难乎？"

公患三桓之侈也，欲以诸侯去之。三桓亦患公之妄也，故君臣多间。公游于陵阪，遇孟武伯于孟氏之衢，曰："请有问于子，余及死乎？"对曰："臣无由知之。"三问，卒辞不对。

交龙纹鼎

公欲以越伐鲁而去三桓。秋八月甲戌，公如公孙有陉氏，因孙于邾，乃遂如越。国人施公孙有山氏。

悼之四年，晋荀瑶帅师围郑。未至，郑驷弘曰："知伯愎而好胜，早下之，则可行也。"乃先保南里以待之。知伯入南里，门于桔柣之门。郑人俘酅魁垒，赂之以知政，闭其口而死。

将门，知伯谓赵孟："入之。"对曰："主在此。"知伯曰："恶而无勇，何以为子？"对曰："以能忍耻，庶无害赵宗乎！"知伯不悛，赵襄子由是慭知伯，遂丧之。知伯贪而愎，故韩、魏反而丧之。

【译文】

鲁哀公二十七年春天，越王勾践派舌庸来鲁国聘问，并且提起邾国土田的事，商定在骀上一带划分鲁、邾两国的疆界。二月，在平阳会盟，季康子、叔孙文子、孟武伯三人都跟随哀公前去。季康子对会盟感到痛心，谈到子赣，说："他如果在这里，我不会参加这种会盟的！"孟武伯说："是这样。为什么不叫子赣来呢？"季康子说："本来要叫他来。"叔孙文子说："别的时候也请记得他。"

夏四月二十五日，季康子死了，鲁哀公为他吊丧，礼节降低了等级。

晋国的荀瑶率军队攻打郑国，驻扎在桐丘。郑国的驷弘到齐国请求救援。齐国的军队准备出动，陈成子召集阵亡将士的遗孤在三天内上朝。为此设立了一辆车两匹马，加上五个城邑。召来颜涿聚的儿子颜晋，对他说："犂地那次战役，你的父亲战死在那里。因为国家多难，没有抚恤你。现在君主命令把这个城邑封给你，你驾上车子去朝见国君，不要废弃了以前你父亲的功劳。"于是出兵救援郑国。

齐军到达留舒，离开谷地七里，谷地人不知道。到达濮水，下雨，没有渡河。子思说："大国的军队到了敝国的屋檐下，因此告急。今天部队不前进，恐怕来不及了。"陈成子穿着雨衣挂着戈，站在山坡上，马不肯出来的，就帮着用鞭子赶。荀瑶听说了，就收兵回去，说："我占卜过攻打郑国，没有占卜抵挡齐军。"派使者对陈成子说："大夫陈子，是从陈国分支出来的。陈国断了香火，是郑国的罪过，所以寡君派我来考察陈国被灭亡的个中缘由，说大夫您该会忧虑陈国吧？如果认为陈国倒台有好处，对我荀瑶有什么呢？"陈成子发怒说："欺人太多的人都没有好结果，荀瑶难道能长久吗？"中行文子告诉陈成子说："有人从晋国军中来告诉我，晋军准备组织一千辆轻捷的战车，来攻陷齐军的营门，就可以全歼齐军。"陈成子说："寡君命令我：'不要追赶人少的敌人，也不要害怕人多的敌人。'即使超过一千辆兵车，敢躲避他们吗？将拿您的命令禀告寡君。"中行文子说："我今天才知道自己之所以逃亡的原因。君子的谋划，开头、中间、结局都要考虑到，然后进宫禀报。现在我三方面都不了解就入朝禀报，不也很难吗？"

鲁哀公担心孟孙、叔孙、季孙这三桓的猖狂放肆，想要利用诸侯去掉他们。三桓也担忧哀公的狂乱，所以君臣之间多有隔阂。有次哀公在陵阪游玩，在孟氏邑中的大路上遇到孟武伯，说："请问您，我能达到寿终正寝吗？"武伯回答说："下臣无从知道。"问了三次，始终推辞不肯回答。哀公想要利用越国攻打鲁国而去掉三桓，秋天八月初一日，哀公去到公孙有陉氏那里，因而流亡到邾国，随即就去了越国。国内的人们弹劾拘捕了公孙有山氏。

鲁悼公四年，晋国荀瑶率领军队包围郑国，还未到达，郑国驷弘说："荀瑶固执而好胜，早点向他们低头，就可以使他们走了。"于是预先据守南里以等待晋军。荀瑶进入南里，攻打桔柣之门。郑国人俘虏了晋将鄾魁垒，用执掌大卿的政事来收买他，他不肯，就堵住他的嘴而把他捂死了。将要攻门，荀瑶对赵孟说："攻进去！"赵孟回答说："主人在此。"荀瑶说："你丑陋而懦弱，凭什么成为太子的？"赵孟回答说："因为能忍受耻辱，大概对赵氏家族没有危害吧！"荀瑶不悔改，赵孟从此忌恨荀瑶，荀瑶于是想灭亡他。荀瑶贪婪而固执，所以韩国、魏国反过来联合赵国灭亡了他。

张居正注评《四书》

四书五经 第二部分

马博 ◎ 主编

导 读

　　唯一留存至今的《四书》皇家读本是两朝帝师、内阁首辅张居正讲给万历皇帝一人读的《四书》读本，也是康熙大帝一生最爱读的《四书》读本。《大学》、《中庸》、《论语》和《孟子》是儒家的基本经典，欲读圣贤书，求真实理者，不可不读。因此说张居正讲解的《四书》皇家读本，更值得今日国人品读。

　　张居正，汉族，字叔大，少名白圭，号太岳，谥号"文忠"，湖广江陵（今属湖北）人，又称张江陵，明代政治家，改革家，中国历史上最优秀的内阁首辅，明代最伟大的政治家。张居正5岁入学，7岁能通六经大义，12岁考中了秀才，13岁时就参加了乡试，写了一篇非常漂亮的文章，只因湖广巡抚顾璘有意让张居正多磨练几年，才未中举。16岁中了举人，嘉靖二十六年（1547年）23岁中进士，由编修官至侍讲学士令翰林事。隆庆元年（1567年）任吏部左侍郎兼东阁大学士，隆庆时与高拱并为宰辅，为吏部尚书、建极殿大学士。万历初年，与宦官冯保合谋逐高拱，代为首辅。当时明神宗年幼，一切军政大事均由张居正主持裁决，前后主政10年，实行了一系列改革措施，收到一定成效。他清查地主隐瞒的田地，推行一条鞭法，改变赋税制度，使明朝政府的财政状况有所改善；用名将戚继光、李成梁等练兵，加强北部边防，整饬边镇防务；用潘季驯主持浚治黄淮，亦颇有成效。万历十年（1582年）卒，赠上柱国，谥文忠。死后不久即被宦官张诚及守旧官僚所攻讦，抄其家；至天启时方恢复名誉。著有《张太岳集》、《书经直解》等。

　　张居正注评《四书》是明朝万历年间的内阁首辅张居正连同翰林院讲官等人专门写给当时的小万历皇帝朱翊钧（明神宗）一人读的。该书曾在明朝年间得到刻印，根据记载，"1651年张居正所注《四书》再次付梓，题《张阁老直解》。吴伟业在为这部书所作的序中谈到张居正给孩提时的万历皇帝当老师时，充满美慕之情，"（吴伟业（1609~1672），字骏公，号梅村，江苏太仓人；明崇祯四年进士，官左庶子。弘光朝，任少詹事。入清顺治时，官国子监祭酒，以母丧告假归里。）康熙年间，内阁学士徐乾学（徐乾学，字原一。号健庵，昆山（今属江苏）人。康熙九年进士，官内阁学士，刑部侍郎。）又将此书翻刻。该刻本至今在民间依旧有流传，可见该书当时影响之大。

　　徐乾学评道："盖朱注以翼四书，直解有所以翼注。"

　　康熙帝在读此书后如此说道："朕阅张居正尚书四书直解，义俱精实，无泛设之词，可为法也。"

大学

大，旧音泰，今读如字。

子程子曰："《大学》孔氏之遗书，而初学入德之门也。于今可见古人为学次第者，独赖此篇之存，而论孟次之。学者必由是而学也，则庶乎其不差矣。"

【原文】

《大学》之道，在明明德，在亲民，在止于至善。

【张居正注评】

张居正

这一章是孔子的经文，这一节是经文中的纲领。孔子说："大人为学的道理有三件。一件在明明德。上明字，是用工夫去明他。明德，是人心虚灵不昧，以具众理而应万事的本体。但有生以后，为气禀所拘，物欲所蔽，则有时而昏，故必加学问之功，以充开气禀之拘，克去物欲之蔽，使心之本体，依旧光明，譬如镜子昏了，磨得还明一般，这才是有本之学，所以《大学》之道，在明明德。一件在亲民。亲字，当作新字，是鼓舞作兴的意思；民，是天下的人，天下之人，也都有这明德，但被习俗染坏了，我既自明其明德，又当推以及人，鼓舞作兴，使之革去旧染之污，亦有以明其明德。譬如衣服浣了，洗得重新一般，这才是有用之学，所以《大学》之道，在新民。一件在止于至善。止，是住到个处所不迁动的意思；至善，是事理当然之极。大人明己德、新民德，不可苟且便了，务使己德无一毫之不明，民德无一人之不新，到那极好的去处，方才住了。譬如赴家的一般，必要走到家里才住，这才是学之成处，所以《大学》之道，在止于至善。"这三件在《大学》如网之有纲，衣之有领，乃学者之要务，而有天下之责者，尤当究心也。

【原文】

知止而后有定，定而后能静，静而后能安，安而后能虑，虑而后能得。

【张居正注评】

这一节是承上文说明德、新民所以得止至善之由。止，就是止于至善的止字。定，是志有定向。人若能先晓得那所当止的去处，其志便有定向，无所疑惑，所以说知止而后有定。静，是心不乱动，所向既定，心里便自有个主张，不乱动了，所以说定而后能静。定，是安稳的意思，心里既不乱动，自然随处皆安，凡物都动摇他不得，所以说静而后能安。虑，是处事精详，心里既是安闲，则遇事之来，便能仔细思量，不忙不错，所以说安而后能虑。得，是得其所止，既能处事精详，则事事自然停当，凡明德、新民，都得了所当止的至善，所以说虑而后能得。夫由知止而后至于能得，可见欲止至善者，必当先知所止也。

【原文】

物有本末，事有终始，知所先后，则近道矣。

【张居正注评】

这一节是总结上面两节的意思。物，指明德、新民而言。本，是根本。末，是末梢。明德了才可新民，便是明德为本，新民为末，恰似树有根梢一般。事，指知止、能得而言。终，是临了。始，是起头。知止了，方才能得，便是知止为始，能得为终，如凡事都有个头尾一般。这本与始，是第一要紧的，该先做；末与终，是第二节功夫，该后面做。人能晓得这先后的次序顺着做去，则路分不差，自然可以明德新民，可以知止能得，而于大学之道，为不远矣。

【原文】

古之欲明明德于天下者，先治其国；欲治其国者，先齐其家；欲齐其家者，先修其身；欲修其身者，先正其心；欲正其心者，先诚其意；欲诚其意者，先致其知，致知在格物。

【张居正注评】

这一节是《大学》的条目功夫，其序如此。诚，是实。致，是推极。知，是识。格，是至。物，是事物。孔子说："明德新民，固大人分内之事，而工夫条目，则有所当先。在昔古之人君，任治教之责，要使天下之人，都有以明其明德者，必先施教化，治了一国的人，然后由近以及远。盖天下之本在国，故欲明明德于天下者，先治其国也。然要治一国的人，又必先整齐其家人，以为一国的观法，盖国之本在家，故欲治其国者，先齐其家也。然要齐一家的人，又必先修治己身，以为一家之观法，盖家之本在身，故欲齐其家者，先修其身也。身不易修，而心乃身之主宰，若要修身，又必先持守得心里端正，无一些偏邪，然后身之所行，能当于理。所以说，欲修其身者，先正其心。心不易正，而意乃心之发动，若要心正，又必先实其意念之所发不少涉于欺妄，然后心之本体能得其正。所以说，欲正其心者，先诚其意。至于心之明觉谓之知，若要诚实其意，又必先推及吾心之知，见得道理无不明白，然后意之所发或真或妄，不至错杂，所以说，欲诚其意者，先致其知。理之散见寓于物，若要推及其知，在于穷究事物之理，直到那至极的去处，然后所知无有不尽，所以说，致知在格物。"这格物、致知、诚意、正心、修身，是明明德的条目；齐家、治国、明明德于天下，是新民的条目。人能知所先后，而循序为功，则己德明、民德新，而止至善在其中矣。《大学》之道，岂有外于此哉！

【原文】

物格而后知至，知至而后意诚；意诚而后心正，心正而后身修；身修而后家齐，家齐而后国治，国治而后天下平。

【张居正注评】

这一节是复说上文的意思。至，是尽处，人能于天下事物的道理，一一都穷究到极处，然后心里通明洞达，无少亏蔽，而知于是乎可至。夫物格而后知至，可见致知在于格物也。知既到了至处，然后善恶真妄，见得分明，心上发出来的念虑，都是真实，无些虚假，而意于是乎可诚。夫知至而后意诚，可见欲诚其意者，当先致其知也。意诚，然后能去得私欲，还得天理，而虚灵之本体，可以端正而无偏。夫意诚而后心正，可见欲正其心者，当先诚其意也。正心，然后能检束其身，以就规矩，凡所举动，皆合道理，而后身无不修。夫心正而后身修，可见欲修其身者，当先正其心也。身修，然后能感化那一家的人，都遵我的约束，家可得而齐矣。夫身修而后家齐，可见欲齐其家者，当先修其身也。家齐，然后能感化那一国的人，都听我的教训，国可得而治矣。夫家齐而后国治，可见欲治其国者，当先齐其家也。国治，然后能感化那天下的人，都做良民善众，与国人一般，天下可得而平矣。夫国治而后天下平，可见欲明明德于天下者，当先治其国也。物格知至，是知所止了。意诚、心正、身修，是明德得其所止的事；家齐、国治、天下平，是新民得其所止的事。圣经反复言之，一以见其次第不可紊乱，一以见其工夫不可缺略，此入大学者之所当知也。

【原文】

自天子以至于庶人，壹是皆以修身为本。

【张居正注评】

壹是解做一切。孔子说："大学的条目虽有八件，其实上自天子，下至庶人，尽天下的人，一切都要把修身做个根本。"盖格物致知，诚意正心，都是修身的工夫。齐家、治国、平天下，都是从修身上推去。所以人之尊卑，虽有不同，都该以修身为

本也。

【原文】

《康诰》曰："克明德。"《太甲》曰："顾諟天之明命。"《帝典》曰："克明峻德。"皆自明也。

【张居正注评】

这一章是曾子解释经文"明明德"的说话。《康诰》是《周书》篇名。克，是能。德，是人生所得之理。武王作书告康叔说："人皆有德，但为气禀物欲所蔽，以致昏昧不明，惟文王能明之，无一毫之昏昧，所以为周之圣君。"《太甲》是《商书》篇名。顾，是常常地看着。諟字，解作此字。明命，即是明德，以其为天所赋予之理，所以又叫做明命。伊尹作书告太甲说："人皆有此明命，而心志放逸忽忘者多，惟成汤能心上时时存着，恰似眼中时常看着的一般，无一时之怠玩，所以为商之圣君。"《帝典》是《书经》中《尧典》。峻，是大。《尧典》中说："人皆有这大德，被私欲狭小了，惟尧能明之，至于光四表而格上下，所以为唐之圣君。"自是自己。曾子解说："这三书所言，虽是不同，然曰德、曰明命、曰峻德，即是经文所谓明德也。曰克明、曰顾諟，又曰克明，即是经文所谓明明德也。"总来，都是自明己德的意思，所以说皆自明也。

【原文】

上传之首章，释明明德。

【张居正注评】

传，是训解其义以传于世的意思。首章是头一章，释字，即是解字。曾子将上面孔子的经文，逐渐解释其义，分为十章，这首章是解明明德，后九章仿此。

【原文】

汤之盘铭曰："苟日新，日日新，又日新。"

【张居正注评】

这一章，是解释经文新民的说话。盘，是沐浴的盆。铭，是刻在盆上以自警的言语。苟字，解做诚字。商王成汤以人心本自清明，却被私欲污了，必须洗去那私欲，使其从新清明，就如人身本自干净，却被尘垢污了，必须洗去那尘垢，使其从新干净一般。乃刻铭于沐浴的盘上说道：为人君者，诚能一日之间，着实用力洗去那旧染之污，而复其本然之善，这功夫却不可间断了，必当因其已新者，而日新之，又日新之，务使私欲净尽，心地极其清明，如沐浴的一般，洗得身子极其干净方可，这是自新的事。曾子引此，以明新民之本。

【原文】

《康诰》曰："作新民。"

【张居正注评】

《康诰》是《周书》篇名，武王告弟康叔的说话。作，是振作。《康诰》中说：百姓每，旧日虽为不善，而今若能从新为善，为人君者，就当设法去鼓舞振作他，使之欢喜踊跃，乐于为善，曾子引此，以明新民之事。

【原文】

《诗》曰："周虽旧邦，其命维新。"

【张居正注评】

《诗》，是《大雅·文王》篇。邦，是国都。命，是天命。诗人说："周自后稷以来，千有余年，皆为诸侯之国，到文王能新其德，以及于民，乃始受天命而有天下，是其邦虽旧，而其命则新也。"曾子引此，以明自新新民之极。

【原文】

是故，君子无所不用其极。

【张居正注评】

是故，是承上文说。君子，是大人成德之名。极，即是至善。曾子说："由上文盘铭、《康诰》、文王之诗观之，可见自新新民，必要到那极处才好，所以君子无所不用其极。"新自家的德与新民的德，都要到那至善的去处而后已也。这一章虽是释新民，然起头说日新，便是明德的事，末后说无所不用其极，便是止至善的事，而大学之道，备在是矣。

上传之二章，释新民。

【原文】

《诗》云："邦畿千里，维民所止。"

【张居正注评】

这一章是释经文止于至善的说话。《诗》，是《商颂·玄鸟》篇。诗人说："王者所都的京畿地方，其广千里，百姓每都居止于此。"曾子引此，以见凡物各有所当止之处也。

【原文】

《诗》云:"缗蛮黄鸟,止于丘隅。"子曰:"于止,知其所止,可以人而不如鸟乎?"

【张居正注评】

《诗》,是《小雅·缗蛮》篇。缗蛮,是鸟声。丘隅,是山阜树多的所在。诗人说:"那缗蛮的黄鸟,都栖止于山阜树多的所在。"孔子读这两句诗,因有感而说:"黄鸟是个微物,于其止也,尚晓得所当止的好处,人为万物之灵,岂可反昧其所止,而禽鸟之不如乎?"夫鸟所当止的是林木,人所当止的是止善。孔子借鸟以警人,而曾子引之,以见人当知所止也。

【原文】

《诗》云:"穆穆文王,于缉熙敬止。"为人君,止于仁;为人臣,止于敬;为人子,止于孝;为人父,止于慈;与国人交,止于信。

【张居正注评】

上节既说人不可不知所止,这一节因说圣人能得所止。《诗》,是《大雅·文王》篇。穆穆,是深远的意思。于,是叹美辞。缉,是继续。熙,是光明。敬止,是无不敬而安所止。诗人说:"穆穆深远的文王,其德则继续光明,无不敬而安所止。"曾子引此诗而释之说:"所谓文王之敬止者何如,如为君的道理在于仁,文王之为人君,所存的是仁心,所行的是仁政,尽所以为君之道,而无一毫之不仁,这是止于仁。为臣的道理在于敬,文王之为人臣,忠诚以立心,谨恪以奉职,尽所以为臣之道,而无一毫之不敬,这是止于敬。为子道理在于孝,文王之为人子,事奉他父母,常怀着爱慕的意念,于那为子的道理,竭尽而无所遗,这是止于孝。为父的道理在于慈,文王之为人父,教诲他儿子,都成了继述的好人,于那为父的道理,曲尽而无以加,这是止于慈。与人交的道理在于信,文王之与国人交,言语句句都是诚实,政事件件都有始终,尽得那交接的道理,而无一毫之不信,这是止于信。文王之能得其止如此,诗人所谓敬止者也。"夫文王之敬止,盖不止至此五件,而五者乃其大端,学者诚能体察于此,而推类以尽其余,则止善可得而止矣。

【原文】

《诗》云:"於戏!前王不忘。"君子贤其贤而亲其亲,小人乐其乐而利其利,此以没世不忘也。

【张居正注评】

《诗》是《周颂·烈文》篇。於戏,是叹词。前王指文王武王,君子指后贤后王,小人指后世的百姓。诗人叹说:"文王武王虽去世已远,而天下之人至今犹思慕他,终不能忘。"曾子释诗说:"文王武王所以能使人思慕不忘者,盖因他有无穷的功德,留在后世耳。如垂谟烈以佑启后人,是其贤也。后来的贤人每都守其模范,而贤其贤。创基业以传与子孙,是其亲也,后来的王者,都有所承藉而亲其亲。治安天下,使世世享太平之福,是他遗后人的乐处,而后民则含哺鼓腹,以享其所遗之乐,分田制里,使百姓每永远为业,是他与后人的利益,而后民则安居粒食,以享其所遗之利。夫贤贤亲亲,是君子得其所矣;乐乐利利,是小人得其所矣。此所以文王武王去世虽远,而人心追思之,终不能忘也。"此一节是说新民之止于至善。

上传之三章,释止于至善。

【原文】

子曰:"听讼,吾犹人也。必也使无讼乎?"无情者不得尽其辞,大畏民志,此谓知本。

【张居正注评】

这一章是释经文物有本末的说话。听,是听断。讼,是争讼;犹人,是与人一般。情,是情实。辞,是争讼的言辞。畏,是畏服。曾子引孔子之言说道:"若论听断词讼,使他曲直分明,我也能与人一般,不为难事,必是使那百姓每相敬相爱,自然无有争讼,乃为可贵耳。"孔子之言如此。曾子又申解之说:"那争讼的人,心中习诈不实,他的言辞多有虚诞,圣人能使那不实的人,不敢尽其虚诞之辞者,岂是刑法以制之哉!"盖由圣人盛德在上,大能畏服民之心志,使之化诈伪而为诚实,自然无有颠倒曲直,以虚辞相争的,所以讼不待听而自无也。夫无讼,是民德之新,所以使民无讼,是己德之明。必己德明了,然后可使民无讼,则明德为本,而在所当先,新民为末,而在所当后矣。所以说此谓知本,而经文所谓物有本末者,盖以此。

上传之四章,释本末。

【原文】

此谓知本。

【原文】

此谓知之至也。

【张居正注评】

上一句,前面已有了。此是错误重出。后一句,是个结语的口气,上面必有说话,是古人传流失落了。

【原文】

所谓诚其意者，毋自欺也。如恶恶臭，如好好色，比之谓自谦，故君子必慎其独也。

【张居正注评】

这一章是解释经文诚意的说话。毋，是禁止之辞。自欺，是自己欺谩，不肯着实。谦字读做慊字，慊是心中快足。独，是心上念虑发动，独自知道的去处。曾子说："经文所谓诚其意者，是要人于意念发动之时，就真真实实禁止了那自己欺谩的意思，使其恶恶如恶恶臭的一般，是真心恶他，而于恶之所在，务要决去。好善如好好色的一般，是真心好他，而于善之所在，务要必得，这等才是好善恶恶的本心，无有亏欠，才得个自己心上快足，所以谓之自慊。然欺曰自欺，慊曰自慊，是意之实与不实，人不及知，我心里独自知道，这个去处，虽甚隐微，却是善恶之所由分，不可不谨。所以君子在此处，极要谨慎，看是自欺，便就禁止，看是自慊，便加培植，不敢有一毫苟且，亦不待发现于声色事为之际，而后用力也。"经文之所谓诚意者，盖如此。

【原文】

小人闲居为不善，无所不至，见君子而后厌然，掩其不善，而著其善。人之视己，如见肺肝然，则何益矣。此谓诚于中形于外，故君子必慎其独也。

【张居正注评】

闲居，是没人看见的去处。厌然，是消沮闭藏的模样。独，是人所不知而己所独知之地。曾子说："小人独居时，只说没人看见，把各样不好的事，件件都做出来，及至见了君子，也知惶恐，却消沮闭藏，遮盖了他的不善，假装出个为善的模样，只说哄得过人，殊不知人心至灵，自不可欺，我方这等掩饰，人看得我，已是件件明白，恰似看见那腹里的肺肝相似。似这等恶不可掩，而善不可诈，岂不枉费了那机巧之心，有甚好处，所以说则何益矣。夫掩恶诈善，如此无益，这便是实有那不好的心在里面，自然有不好的形迹露在外面，独知之地可不慎哉！此君子所以必谨慎于己所独知之地，而不敢以自欺也。"既能慎独，则其发见于外者，自无不善矣。

【原文】

曾子曰："十目所视，十手所指，其严乎！"

【张居正注评】

这是门人引曾子平日的言语，以发明上文之意。严，是可畏的意思。曾子说："那幽独去处所干的事，人只说无人看见，无人指摘，可以苟且，岂知天下之事，有迹必露，无微不彰。那为善的，虽不必求知，毕竟人自然晓得。那为恶的，虽要遮盖，毕竟也被人识破，一些掩不得，莫说无人看见，乃十目之所共视也，莫说无人指摘，乃十手之所共指也。幽独之中不可掩，一至于此，岂不甚可畏乎。"知其可畏，则慎独之功，自不容已矣。

【原文】

富润屋，德润身，心广体胖，故君子必诚其意。

【张居正注评】

这是说能慎其独的好处。润，是华美。广，是宽大。胖，是舒展的意思。人若富足，自然用度充裕，而华美其屋，人若有德，自然诚中形外，而华美其身。盖有德的人，他心里没些惭沮，便自然广大宽平，而其发于四体，亦自然从容舒展，身心内外之间，浑然是个有德的气象，所谓德润身者如此。然德自诚意中来，所以为学的君子，必慎独以诚其意，好善则如好好色，恶恶则如恶恶臭，必到那自慊去处，则德全而有润身之效矣。这一章是为学工夫极要紧处。盖克念作圣，罔念作狂，与治同道，与乱同事，都在这一念上分，是个初发动的机括，诚不可不慎也。

上传之六章，释诚意。

【原文】

所谓修身在正其心者，身有所忿懥则不得其正，有所恐惧则不得其正，有所好乐则不得其正，有所忧患则不得其正。

【张居正注评】

这一章是解释经文正心修身的说话。身有的身字，当作心字。忿懥，是心里恼怒。恐惧，是心里畏怕。好乐，是心里喜好。忧患，是心里愁虑。有所，是有那一件事在心里执着，如不当怒而怒，或虽当怒，却又怒的过了，着这一件恼怒的事横在胸中，便是有所忿懥。下面三句，都是此意。曾子说："经文所谓修身在正其心者，盖言心是一身的主宰，而心体至虚，原着不得一物，一有所着，则心即为所累，而不得其正，着在怒的一边，而有所忿懥，则心为忿懥所累，而不得其正矣。着在畏的一边，而有所恐惧，则心为恐惧所累，而不得其正矣。着在喜的一边，而有所好乐，则心为好乐所累，而不得其正矣。着在忧的一边，而有所忧患，则心为忧患所累，而不得其正矣。"盖忿懥、恐惧、好乐、忧患，乃心之用，人情之所不能免也。但四者在人，本有当然之则，若能随事顺应，而各中其则，事已即化，而不留于中，则心之本体，湛然常虚，如明镜一般，何累之有？唯其欲动情胜，或发之过当，而留滞于中，如明镜上着了尘垢一般，由是虚灵之体为其所累，而不得其正矣。心不能正，而欲身之修岂可得乎？下文视听饮食之失其职，便是身不修处。

【原文】

心不在焉，视而不见，听而不闻，食而不知其味。

【张居正注评】

承上文说，人心为一身之主，必心君泰然而后众体从令，各得其职，若有所忿懥、恐惧、好乐、忧患，则这心便被那一件事牵引去了，不在里面。心既不在，则眼虽看着，也如不见，耳虽听着，也如不闻，口内虽吃着饮食，也不晓得是什么滋味。盖目之于视，耳之于听，口之于味，皆吾身之用，而所以视，所以听，所以知味者，皆心也。故心不在，而众体皆失其职矣。这是心不能正，身便不修如此。

【原文】

此谓修身在正其心。

【张居正注评】

这是结上文两节的意思，说人心有所忿懥、恐惧、好乐、忧患而不得其正，则虽视听食味至切近处，尚不能辨，况于出入起居、应事接物之际，岂能得其理乎？可见心为一身之主，不能正心者，必不可以修身也。经文所谓"欲修其身，先正其心"者，意盖如此。君子诚能静而存养，动而省察，务使此心湛然虚明，随事顺应，而喜怒忧惧，各中其则，则心正身修，而家国天下，皆从而理矣。岂特视听食味之间，能得其正而已哉。

上传之七章，释正心修身。

【原文】

故谚有之曰："人莫知其子之恶，莫知其苗之硕。"

【张居正注评】

谚是俗语。苗是田苗。硕是茂盛。言人情既陷于一偏，便随处偏了，都见不得。所以俗语说人之溺爱者不明，他的儿子虽是不肖，也不知道，只说是好。贪得者心无厌足，他的田苗虽是茂盛，也不见得，只嫌不茂盛。偏之为害，一至于此。

【原文】

此谓身不修，不可以齐其家。

【张居正注评】

即上文说偏之为害上看来。可见欲齐家者，必须先修其身。若果情有所偏，事皆任意，却要感化得一家的人，使其无小无大，都在伦理之中，而无有参差不齐者，断无此理。所以说身不修不可以齐其家。

上传之八章，释修身齐家。

【原文】

所谓治国必先齐其家者，其家不可教而能教人者无之。故君子不出家而成教于国。孝者所以事君也，弟者所以事长也，慈者所以使众也。

【张居正注评】

这是解释经文齐家治国的说话。曾子说："经文所谓欲治其国必先齐其家者谓何？盖家乃国之本，若不能修身以教其家，使一家之人有所观法，却能教训那一国之人，使之感化，绝无此理。所以在上的君子，只修身以教于家，使父子、兄弟、夫妇各尽其道，则身虽不出家庭，而标准之立，风声之传，那一国的百姓，自然感化，也都各尽其道，而教成矣。所以然者何也？盖家国虽异，其理则同，如善事其亲之谓孝，然国之有君，与家之有亲一般，这事亲的道理，即是那事君的道理。善事其兄之谓弟，然国之有长，与家之有兄一般，这事兄的道理，即是那事长的道理。抚爱卑幼之谓慈，然国之有众百姓每，与家之有卑幼一般，这抚爱卑幼的道理，即是那使众百姓的道理。"夫孝、弟、慈三件，是君子修身以教于家的。然而国之所以事君、事长、使众之道，不外乎此，此君子所以不出家而教自成于国也。

【原文】

《康诰》曰："如保赤子。"心诚求之，虽不中，不远矣。未有学养子而后嫁者也。

【张居正注评】

这一节是承上文说，见孝、弟、慈之理，是人心原有，不待强为的意思。《康诰》是《周书》篇名，赤子是初生的小儿。武王作书告康叔说：为人君者，保爱那百姓每，当如慈母保爱那初生的小儿一般。曾子引此诗而解释之说："初生的小儿，不会说话，要保爱他。怎能够晓得他的意思，只是为母的爱子之心，诚切恳至，以其诚切恳至之心，而忖度赤子之意，虽不能一一都合着他，也差不远矣。然这个保赤子之心，人人自有不学自会。几曾见为女子的，先学会了抚养孩子的方法，然后才去嫁人，可见皆出于自然，而不待于勉强也。"夫慈幼之心，既出于自然，则孝弟之心，亦未有不出于自然者，但能识其端而推广之，则所以不出家而成教于国者，在是矣。

【原文】

一家仁，一国兴仁；一家让，一国兴让；一人贪戾，一国作乱。其机如此，此谓一言偾事，一人定国。

【张居正注评】

　　这一节是言教成于国之效。仁，是以恩相亲。让，是以礼相敬。一人，指君说。贪，是好利。戾，是背理。机，是机关发动处。偾，是覆败。曾子承上文说："君子不出家而成教于国者，既本乎一理，又出于自然。人君果能以仁教于家，使一家之中，父慈子孝，欢然有恩以相亲，则一国之为父子的，得于观感，也都兴起于仁矣。能以让教于家，使一家之中，兄友弟恭，秩然有礼以相敬，则一国之为兄弟的，得于观感，也都兴起于让矣。若为君的，不仁不让，好利而取民无制，背理而行事乖方，则一国之人，也都仿效，而悖乱之事由此而起矣。夫一国之仁让，由于一家；一国之作乱，由于一人。可见上以此感，则下以此应，其机关发动处，自然止遏不住有如此。所以古人说道：一句言语说得差失，便至于坏事，人君一身行得好时，便能安定其国，正此之谓也。"为人上者，可不戒贪戾以绝祸乱之端，而躬行仁让，以为定国之本哉？

【原文】

　　尧、舜帅天下以仁，而民从之；桀、纣帅天下以暴，而民从之。其所令反其所好，而民不从，是故君子有诸己，而后求诸人，无诸己而后非诸人。所藏乎身不恕，而能喻诸人者，未之有也。

【张居正注评】

　　帅，是帅领。令，是政令。恕，是推己及人的道理。藏，是存。喻，是晓喻。此承上文说，尧舜之为君，存的是仁心，行的是仁政，是以仁帅领天下也。那时百姓看着尧舜的样子，也都感化，相亲相让，而从其为仁。桀纣之为君，存心惨刻，行政残虐，是以暴帅领天下也。那时百姓看着桀纣的样子，他也都效尤，欺弱凌寡，而从其为暴。即此看来，可见人君一身，是百姓的表帅，上行下效，理势自然，若使人君所好的是暴，而出令以教天下者却是仁，这便是所令反其所好了，那百姓每谁肯从他？惟其如此，所以在上位的君子虽教人为善去恶，是其职分，必先反诸其身，自家有这善，然后责成人，使他劝勉于善，自家无这恶，然后说人不是，使他改正其恶，这是推己及人，恕之道也。然后人才肯顺从我，我才能晓喻得人。若自家不能有善而无恶，恶却责人之善，正人之恶，这便是存乎己身者不恕了。如此而能晓喻人，使之从我为善而去恶，绝无此理，所以说未之有也。

【原文】

　　故治国在齐其家。

【张居正注评】

　　这一句是通结上文。曾子又说："看来一身之举动，一家之趋向所关，一家之习尚，一国之观瞻所系，人若不能修身而教于家，必不能成教于国。故人要治那一国的百姓，不必远求，只在乎修身以教于家而已，盖齐家是治国的根本也。"

【原文】

《诗》云："桃之夭夭，其叶蓁蓁，之子于归，宜其家人。"宜其家人，而后可以教国人。

【张居正注评】

前面释齐家治国之意已尽，此以下，又引诗而咏叹之，以足其意。《诗》，是《周南·桃夭》篇。夭夭，是少好貌。蓁蓁，是美盛貌。之子，指出嫁的女子。妇人以夫为家，故谓嫁曰归。宜，是善。诗人说："桃树夭夭然少好，其叶蓁蓁然美盛，以兴女子之归于夫家，必能事舅姑以孝，事夫子以敬，处姒娣以和，待下人以惠，而一家之人无不相宜者。"曾子引之说道："为人君者，必能处得那一家的人个个停当，如此诗所谓宜其家人，方才可以教那一国的人，使之各有以宜其家也。不然，家人且不相宜，何以教国人乎？"

【原文】

《诗》云："宜兄宜弟。"宜兄宜弟，而后可以教国人。

【张居正注评】

《诗》，是《小雅·蓼萧》篇。诗人说："一家之中，有长于我的，是兄，我能尽其恭敬而善事之，感得为兄的也常常爱我，这便是宜兄；有少于我的，是弟，我能尽其友爱而善抚之，感得为弟的也常常敬我，这便是宜弟。"曾子引之说道："为人君者，必能善处自家的兄弟，如此诗所谓宜兄宜弟，然后可以教那一国之人，使之亦有以宜其兄弟也。不然自家的骨肉尚不能相容，又何以教国人乎？"

【原文】

《诗》云："其仪不忒，正是四国。"其为父子兄弟足法，而后民法之也。

【张居正注评】

《诗》，是《曹风·鳲鸠》篇。仪，是礼仪。忒字解做差字。四国，是四方之国。诗人说："人君一身所行的礼仪，没有一件差错，便能表正那四国的百姓，而为下民之观法。"曾子引之说道："为人君者，必是自家为父能慈，为子能孝，为兄能友，为弟能恭，所行的件件都足以为人的法则，如此诗所谓其仪不忒，然后百姓每皆取法他，父也去慈，子也去孝，兄也去友，弟也去恭，而四国无不正也。不然，自家一身且有差忒，又何以正国人乎？"

【原文】

此谓治国在齐其家。

【张居正注评】

曾子既引三诗，又总结说："观这三诗所言，虽有不同，皆是说治国在齐其家之意。然则人若欲治其国者，可不先齐家以为之本哉。"

上传之九章，释齐家治国。

【原文】

所恶于上，毋以使下；所恶于下，毋以事上；所恶于前，毋以先后；所恶于后，毋以从前；所恶于右，毋以交于左；所恶于左，毋以交于右。此之谓絜矩之道。

【张居正注评】

恶，是憎恶，心里不欲的意思。曾子覆解絜矩二字之义，说道："人之相处，有在我上面的，有在我下面的，有在我前后左右的，其心都是一般。假如上面的人以无礼使我，我所不欲也。便以我的心度量在下面的人，知他的心与我一般，亦不可以无礼使之。如下面的人以不忠事我，我所憎恶也，便以我的心度量在上面的人，知他的心与我一般，亦不敢以不忠事之。以此心往前后度量，或在我前面的人，我恶其以不善待我，便不以前人之加于我者而先加于后；在我后面的人，我恶其以不善待我，便不以后人之及于我者而施及于前。以此心往左右度量，或在我右边的人，我有所恶，便不以此交之于左。在我左边的人，我有所恶，便不以此交之于右。这是将人比己，体之无不周；以己处人，施之无不当。上下四方，均齐方正，就如那匠人之制方器，度之以矩而无有不方的一般，所以叫做絜矩之道。"人君用此道以治天下，则天下之人，虽有万万不齐，而于天下之心，皆能一一不拂，天下有不得其平者乎？上文所谓君子有絜矩之道者，盖如此。

【原文】

《诗》云："乐只君子，民之父母。"民之所好好之，民之所恶恶之，此之谓民之父母。

【张居正注评】

《诗》，是《小雅·南山有台》篇。只，是语助词。诗人说："在上位可嘉可乐的君子，即是百姓每的父母。"曾子既引此诗而释之说道："君子居民之上，有君之尊，何以说做父母？盖言君子能以民心为己心，如饱暖安逸之类，是百姓每心里所喜好的，君子便因其所好而好之，务要区处使他各得其所。如饥寒劳苦之类是百姓每心里所憎恶的，君子便因其所恶而恶之，务要体悉，使他得免于患，是君子之与民同其好恶，如父母之爱其子矣，所以百姓每爱戴君子，亦如爱自家的父母一般。"这是能絜矩的，其效如此。

【原文】

《诗》云："节彼南山，维石岩岩；赫赫师尹，民具尔瞻。"有国者不可以不慎，辟，则为天下僇矣。

【张居正注评】

《诗》，是《小雅·节南山》之篇。师尹，是周太师尹氏。辟，是偏僻。僇字，与刑戮的戮字同义。诗人说："望着那南山，截然高大，山上的石头岩岩然堆起来；如今尹氏做着太师，其势位之赫赫显盛，便与那高山一般，百姓每都瞻仰着他，却乃好恶不公，罔上行私，以致天下之乱。"这是诗人讥尹氏之辞。曾子解说："有国家者，既为民所瞻仰，必须常常谨慎，凡事要合乎人心，若是不能絜矩，只徇一己之偏，民所好的不从民便，民所恶的不肯体恤，致得那天下之人都生怨恨，必然众叛亲离，而身与国家不能保守，所以说辟则为天下僇矣。"这是不能絜矩的，其害如此。

【原文】

德者，本也；财者，末也。

【张居正注评】

本，是根本。末，是末梢。承上文说："有德则有人有土，而有财用。可见德是为国的根本，第一要紧。财虽日用之不可缺，而有德则自然有财。譬之草木，根本既固则枝梢自然茂盛，但当培其根本可也。夫知德为本，则在所当先，知财为末，则在所当后矣。"君子之所以先慎乎德者，其以是哉。

【原文】

外本内末，争民施夺。

【张居正注评】

争民，是使民争斗。施夺，是教民劫夺。夫德既是本，乃所当重；财既是末，乃所当轻。若或将这德来看做外事，不思谨慎，将那财来看做自家的，专去聚敛，百姓每见在上的人如此，也都仿效，人人以争斗为心，劫夺为务，就如在上的教他一般。所以说争民施夺，这是财货不能絜矩的，其害如此。

【原文】

是故财聚则民散，财散则民聚。

【张居正注评】

承上文说，外本内末，民便争夺。民既争夺，必致离散。可见义与利不可并行，民与财不可兼得。若是外本内末，聚财于上，财虽聚了，却失了天下的心，那百姓每都离心离德而怨叛之，未有财聚而民亦聚者也。若是内本外末，散财于下，财虽散了，却得了天下的心，那百姓每都同心爱戴而自然归聚，未有财散而民亦散者也。这两样孰损孰益，有天下者当知所辨矣。

【原文】

是故言悖而出者，亦悖而入；货悖而入者，亦悖而出。

【张居正注评】

言，是言语。悖，是违悖不顺理。货，是财货。曾子承上文说："财散则民聚，其实民之聚者，财不终散；财聚则民散，其实民之散者，财也不终聚。就如言语一般，若将不顺道理的言语加于人，人定也把那不顺道理的言语来回我，是悖而出者亦必悖而入也。若那财货是暴征、横敛，不顺道理取将进来的，终须也还散将出去，保守不得，是悖而入者亦必悖而出也。"不义之财，既是难守，积之何益？为人君者岂可以财为内，而不知所以慎其德乎！

【原文】

《康诰》曰："惟命不于常。"道善则得之，不善则失之矣。

【张居正注评】

前面说先慎乎德，则有人有土，是能絜矩的。外本内末则悖入悖出，是不能絜矩的。这一节又总结其意。《康诰》，是《周书》篇名。命，是天命。道字解做言字。武王作书告康叔说："惟是上天之命，或去或留，不可为常。"曾子解说："这一句话是说为人君的，若能絜矩，而散财以得民心，便得了天命，所谓得众则得国也。若不能絜矩，而聚财以失民心，便失了天命，所谓失众则失国也。"天命不常如此，人君诚欲保之，岂可外本内末，而不知慎德以尽絜矩之道哉！

【原文】

《楚书》曰："楚国无以为宝，惟善以为宝。"

【张居正注评】

以下两节，是明不外本而内末之意。《楚书》是楚国史官记事的书。宝是贵重的物。《楚书》说："昔楚国王孙围聘于晋，晋大夫赵简子问他说：'你楚国中有什么宝贝？'王孙圉对说：'我楚国也没有什么宝，凡金玉珠石之类，皆不以为贵，只是有德的善人，能利生民，能安社稷，便以他为宝也。'"按史：当时楚有臣名观射父，能作命辞，取重于诸侯。又有臣名左史倚相，多读古书，练达典故，使主君能保先世之业，故楚国宝之。夫楚之所宝，不在金玉而在善人，是能不外本而内末者矣。

【原文】

舅犯曰："亡人无以为宝，仁亲以为宝。"

【张居正注评】

舅犯是晋文公的母舅，名狐偃，字子犯。亡人，指晋文公说。在先晋文公做公子时，避骊姬之难，逃出在外，故称亡人。后来又遍历曹、卫、齐、楚，至于秦国。到秦国时，他父亲献公薨逝，秦穆公劝文公兴兵复国以为晋君，舅犯教文公对说："我出亡之人，不以富贵为宝，只以爱亲为宝，若是有亲之丧，而无哀伤思慕之心，却去兴兵争国，便是不爱亲了，虽得国，不足为宝也。"夫晋之所宝，不在得国而在仁亲，是亦不外本而内末者矣。

【原文】

唯仁人，放流之，迸诸四夷，不与同中国。此谓唯仁人，为能爱人，能恶人。

【张居正注评】

放流，是发遣。迸，是驱逐的意思。四夷，是四方夷狄之地。曾子说："那嫉贤妒能的人，若是用他在位，善人必受其害，纵是不用，只与他同处在一国，他也会造谗结党，倾陷善人，不可不遣之远去。但人君牵于私意，姑息了他，所以国家终受其害，独是仁德之君，至公至明，见得这样人为害不浅，即便放弃流徙之，驱逐在四夷边远地面，不许他同住在中国，以为善人之害，盖深恶痛绝，必除根而后已。这正是孔子所谓唯仁人能爱人、能恶人也。"盖仁人之心，至公无私，如明镜之不混于妍媸，权衡之不爽夫轻重，故能使彦圣有技之人，皆得尽其用，而媢嫉之害，不及于国家。盖好恶之极其公，而能絜矩者如此。

【原文】

见贤而不能举，举而不能先，命也；见不善而不能退，退而不能远，过也。

【张居正注评】

命字，当作慢字。过，是过失。曾子说："贤人能利国家，举之不可不先也。彼人君之不知其贤者，固不足言矣。若明知他是贤人，却不能举用，或虽举用，又持疑延缓，不能早先用他，这是以怠忽之心待贤人了，岂不是慢？不善之人，妨贤病国，去

之不可不远也，彼人君之不知其恶者，固不足言矣，若明知他是不善的人，却不能退黜，或虽退黜，又优柔容隐，不能迸诸远方，是以姑息之心待恶人了，岂不是过？"夫善善而不能用，则何贵于知其善；恶恶而不能远，则何贵于知其恶。故人君之用舍，必任贤勿贰，去邪勿疑而后可，此曾子立言之意也。

【原文】

　　好人之所恶，恶人之所好，是谓拂人之性，灾必逮夫身。

【张居正注评】

　　前面说仁人能爱人，能恶人，是尽絜矩之道的。见贤不能举而先，见不善不能退而远，是未尽絜矩之道的。这一节是说不仁之人，与絜矩相反的。拂，是违拂。灾，是灾害。逮，是及。曾子说："那谗邪乱政的恶人，是人所共恶的，本该退而远之，却乃喜其便己之私，反去信用他，这便是好人之所恶。尽忠为国的善人，是人所共好的，本该举而先之，却乃嫌其拂己之欲，反去疏弃他，这便是恶人之所好。夫好善恶恶乃人生的本性，今人之所恶，却去好他，人之所好，却去恶他，岂不违拂了人生的本性。既拂人性，必失人心，既失人心，必失天命，将见丧家败国，而灾害必及其身。"所谓辟则为天下僇者此也。盖好恶乃人君最要紧处，若好恶不公，举措失当，不止民心不服，亦且那爱民的都去了，害民的都在位，天下实受无穷之祸，毒既流于天下，怨必归于一人，乃自然之理也。好恶之极其私，而不能絜矩者如此。

【原文】

　　是故君子有大道，必忠信以得之，骄泰以失之。

【张居正注评】

　　君子，是有位的人。大道，是絜矩之道。其端发于吾心，而其为用，能使天下之人各得其所，是个荡荡平平的大道理。曾子承上文说："人之好恶，所以有公私之不同者，以其存心有不同也，是以君子有这絜矩的大道，其得其失，只看他存心何如。盖必忠以尽己而不欺，信以循物而无伪，则一心之中，浑然天理，于那好恶所在，才能以己度人而不差，推己及人而各当，便得了这絜矩的大道。仁人所以能爱人能恶人，而为民父母者此也。若或骄焉而矜夸自尊，泰焉而纵侈自恣，则一心之中私意障塞，于那好恶所在，不惟不肯同于人，且将任己之情，拂人之性，而流于偏僻之归矣，岂不失了这絜矩的大道。"不仁之人所以好人所恶，恶人所好，而灾逮夫身者，此也其得失之几如此，欲平天下者，可不存忠信而戒骄泰哉？

【原文】

　　生财有大道，生之者众，食之者寡，为之者疾，用之者舒，则财恒足矣。

【张居正注评】

生，是发生。疾，是急忙的意思。舒，是宽裕。曾子说："财用乃国家百务所需，当经理发生，使常有余，而所以发生之者，自有个正大的道理。盖货财皆产于地，若务农者少，则地力不尽，财何能生，必严禁那游惰之人，使他们都去务农，这是生之者众。凡官员人役的俸禄，都出于百姓每供给，若冗食者多，则钱粮未免虚耗，必将那冗滥的员役裁革了，惟是紧要不可省的方才存留，则冗食者少，百姓易于供给，这是食之者寡。农事各有时候，若差使不时，便迟误了他的农事，须轻省差徭，禁止工作，纵不得已而用民之力，亦必待冬间农隙之时，使百姓每都得以急忙去及时田作，这是为之者疾。财用出入，当有定规，若不撙节，未免匮乏，必须算计一年所入之数，以为所出之数，务于三年之中，积出一年的用度，九年之中，

曾子

积出三年的用度，愈积愈多，使常有宽裕，这是用之者舒。夫生之众，为之疾，则有以开财之源，而其入也无穷。食之寡，用之舒，则有以节财之流，而其出也有限，闾阎不困于聚敛，而府库日见其盈余，常常足用，而不至于缺乏矣。"这是经国久远的规模，非一切权宜之小术可比，所以谓之大道也。然则有国者，岂必外本内末，而后财可聚哉？

【原文】

仁者，以财发身；不仁者，以身发财。

【张居正注评】

发，是生发兴旺的意思。曾子说："仁德之君，知道那生财的大道，只要使百姓富足，不肯专利于上，由是天下归心，而安处富贵崇高之位。这便是舍了那货财，去发达自己的身子。不仁之君，不知生财的大道，只要聚财于上，不管百姓每贫苦，由是天下离心，有败国亡身之祸。这便是舍着自己的身子，去生发那财货。"夫以财发身者，本不求财也，而民心既得，实未尝无财。以身发财者，本以奉身也，而乃至于丧身，则财将何用哉！其利害之迥绝不待较而知者也。

【原文】

未有上好仁，而下不好义者也，未有好义其事不终者也。未有府库财非其财者也。

【张居正注评】

上，是君上。下，指百姓说。终，是成就的意思。曾子承上文仁者以财发身说："君之爱民，仁也；民之忠于上，义也。上不好仁，而下不好义者有矣。若为人上者，轻徭薄赋，节用爱民，使百姓每都得其所，则那百姓每便都感激爱戴如人子之于父母，手足之于腹心，各输忠悃以自效矣，岂有不好义以忠其上者哉？下不好义，固有不终其君之事者，今下既好义，则事使之分明，而爱戴之情切，把君上的事，就如自己的家事一般，皆为之踊跃趋赴，而竭力以图成矣。岂有有始无终使不能成就者哉？下不好义而人心离畔，固有不能保其府库之财者。"今下既好义，则民供给于下，而君安富于上，把府库的财货就如自家的财货一般，皆为之防护保守，而长保其所有矣，岂有争夺悖出，使不能受享者哉？下之好义而能忠于上者，其效如此，莫非上之好仁启之也。然则为人上者，可不以志仁为务哉！

【原文】

长国家而务财用者，必自小人矣。彼为善之，小人之使为国家，灾害并至，虽有善者，亦无如之何矣。此谓国不以利为利，以义为利也。

【张居正注评】

上一节言为国者，当以义为利。此又言求利之有害也。长国家，是一国的君长。自字，解做由字。彼为善之一句，疑有阙误，其义未详。灾是天灾。害是人害。曾子说："长国家者，当以义制利。而乃有专务聚敛财用者，岂是那为君上的本意要这等做。必是有等奸利小人，欲借此以希宠干进，乃倡为敛财富国之说，以投其君之所好，人君不察而信用之，是以外本内末，专务财用，自此始矣。这等小人，若使他治国家，则必以聚敛为长策，以掊克为善谋，夺民之财，以奉君之欲，将使民穷财尽，怨詈号呼，伤天地之和，生离畔之心，天灾人害，纷然并至。到这时节，虽有善人君子，也救不得了，求利之害如此。所以说，有国家者，必不可以利为利，但当以义为利也。通看这一章书，可见治平之要，只是一个絜矩。絜矩之事，不止一端，而其大者，则在用人理财，用人理财皆与民同，不私一己，便是絜矩。然其本，则曰慎德、曰忠信，又在人君自明其德，自诚其意，方才知得千万人之心。即一人之心，而能以我一人之心，为千万人之心，此又絜矩之本，惟圣明留意焉。

上传之十章，释治国平天下。

中庸

中者，不偏不倚，无过不及之名。庸，平常也。

【原文】

子程子曰：不偏之谓中，不倚之谓庸。中者，天下之正道；庸者，天下之定理。此篇乃孔门传授心法，子思恐其久而差也，故笔之于书以授孟子。其书始言一理，中散为万事，末复合为一理。放之则弥六合，卷之则退藏于密。其味无穷，皆实学也。善读者玩索而有得焉，则终身用之有不能尽者矣。

【张居正注评】

中，是无所偏倚，是不可易。这书是孔伋所作。伋，字子思，孔子之孙，伯鱼之子也，受业于曾子。尝适宋，被困，居卫，卫君不能用，又适齐，返卫，复归鲁，因作《中庸》三十三章。子思以天下的道理，本是中正无所偏倚，平常而不可改易，但世教衰微，学术不明，往往流于偏僻，好为奇怪，而自失其中庸之理，故作此书以发明之，就名为《中庸》。

变形龙纹盆

【原文】

天命之谓性，率性之谓道，修道之谓教。

【张居正注评】

这是《中庸》首章，子思发明道之本原如此。命字，解做令字。率，是循。修，是品节裁成的意思。子思说："天下之人，莫不有性，然性何由而得名也？盖天之生人，既与之气以成形，必赋之理以成性，在天为元亨利贞，在人为仁义礼智，其禀受付畀，就如天命令他一般。所以说，天命之谓性。天下之事，莫不有道，然道何由而得名也？盖人物各循其性之自然，则其日用事物之间，莫不各有当行的道路，仁而为父子之亲，义而为君臣之分，礼而为恭敬辞让之节，智而为是非邪正之辨，其运用应酬，不过依顺着那性中所本有的，所以说率性之谓道。若夫圣人敷教以化天下，教又何由名也。盖人之性道虽同，而气禀不齐，习染易坏，则有不能尽率其性者。圣人于

是因其当行之道，而修治之，以为法于天下，节之以礼，和之以乐，齐之以政，禁之以刑，使人皆遵道而行，以复其性，亦只是即其固有者裁之耳，而非有所加损也，所以说修道之谓教。夫教修乎道，道率于性，性命于天，可见道之大原出于天者矣。知其为天之所命，而率性修道之功，其容已乎？

【原文】

道也者，不可须臾离也，可离非道也，是故君子戒慎乎其所不睹，恐惧乎其所不闻。

【张居正注评】

须臾，是顷刻之间。睹，是看见。闻，是听闻。戒慎、恐惧，都是敬畏的意思。承上文说，道既源于天、率于性，可见这个道与我身子合而为一，就是顷刻之间，也不可离了他。此心、此身方才离了，心便不正，身便不修。一事一物方才离了，事也不成，物也不就，如何可以须臾离得？若说可离，便是身外的物，不是我心上的道，道决不可须臾离也。夫惟道不可离，是以君子之心，常存敬畏，不待目有所睹见，而后戒慎，虽至静之中，未与物接，目无所睹，而其心亦常常戒慎而不敢忽。不待耳有所听闻，而后恐惧，虽至静之中，未与物接，耳无所闻，而其心亦常常恐惧而不敢忘，这是静而存养的功夫。所以存天理之本然，而不使离道于须臾之顷也。

【原文】

莫见乎隐，莫显乎微，故君子慎其独也。

【张居正注评】

这一节是说君子于戒慎恐惧中，又有一段省察的功夫。隐，是幽暗之处。微，是细微之事。独，是人不知而己独知的去处。子思说："人于众人看见的去处，才叫做著见明显。殊不知他人看着自家，只是见了个外面，而其中纤悉委曲，反有不能尽知者。若夫幽暗之中，细微之事，形迹虽未彰露，然意念一发，则其几已动了。或要为善，或要为恶，自家看的甚是明白。是天下之至见者，莫过于隐，而天下之至显者，莫过于微也。这个便是人所不知而自己独知的去处，乃善恶之所由分，最为要紧。所以体道君子，于静时虽已尝戒慎恐惧，而于此独知之地，更加谨慎，不使一念之不善者，得以潜滋暗长于隐微之中，以至于离道之远也。"夫存养省察，动静无间，道岂有须臾之离哉。

【原文】

喜、怒、哀、乐之未发谓之中，发而皆中节谓之和。中也者，天下之大本也；和也者，天下之达道也。

【张居正注评】

　　中节，是合着当然的节度。本，是根本。达，是通行的意思。道，是道路。子思承上文发明道不可离之意说道："凡人每日间与事物相接，顺着意便欢喜，拂着意便恼怒，失其所欲便悲哀，得其所欲便快乐，这都是人情之常。当其事物未接之时，这情未曾发动，也不着在喜一边，也不着在怒一边，也不着在哀与乐一边，无所偏倚，这叫做中。及其与事物相接，发动出来，当喜而喜，当怒而怒，当哀而哀，当乐而乐，一一都合着当然的节度，无所乖戾，这叫做和。然这中即是天命之性，乃道之体也。虽是未发，而天下之理皆具，凡见于日用彝伦之际，礼乐刑政之间，千变万化，莫不以此为根底。譬如树木的根本一般，枝枝叶叶都从这里发生，所以说天下之大本也。这和，即是率性之道，乃道之用也。四达不悖，而天下古今之人，皆所共由，盖人虽不同，而其处事皆当顺正，其应物皆当合理。譬如通行的大路一般，人人都在上面往来，所以说天下之达道也。"夫道之体用，不外于心之性情如此。若静而不知所以存之，则失其中而大本不立，动而不知所以察之，则失其和而达道不行矣。此道之所以不可须臾离也。

【原文】

　　致中和，天地位焉，万物育焉。

【张居正注评】

　　这一节是体道的功效。致，是推到极处。位，是安其所。育，是遂其生。子思说："中固为天下之大本，然使其所存者少有偏倚，则其中犹有所未至也；和固为天下之达道，然使其所发者少有乖戾，则其和犹有所未至也。故必自不睹不闻之时，所以戒慎恐惧者，愈严愈敬，以至于至静之中，无有一些偏倚，是能推到中之极处，而大本立矣。尤于隐微幽独之际，所以谨其善恶之几者，愈精愈密以至于应物之处，无有一些差谬，是能推到和之极处，而达道行矣。由是吾之心正，而天地之心亦正；吾之气顺，而天地之气亦顺。七政不愆，四时不忒，山川岳渎，各得其常，而天地莫不安其所矣。少有所长，老有所终，动植飞潜，咸若其性，而万物莫不遂其生矣。"盖天地万物，本吾一体，而中和之理，相为流通，故其效验至于如此，然则尽性之功夫，人可不勉哉？

　　上第一章。

【原文】

　　仲尼曰："君子中庸，小人反中庸。"

【张居正注评】

　　仲尼，是孔子的字。反，是违背。子思引孔子之言说道："中庸是不偏不倚，无过不及，平常的道理，虽为人所同有，然惟君子为能体之，其日用常行，无不是这中庸的道理。若彼小人便不能了，其日用常行，都与这中庸的道理相违背矣。"

【原文】

"君子之中庸也，君子而时中；小人之反中庸也，小人而无忌惮也。"

【张居正注评】

时中，是随时处中。子思解释孔子之言说道："中庸之理，人所同得，而惟君子能之，小人不能者，何故？盖人之体道，不过动静之间。君子所以能中庸者，以其戒慎不睹，恐惧不闻，既有了君子之德，而应事接物之际，又能随时处中，此其所以能中庸也。小人之所以反中庸者，以其静时不知戒慎恐惧，所存者既是小人之心，而应事接物之际，又肆欲妄行，无所忌惮，此其所以反中庸也。"君子小人，只在敬肆之间而已。

上第二章。

【原文】

子曰："中庸其至矣乎！民鲜能久矣！"

【张居正注评】

至，是极至。鲜，是少。子思引孔子之言说："天下之事，但做的过了些，便为失中，不及些，亦为未至，皆非尽善之道。惟中庸之理，既无太过，亦无不及，只是日用常行，而其理自不可易，乃天理人情之极致，尽善尽美而无以复加者也。然这道理，人人都有，本无难事，但世教衰微，人各拘于气禀，囿于习俗，而所知所行，不流于太过，则失之不及，少有能此中庸者，今已久矣。"

上第三章。

【原文】

子曰："道之不行也，我知之矣。知者过之，愚者不及也。道之不明也，我知之矣。贤者过之，不肖者不及也。"

【张居正注评】

子思引孔子之言以明中庸鲜能之故，说道："这中庸的道理，就如大路一般，本是常行的，今乃不行于天下，我知道这缘故，盖人须是认得这道路，方才依着去行。而今人的资质，有生得明智的，深求隐僻，其知过乎中道，既以中庸为不足行；那生得愚昧的，安于浅陋，其知不及乎中道，又看这道理是我不能行的。此道之所以常不行也。这道又如白日一般，本是常明的，今乃不明于天下，我知道这缘故，盖人须是行过这道路，方才晓得明白。而今人的资质，有生得贤能的，好为诡异，其行过乎中道，既以中庸为不足知；那生得不肖的，安于卑下，其行不及乎中道，又看这道理是我不能知的。此道之所以常不明也。"

【原文】

人莫不饮食也，鲜能知味也。

【张居正注评】

孔子又说："那知愚贤不肖之过不及，虽是他资质如此，却也是不察之过。盖道率于性，乃人生日用之不能外者，其中事事物物都有个当然之理，便叫做中。但人由之而不察，是以陷于太过不及而失其中。譬如饮食一般，人于每日间谁不饮食，只是少有能知其滋味之正者。"若饮食而能察，则不出饮食之外而自得其味之正，由道者而能察，则亦不出乎日用之外，而自得乎道之中矣。

上第四章。

【原文】

子曰："道其不行矣夫。"

【张居正注评】

孔子说："中庸之道因是不明于天下，是以不行于天下。"子思引之，盖承上章启下章之意。

上第五章。

【原文】

子曰："舜其大知也与？舜好问而好察迩言，隐恶而扬善，执其两端，用其中于民。其斯以为舜乎？"

【张居正注评】

前章说道之所以不明不行，此章举大舜之事，以见其能知能行也。察，是审察。迩言，是浅近的言语。隐，是隐匿。扬，是播扬。执，是持。两端，是众论不同的极处。中，是恰好的道理。民字解做人字，古民人字通用，如先民、天民、逸民之类。子思引孔子之言说："人非明知无以见天下的道理，然有大知有小知，若古之帝舜，其为大知也与。何以见之？盖天下之义理无穷，而一人之知识有限，若自用而不取诸人，其知便小了。舜则不然，但凡要处一件事，不肯自谓这件事情我已知道了，必切切然访问于人，说这事该如何处，问来的言语，不但深远的去加察，虽是极浅近的，也细细的审察，恐其中亦有可采处，不敢忽也。于所问所察之中，虽有说得不当理的，只

是不用他便了，初未尝宣露于人，恐沮其来告之意。若说得当理的，则不但用其言，又向人称述嘉奖他，以坚其乐告之心。然其言之当理者，固在所称许，而其中或有说得太过些的，或有不及些的，未必合于中也。于是就众论不同之中，持其两端而权衡量度以求其至当归一者而后用之，这至当归一处，叫做中。然这中亦只是就众人所说的，裁择而用之，舜未尝以一毫之己意与其间也，所以说用其中于民。夫舜，大圣人也，今之言舜者，必将谓其聪明睿知，有高天下而不可及者。今观舜之处事，始终只是用人之长，无所意必。盖不持一己之聪明，而以天下之聪明为聪明，故其聪明愈广；不持一己之智识，而以天下之智识为智识，故其智识愈大。舜之所以为舜者，其以是乎？"此知之所以无过不及，而道之所以行也。孟子说舜自耕稼陶渔，以至于为帝，无非取诸人者，亦是此意。此一章书于治道尤切，万世为君者所当法也。

上第六章。

【原文】

子曰："素隐行怪，后世有述焉。吾弗为之矣。"

【张居正注评】

素字当作索字。索是求。隐，是隐僻。怪，是怪异。述，是称述。子思引孔子之言说："世间有一等好高的人，于日用所当知的道理，以为寻常不足知，却别求一样深僻之理，要知人之所不能知；于日用所当行的道理，以为寻常不足行，却别做一样诡异之行，要行人之所不能行，以此欺哄世上没见识的人，而窃取名誉。所以后世也有称述之者，此其知之过而不择乎善，行之过而不用乎中，不当强而强者也。若我则知吾之所当知，行吾之所能行，这素隐行怪之事，何必为之哉！所以说吾弗为之矣。"

【原文】

"君子遵道而行，半途而废，吾弗能已矣。"

【张居正注评】

遵，是循。道，是中庸之道。途，是路。废，是弃。已，是止。孔子说："那索隐行怪的人，固不足论。至于君子，择乎中庸之道，遵而行之，已自在平正的大路上走了，却乃不能实用其力，行到半路里，便废弃而不进，此其智虽足以及之，而仁有不逮，当强而不强者也。若我则行之于始，必要其终，务要到那尽头的去处，岂以半途而自止乎？所以说吾弗能已矣。"

【原文】

"君子依乎中庸，遁世不见知而不悔，惟圣者能之。"

【张居正注评】

依，是随顺不违的意思。遁，是隐遁。悔，是怨悔。孔子说："前面太过不及的，都非君子之道。若是君子，他也不去索隐，也不去行怪，所知所行，一惟依顺着这中庸的道理，终身居之以为安，又不肯半途便废了，虽至于隐居避世，全不见知于人，他心里确然自信，并无怨悔之意，此乃智之尽，仁之至，不赖勇而裕如者，这才是中庸之成德，然岂我之所能哉！惟是德造其极的圣人，然后能之耳。"然夫子既不为索隐行怪，则是能依乎中庸矣。既不半途而止，则自能遁世不知而不悔矣。虽不以自居，而其实岂可得而辞哉！

上第十一章。

【原文】

君子之道费而隐。

【张居正注评】

道，即是中庸之道，惟君子为能体之，所以说君子之道。费，是用之广。隐，是体之微。子思说："君子之道，有体有用，其用广大而无穷，其体则微密不可见也。"

【原文】

《诗》云："鸢飞戾天，鱼跃于渊。"言其上下察也。

【张居正注评】

《诗》，是《大雅·旱麓》篇。鸢，是鸱鸟之类。戾，是至。渊，是水深处。其字，指此理说。察，是昭著。诗人说："至高莫如天，而鸢之飞，则至于天；至深莫如渊，而鱼之跃，则在于渊。"子思解说："天地之间无非物，天地之物无非道。《诗》所谓鸢飞戾天者，是说道之昭著于上也；鱼跃于渊者，是说道之昭著于下也。盖化育流行，充满宇宙，无高不届，无深不入，举一鸢，而凡成象于天者皆道也。举一鱼，而凡成形于地者皆道也。道无所不在如此，可谓费矣。"而其所以然者，则非见闻所及，岂不隐乎。

【原文】

君子之道，造端乎夫妇。及其至也，察乎天地。

【张居正注评】

造端，是起头的意思。至，是尽头的意思。子思又总结上文说："道之在天下，虽以夫妇之愚不肖，也有能知能行的。虽以圣人天地之大，也有不能尽的。这等看来，

可见君子之道自其近小而言，则起自夫妇居室之间而无所遗，若论到尽头的去处，则昭著于天高地下之际而无所不有。所以君子戒谨慎独，从夫妇知能的做起，以至于位天地育万物，则道之察乎天地者在我矣。"

上第十二章。

【原文】

子曰："道不远人，人之为道而远人，不可以为道。"

【张居正注评】

子思引孔子之言说："所谓率性之道，只在君臣、父子、夫妇、长幼、朋友之间，固众人之所能知能行而未尝远于人也。人之为道者，能即此而求，便是道了。若或厌其卑近，以为不足为，却乃离了君臣父子夫妇长幼朋友之间，而务为高远难行之事，则所知所行，皆失真过当而不由夫自然，岂所谓率性之道哉！所以说，不可以为道。"

【原文】

"忠恕违道不远，施诸己而不愿，亦勿施于人。"

【张居正注评】

尽己之心叫做忠。推己及人叫做恕。违，是彼此相去的意思。道，是率性之道。孔子说："道不远人，但多蔽于私意，惟知有己而不知有人，所以施于人者，不得其当，而去道远矣。若能尽己之心，而推以及人，虽是物我之间，未能浑化而两忘，然其克己忘私，去道亦不相远矣。忠恕之事何如？如人以非礼加于我，我心所不愿也。则以己之心度人之心，知其与我一般，亦不以非礼加之于人，这便是忠恕之事。以此求道，则施无不当，而其去道不远矣。"

【原文】

"君子之道四，丘未能一焉。所求乎子，以事父未能也；所求乎臣，以事君未能也；所求乎弟，以事兄未能也。所求乎朋友，先施之未能也。庸德之行，庸言之谨，有所不足，不敢不勉。有余不敢尽，言顾行，行顾言，君子胡不慥慥尔？"

【张居正注评】

求，是责望人的意思。先施，是先加于人。庸，是平常。行，是践其实。谨，是择其可。慥慥，是笃实的模样。孔子说："君子之道有四件，我于这四件道理，一件也不能尽得。四者谓何？如为子之道在于孝，我之所责乎子者固欲其孝，然反求诸己，所以事吾父者，却未能尽其孝也；为臣之道在于忠，我之所责乎臣者固欲其忠，然反求诸己，所以事吾君者，却未能尽其忠也；为弟之道在于恭，我之所责乎弟者，固欲其尽恭于我，然反求诸己，所以事吾兄者，却未能尽出于恭也；朋友之道在于信，我之所责乎朋友者，固欲其加信于我，然反求诸己，所以先施于彼者，却未能尽出于信也。君子之道我固未能矣，然亦不敢不以此自修。盖这孝弟忠信，本是日月平常的道理，以是道而体诸身，谓之庸德。庸德则行之而皆践其实。以是道而发于口，谓之庸言。庸言则谨之而惟择其可，然行常失于不足，有不足处不敢不勉力做将去，如此则行亦力。言常失于有余，若有余处不敢尽底说将出来，如此则谨益至。谨之至，则说出来的，都与所行的相照顾，无有言过其实者矣。行之力，则行将去的，都与所言的相照顾，无有行不逮言者矣。言行相顾如此，岂不是慥慥笃实之君子乎？此我之所当自修者也。"这一节说道只在子、臣、弟、友、庸言、庸行之间，是道不远人。说以责人者责己，要言行相顾，是不远人以为道之事。

上第十三章。

【原文】

君子素其位而行，不愿乎其外。

【张居正注评】

素，是见在的意思。位，是所居的地位。愿，是愿慕。外，是本分之外。子思说："人之地位不同，然各有所当行的道理，若不能自尽其道，而分外妄想，便不是君子了。君子但因其见在所居的地位，而行其所当行的道理，未尝于本分之外，别有所愿慕。"盖本分之内，其道皆不易尽，既欲尽道其间，自不暇乎其外也。

【原文】

素富贵，行乎富贵；素贫贱，行乎贫贱；素夷狄，行乎夷狄；素患难，行乎患难。君子无入而不自得焉。

【张居正注评】

自得，是安舒的意思。子思说："人之所道，有顺逆之不同，唯君子能随寓而尽其道。如见在富贵，便行处富贵所当为的事，而不至于淫；见在贫贱，便行处贫贱所当为的事，而不至于滥；或见在夷狄，便行处夷狄所当为的事，而不改其行；或见在患难，便行处患难所当为的事，而不变其守。身之所处虽有不同，而君子皆尽其当为之道，道在此，则乐亦在此，盖随在而皆宽平安舒之所也。所以说，无入而不自得焉，上文所谓素位而行者盖如此。

【原文】

在上位，不陵下；在下位，不援上。正己而不求于人，则无怨。上不怨天，下不尤人。

【张居正注评】

　　陵,是陵虐。援,是攀援。怨,是怨恨。尤,是归罪于人的意思。子思说:"所谓君子之心不愿乎其外者,何以见之?大凡人居上位,则好作威以陵乎下;居下位,则好附势以援乎上。君子则不然。他虽在上位,也不肯陵虐那在下的人;虽在下位,也不肯攀援那在上的人。夫陵下不从,必怨其下;援上不得,必怨其上。今在上在下但知正己而无所求取于人,如此则又何怨之有?但见心中泰然,虽上而不得于天,也只顺受其正,而无所怨憾于天;虽下而不合于人,也只安于所遇,而无所罪尤于人。"盖既无所求,则自不见其相违,既不见其相违,则自无所怨尤矣。君子之心不愿乎其外如此。

【原文】

　　故君子居易以俟命,小人行险以徼幸。

【张居正注评】

　　易,是平地。俟,是等待。命,是天命。险,是不平稳的去处。徼,是求。幸,是不当得而得的。子思承上文说:"君子惟素位而行,故随其所寓,自安居在平易的去处,其穷通得丧,一听候着天命,无有慕外的心。小人却有许多机械变诈,常行着险阻不平稳的去处,而妄意分外趋利避害,以求理之不当得者。君子小人其不同如此。"

【原文】

　　子曰:"射有似乎君子,失诸正鹄,反求诸其身。"

【张居正注评】

　　正、鹄,都是射箭的把子。书在布上叫做正,栖在皮上叫做鹄。孔子说:"射箭虽是曲艺,然有似乎君子,何以见之?盖君子凡事,只是正己而不求于人,那射箭的,若失了正鹄不中,只是反求诸己射的不好,更不怨那胜己的人,这即是正己而无求于人的意思,所以说射有似乎君子。"子思引此以结上文素位而行,不愿乎外之意。

　　上第十四章。

【原文】

　　君子之道,辟如行远必自迩,辟如登高必自卑。

【张居正注评】

　　迩,是近处。卑,是低处。子思说:"君子之道,虽无所不在,而求道之功,则必以渐而进,谨于日用常行之间,而后可造于尽性至命之妙,审于隐微幽独之际,而后可收夫中和位育之功。譬如人要往远处去，不能便到那远处，必先从近处起，一程一程行去，然后可以至于远；譬如人要上高处去，不能便到那高处，必先从低处起，一步一步上去，然后可以升于高。"君子之道，正与行远登高的相似，未有目前日用隐微处，有不合道理，而于高远之事方能合道者也。然则有志于高远者当知所用力矣。

【原文】

《诗》云："妻子好合，如鼓瑟琴。兄弟既翕，和乐且耽。宜尔室家，乐尔妻帑。"子曰："父母其顺矣乎！"

【张居正注评】

鼓，是弹。瑟、琴，都是乐器。翕，是合。耽，是久。帑是子孙。顺，是安乐的意思。子思承上文说进道有序，故引《小雅》之诗说道："人能于闺门之内，妻子情好契合，如鼓瑟琴一般，无有不调合处。兄弟之间，翕然友爱，既极其和乐，又且久而不变，则能宜尔之室家，乐尔之妻帑矣。"诗之所言如此。孔子读而赞叹之说道："人惟妻子不和，兄弟不宜，多贻父母之忧。今能和于妻子，宜于兄弟，一家之中，欢欣和睦如此，则父母之心，其亦安乐而无忧矣乎。"夫以一家言之，父母是在上的，妻子兄弟是在下的，今由妻子兄弟之和谐，遂致父母之安乐，是亦行远自迩、登高自卑之一验也。然则学者之于道，岂可不循序而渐进哉！

上第十五章。

【原文】

子曰："鬼神之为德，其盛矣乎！"

【张居正注评】

鬼神，即是祭祀的鬼神，如天神、地祇、人鬼之类。为德，犹言性情功效。孔子说："鬼神之在天地间，微妙莫测，神应无方，其为德也，其至盛而无以加乎。"其义见下文。

【原文】

"夫微之显，诚之不可揜，如此夫！"

【张居正注评】

诚，是实理。孔子说："鬼神不见不闻，可谓微矣。然能体物不遗，又如是之显，何哉？盖凡天下之物，涉于虚伪而无实者，到底只是虚无，何以能显？惟是鬼神，则实有是理，流行于天地之间，而司其福善祸淫之柄，故其精爽灵气，发见昭著而不可揜也，如此夫。"看来《中庸》一篇书，只是要入以实心而体实理，以实功而图实效，

故此章借鬼神之事以明之。盖天下之至幽者，莫如鬼神，而其实不可揜如此。可见天下之事，诚则必形，不诚则无物矣，然则人之体道者，可容有一念一事之不实哉。

上第十六章。

【原文】

子曰："舜其大孝也与？德为圣人，尊为天子，富有四海之内，宗庙飨之，子孙保之。"

【张居正注评】

子思引孔子之言说："凡为人子者，皆当尽孝道以事其亲，然孝有大有小，若古之帝舜，其为大孝也与？何以见其孝之大，夫为人子者，非德不足以显亲，舜则生知安行，德为圣人，是所以显其亲者，何其至也；非贵不足以尊亲，舜则受尧之禅，尊为天子，是所以尊其亲者，何其至也；非富不足以养亲，而舜则富有四海之内，以天下养，是所以养其亲者，何其至也。又且上祀祖考以天子之礼，而宗庙之歆飨无已，所以光乎其前者，又如是之隆；下封子孙为诸侯之国，而基业之传续无穷，所以裕乎其后者，又如是之远。"夫舜之德福兼隆如此，则所以孝其亲者，实有出于常情愿望之外者矣，此其所以为大孝与！

【原文】

"故大德必得其位，必得其禄，必得其名，必得其寿。"

【张居正注评】

孔子说："舜之德福兼隆，固所以为大孝。然自常人看来，福是天所付与，却似偶然得之，不可取必的一般。不知德乃福之本，福乃德之验，如影之随形，响之应声，盖理之必然者也。故舜既有圣人的大德，感格于天，必然贵为天子，得天下至尊之位；必然富有四海，得天下至厚之禄；必然人人称颂，得显著的声名；必然多历年所，得长久的寿数。"盖舜虽无心于求福，而福自应之如此，此所以能成其大孝也。

【原文】

"故天之生物，必因其材而笃焉。故栽者培之，倾者覆之。"

【张居正注评】

材，是材质。笃，是加厚。栽，是栽植。培，是滋养。倾，是倾仆。覆，是覆败。孔子说："舜以大德而获诸福之隆，非天有私于舜，乃理之自然者耳。观于天道之生万物，必各因其本然之材质而异其所加。如根本完固，栽植而有生意的，便从而培养之，雨露之所润，日月之所照，未有不滋长者；根本摇动，倾仆而无生意的，便从而覆败之，雪霜之所被，风寒之所折，未有不覆败者。"或培或覆，岂是天有意于其间？皆物之自取耳。

【原文】

"《诗》云：'嘉乐君子，宪宪令德，宜民宜人，受禄于天，保佑命之，自天申之。'"

【张居正注评】

《诗》，是《大雅·假乐》之篇。令，是善。申，是重。孔子又引诗说："可嘉可乐的君子，有显显昭著的美德，既宜于在下之民，又宜于在位之人，以此能受天之禄，而为天下之主，天既命而保佑之，又从而申重之，使他长享福禄于无穷也。"

【原文】

"故大德者必受命。"

【张居正注评】

受命，是受天命为天子。孔子承上文又总论说："由天生物之理，与诗人之言观之，可见有大德的圣人，必然受皇天的眷命而为天子，今舜既有是大德，正所谓物之栽者也，君子之嘉乐者也。则其受上天笃厚申重之命，而享禄位名寿之全，固理之必然者耳，尚可疑哉？"

上第十七章。

【原文】

子曰："无忧者其惟文王乎！以王季为父，以武王为子，父作之，子述之。"

【张居正注评】

这一节是说周文王的事。作，是创始。述，是继述。子思引孔子之言说："自古帝王创业守成，皆未免有不足于心的去处，有所不足，则生忧虑，若是无所忧虑者，其惟周之文王乎。何以见之？凡前人不曾造作，自己便有开创之劳；后人不堪承继，将来便有废坠之患。二者皆可忧也。惟是文王以王季之贤为之父，以武王之圣为之子，王季积功累仁，造周家之基业，将文王要做的事预先做了，这是父作之；武王继志述事，集周家之大统，将文王未成的事都成就了，这是子述之。"既有贤父以作之于前，又有圣子以述之于后，文王之心，更无有一些不足处，此其所以无忧也。

【原文】

子曰："武王、周公，其达孝矣乎！"

【张居正注评】

达,是通达。达孝,是通天下之人都谓之孝。子思引孔子之言说:"凡人之孝,止于一身一家,而未必能通乎天下。惟是武王周公,不惟自己能尽孝亲的道理,又能推以及人之亲,礼制大备,使人人皆得以尽其孝,所以通天下之人,都称他孝,而无有间然者,岂不谓之达孝矣乎!"

【原文】

"夫孝者,善继人之志,善述人之事者也。"

【张居正注评】

善,是能。继,是继续。志,是心之所欲者。述,是传述。事,是所已行者。两个人字,都是指前人而言。孔子说:"武王周公所以为达孝者,无他,以其能继志而述事也。盖前人之心志,有所欲为的,虽是不曾遂意,也望后人去承继他。武王、周公便能委曲成就,念念要接续前人的意向,不使他泯灭了,这是善继其志。前人之行事,有所已为的,虽是不曾成功,也望后人去传述他。武王周公便能斟酌遵守,件件要敷衍前人的功绪,不使他废坠了。"这是善述其事,武王周公之孝如此,所以达乎天下,而无一人不称其孝也。

【原文】

"春秋修其祖庙,陈其宗器,设其裳衣,荐其时食。"

【张居正注评】

春秋,是祭祀之时,四时皆有祭,举春秋,则冬夏可知。修,是修整。陈,是陈设。宗器,是先世所藏的重器。裳衣,是先王所遗的衣服。荐,是供献。时食,是四时该用的品物。孔子说:"武王周公所以善继志而述事者,何以见得?今以所制祭祀之礼言之,到春秋祭享的时节,于祖庙中门堂寝室,皆及时修整,以致其严洁而不敢亵渎;于先祖所藏的重器,都陈设出来,以示其能守而不敢失坠;于先王所遗的裳衣,必设之以授尸,不惟使神有所依,亦以系如在之思也;于四时该用的品物,心荐之以致敬,不惟使神有所享,亦以告时序之变也。"武王周公所制祭祀之礼,通于上下者如此。

【原文】

"宗庙之礼,所以序昭穆也。序爵,所以辨贵贱也。序事,所以辨贤也。旅酬下为上,所以逮贱也。燕毛,所以序齿也。"

【张居正注评】

序，是次序。昭穆，是宗庙的位次。在左边的为昭，取阳明之义。在右边的为穆，取阴幽之义。旅，是众。酬，是以酒相劝酬。燕，是燕饮。毛，是毛发。齿，是年齿。当祭于宗庙之日，群庙的子孙，皆来与祭，其排列的班次，或在左、或在右，各照依其主而不紊者，所以序其何者为昭，何者为穆，使等辈先后之不至于混乱也。陪祀之臣，有公、有侯、有卿大夫，其爵不同，于祭之时，而序其或在前或在后，都有个次第者。所以分辨其孰为贵、孰为贱，使尊卑不至于僭越也。祭必有事，如宗是掌管祠祭的，祝是读祝文的。又有司尊的、执爵的，及奠帛赞礼的，皆事也。于祭之时，而序次其执事者。

秦公簋

盖祭以任事为贤，所以分别其人之贤，择其德行之优、威仪之美、趋事之纯熟者为之，使非贤者不得与也。祭毕之时，同姓的兄弟与异姓的宾，众人饮酒，互相劝酬，其各家子弟每，都着他举觯于其父兄，而供事于左右，所以然者，盖宗庙之中，以有事为荣，正所以逮及那子弟之贱者，使他亦有所事，而因事以申其敬也。饮宴之后，异姓之宾皆退之，又独宴同姓之亲，到这时节，不论爵位之崇卑，但以毛发之黑白为坐次之上下，皆此者，盖同姓比之异姓为亲，故专论年齿以定坐次，使长幼不至于失序也。夫序昭穆者，亲亲也；序爵者，贵贵也；序事者，贤贤也；逮贱者，下下也；序齿者，老老也。武王周公一祭祀之间，其意义之周悉如此。

【原文】

"郊社之礼，所以事上帝也。宗庙之礼，所以祀乎其先也。明乎郊社之礼，禘尝之义，治国其如示诸掌乎？"

【张居正注评】

郊，是祭天。社，是祭地。上帝，即是天，言上帝则后土在其中。禘，是五年的大祭。尝，是秋祭。言秋祭则其余在其中。示字与视字同。掌，是手掌。示诸掌，是说看得明白。孔子又说："武王周公所制祭祀之礼，不但如上文所言而已。总而言之，有郊社之礼焉，有宗庙禘尝之礼焉。郊社之礼，或行于圜丘，或行于方泽，盖所以事奉上帝与后土，答其覆载生成之德也；宗庙之礼，或五年一举，或一年四祭，盖所以祭祀其祖先，尽吾报本追远之诚也。这郊社禘尝，是国家极大的礼仪，其中义理微妙，难于测识，若能明此礼仪而无疑，则理无不明，诚无不格，治天下国家的道理，即此而在，就如看自家的手掌一般，何等明白。"盖幽明一理，而幽为难知，神人一道，而神为难格,既能通乎幽而感乎神,则明而治人,又何难之有哉?夫武王周公之制礼,不惟善体乎先王,而又可通于治道,此所以尽伦尽制,而有合于中庸之道也。

上第十九章。

【原文】

哀公问政,子曰:"文武之政,布在方策。其人存,则其政举;其人亡,则其政息。"

【张居正注评】

哀公,是鲁国之君。方,是木版。简,是竹简。古时无纸,有事只写在木版竹简上,所以叫做方策。哀公问于孔子说:"人君为政的道理当如何?"孔子对说:"君欲行政,不必远有所求,惟在法祖而已。比我周文王武王,是开国的圣君,那时又有周公、召公诸贤臣辅佐,所行的政事都是酌古准今,尽善尽美的。如今布列于木版竹简之中,如《周官》《立政》诸书,及《周礼》所载,纪纲法度,固班班可考也。只是那一时的君臣,今已不存了。若使当今之时,上焉有文武这样的君,下焉有周召这样的臣,则当时立下的政事,如今件件都可举行,而文武之治,亦可复见于今日也。若是没有那样的君臣,则那政事便都灭息了。"载在方策者,不过陈迹而已,徒法岂能以自行哉?可见立政非难,得人为贵,上有励精求治之主,下有实心任事之臣,则立纲陈纪,修废举坠,只在反掌之间而已。不然虽有良法美意,譬之有车而无人以推挽之,车岂能以自行哉?此图治者,所当留意也。

【原文】

"人道敏政,地道敏树。夫政也者,蒲卢也。"

【张居正注评】

人,指君臣说。敏,是快速的意思。树,是栽植。蒲卢,是蒲苇,草之最易生者。孔子说:"上有明君,下有良臣,便是得人。这人的道理,最能敏政。君臣一德,上下一心,一整饬间,而废者即兴,坠者即举,一修为间,而近无不服,远无不从,可以大明作之功,可以收综核之效,何等的快速。就似那地的道理一般,土脉所滋,凡有所栽植者,随植随长,无不快速也。夫人能敏政,则但得其人,则可以行政矣。而况这文武之政也者,是圣人行下的,合乎人情,宜于土俗,尽善尽美,至精至备,又是最易行者,就似那草中蒲苇一般,比之他物,尤为易生者也。"夫人道既能敏政,而王政又甚易行如此,苟得其人以举之,其于为治何有?

【原文】

"故为政在人,取人以身,修身以道,修道以仁。"

【张居正注评】

人，是贤臣。身，指君身说。道，即是天下之达道。仁，是本心之全德。孔子说："由人存政举之易观之，可见天下有治人，无治法。所以为人君者，要举文武之政，只在择贤臣而任用之，惟得其人，然后纪纲法度，件件振举，而政事自无不行也。然人君一身，又是臣下的表率，如欲取人，必须先修自己的身，能修其身，然后好恶取舍，皆得其宜，而贤才乐为之用也。然要修身，又必于君臣、父子、夫妇、兄弟、朋友的道理，各尽其当然之实，则一身的举动，都从纲常伦理上周旋，身自无不修矣。然要修道，又必全尽本心之天德，使慈爱恻怛，周流而无间，则五伦之间，都是真心实意去运用，道自无不修矣。"夫以仁修道，以道修身，则上有贤君，以身取人，则下有贤臣，由是而举文武之政，何难之有哉！

【原文】

"仁者，人也，亲亲为大。义者，宜也，尊贤为大。亲亲之杀，尊贤之等，礼所生也。"

【张居正注评】

人，指人身而言。上一个亲字，是亲爱。下一个亲字，指亲族说。尊贤，是尊敬有德的人。杀，是降杀。等，是等级。礼，是天理之节文。承上文说："修道固必以仁，而仁非外物，乃有生之初，所具恻怛慈爱之理，是即所以为人也。然仁虽无所不爱，而惟亲爱自己的亲族，乃能推以及人，而爱无不周，故以亲亲为大。有仁必有义，而义非强为，凡事物之中，各有当然不易的道理，是即所以为宜也。然义虽无所不宜，而惟尊敬那有道德的贤人，乃能讲明此理，而施无不当，故以尊贤为大。然这亲亲中间，又有不同，如父母则当孝敬，宗族则当和睦，自有个降杀；这尊贤中间，也有不同，如大贤则以师傅待之，小贤则以朋友处之，自有个等级。这降杀等级，都从天理节文上生发出来，所以说礼所生也。"曰仁、曰义、曰礼，三者并行而不悖，则道德兼体于身，而修身之能事毕矣。

【原文】

"故君子不可以不修身。思修身，不可以不事亲；思事亲，不可以不知人；思知人，不可以不知天。"

【张居正注评】

承上文说："为政在人，取人以身。可见君子一身，关系最重。若不能修治其身，则其本不端，何以为取人的法则。所以君子不可不先修其身。修身以道，修道以仁，亲亲为仁之大。可见事亲是修身的先务，若不能善事其亲，则所厚者薄，无所不薄，身不可得而修矣。所以思修其身者，不可以不善事其亲。欲尽亲亲之仁，又必尊礼贤人，与之共处，然后亲亲的道理，讲究得明白。若不能尊贤取友以知人，则义理谁与讲明，是非无由辨白，以至辱身危亲者亦有之矣。所以思尽事亲之道者，又不可以不知人也。至若亲亲则有隆杀，尊贤则有等级，都是天理之自然。若于这天叙天秩的道理，知之不明，则恩或至于滥施，敬或至于妄加，所尊所亲，处之皆失其当矣。所以思知人以为事亲之助者，又不可以不知天也。"由知天以知人，知人以事亲，则身修而有君矣。以身取人，则有臣矣。有君有臣，而文武之政焉有不举者哉！

【原文】

天下之达道五，所以行之者三。曰：君臣也，父子也，夫妇也，昆弟也，朋友之交也。五者，天下之达道也。知、仁、勇三者，天下之达德也。所以行之者一也。

【张居正注评】

达，是通达。昆弟，即是兄弟。德，是所得于天之理。一字，指诚说。孔子说："天下古今人所共由的道理有五件，所以行这道理的有三件。五者何？一曰君臣，二曰父子，三曰夫妇，四曰兄弟，五曰朋友之交。在君臣则主于义，在父子则主于亲，在夫妇则主于别，在兄弟则主于序，在朋友则主于信。这五件是人之大伦，从古及今，天下人所共由的道理，不外乎此。就如人所通行的大路一般，所以说是天下之达道也。三者何？一曰知，二曰仁，三曰勇。知则明睿，所以知此道者。仁则无私，所以体此道者。勇则果确，所以强此道者。这三件是天命之性，从古至今，天下人所同得的，无少欠缺，所以说是天下之达德也。然达道固必待达德而后行，而其所以行之者，又只在一诚而已。"盖诚则真实无伪，故知为实知，仁为实仁，勇为实勇，而达道自无不行。苟一有不诚，则虚诈矫伪，而德非其德矣，其如达道何哉？故曰所以行之者一也。

【原文】

子曰："好学近乎知，力行近乎仁，知耻近乎勇。"

【张居正注评】

这一节是未及乎达德而求以入德的事。孔子说："人之气质虽有不同，然未尝无变化之术。如智以明道，固非愚者之所能。然若肯笃志好学，凡古今事物之理，时时去讲习讨论，不肯自安于不知，将闻见日广，聪明日开，虽未必全然是智，也就不堕于昏愚了，岂不近于智乎？仁以体道，固非自私者之所能，然若能勤励自强，事事去省察克治，实用其力，将见本心收敛，天理复还，虽未必纯然是仁，也就不蔽于私欲了，岂不近于仁乎！勇以任道，固非懦者之所能，然若能知己之不如人，而常存愧耻之心，不肯自暴自弃，将见耻心一萌，志气必奋，虽未必便是大勇，也就不终于懦弱了，岂不近于勇乎！"

【原文】

"知斯三者，则知所以修身。知所以修身，则知所以治人。知所以治人，则知所以治天下国家矣。"

【张居正注评】

斯字，解做此字。三者，指上文三近而言。孔子说："修身以道，而知、仁、勇之德，则所以行此道者，人若能知得好学、力行、知耻这三件，足以近之，便可以入于达德、行乎达道，所以修治其身之理，无不知矣。既知所以修身，则所以治人而使之尽其道者，即此而在。盖以己观人，虽有物我之间，然在我的道理，即是在人的道理，故知所以修身，便知所以治人也。既知所以治人，则所以治天下国家而使之皆尽其道者，亦即此而在。盖以一人观万人，虽有众寡之殊，然一个人的道理，即是千万人的道理。故知所以治人，便知所以治天下国家也。"夫以天下国家之治，而要之不外于修身，可见修身为出治之本矣。

【原文】

修身则道立，尊贤则不惑，亲亲则诸父昆弟不怨，敬大臣则不眩，体群臣则士之报礼重，子庶民则百姓劝，来百工则财用足，柔远人则四方归之，怀诸侯则天下畏之。

【张居正注评】

这一节是说九经的效验。道即是达道。诸父是伯父叔父。眩字解做迷字。孔子说："治天下国家的九经，人君若能着实行之，则件件都有效验，如能修治自己的身，则达道达德，浑然全备，便足以为百姓每的表率，而人皆有所观法矣。能尊礼有德的贤人，则薰陶启沃，聪明日开，闻见日广，于那修己治人的道理，都明白贯通，无所疑惑矣。能亲爱同姓的宗族，则为伯叔诸父的，为兄弟的，都得以保守其富贵，欢然和睦，而无有怨恨矣。能敬礼大臣，则信任专一，他得以展布其能，临大事、决大议，皆有所资而不至于迷眩矣。能体悉群臣，则为士的感激思奋，皆务竭力尽忠，以报答君上之恩矣。"

【原文】

凡为天下国家有九经，所以行之者，一也。

【张居正注评】

孔子既详言九经之事，又总结之说道："人君治天下国家，有这九件经常的道理，其事与效验，固各不同，然所以行那九经，只是一件，曰诚而已矣。"盖天下之事，必真实而无妄，乃能常久而不易，若存的是实心，行的是实事，则九经件件修举，便可以治天下国家。若一有不诚，则节目虽详，法制虽具，到底是粉饰的虚文而已，如何可以为治乎？故曰："所以行之者一也。"

【原文】

凡事豫则立，不豫则废。言前定则不跲，事前定则不困，行前定则不疚，道前定则不穷。

【张居正注评】

凡事，指达道、达德、九经，以及日用大小的事务皆是。豫，是素定。跲，是颠蹶，如人行路跌倒的一般。困，是窘迫。疚，是病。承上文说："九经之行，固贵于诚，然不但九经而已，但凡天下之事，能素定乎诚，则凡事都有实地，便能成立，若不能素定乎诚，则凡事都是虚文，必致废坏。何以言之？如人于言语先定乎诚，不肯妄发，则说的都是实话，自然顺理成章，不至于蹉跌矣；人于事务先定乎诚，不肯妄动，则临事便有斟酌，自然随事中节，不至于窘迫矣。身之所行者先定乎诚，则其行有常，自然光明正大，而无歉于心，何疚之有？道之当然者先定乎诚，则其道有源，自然泛应曲当，而用之不竭，何穷之有？"所谓凡事豫则立者如此，苟为不诚，则言必至于跲，事必至于困，行必至于疚，道必至于穷矣。

【原文】

在下位，不获乎上，民不可得而治矣。获乎上有道，不信乎朋友，不获乎上矣。信乎朋友有道，不顺乎亲，不信乎朋友矣。顺乎亲有道，反诸身不诚，不顺乎亲矣。诚身有道，不明乎善，不诚乎身矣。

【张居正注评】

这一节承上文推言素定的意思。获字，解做得字。孔子说："凡事皆当素定乎诚，如在下位的人，若要治民，必得了君上的心，肯信用他，方才行得。若不能得君上的心，则无以安其位而行其志，要行些政事，人都不肯听从，民岂可得而治乎？故欲治民者，当获乎上也。然要获乎上，不在乎谀悦以取容，自有个道理，只看他处朋友如何，若是平昔为人，不见信于朋友，则志行不孚，名誉不著，要见知于在上的人，岂可得乎？故欲获乎上者，必信于朋友也。然要朋友相信，不在乎交结以取名，自有个道理，只看他事父母如何。若平日不能承顺父母，得其欢心，则孝行不修，大节已亏，岂能取信于朋友之间乎？故欲信友者，当顺乎亲也。然要顺亲，亦不在乎阿意以曲从，也有个道理，只在能诚其身。若反求诸身，未能真实而无妄，则外有承顺之虚文，内无敬爱之实意，岂能得父母之欢心乎？故欲顺亲者，当诚乎身也。然诚身工夫，又不是一时袭取得的，也有个道理，只在能明乎善，若不能格物致知，先明乎至善之所在，则好善未必是实好，恶恶未必是实恶，岂能使所存所发，皆真实而无妄乎？"故欲诚身

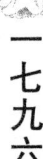

者，当明乎善也。能明善以诚身，则顺亲、信友、获上、治民，何难之有？即在下位者欲获上治民而推之一本于诚，则凡事可知矣。

【原文】

诚者，天之道也；诚之者，人之道也。诚者，不勉而中，不思而得，从容中道，圣人也。诚之者，择善而固执之者也。

【张居正注评】

诚，是真实无妄。从容，是自然的意思。择，是拣择。固，是坚固。执，是执守。承上文诚身说："这诚之为道，原是天赋与人的，盖天以实理生万物，人以实理成之为性，率其性而行之，本无间杂，不假修为，乃天与人的道理，自然而然，所以说是天之道也。若为气禀物欲所累，未能真实无妄，而用力以求到那真实无妄的去处，这是人事所当然者，乃人之道也。诚者之事何如，其行则安而行之，不待勉强而于道自无不中，其知则生而知之，不待思索，而于道自无不得。此乃从容合道的圣人，全其天而无所假于人为者也。诚之者之事何如？其知则未能不思而得，必拣择众理以明善，其行则未能不勉而中，必坚守其善以诚身，此乃用力修为的贤人，尽人以合天者也。"然自古虽生知安行之圣，亦必加学问之功，夫其得之于天者既全，而修之于人者又力，此所以圣而益圣欤？

【原文】

博学之，审问之，慎思之，明辨之，笃行之。

【张居正注评】

承上文说："择善而固执之，固诚之者之事。然其用工之节目，又不止一端。第一要博学，天下之理无穷，必学而后能知。然学而不博，则亦无以尽事物之理，故必旁搜远览，凡古今事物之变，无不考求，庶乎可以广吾之闻见也，这是博学之。所学之中有未知者，必须问之于人，然问而不审，则苟且粗略，而无以解中心之惑，故必与明师好友，尽情讲论，仔细穷究，庶乎可以释吾之疑惑也，这是审问之。虽是问的明白了，又必经自家思索一番，然后有得，然思而不慎，又恐失之泛滥，过于穿凿，虽思无益矣。故必本之以平易之心，求之于真切之处，而慎以思之，庶乎潜玩之久而无不通也。既思索了，又以义理精微，其义利公私之间，必加辨别，然辨而不明，则毫厘之差，谬以千里，虽辨无益矣。故必条分缕析，辨其何者为是，何者为非，何者似是实非，何者似非而实是，——一都明以辨之，庶乎尽其精微而不差也。夫既学而又问之、思之、辨之，则于天下之义理，皆已明白洞达而无所疑，可以见之于行矣。然行而不笃，则所行者徒为虚文，而终无所成就，又必真心实意，敦笃而行，无一时之间断，无一念之懈怠，则所知者皆见于实事，而不徒为空言矣，所以又说笃行之。"夫

博学、审问、慎思、明辨，所以择善也。笃行，所以固执也。五者，皆诚之者的工夫，学知利行之事也。

【原文】

果能此道矣，虽愚必明，虽柔必强。

【张居正注评】

此道，指上一节说。常人有志者少，无志者多。未有能实用其力者，若果能于那学问思辨笃行，用了百倍的工夫，则义理自然浑融，气质、自然变化，虽是生来愚昧的，久之亦将豁然贯通，而进于明矣。虽是生来柔弱的，久之亦能毅然自守，而进于强矣。况本是聪明强毅的，而又能加勤励不息之功，有不为大知大勇者乎。

上第二十章。

【张居正注评】

谨案此章，言帝王治天下之大经大法，极其详备。首言举行文武之政，在于有君有臣，而尤归重于君身，盖有君则自然有臣也。中言以三达德而行五达道，皆修身之事。九经则自身而推之家国天下，终言修己治人，必本于一诚，而学问思辨笃行之功，则所以求立乎诚者也。夫至诚者，天德也，九经之事，王道也。有天德而后可以行王道，其要在于典学，伏惟圣明留意焉。

【原文】

自诚明谓之性，自明诚谓之教。诚则明矣，明则诚矣。

【张居正注评】

诚，是真实无妄。明，是事理洞达。子思承孔子天道人道之意以立言说道："人之造道等级虽有相悬，及其成功，则无二致。固有德无不实，而明无不照，由诚而明的，这叫做性。盖圣人之德，不勉而中，不思而得，天性本来有的，故谓之性。性，即天道也。有先明乎善，而后能实其善，由明而诚的，这叫做教。盖贤人之学，以择而精，以执而固，由教而后能入的，故谓之教。教，即人道也。夫曰性曰教，虽有天道人道之殊，然德无不实者，固自然清明在躬，无有不明，而先明乎善者，也可以到那诚的地位，及其成功，则一而已矣。"所以说诚则明矣，明则诚矣。

上第二十一章。

【原文】

唯天下至诚，为能尽其性。能尽其性，则能尽人之性。能尽人之性，则能尽物之性。能尽物之性，则可以赞天地之化育。可以赞天地之化育，则可以与天地参矣。

【张居正注评】

　　天下至诚，是说圣人之德，极诚无妄天下莫能过他。赞，是助。化育，是变化生育。参，是并立为三的意思。子思说："天命之性，本自真实无妄，只为私欲蔽了，见得不明，行得不到，所以不能尽性。独有天下至诚的圣人，其知生知，其行安行，纯乎天理而不杂于人欲，故能于所性之理，察之极其精，行之极其至，而无毫发之不尽也。然天下的人，虽有智愚贤不肖，其性也与我一般，圣人既能尽己之性，由是推之于人，便能设立政教，以整齐化导之，使人人都复其性之本然，而能尽人之性矣。天下的物，虽飞潜动植不同，其性也与人一般，圣人既能尽人之性，由是推之于物，便能修立法制，以撙节爱养之，使物物各遂其性之自然，而能尽物之性矣。夫人物皆天地之所生，而不能使之各尽其性，是化育也有不到的。今圣人能尽人物之性，则是能裁成辅相，补助天地之所不及矣，岂不可以赞天地之化育乎！，既能赞天地之化育，则是有天地不可无圣人，天位乎上而覆物，地位乎下而载物，圣人位乎中而成物，以一人之身，与天地并立而为三矣，岂不可与天地参乎！"至诚之功用，其大如此，然天地万物之理，皆具于所性之中，参赞位育之功，不出于尽性之外，学圣人者，但当于吾性中求之。

　　上第二十二章。

【原文】

　　其次致曲，曲能有诚，诚则形，形则著，著则明，明则动，动则变，变则化。唯天下至诚为能化。

【张居正注评】

　　其次，是指贤人以下说。致，是推极。曲，是善之一偏处。盖人之心，虽为物欲所蔽，然良心未曾泯灭，必有一端发见的去处，这叫做曲。若能就此扩充之，到那至极的去处，叫做致曲。形是发见于外。著是显著。明是光明。动是感动。变是改变。化是浑化。子思说："天下至诚的圣人，固能尽其性之全体，而能尽人物之性，以收参赞之功矣。其次若贤人以下，诚有未至者，却当何如用功？盖必由那善端发见之一偏处，悉推致之以各造其极。如一念恻隐之发，则推之以至于无所不仁；一念羞恶之发，则推之以至于无所不义，而曰礼曰智，莫不皆然，这便是能致曲了。夫一偏之曲，既无不致，则有以通贯乎全体，而无不实矣，所以说曲能有诚。诚既积于中，则必发于外，将见动作威仪之间，莫非此德之形见矣。既形，则自然日新月盛，而愈显著矣；既著，则自然赫喧盛大，而有光明矣。盖实德之积于中者日盛，故德容之见于外者愈光，内外相符之机，有不容掩者如此。诚既发于外而有光明，则人之望其德容者，自然感动，而兴起其好善之心矣。既动，则必改过自新，变其不善以从吾之善矣；既变，则久之皆相忘于善，浑化而无迹矣。盖诚之动乎物者既久，则人之被其化者愈深，人己相符之机，有莫知所以然者如此。夫感人而至于化，岂是容易到得的？惟是天下至诚的圣人，才能感人到那化的去处。今致曲者积而至于能化，则亦天下至诚而已矣。"夫由诚而形、而著、而明，所谓能尽其性者也。由动而变、而化，所谓能尽人物之性者也，而参赞在其中矣。虽由致曲而入，及其成功则一也。

上第二十三章。

【原文】

诚者自成也，而道自道也。

【张居正注评】

子思说："真实无妄之谓诚。这诚是人所以自成其身的道理，如实心尽孝，才成个人子，实心尽忠，才成个人臣，所以说是自成也。体此诚而见于人伦日用之间，则谓之道。这道，乃人所当自行的，如事亲之孝，为子的当自尽，事君之忠，为臣的当自尽，所以说是自道也。"

【原文】

诚者，物之终始，不诚无物。是故君子诚之为贵。

【张居正注评】

物，是事物。子思说："何以见得诚为自成，而道当自道？盖天下事物，莫不有终，莫不有始。终不自终，是这实理为之归结；始不自始，是这实理为之发端。彻头彻尾，都是实理之所为，是诚为物之终始，而物所不能外也。人若不诚，则虽有所作为，到底只是虚文，恰似不曾干那一件事的一般。如不诚心以为孝，则非孝；不诚心以为忠，则非忠。所以君子必以诚之为贵，而择善固执以求到那真实之地也。若然，则能有以自成，而道亦无不行矣。"

子思

【原文】

诚者，非自成己而已也，所以成物也。成己，仁也；成物，知也。性之德也，合外内之道也，故时措之宜也。

【张居正注评】

时措，是随时而行无不当理。子思说："诚固所以自成，然又不止成就自家一身而已，天下的人同有此心，同有此理，既有以自成，则自然有以化导他人，而使之皆有所成就，亦所以成物也。成己，则私意不杂，全体浑然，叫做仁；成物，则因物裁处各得其当，叫做知。然是仁、知二者，非从外来，乃原于天命，是性分中固有之德也，亦不是判然为两物的，与生俱生，乃内外合一的道理。君子特患吾心有未诚耳，心既诚，则仁、智兼得，一以贯之，将见见于事者，不论处己处物，以时措之而皆得其当矣。"此可见仁智一道，得则俱得，物我一理，成不独成，岂有能成己而不能成物者乎？所以说诚者非自成己而已也，所以成物也。

上第二十五章。

【原文】

故至诚无息，不息则久，久则征，征则悠远，悠远则博厚，博厚则高明。

【张居正注评】

息，是间断。久，是常于中。征，是验于外。悠，是悠长。远，是久远。博厚，是广博深厚。高明，是高大光明。子思说："人之德有不实，则为私欲所间杂，而其心不纯，不纯则有止息之时。圣人之德，既极其真实，而无一毫之虚伪，则此心之内，纯是天理流行，而私欲不得以间之，自无有止息矣。既无止息，则心体浑全，德性坚定，自然始终如一，常久而不变矣。存诸中者既久，则必形见于威仪，发挥于事业，自然征验而不可掩矣。既由久而征，则凡所设施，都是纯王之政，自然悠裕而不迫，绵远而无穷矣。惟其悠远，则积累之至，自然充塞乎宇宙，浃洽于人心，广博而深厚矣。惟其博厚，则发见之极，自然巍乎有成功，焕乎有文章，高大而光明矣。"盖德之存诸中者，既极其纯，故业之验于外者，自极其盛，此至诚之妙，所以能赞化育而参天地者也。

【原文】

博厚，所以载物也；高明，所以覆物也；悠久，所以成物也。

【张居正注评】

这一节是说圣人与天地同用。子思说："至诚之功用，所积者既广博而深厚，则天下之物，无不在其包括承受之中，而咸被其泽，是固所以载物也。所发者既高大而光明，则天下之物，无不在其丕冒照临之下，而咸仰其光，是固所以覆物也。其博厚高明者，又皆悠长而久远，则天下之物，常为其所覆载，而得以各遂其生，各复其性，是固所以成物也。"

【原文】

博厚配地，高明配天，悠久无疆。

【张居正注评】

这一节是说圣人与天地同体。配,是配合。疆,是疆界。子思说:"承载万物者莫如地,今至诚之博厚,也能载物,则其博厚,就与地道之厚者,配合而无间矣。覆冒万物者莫如天,今至诚之高明,也能覆物,则其高明,就与天道之高明者,配合而无间矣。天地之博厚高明,亘古亘今,无有穷尽,故能成物。今至诚之悠久,也能成物,则其悠久之功,就与天地之无疆界者,通一而无二矣。"

【原文】

如此者,不见而章,不动而变,无为而成。

【张居正注评】

如此,指上文说。见字解做示字。章,是显。子思说:"圣人能覆载成物,而配天地之无疆,其功业之盛如此,然岂待于强为哉?亦自然而然者耳。观其博厚的功业,固灿然而成章,然亦积久蓄极,自然显著的,不待表暴以示人而后章也,此其所以能配地也。其高明的功业,固能使人禽然而丕变,然亦存神过化自然感应的,不待鼓舞动作而后变也,此其所以能配天也。其博厚高明之悠久,固能使治功有成,万世无敝,然亦不识不知,自然成就的,不待安排布置,有所作为而后成也,此所以能配天地之无疆也。"

【原文】

天地之道,可一言而尽也。其为物不贰,则其生物不测。

【张居正注评】

上面既说圣人之功用,同乎天地,此以下文,又即天地之道以明之。贰,是参杂。子思说:"天地之道虽大,要之可以一言包括得尽,只是个诚而已。盖天地之间,气化流行,全是实理以为之运用,更无一毫参杂,惟其不贰。所以能长久不息,而化生万物,形形色色,充满于覆载之间,有莫知其所以然者,岂可得而测度之哉。"观此,则圣人之至诚不息,久而必征可知矣。

【原文】

天地之道,博也,厚也,高也,明也,悠也,久也。

【张居正注评】

天地之道,惟其诚一不贰,故能各极其盛。地之道惟诚,是以不但极其广博,而又极其深厚也;天之道惟诚,是以不惟极其高大,而又极其光明也。且其博厚高明,又极其悠长，极其久远，而不可以终穷也。观此，则圣人之悠远、博厚、高明，皆本于诚又可知矣。

【原文】

大哉，圣人之道！

【张居正注评】

道，即是率性之道，惟圣人能全之，所以说圣人之道。子思赞叹说："大矣哉，其惟圣人之道乎！"言其广阔周遍，无所不包，无所不在，天下无有大于此者。如下文两节便是。

【原文】

洋洋乎！发育万物，峻极于天。

【张居正注评】

洋洋，是流动充满的意思。发育，是发生长育。峻，是高大。极，是至。子思说："何以见圣道之大？以其全体言之，则见其洋洋乎流动充满，无有限量，如万物虽多，都是这道理发生长育，大以成大，小以成'小，无一物而非道也。天虽高大，这道理之高大，上至于天，日月所照，霜露所坠，无一处而非道也。"其极于至大而无外如此。

【原文】

优优大哉！礼仪三百，威仪三千。

【张居正注评】

优优，是充足有余的意思。礼仪，是经礼，如冠、婚、丧、祭之类。威仪，是曲礼，如升降揖逊之类。子思说："圣人之道，以其散殊而言，则见其优优然充足有余，广大悉备。如人伦日用之间，有经常不易的礼仪，而礼仪之目，则有三百，品节限制，都是这个道理；有周旋进退的威仪，而威仪之目，则有三千，细微曲折，也都是这个道理。"其入于至小而无间如此。

【原文】

待其人而后行。故曰苟不至德，至道不凝焉。

【张居正注评】

其人，指圣人说。至道，指上两节。凝，是聚会的意思。承上文说："道之全体，

既洋洋乎无所不包，道之散殊，又优优乎无所不在，其大如此，是岂可以易行者哉？必待那有至德的圣人，为能参赞化育，周旋中礼，这个道理方才行得。若不是这等的至德，则胸襟浅狭，既不足以会其全，识见粗疏，又不足以尽其细，要使这道理凝聚于身心，岂可得乎？"所以说苟不至德，至道不凝焉。然则欲凝至道，必先尽修德之功而后可。

【原文】

故君子尊德性而道问学，致广大而尽精微，极高明而道中庸。温故而知新，敦厚以崇礼。

【张居正注评】

这是说修德凝道的工夫。尊，是恭敬奉持的意思。德性，是人所受于天的正理。道，是由。致，是推及。广大高明，是说心之本体。精微，是理之精细微妙处。温，是温习。故，是旧所知的。敦，是敦笃。厚，是旧所能的。崇，是积累的意思。礼，是天理之节文。子思说："至道必待至德而后凝，是以君子为学，知这道理至大，凝道的工夫至难。胸次浅陋的，固做不得，识见粗略的，也做不得，必于所受于天的正理，恭敬奉持，保守之而不至于失坠，其尊德性如此。又于那古今的事变，审问博学务有以穷其理而无遗，而率由夫问学之功焉。这是修德凝道的纲领，然非可以一端尽也。心体本自广大，有以蔽之，则狭小矣，必扩充其广大，而不以一毫私意自蔽。然于事物之理，又必析其精微，不使有毫厘之差，而广大者不流于空疏也。心体本自高明，有以累之，则卑污矣。必穷极其高明，而不以一毫私欲自累，然于处事之际，又必依乎中庸不使有过之不及之谬，而高明者不入于虚远也。于旧日所已知者，则时加温习，不使其遗忘，然义理无穷，又必求有新得，而日知其所未知焉；于旧日所已能者，则益加敦笃，不使其放逸，然节文无限，又必崇尚礼度，而日谨其所未谨焉。"夫致广大、极高明、温故、敦厚，皆是尊德性的事。尽精微、道中庸、知新、崇礼，皆是道问学的事。君子能尽乎此，则德无不修，而道无不凝矣。

【原文】

是故居上不骄，为下不倍。国有道，其言足以兴；国无道，其默足以容。《诗》曰："既明且哲，以保其身。"其此之谓与？

【张居正注评】

骄，是矜肆。倍，是违悖。兴，是兴起在位。明，是明于理。哲，是察于事。子思承上文说："君子既修德以凝道，则圣人之道，全备于一身，自然无所处而不当矣。故使之居上位，便能兢兢业业，尽那为上的道理，必不肯恃其富贵，而至于骄矜；使之在下位，便能安分守己，尽那为下的道理，必不肯自干法纪，而至于违悖。国家有道之时，可以出而用世，他说的言语，便都是经济的事业，足以感动乎人，而兴起在位；国家无道之时，所当见几而作，他就隐然自守，不为危激的议论，足以远避灾祸而容其身。是为上、为下、处治、处乱，无所不宜如此。《大雅·烝民》之诗说：'周之贤臣仲山甫，既能明于理，又能察于事，故能保全其身无有灾害。'这就是说修德君子，随所处而无不宜的意思。所以说其此之谓与？"

上第二十七章。

【原文】

子曰："愚而好自用，贱而好自专，生乎今之世，反古之道。如此者，灾及其身者也。"

【张居正注评】

这是子思引孔子之言，以明为下不倍的意思。反，是复。裁字与灾字同，是灾祸。孔子说："昏愚无德的人，不可自用，他却强作聪明而执己见以妄作。卑贱无位的人，不可自专，他却不安本分而逞私智以僭为。生乎今之世，只当遵守当今的法度，他却要复行前代的古道。这等的人，越理犯分，王法之所不容，灾祸必及其身矣。"即夫子此言观之，然则为下者，焉可倍上也哉！

【原文】

非天子不议礼，不制度，不考文。

【张居正注评】

此以下都是子思的说话。礼，是亲疏贵贱相接的礼节。度，是宫室车服器用的等级。考，是考正。文，是文字的点画形象。子思推明孔子之意说："自用自专，与生今反古之人，皆足以取祸者，何哉？盖制礼作乐，是国家极大的事体，必是圣天子在上，既有德位，又当其时，然后可以定一代之典章，齐万民之心志。如亲疏贵贱，须有相接的礼体，然惟天子得以议之，非天子不敢议也。宫室车服器用，须有一定的等级，然惟天子得以制之，非天子不敢制也。书写的文字，都有点画形象，然惟天子得以考之，非天子不敢考也。"盖政教出于朝廷，事权统于君上，有非臣下所能干预者如此。

【原文】

今天下车同轨，书同文，行同伦。

【张居正注评】

今，是子思自指周时说。轨，是车的辙迹。书，是写的字。行，是行出来的礼。伦，是次序。子思说："仪礼、制度、考文，惟其出于天子，所以当今的天下，虽不是

文武成康之时，然其法制典章，世世遵守，无敢有异同者。以车而言，造者固非一人，而其辙迹之广狭，都是一般，是天子所制之度，至今不敢更变也。以字而言，写者固非一人，而其点画形象，都是一般，是天子所考之文，至今不敢差错也。以礼而言，行者固非一人，而其亲疏贵贱的次序，都是一般，是天子所议之礼，至今不敢逾越也。"当今一统之盛如此，则愚贱之人，与生今之世者，岂可得而违倍哉？

【原文】

虽有其位，苟无其德，不敢作礼乐焉；虽有其德，苟无其位，亦不敢作礼乐焉。

【张居正注评】

子思又说："欲制礼作乐以治天下者，必是圣人在天子之位，而后可。虽有天子之位，苟无圣人之德，则人品凡庸，而无制作之本，如何敢轻易便为制礼作乐之事？虽有圣人之德，苟无天子之位，则名分卑下，而无制作之权，也不敢擅便为制礼作乐之事。"盖无德而欲作礼乐，便是愚而自用；无位而欲作礼乐，便是贱而自专。故必有圣人之德，而又在天子之位，然后可以任制作之事，而垂法于天下也。然则为下者，又安敢以或倍哉！

【原文】

子曰："吾说夏礼，杞不足征也；吾学殷礼，有宋存焉；吾学周礼，今用之，吾从周。"

【张居正注评】

礼，即上文仪礼、制度、考文之事。杞、宋，是二国名。杞，是夏之后代。宋，是殷之后代。征，是证。子思又引孔子之言说："有一代之兴，必有一代之礼。比先夏禹之有天下，所制之礼，我尝向慕而诵说之，但他后代子孙衰微，今见存者止有个杞国，典籍散失，旧臣凋谢，不足以取证吾言矣。既无可证，则我虽知之，岂可得而从之乎？殷汤之有天下，所制之礼我亦尝考求而学习之，虽则殷之子孙，尚有宋国，他文献也有存的，不至尽泯，然皆前代之事，而非当世之法，则我虽习之，亦岂可得而从之乎？惟有我周之礼，是文武之所讲画，至精至备，凡方策之所存，与贤人之所记，吾皆学之，这正是当今之所用，天下臣民都奉行遵守，不敢违越，既可考证，又合时宜，与夏殷的不同。然则吾之所从，亦惟在此周礼而已。"夫以孔子之圣，生于周时，且不敢舍周而从夏殷之礼，然则生今反古者，是岂为下不倍之义哉？

上第二十八章。

【原文】

王天下有三重焉，其寡过矣乎？

【张居正注评】

王天下,是兴王而君主天下者。三重指议礼、制度、考文说,以其为至重之事,故曰三重。子思说:"王天下的君子,有议礼、制度、考文三件重大的事,行于天下,则有以新天下之耳目,一天下之心志,由是诸侯奉其法,而国不异政,百姓从其化,而家不殊俗,天下之人,其皆得以寡其过失矣乎。"

【原文】

上焉者,虽善无征,无征不信,不信民弗从;下焉者,虽善不尊,不尊不信,不信民弗从。

【张居正注评】

征,是考证。尊,是尊位。子思又说:"所谓王天下者,乃身有其德,居其位,而又当其时者也。如时王以前,远在上世的,其礼虽善,然世远人亡,于今已无可考证,既无可考,则不足以取信于人,不足取信于人,则人不从之矣。又如圣人穷而在下的,虽善于礼,然身屈道穷,而不在尊位,位不尊,则不足以取信于人,不足取信于人,则人不从之矣。"故三重之道,惟当世之圣人,而又在天子之位,然后乃可行也。

【原文】

是故君子动而世为天下道,行而世为天下法,言而世为天下则。远之则有望,近之则不厌。

【张居正注评】

动,是动作,兼下面行与言说。道,是由,兼下面法与则说。法,是法度。则,是准则。望,是仰慕。厌,是厌恶。子思说:"君子议礼、制度、考文,既通乎天人之理,而兼有六事之善,则可以立天下万世之极矣。所以凡有动作,不但一世之人由之,而世世为天下之所共由。如动而见诸行事,则凡政教之施,都是经常不易的典章,世世的人,皆守之以为法度,而不敢纷更。动而见于言语,则凡号令之布,都是明征定保的圣谟,世世的人皆取之以为准则,而不敢违悖。在远方的百姓,悦其德之广被,则人人向风慕义,都有仰望之心,在近处的百姓,习其行之有常,则人人欢欣鼓舞,无有厌恶之意,是君子之道,垂之万世而无弊,推之四海而皆准者如此。民之寡过不亦宜乎!

【原文】

《诗》曰:"在彼无恶,在此无射。庶几夙夜,以永终誉。"君子未有不如此而蚤有誉于天下者也。

【张居正注评】

《诗》，是《周颂·振鹭》之篇。恶，是憎恶。射，是厌射。夙，是早。永终，是长久的意思。誉，是名誉。蚤，是先。子思引《诗》说："人能在彼处也无人憎恶他，在此处也无人厌射他，彼此皆善，无往不宜，则庶几早夜之间，得以永终其美誉矣。观《诗》所言，可见致誉之有本也。是以三重君子，必备六事之善，而后可以得令名于天下，固未有道德不本于身，信从未协于民，三王后圣不能合，天地鬼神不能通，而能垂法则，服远近，先有声名于天下者也。"然则为人上者，岂可不自尽其道也哉！

上第二十九章。

【原文】

仲尼祖述尧舜，宪章文武，上律天时，下袭水土。

【张居正注评】

仲尼，是孔子的字。祖述，是远宗其道。宪章，是近守其法。律，是法。袭字，解做因字。子思说："古之帝天下者，其道莫盛于尧舜，仲尼则远而祖述其道，如博约之训，一贯之旨，都是从精一执中敷衍出来的，以接续其道统之传，这是祖述尧舜。古之王天下者，其法莫备于文武，仲尼则近而谨守其法，如礼乐则从先进梦寐欲为东周，遵守着祖宗的成宪，不敢自用自专，这是宪章文武。至若春夏秋冬，运行而不滞者，天之时也。仲尼仰观于天，便法其自然之运，如日仕、日止、日久、日速，都随时变易，各当其可，这是上律天时。东西南北，殊风而异俗者，地之理也。仲尼俯察于地，便因其一定之理，如居鲁、居宋、之齐、之楚，都随寓而安，无所不宜，这是下袭水土。"

【原文】

万物并育而不相害，道并行而不相悖。小德川流，大德敦化，此天地之所以为大也。

【张居正注评】

育，是生育。害，是侵害。道，指日月四时而言，一阴一阳之谓道，四时日月之推迁流行，不过阴阳而已，所以叫做道。悖，是相反。小德，是天地造化之分散处。川流，是说如川水之流行。大德，是天地造化之总会处。敦，是厚。化，是化育。子思说："天覆地载，万物并生于其间，却似有相害者。然大以成大，小以成小，各得其所，而不相侵害焉。四时日月并行于天地之内，却似有相悖者，然一寒一暑，一昼一夜，各循其度，而不相违悖焉。夫同者难乎其异，而乃不害不悖者为何？盖天地有分散的小德，无物不有，无时不然，就如川水之流，千支万派，脉络分明，而不见其止息，此其所以不害不悖也。异者难乎其同，而乃并育并行者为何？盖天地有总会的大德，为万物之根底，为万化之本原，但见其敦厚盛大，自然生化出来，无有穷尽，此其所以并育并行也。有小德以为用，有大德以为体，天地之所以为大者，正在于此。"今仲尼祖述宪章，上律下袭，其泛应曲当，即是小德之川流，其一理浑然，即是大德之敦化，则圣道之所以为大，又何以异于天地哉！

上第三十章。

【原文】

唯天下至圣，为能聪明睿知，足以有临也。宽裕温柔，足以有容也。发强刚毅，足以有执也。齐庄中正，足以有敬也。文理密察，足以有别也。

【张居正注评】

临，是居上临下。子思说："居上位而临下民，不是凡庸之人可以做得的，独有天下的至圣，他是天之笃生，时之间出，为能聪无不闻，明无不见，睿无不通，智无不知，高过于一世之人，足以尊居上位，而临御天下也，其生知之质如此。以其德言之，为能宽广而不狭隘，优裕而不急迫，温和而不惨刻，柔顺而不乖戾，足以容蓄天下，而包含遍覆之无外，其仁之德如此。又能奋发而不废弛，强健而不畏缩，刚断而不屈挠，果毅而不间断，足以操守执持，而不为外物之所夺，其义之德如此。又能斋焉而极其纯一，庄焉而极其端严，中焉而无少偏倚，正焉而无少邪僻，而凡处己行事，皆足以有敬而无一毫之慢，其礼之德如此。又能文焉而章美内蕴，理焉而脉络中存，密焉而极其详细，察焉而极其明辨，于凡是非邪正，皆足以分别而无一毫之差，其智之德又如此。"既独禀聪明睿知之资，而又兼备仁义礼智之德，所以为天下之至圣也。

【原文】

溥博渊泉，而时出之。

【张居正注评】

溥博，是周遍而广阔。渊泉，是静深而有本。出，是发见于外。子思说："天下至圣，既有是聪明睿知之资，又兼仁义礼智之德，其充积之盛，则周遍广阔，备万物之理而不可限量，何溥博也。静深有本，涵万化之原而不可测度，何渊泉也。及其事至物来，有所感触的时节，则聪明睿知，仁义礼智之德，自然发见于外，随时应接而用之不穷焉。"盖体无不具，故用无不周如此。

【原文】

溥博如天，渊泉如渊。见而民莫不敬，言而民莫不信，行而民莫不说。

【张居正注评】

渊，是水深处。子思又形容圣人之德说："凡物之溥博者，莫过于天，今圣德之溥博，不可限量，就如天之溥博一般，盖非寻常之所谓溥博而已。物之渊泉者，莫过于渊，今圣德之涌泉，不可测度，就如渊之渊泉一般，盖非寻常之所谓渊泉而已。由是时而著，见于容貌，则百姓每便都钦敬之，而无有亵慢者。时而发之于言语，则百姓每便都尊信之，而无有违疑者。时而措之于行事，则百姓每便都喜悦之，而无有怨恶者。"夫如天如渊，可见其充积之盛矣，民莫不敬信且说，可见其时出之妙矣。非至圣而能若是乎！

【原文】

是以声名洋溢乎中国，施及蛮貊，舟车所至，人力所通，天之所覆，地之所载，日月所照，霜露所队，凡有血气者，莫不尊亲，故曰配天。

【张居正注评】

声名，是圣德的名声。洋溢，是充满。施，是传播。队，是落。凡有血气者，指人类说。配，是配合。子思说："圣人之德，充积既极其盛，发见又当其可，是以休声美名，充满乎中华之国，而传播遍及乎蛮貊之邦，华夷之人，皆敬信而悦之焉。极而言之，凡水陆舟车之所可到，人力之所可通，天之所覆盖，地之所持载，日月之所照临，霜露之所坠落的去处，凡有血气而为人类者，一皆尊之为元后，而无有不敬者，亲之如父母，而无有不爱者，即此可见圣德之广大，就与天一般。"盖天之所以为大者，以其无所不覆也，今圣人之德，既光四表而格上下，则与天配合而无间矣。所以说配天。

上第三十一章。

【原文】

肫肫其仁，渊渊其渊，浩浩其天。

【张居正注评】

肫肫，是恳至。渊渊，是静深。浩浩，是广大。上文说至诚之德，至此又极赞其盛说道："至诚，圣人之经纶、立本、知化，既皆出于自然，则其德之盛，非可寻常论者也。自其经纶言之，则于人伦日用之间，一皆恩意之浃洽，慈爱之周流，何其肫肫然而恳至也。自其立本言之，则性真澄彻，而万理空涵，就与那渊泉之不竭一般，何其渊渊然而静深也。自其知化言之，则阴阳并运，而上下同流，就与那天之无穷一般，又何其浩浩然而广大也。"至诚之德，其至矣乎！

【原文】

苟不固聪明圣知达天德者，其孰能知之？

【张居正注评】

固字，解做实字。天德，指仁义礼智说。子思总结上文说："至诚之功用，其盛如此，则其妙未易知也。若不是实有聪明圣知之资，通达仁义礼智之天德的圣人，则见犹滞于凡近，而知不免于推测，其欲所谓经纶立本而知化者，何足以知之哉？"此可见惟圣人然后能知圣人也。

上第三十二章。

【原文】

《诗》曰："衣锦尚䌹。"恶其文之著也。故君子之道，暗然而日章；小人之道，的然而日亡。君子之道，淡而不厌，简而文，温而理，知远之近，知风之自，知微之显，可与入德矣。

【张居正注评】

锦，是五采织成的衣服。尚，是加。䌹，是禅衣。暗然，是韬晦不露的意思。的然，是用意表见的意思。风，是动。凡人行事之得失，都足以感动乎人，所以叫做风。自字，解做由字。子思前章既说圣人德极其盛，又恐人务于高远，而无近里着己之功，故此章复自下学立心之始而推之，以至其极说道："《国风》之诗有言，人穿了锦绣的衣服，外面却又加一件朴素的禅衣盖着，这是为何？盖以锦绣之衣，文采太露，故加以禅衣，乃是恶其文采之太著也，学者之立心，也要如此。所以君子之为学，专务为己，不求人知，外面虽暗然韬晦，然实德在中，自不能藏，而日见其章显；小人之为学，专事文饰，外面虽的然表见，然虚伪无实，久则不继，而日见其消亡矣。然所谓暗然而日章者如何？盖君子之道，外虽淡素，其中自有旨趣，味之而不厌，外若简略，其中自有文采，灿然而可观，外虽温厚浑沦，其中自有条理，井然而不乱。夫淡、简、温，就如䌹之袭于外的一般。不厌而文且理，就如锦之美在其中的一般，这是君子为己之心如此。然用功时节，又有当谨的去处，若使知之不明，则何所据以为用力之地乎？又要随时精察，知道远处传播的，必从近处发端，在彼之是非，由于在此之得失也。知道自己的行事能感人动物的，都有个缘由，吾身之得失，本于吾心之邪正也。又知道隐微的去处，必然到显著的去处，念虑既发于中，形迹必露于外也。这三件都是当谨之几，既知乎此，然后可以着实用功，循序渐进，而入于圣人之德矣。"然则下学而上达者，可不以立心为要哉！

【原文】

《诗》云："潜虽伏矣，亦孔之昭！"故君子内省不疚，无恶于志。君子之所不可

及者，其唯人之所不见乎。

【张居正注评】

《诗》，是《小雅·正月》之篇。潜，是幽暗的去处。伏，是隐伏。孔字解做甚字。疚，是病。无恶于志是说无愧于心。子思引《诗》说："幽暗的去处虽是隐伏难见，然其善恶之几，甚是昭然明白。《诗》之所言如此，可见独之不可不谨也。是故君子于己所独知之地，内自省察使念虑之动，皆合乎理，而无一些疚病，方能无愧怍于心也。夫人皆能致饰于显著，而君子独严于隐微，即是而观，则君子之所不可及者，其在人所不见之地乎！"若夫人之所见，则人皆能谨之，不独君子为然矣，这是说君子谨独之事，为己之功也。

【原文】

《诗》云："相在尔室，尚不愧于屋漏。"故君子不动而敬，不言而信。

【张居正注评】

《诗》，是《大雅·抑》之篇。相，是看视。屋漏，是室西北隅深密的去处。子思引《诗》说："看尔在居室之中，虽屋漏深密的去处，莫说是未与物接，便可怠忽了，尚当常存敬畏，使心里无一些愧怍才好。诗人之言如此，可见静之不可不慎也。所以君子之心，不待有所动作，方才敬慎。便是不动的时节，已自敬慎了，不待言语既发，方才诚信，便是不言的时节，已自诚信了。"这是戒慎不睹，恐惧不闻的工夫，君子为己之功，至是而益加密矣。

【原文】

《诗》曰："奏假无言，时靡有争。"是故君子不赏而民劝，不怒而民威于铁钺。

【张居正注评】

《诗》是《商颂·烈祖》之篇。奏是进，假字与格字同，是感格。靡字，解做无字。铁，是莝斫刀。钺，是斧。子思又引《诗》说："主祭者进而感格于神明之际，极其诚敬，不待有所言说告戒，而凡在庙之人，亦皆化之，自无有争竞失礼者，此可见有是德，则有是化矣。是故君子既能动而省察，又能静而存养，则诚敬之德，足以感人，而人之被其德者，不待爵赏之及，而兴起感发，乐于为善，自切夫劝勉之意，不待嗔怒之加，而自然畏惧，不敢为恶，有甚于铁钺之威。"盖德成而民化，其效如此。是以君子惟密为己之功，以造于成德之地也。

【原文】

《诗》云："予怀明德，不大声以色。"子曰："声色之于以化民，末也。"《诗》

曰："德輶如毛。"毛犹有伦。"上天之载，无声无臭。"至矣。

【张居正注评】

这一节是子思三引诗，以形容不显笃恭之妙。予，是诗人托为上帝的言语。怀，是念。輶字解做轻字。伦，是比方。载，是事。子思说："君子不显笃恭，而天下自平，则其德之微妙，岂易言哉？《大雅·皇矣》之诗说，上帝自言我眷念文王之明德，深微邃密，不大著于声音颜色之间，这诗似可以形容不显之德矣。然孔子曾说：'为政有本，若将声音颜色去化民，也不过是末务。'今但言不大而已，则犹有声色者存，岂足以形容之乎？《大雅·烝民》之诗说，德之微妙，其轻如毛，这诗似可以形容不显之德矣。然毛虽细微，也还有一物比方得他，亦岂足以形容之乎？惟文王之诗说，上天之事，无有声音之可听，无有气臭之可闻，夫声臭有气无形，比之色与毛，已是微妙了，而又皆谓之无，则天下之至微至妙，不见其迹，莫知其然者，无过于此。以此形容君子不显之德，才可谓至尽矣，不可以有加矣。"子思既极其形容，而又赞叹其妙，以见君子之学，必如是而后为至也。其示人之意，何其切哉！大抵《中庸》一书，首言天命之性，是说道之大原，皆出于天。终言上天之载，是说君子之学，当达诸天，然必由戒慎恐惧之功，而后可以驯致于中和位育之极，尽为己慎独之事，而后可以渐进于不显笃恭之妙。可见尽人以合天，下学而上达，其要只是一敬而已。先儒说敬者圣学始终之要，读者不可不深察而体验也。

上第三十三章。

论语

学而第一

此为书之首篇，故所记多务本之意乃入经之门，积德之基，学者之先务也。凡十六章。

【原文】

子曰："学而时习之，不亦说乎！"

【张居正注评】

学，是仿效。凡致知力行，皆仿效圣贤之所为，以明善而复其初也。习，是温习。说，是喜悦。孔子说道："人之为学，常苦其难而不悦者，以其学之不熟，而未见意趣也。若既学矣，又能时时温习而不间断其功，则所学者熟，义理浃洽，中心喜好，而其进自不能已矣。所以说不亦说乎！"

【原文】

"有朋自远方来，不亦乐乎？"

【张居正注评】

朋，是朋友。乐，是欢乐。夫学既有得，人自信从，将见那同类的朋友皆自远方而来，以求吾之教诲。夫然则吾德不孤，斯道有传，得英才而教育之，自然情意宣畅可乐，莫大乎此也。所以说不亦乐乎！

【原文】

"人不知而不愠，不亦君子乎！"

【张居正注评】

愠，是含怒的意思。君子，是成德的人。夫以善及人，固为可乐，苟以人或不见知，而遂有不乐焉，则犹有近名之累，其德未完，未足以为君子也。是以虽名誉不著而人不知我，亦惟处之泰然，略无一毫含怒之意。如此则其心纯乎为己，而不求人知，其学诚在于内，而不愿乎外，识趣广大，志向高明，盖粹然成德之人也。所以说不亦君子乎！夫学，由说以进于乐，而至于能为君子，则希贤希圣，学之能事毕矣！

【原文】

子曰："巧言令色，鲜矣仁！"

【张居正注评】

巧，是好。令，是善。鲜字，解做少字。仁，是心之德。孔子说："辞气容色，皆心之符，最可以观人。那有德的人，辞色自无不正。若乃善为甘美之辞，迁就是非，便佞阿谀，而使听之者喜，这便是巧言。务为卑谄之色，柔顺侧媚，迎合人意，而使见之者悦，这便是令色。这等的人，其仁必然少矣。"盖仁乃本心之德，心存，则仁存也。今徒致饰于外，务以悦人，则心驰于外，而天理之斫丧者多矣，岂不鲜仁矣乎！然孔子所谓鲜仁，特言其丧德于己耳。若究其害，则又足以丧人之德。盖人之常情，莫不喜于顺己。彼巧言令色之人，最能逢迎取悦，阿徇取容，人之听其言，见其貌者，未有不喜而近之者也。既喜之而不觉其奸，由是变乱是非，中伤善类，以至覆人之邦家者，往往有之矣！夫以尧舜至圣，尚畏夫巧言令色之孔壬，况其他乎！用人者不可不察也。

鸟兽龙纹壶

【原文】

曾子曰："吾日三省吾身，为人谋而不忠乎？与朋友交而不信乎？传不习乎？"

【张居正注评】

曾子，是孔子弟子，名参。省，是省察。忠，是尽心的意思。信，是诚实。传，是传授。习，是习熟。曾子说："我于一日之间，常以三件事省察己身。三者维何？凡人自己谋事，未有不尽其心者，至于为他人谋，便苟且粗略，而不肯尽心，是不忠也。我尝自省，为人谋事，或亦有不尽其心者乎？交友之道，贵于信，若徒面交，而不以实心相与，是不信也。我尝自省，与朋友交，或亦有虚情假意，而不信于人者乎？受业于师，便当习熟于己，若徒面听，而不肯着实学习，是负师之教也。我尝自省，受之于师者，或亦有因循怠惰，而不加学习者乎？以此三者，自省察其身，有则改之，无则加勉，盖未尝敢以一日而少懈也。"盖曾子之学，随事精察而力行之，故其用功之密如此。然古之帝王，若尧之兢兢，舜之业业，成汤之日新又新，检身不及，亦此心也，此学也。故《大学》曰："自天子以至于庶人，壹是皆以修身为本。"从事于圣学者，可不知所务哉！

【原文】

子曰："道千乘之国，敬事而信，节用而爱人，使民以时。"

【张居正注评】

道，是治。乘，是兵车。四马驾一车，叫做一乘。千乘之国，是地方百里，可出兵车千乘的大国。时，是农功闲暇之时。孔子说："千乘的大国，事务繁难，人民众多，不易治也。"若欲治之，其要道有五件。其一要敬事。盖人君日有万几，一念不敬，或贻四海之忧，一时不敬，或致千百年之患。必须兢兢业业，事无大小，皆极其敬慎，不敢有怠忽之心，则所处皆当，而自无有于败事矣。其一要信。盖信者，人君之大宝，若赏罚不信，则人不服从，号令不信，则人难遵守。必须诚实不贰，凡一言一动都要内外相孚，始终一致，而足以取信于人，则人皆用情，而自不至于欺罔矣。其一要节用。盖天地生财止有此数，用若不节，岂能常盈。必须量入为出，加意撙节。凡奢侈的用度，冗滥的廪禄，不急的兴作，无名的赏赐都裁省了。只是用其所当用，则财常有余，而不至于匮乏矣。其一要爱人。盖君者，民之父母，不能爱人，何以使众。必须视之如伤，保之如子，凡鳏寡孤独、穷苦无依的，水旱灾伤、饥寒失所的，都加意周恤，使皆得遂其生，则人心爱戴，而仰上如父母矣。其一要使民以时。盖国家有造作营建，兴师动众的事，固不免于使民，然使之不以其时，则妨民之业，而竭民之力矣。必待那农事已毕之后，才役使他，不误他的耕种，不碍他的收成，则务本之民，皆得以尽力于田亩，而五谷不可胜食矣。这五者都是治国的要道，若能体而行之，则四海之广，兆'民之众，治之无难，岂特千乘之国而已哉！为人君者，所当深念也。

【原文】

子曰："弟子入则孝，出则弟，谨而信，泛爱众而亲仁。行有余力，则以学文。"

【张居正注评】

弟子，是指凡为弟为子的说。谨，是行的有常。信，是言的有实。泛字，解做广字。众，是众人。亲，是亲近。仁，是仁厚有德的人。余力，是余剩的工夫。文，是《诗》、《书》六艺之文。孔子教人说："但凡为人弟为人子的，入在家庭之内，要善事父母以尽其孝；出在宗族乡党之间，要善事兄长以尽其弟。凡行一件事，必慎始慎终，而行之有常；凡说一句话，必由中达外，而发之信实。于那寻常的众人都一体爱之，不要有憎嫌忌刻之心；于那有德的仁人却更加亲厚，务资其熏陶切磋之益。这六件，

是身心切要的工夫。学者须要着实用力，而不可少有一时之懈。若六事之外，尚有余力，则学夫《诗》、《书》六艺之文。"盖《诗》、《书》所载，皆圣贤教人为人之道，而礼、乐、射、御、书、数亦日用之不可阙者。未有余力，固不暇为此，既有余工，则又不可不博求广览，以为修德之助也。先德行而后文艺，弟子之职，当如此矣。然孔子此言，虽泛为弟子者说，要之上下皆通。古之帝王，自为世子时，而问安视膳，入学让齿，以至前后左右，莫非正人，礼乐诗书，皆有正业，亦不过孝弟、谨信、爱众、亲仁与夫学文之事也。至其习与性成，而元良之德具，万邦之贞，由此出矣。孔子之言，岂非万世之明训哉！

【原文】

子曰："君子不重则不威，学则不固。主忠信，无友不如己者。过则勿惮改。"

【张居正注评】

重，是厚重。威，是威严。固，是坚固。忠信，是诚实。无字、勿字都是禁止之辞。惮，是畏难的意思。孔子说："君子为学必养成个深厚凝重的气质，然后外貌威严，而所学的道理自然坚固。若是轻浮浅露，不能厚重，则见于外者，无威之可畏，而其所学者亦不能实有诸己，虽得之，必失之矣。岂能以坚固乎！然立身固要厚重，而存心又在忠信。人不忠信，则事皆无实，何以为学。故又当以诚实不欺为主，而无有一毫之虚伪，然后可以进德也。所交的朋友必胜过我的人，方为有益。若是不如我的，或便佞善柔之类，这样的人，不但无益而且有损，切不可与之为友也。人不能无过，而贵于能改。过而惮改，则过将日甚矣。所以但遇有过，或闻人谏正，或自家知觉，便当急急改之，不可畏其难改，而苟且以自安也。以厚重为质，以忠信为主，又辅之以胜己之人，行之以改过之勇，则内外人己，交养互发，而自修之功全矣。学者可不勉哉！"

【原文】

曾子曰："慎终追远，民德归厚矣。"

【张居正注评】

慎，是谨慎。终，是亲之既殁。追，是追思。曾子说："人伦以亲为重，人之事生，或有能孝者，至于送终，则以亲为既死也，而丧葬之事不能尽礼者，多矣。初丧之时，或有能思念者，至于岁时既远，则其心遂忘，而祭祀之礼，不能尽诚者多矣。此皆民心之薄，由在上之人无以倡之也。若为上者能致谨于亲终之时，不徒哀而已，而每事尽礼，不使少有后日之悔。又能追思于久远之后，不徒祭而已，而致其诚敬，不敢少有玩忽之心，则己之德厚矣。由是百姓每，自然感化，皆兴仁孝之心。丧也，尽其礼；祭也，尽其诚，而其德亦归于厚矣。此可见孝者，人心之所同。君者，下民之表率。欲化民成俗者，可不知所以自尽也哉！"

【原文】

子禽问于子贡曰："夫子至于是邦也，必闻其政，求之与，抑与之与？"

【张居正注评】

子禽，姓陈名亢。子贡，姓端木名赐，都是孔子弟子。抑，是反语词。与，是疑词。子禽问于子贡说："夫子周游四方，每到一国必然就知这一国的政事，果是夫子访求于人，然后得而闻之与？或是各国的君自以其政事说与夫子而知之与？"子禽之问，盖亦不善观圣人者矣！

【原文】

子贡曰："夫子温良恭俭让以得之，夫子之求之也，其诸异乎人之求之与！"

【张居正注评】

其诸，是语词。子贡答子禽说"夫子所以得闻国政，不是夫子有心去求，也不是时君无故而与。盖夫子盛德充积于中，而光辉自发于外。故其容貌词气之间，但见其温而和厚，无一些粗暴；良而易直，无一些矫饰；恭而庄敬，无一些惰慢；俭而节制，无一些纵弛；让而谦逊，无一些骄傲。有这五者德容之盛，感动乎人，所以各国的君，自然敬之而不忽，信之而不疑。都把他国中的政事，可因可革的，来访问于夫子，故夫子因而闻之耳。就汝所谓求者而论之，这等样求，岂不异于他人之求之者与。盖他人之求必待访问于人而后得。夫子之闻政，则以盛德感人而自致，岂可以一概论哉！"子贡之言，不惟足以破子禽之疑，而使万世之下，犹可以想见圣人之气象，此所以为善言德行也。

【原文】

子曰："父在观其志，父没观其行，三年无改于父之道，可谓孝矣。"

【张居正注评】

志，是志向。行，是行事。三年，是言其久。孔子说"人子事亲，有承受而无专擅，有巽顺而无违拂，故当其父在之日，凡事都禀命而行，不敢自专，即欲知其人，亦但观其志向何如耳。其行事不可概见也。至于父没之后，则分得以自专，然后其行事昭然可见，得就其行而观之焉。然父没之后，虽凡事得以自专，而其所行，犹如父在之时，至于三年之久，亦不敢有所改易。斯则思亲之念，不渝于始终，顺亲之心，无间于存没，如是而后可谓之为孝也。否则虽能致敬于亲在之时，而不能不变于亲终之后，岂所谓终身而慕者乎。"抑孔子所谓无改于父之道，亦自其合于道而可以未改者言之耳。若于道有未合焉，则虽速改可也，何待三年！故善述其事孝也，克盖前愆亦孝也。观圣人之言者，不可以执一求之。

【原文】

有子曰："礼之用，和为贵，先王之道斯为美，小大由之。"

【张居正注评】

礼，是尊卑上下的礼节。和，是从容不迫的意思。斯字，解做此字，指和说。小大，是小事大事。由，是行。有子说："礼之在人，如尊卑上下，等级隆杀，一定而不可易，其体固是至严。然其为用，必和顺从容，无勉强乖戾之意，乃为可贵。如君尊臣卑，固有定分，然情意也要流通。父坐子立，固有常规，然欢爱也要浃洽。这才是顺乎天理，合乎人情，而为礼之所贵者也。古先圣王之制礼，惟其皆出于和，此所以尽善尽美，万世无弊。凡天下之事，小而动静食息之间，大而纲常伦理之际，都率而行之，无所阻滞，礼之贵于和如此。"

【原文】

"有所不行，知和而和，不以礼节之，亦不可行也。"

【张居正注评】

承上文说，礼贵于和，则宜无不可行者。然也有行不得的，这是为何？盖所谓和者，是在品节限制之中，有从容自然之意，所以可行。若但知和之为贵而一于和，率意任情，侈然自肆，全不把那礼体来节制他，则是流荡忘返，而尊卑上下皆失其伦矣。如何可以行之哉？此可见礼之体虽严，而不至于拘迫，其用虽和，而亦不至于放纵。古之圣王，能以礼治身，而又能推之以治天下者，用此道也。

【原文】

有子曰："信近于义，言可复也。恭近于礼，远耻辱也。因不失其亲，亦可宗也。"

【张居正注评】

信，是约信。义，是事理之宜。复，是践言。恭，是恭敬。礼，是礼节。因，是依倚人的意思。亲，是有道义可亲近的人。宗，是主。有子说："天下之事，必须谨之于初，而后可善其后。"如与人以言语相约，本是要践行其言，但其所言者，若不合于义理之宜，将来行不将去，则必至爽约失信矣！故起初与人相约之时，就要思量，必其所言者皆合乎天理之宜，而与义相近，则今日所言的，他日皆可见之于行，而自不至于失信矣。所以说言可复也。待人之礼，固当恭敬，然亦自有当然之节。若恭不中礼，则为足恭，而反以致人之轻贱矣。故凡施敬于人之时，就要斟酌，务合乎礼之节

文，而不过其则。则内不失己，外不失人，自不至于卑贱而取羞辱矣。所以说远耻辱也。与人相依，本图交久，但所依的不是好人，则始虽暂合，终必乖离。故当其结交之初，就要审择，不可失了那有道义可亲近的人，则不但一时相依，自后亦倚靠得着，可以为宗而主之矣。所以说亦可宗也。此可见人之言行交际皆当谨之于始，而虑其所终。不然，则因循苟且之间，将有不胜其自失之悔者矣。

【原文】

子贡曰："《诗》云'如切如磋，如琢如磨'，其斯之谓与？"

【张居正注评】

《诗》，是《卫风·淇澳》之篇。孔子既教子贡以贫而无谄者之不如贫而乐，富而无骄者之不如好礼。子贡闻言而悟，遂引《诗》以证之，说道："《卫风·淇澳》之诗有言，君子之学，就如治骨角的，既切以刀锯，又磋以锡钖，是已精而益求其精也。又如治玉石的，既琢以椎凿，又磨以沙石，是已密而益求其密也。诗人之言如此，其即夫子所言之谓与。"盖贫而无谄，我固自以为至矣，岂知无谄之外，更有所谓乐乎。富而无骄，我亦自以为足矣，岂知无骄之外，更有所谓好礼乎！可见道理本无终穷，学问不可自足，必如治骨角玉石者，求到至精至密之地而后可，《诗》言圣教何以异乎！子贡因论学而知《诗》如此，真可谓善悟者矣。

【原文】

子曰："赐也，始可与言《诗》已矣。告诸往而知来者。"

【张居正注评】

赐，是子贡的名。往，是已曾说过的。来，是未曾言及的。孔子因子贡引《诗》证学，遂称许之说："《诗》有三百篇之多，其言词微婉，意味深长，非有颖悟之资者，不足以说此也。如赐也才可与言诗也已矣。"盖处贫处富的道理，是我所已言的，切磋琢磨的意思，是我所未言的。今因我已言的道理，就知我未言的意思，这等样聪明的人，与之论诗，必能触类旁通，而不至于以词害意矣！岂不可与言《诗》矣乎。然子贡悟性虽高，而学力未至，犹不得闻性与天道之妙，此可见美质之难恃，而学问之当勉也。

【原文】

子曰："不患人之不己知，患不知人也。"

【张居正注评】

患，是忧患。孔子说："君子之学，专务为己，而不求人知。"如上不见知于君，而爵位不显；下不见知于友，而名誉不彰。此务外好名者之所忧患也。君子则以为学问在己，知与不知在人，何患之有。惟是我不知人，则贤否混淆，是非颠倒。在上而用人，则不能辨其孰为可进，孰为可退。在下而交友，则不能辨其孰为有损，孰为有益。这是理有不明，心有所蔽，岂非人之所当深患者乎。然人才固未易知，知人最为难事。必居敬穷理，使此心至公至明，然后如镜之照物，好丑毕呈，如称之称物，低昂自定。欲知人者，尤当以清心为本也。

为政第二

凡二十四章。

【原文】

子曰："为政以德，譬如北辰，居其所而众星共之。"

【张居正注评】

政，是法令，所以正人之不正者。德，是躬行心得的道理。北辰，是天上的北极。共，是向。孔子说："人君居万民之上，要使那不正的人都归于正，必有法制禁令以统治之。这叫做政。然使不务修德以为行政之本，则己身不正，安能正人，虽令而不从矣。所以人君为政，惟要躬行实践，以身先之。如纲常伦理，先自家体备于身，然后敷教以化导天下；纪纲法度，先自家持守于上，然后立法以整齐天下，这才是以德而为政。如此，则出治有本，感化有机。由是身不出乎九重，而天下的百姓，自然心悦诚服，率从其教化。譬如北极，居天下之中，凝然不动，只见那天上许多星宿，四面旋绕，都拱向他。是人君修德于上，而恭己南面，就如北辰之居所一般，万民之观感于下，而倾心向化，就如那众星之拱极一般。"此古之帝王所以笃恭而天下平者，用此道也。图治者可不务修德以端，出治之本哉！

【原文】

子曰："《诗》三百，一言以蔽之，曰思无邪。"

【张居正注评】

诗，是《诗经》。蔽字，解做盖字。思，是心思。无邪，是心思之正。孔子说："《诗》之为经，凡三百篇。一篇自为一事，一事自有一义，可谓多矣。然就中有一句言语足以尽盖其义而无余。《鲁颂·駉》篇之词有曰：思无邪。"是说人之思念皆出于天理之正，而无人欲之邪曲也。只这一言就足以尽盖三百篇之义。盖诗人之言有美有刺。善者美之，所以感发人之善心；恶者刺之，所以惩创人之恶念。只是要人为善去

恶，得其性情之正而已。人之心若能念念皆正，而无邪曲之私，则其所为，自然有善而无恶，有可美而无可刺，而诗人之所为以劝以惩者，包括而无遗矣。然则思无邪之一言，岂不可以尽盖三百篇之义乎。此可见学者必务知要，而其功莫切于慎思也。

【原文】

子曰："道之以政，齐之以刑，民免而无耻。"

【张居正注评】

道，是率先引导的意思。政，是法制禁令。齐，是齐一。刑，是刑罚。孔子说："人君之治天下，不过是要人为善，禁人为恶而已。"但出之有本，而致之有机。若不知本原所在，只把法制禁令去开导他。如事亲则禁约他不孝，事长则禁约他不弟，使之奉行遵守。其有不从教令的，便加之以刑罚，使一齐都归于孝弟，无有违犯。这等样治民，虽则能使民不敢为恶，然只是惧怕刑罚，苟免于一时，而其中不知愧耻，为恶的心依旧还在，岂能久而不犯乎！所以说民免而无耻。

【原文】

"道之以德，齐之以礼，有耻且格。"

【张居正注评】

德，是行道而有得。礼，是制度品节。耻，是愧耻。格字，解做至字。孔子说："治以政刑，民固苟免而无耻矣。"若使君之导民，不徒以其法也，而皆本于躬行之实。如欲民兴孝，必先自尽孝道以事亲；欲民兴弟，必先自尽弟道以事长。如此，则民既有所观感而兴起矣。而其间所得有浅深厚薄之不一者，则又有礼以齐之。亲疏上下，都有个节文。日用云为，都有个仪则。使贤者不得以太过，不肖者不得以不及，而皆协于一焉。这等样治民，将见那百姓每良心自然感发，不但知恶之可耻，而绝不肯为，又且知善之当为，而皆力行以至于善矣。岂特求免刑罚而已乎！所以说，有耻且格，盖德礼政刑，固皆所以适于治之路，而出之有本末，获效有浅深，故孔子第而言之，欲为人君者，审其本末轻重之辨也。

【原文】

子曰："吾十有五而志于学，三十而立，四十而不惑，五十而知天命，六十而耳顺，七十而从心所欲，不踰矩。"

【张居正注评】

从字，解做随字。踰，是过。矩，是为方的器具。孔子自序其从少至老，进学的次第，说道："我从十五岁的时节，就有志于圣贤大学之道。凡致知力行之事，修己治人之方，都着实用功，至忘寝食。盖念念在此，而为之不厌矣。到三十的时节，学既有得，自家把捉得定，世间外物都动摇我不得，盖守之固，而无所事志矣。进而至于四十，则于事物当然之理，表里精粗，了然明白，无所疑惑。盖见之明，而无所事守矣。进而至于五十，则于天所赋的性命之理，有以充其精微，探其本原，而知乎所以然之故矣。又进而至于六十，则涵养愈久，而智能通微。闻人之言，方入乎耳，而所言之理，即契于心，随感随悟，无有违逆而不通者矣。又进而至于七十，则工夫愈熟而行能入妙，凡有所为，随其心之所欲，不待检点，无所持循而自然不越于规矩法度之外，盖庶几乎浑化而无迹者矣。是吾自少至老，无一念而不在学，无一时而不在于学，故其所得与年而俱进，过此以往，未之或知矣。"夫圣人生知安行，本无积累之渐，犹自言其进德之序如此，然则希圣希天者，岂可少懈于日新之功哉！

【原文】

孟懿子问孝，子曰："无违。"

【张居正注评】

孟懿子，是鲁国的大夫。违，是违悖。孟懿子尝问于孔子说："人子事亲，如何才叫做孝？"孔子答说："孝亲之道，只在无违而已。"孔子所谓无违，是说人子事亲，有个当然不易的道理，不可有一些违悖，不是说从亲之令，便谓之孝也。只因懿子不能再问，故孔子未及明言其意耳。

【原文】

孟武伯问孝，子曰："父母唯其疾之忧。"

【张居正注评】

孟武伯，是孟懿子之子，名彘。问于孔子说："人子事亲，如何才是孝。"孔子说："欲知人子事亲之理，当观父母爱子之心。凡人父母，未有不爱其子者，惟爱之也切，故忧之也深。常恐其有疾病，或起居之不时，或饮食之不节，或风寒暑湿之见侵，与夫少之未戒于色，壮之未戒于斗之类。凡足以致疾者，皆切切然以为忧。若为子者能体父母之心，慎起居，节饮食，戒色戒斗，兢兢焉不至于疾，以贻父母之忧，则自然身体康宁，而有以慰亲之心矣。岂不可谓之孝乎！"孔子之意，盖以武伯生于富贵之家，长于逸乐之地，易以致疾而忧其亲，故因问而警之如此。至若天子以一身而为天地神人之主，其所以培养寿命，而昌延国祚

子夏

者，又当万倍于此矣。孔子之言，岂特为孟武伯告哉！

【原文】

子夏问孝。子曰："色难。有事，弟子服其劳；有酒食，先生馔，曾是以为孝乎？"

【张居正注评】

色，是容。先生，是父兄之称。子夏问于孔子说："人子事亲，如何才叫做孝。"孔子答说："事亲之际，惟是有那愉悦和婉的容色，最为难能。盖人之色，生于心者也。子于父母，必有深爱笃孝之心根于中，而后有愉悦和婉之色著于外。是凡事皆可以勉强，而色不可以伪为，所以为最难，事亲有此而后可谓之真孝也。若夫父兄有事，为子弟的替他代劳，子弟有酒饭，将来与父兄饮馔，此则力之所可勉，而事之无难为者，曾是而可以为孝乎！"前章子游问孝，夫子教以敬亲。此章子夏问孝，夫子教以爱亲。盖子游、子夏都是圣门高弟，其于服劳供奉之礼，不患其不尽，但恐其敬爱之心未能真切恳至耳，故皆言此以警之。使知事亲之道不在于文，而在于实，不当求之于外，而当求之于心也。凡为人子者，宜深思焉。

【原文】

子曰："温故而知新，可以为师矣。"

【张居正注评】

温，是温习。故，是旧所闻。新，是今所得。师，是师范。孔子说："天下之义理无穷，而人之闻见有限。若专靠记问，则胸中所得，能有几何？若能于旧日所闻的时时温习，如读过的《诗》、《书》，听过的讲论，都要反复玩味，而不使遗忘，又能触类旁通。每有新得，就是未曾知道的，也都渐渐理会过来。将见义理日益贯通，学问日益充足。人有来问的，便能与之应答而不竭。有疑惑的，便能与之剖析而无遗矣。岂不可以为人之师矣乎？"此可见君子之学，不以记诵为工，而在于能明乎理，不以闻见为博，而在于善反诸心，学者不可以不勉也。

【原文】

子曰："君子不器。"

【张居正注评】

器，是器皿。孔子说："人有一材一艺的，非无可用，然或宜于小，不宜于大。能于此，不能于彼。譬如器皿一般，虽各有用处，终是不能相通，非全才也。惟是君子的人，识见高明，涵养深邃，其体既无所不具，故其用自无所不周。大之可以任经纶匡济之业，小之可以理钱谷甲兵之事，守常达变，无往不宜，岂若器之各适于用，而不能相通者哉！所以说君子不器。"夫此不器之君子，是乃天下之全才。人君得之固当大任，至于一材一艺者，亦必因人而器使之，不可过于求备也。

【原文】

子贡问君子。子曰："先行其言，而后从之。"

【张居正注评】

子贡问于孔子说："君子是成德之人。学者如何用功才到得这个地位。"孔子答说："凡人言常有余，行常不足。若未行先言，则言行不相照顾，如何成得君子。惟君子的人，凡事务躬行实践。如子臣弟友之道，仁义礼智之德。凡是口所欲言的，一一先见之于行，无一毫亏欠，然后举其所行者，从而言之，议论所发，件件都实有诸己，而不为空言也。是行常在于言前，言常在于行后，岂不为笃实之君子乎！"孔子因子贡多言，故警之以此，其实躬行君子常少，言不顾行者常多。学者之省身固当敏于行而慎于言，人君之用人，亦当听其言而观其行也。

【原文】

子曰："君子周而不比，小人比而不周。"

【张居正注评】

周，是普遍。比，是偏党。孔子说："君子、小人，固皆有所亲厚，但其立心不同，故其所亲厚亦异。盖君子之心公，惟其公也，故能视天下犹一家，视众人犹一身。理所当爱的，皆有以爱之，而不必其附于己；恩所当施的，即有以施之，而不待其求于己。是其与人亲厚周偏广阔，而不为偏党之私，此所以为君子也。至于小入则不然，盖小人之心私，惟其私也。故惟有势者则附之，有利者则趋之，或喜其意见之偶同，而任情以为好，或乐其同恶之相济而交结以为援。是其与人亲厚偏党私暱而无有乎普遍之公，此所以为小人也。"夫周与比其迹相似，而其实不同，只在此心公私之间而已，欲辨君子、小人者，可不慎察于此哉！

【原文】

子曰："学而不思则罔，思而不学则殆。"

【张居正注评】

罔，是昏而无得。殆，是危而不安。孔子教人说："天下的道理，散在万事，而统会于吾心。惟其散于万事，故必加致知格物、躬行实践的工夫，而后能实有诸己，这叫做学；惟其会于一心，故必加沉潜反复，研究求索的工夫，而后能穷其精微，这叫做思。这两件缺一不可。若徒知务学，而不思索其义，则理不明于心，其所学者，不

过卤莽之粗迹，终于昏昧而已，所以说学而不思则罔；若徒知思索，而不用力于学，则功不究其实，其所思者不过想像之虚见，终于危殆而已，所以说思而不学则殆。"可见学必要思，学了又能思，则所学的方才透彻；思必要学，思了又能学，则所思的方才着实。二者偏废，则各有其弊矣。求道者可不知所务哉！

【原文】

子曰："攻乎异端，斯害也已。"

【张居正注评】

攻，是专治。非圣人之道而别为一端者，叫做异端。如杨氏、墨氏，及今道家、佛家之类，皆是害，是伤害。孔子说："自古圣人继往开来，只是一个平正通达的道理，其伦则君臣、父子、夫妇、长幼、朋友，其德则仁、义、礼、智、信，其民则士、农、工、商，其事则礼、乐、刑、政。可以修己，可以治人。世道所以太平，人心所以归正，都由于此。舍此之外，便是异端，便与圣人之道相悖。人若惑于其术，专治而欲精之，造出一种议论，要高过乎人，别立一个教门，要大行于世，将见其心既已陷溺，其说必然偏邪，以之修己，便坏了自己的性情；以之治人，便坏了天下的风俗。世道必不太平，人心必不归正，其害有不可胜言者，所以说斯害也已。"当时杨墨之道，犹未盛行，然孔子深恶而预绝之如此。至于后世道家之说，全似杨朱；佛家之说，全似墨翟，尤足以眩惑人心，而伤害世道。深信而笃好，如宋徽宗、梁武帝者，不免丧身亡国，为后世之所非笑。则异端之为害，岂非万世之所当深戒哉！

【原文】

子曰："由！诲女，知之乎？知之为知之，不知为不知，是知也。"

【张居正注评】

由，是孔子弟子仲由，字子路。诲，是教诲。子路好勇，凡事只要胜人，盖有强不知以为知者。故孔子呼其名而告之说："由也有志于知，我今教汝，以求知之道乎。盖人于天下之义理有所知，必有所不知。自家心里本是明白，有不可得而自昧者，若但以有所不知为耻，而遮护隐讳，不论知不知，都强以为知，这便是欺了自家的心，而知有所蔽矣。汝但于所知的，即认以为已知，于所不知的，即说是我尚未知。则虽不能尽知天下之理，而此心不敢自欺，于真知的本体，不曾昏昧，这就是知的道理了，何必无所不知而后谓之知乎！所以说是知也。"此可见天下之道理无穷，虽圣人亦有不能尽知者，但圣人之心，至虚至明，固不以不知者自强，亦不以已知者自是，故稽众从人，好问好察，此尧舜之知所以为大也。

【原文】

子张学干禄。

【张居正注评】

子张，是孔子弟子，姓颛孙，名师。干，是求。昔子张从学于圣门，以干求俸禄为意。

【原文】

子曰："多闻阙疑，慎言其余，则寡尤；多见阙殆，慎行其余，则寡悔。言寡尤，行寡悔，禄在其中矣。"

【张居正注评】

疑，是所未信者。尤，是罪过。殆，是所未安者。悔，是懊悔。凡言在其中者，皆不求而自至之辞。孔子教子张说道："君子学以为己，不可有干禄之心，且学自有得禄之理，亦不必容心以求之也。若能多闻天下之理，以为所言之资，而于多闻之中有疑惑而未信的，姑阙之而不敢言。其余已信的，又慎言而不敢轻忽，则所言皆当，而人无厌恶，外来的罪过自然少了，岂不寡尤。多见天下之事，以为所行之资，而于多见之中，有危殆而未安的，姑阙之而不敢行。其余已安的，又慎行而不敢怠肆，则所行皆当，而己无愧怍，心里的懊悔自然少了，岂不寡悔。言能寡尤，行能寡悔，便是有德的贤人。名誉昭彰，必有举而用之者，虽不去干求那俸禄，而俸禄自在其中矣。又何必先有求之之心哉！"尝观古之学者，修其言行，而禄自从之，是以世多敬事后食之臣；后之学者，言行不修，而庸心干禄，是以世少先劳后禄之士。然则学术之所系，诚非细故矣。作民君师者，可不以正士习为先务乎！

【原文】

哀公问曰："何为则民服？"孔子对曰："举直错诸枉，则民服；举枉错诸直，则民不服。"

【张居正注评】

哀公，是鲁国之君。举，是举用。直，是正直的君子。错，是舍置而不用。诸字，解做众字。枉，是邪枉的小人。鲁哀公问于孔子说："人君以一身而居乎群臣百姓之上，不知何所作为，才能使众人每个都心服？"孔子对说："人君若要服民，不是严刑可以驱之，小惠可以结之者，只要顺民好恶之公心而已。大凡臣下有心术光明行事端慎的，便是正直君子，必然人人爱敬他，望他得位行道。有心地奸险，行事乖方的，便是邪枉小人，必然人人憎恶他，怕他误国害民。这是好善恶恶的良心，人之所同有也。人君若能举用那正直的君子，授之以政，而凡邪枉的小人都舍置之，不使参于其间，则用舍各当，正合了人心好恶之公，百姓每自然欢欣爱戴，无一人之不服矣！若人君举用了邪枉的小人，使之在位，而凡正直的君子，却舍置之不能有所简拔，则用舍颠倒，便拂了人心好恶之公，百姓每必然心非口议，虽欲强其服从而不可得矣！"夫民之服与不服，只在用舍之公与不公，然则人君于用人之际，可不慎哉。

【原文】

季康子问："使民敬、忠以劝，如之何？"子曰："临之以庄则敬，孝慈则忠，举善而教不能则劝。"

【张居正注评】

季康子，是鲁国的大夫。敬，是恭敬。忠，是尽心不欺的意思。劝，是劝勉。季康子问于孔子说："为人上者要使百姓每敬事于我而不敢慢，尽忠于我而不敢欺，相劝于为善而不敢为恶，果何道以使之乎？"孔子答说："为民上者，不可要诸在人，只当尽其在我。诚能于临民之时，容貌端庄，而无有惰慢，则有威可畏，有仪可象，民之得于瞻仰者，自然敬畏而不敢怠慢矣！孝以事亲而无有悖违；慈以使众而无有残刻，则其德既足以为民之表，而其恩又足以结民之心。民之得观感者，自能尽忠于我，而不敢欺悖矣。于那为善的，举而用之，使他得行其志。不能的，教诲他使之为善，不要轻弃绝之。如此，则善者益进于善，而不怠、不能者亦将勉强企及，而无有不劝者矣。"是则季康子之问，专求诸民。孔子之答，专求诸己。盖人同此理，吾能自尽其理，而人岂有不感化者哉！

【原文】

或谓孔子曰："子奚不为政？"

【张居正注评】

奚字，解做何字。为政，是出仕而理国政。鲁定公初年，孔子不仕，或人问于孔子说："夫子有这等抱负，正当乘时有为，何故不肯出仕而理国政乎？"盖当时季氏擅权，阳虎作乱，不能尊信孔子，故孔子不肯轻于求仕，而或人不知也。

【原文】

子曰："人而无信"，不知其可也。大车无輗，小车无軏，其何以行之哉"。

【张居正注评】

信，是诚实。大车，是平地任载的车，軏，是辕上的曲木，钩衡以驾马者。孔子说："立心诚实，乃万事的根本，人若无了信实，便事事都是虚妄，吾不知其如何而可也。何也，人必有信而后可行，譬如车必有輗軏，而后可行也。若大车无輗，则无以驾牛；小车无軏，则无以驾马。轮辕虽具，一步也运动不得，其何以行之哉？若存心不诚，言语无实，则人皆贱恶之。在家则不可行于家，在国则不可行于国，盖无所往而不见阻矣，与车无辊轨者，何以异哉！"孔子此言，只是要人言行相顾，事事着实，不可少有虚妄的意思。然信之一字，尤为人君之大宝，是以为治者，必使政教号令之出，皆信如四时，无或朝更而夕改，然后民信从，而天下治也。孔子之言，岂非万世之明训哉！

【原文】

子张问："十世可知也？"

【张居正注评】

凡朝代更换，叫做一世。子张问于孔子说："有一代之兴，必有一代的事迹。但已往者易见，将来者难知，不知自今以后，朝代兴亡，至于十世之远，其事迹亦可得而前知否乎？"

【原文】

子曰："非其鬼而祭之，谄也。见义不为，无勇也。"

【张居正注评】

非其鬼，是所不当祭的鬼神。谄，是求媚的意思。义，是事之宜，凡道理上所当行的便是。勇，是勇敢。孔子说："人之祭享鬼神，各有其分。如天子祭天地，诸侯祭山川，大夫祭五祀，庶人祭其先，是乃当然之分，祭之可也。若是不当祭的鬼神也去祭他，这便是谄媚鬼神以求福利，不是孝享的正礼，所以谓之谄也。人于道理上当为的事，便着实做将去，这才是有勇。若真见得这事是道理所当为的，却乃因循退缩，不能毅然为之，这是委靡不振，无勇往直前之气，怯懦甚矣，所以谓之无勇也。"夫此二者，一则不当为而为，一则当为而不为。孔子并举而言之者，盖欲人不惑于鬼神之难知，而专用力于人道之所宜也。

八佾第三

凡二十六章。通前篇末二章皆论礼乐之事。

【原文】

孔子谓："季氏八佾舞于庭，是可忍也，孰不可忍也。"

【张居正注评】

季氏，是鲁国大夫。佾，是乐舞的行列。古者乐舞之数，天子用八行，每行八人，叫做八佾。诸侯六佾，大夫四佾。各有等差，不容僭越。当初成王以周公有大勋劳，特赐天子礼乐以祭周公之庙，其后世群公都因循僭用，已是失礼。季氏，是鲁桓公子孙，他在家庙中祭祖，也僭用八佾之舞于庭，故孔子非之说："礼莫严于名分，罪莫大于僭窃。夫祭用生者之爵禄，乃我王朝一定之礼。季氏本是大夫，只该用四佾之舞，而今乃用八佾之舞于家庙之庭，则是以大夫而僭天子礼，法之所不容诛，罚之所必及，人臣之罪孰有大于此者。这等大罪也都容忍过了，不加纠正，则别样的小罪，孰不可忍乎！"盖鲁以相忍为国，凡事惟务姑息含忍，而其弊乃至于下陵其上，臣僭其君，礼法荡然，冠履倒置如此。盖优柔姑息之过也，故孔子非之。其后孔子为司寇，摄相事，即堕三都以强公室，陈恒弑其君，则沐浴而朝，请兵讨之，此可以观圣人之志矣。而鲁终不能用。卒之三家共分公室，政在陪臣，而周公之祚遂衰矣。然则纪纲法度，有国者其可一日而不振举之乎！

【原文】

三家者以《雍》彻。子曰："'相维辟公，天子穆穆'，奚取于三家之堂？"

【张居正注评】

三家，是鲁国的大夫孟孙、叔孙、季孙之家。雍，是《周颂》篇名。彻，是彻馔。相，是助祭。辟公，是诸侯。穆穆，是深远的意思。"相维辟公，天子穆穆。"是《雍》诗中两句说话。昔者周天子祭祀宗庙，祭毕之时，则歌《雍》诗以撤馔。及鲁大夫孟孙、叔孙、季孙祭其家庙，于收俎豆的时节，也歌《雍》诗，是僭用天子之礼矣。故孔子讥之，说道："《雍》诗中有云'相维辟公，天子穆穆'，是说天子宗庙之中，助祭的是列国的诸侯，主祭者是天子，其敬德之容，则穆穆然幽深而玄远。盖本天子之事，故于撤馔歌之，道其实也。今三家之堂，助祭者不过陪臣，亦有辟公之相助乎？主祭者不过大夫，亦有天子之穆穆乎？既无此事，则何取于此义而歌之于堂乎？是不惟僭妄可恶，而其无谓亦甚矣。"盖礼所以辨上下之分，不可毫发僭差，人臣而敢僭用君上之礼，则妄心一生，何所不至。攘夺之祸，必由此起。孔子前一节非季氏之舞八佾，此一节讥三家之歌《雍》诗，皆所以立万世人臣之大防也。

【原文】

子曰："人而不仁，如礼何？人而不仁，如乐何？"

【张居正注评】

仁，是心之德，敬而将之以仪文，叫做礼。和而达之于声容，叫做乐。如礼何？如乐何？譬如说没奈他何一般，是不相为用的意思。孔子说："仁之在人，乃本心之全德，人能全此心德，使心里常是恭敬，则行出来的仪文便都是礼。心里常是和平，则播之于声容，便都是乐。"是礼不虚行，必仁人而后可行也。人而不仁，则其心放逸而不能敬，礼之本先失了。那陈设的玉帛，升降的威仪，不过是虚文耳。礼岂为之用乎？所以说如礼何。乐不徒作，必仁人而后能作也。人而不仁，则其心乖戾而不和。乐之本先失了，那钟鼓之声，羽旄之舞不过是虚器耳，乐岂为之用乎？所以说如乐何。盖礼乐不可斯须而或去，人心不可顷刻而不存，欲用礼乐者，求之心焉可也。

【原文】

子曰："君子无所争，必也射乎！揖让而升，下而饮，其争也君子。"

【张居正注评】

争，是争竞。射，是大射之礼。升，是升堂。饮，是饮酒。孔子说："有德行的君子，他心平气和，与人恭逊，无有争竞。求他有争竞处，必也观之于行射礼之时乎！盖射有中者，有不中者，中有多者，有少者，胜负相形，似乎有所争也。然观其将射之初，则三揖三让而后升堂。既射之后，则与那同射的人，都下堂来，胜者却揖那不胜者使他升堂，自取爵盏，立饮罚酒。射礼之行如此。是虽有胜负之相较量，然自始至终，雍容揖逊，是其争也，乃君子之争，非若小人专以血气相尚，而为角力之争也。夫以射才有争而其争又如此，则君子之无所争可见矣。"

【原文】

子夏问曰："'巧笑倩兮，美目盼兮，素以为绚兮。'何谓也？"

【张居正注评】

"巧笑倩兮"这三句都是逸诗之词。倩，是好口辅。盼，是黑白分明。素，是粉地。绚，是彩色。逸诗上说："人于笑时，口辅端好，其眼目黑白分明，有此自然的美质，而又妆饰以华彩，就如素地上加以彩色的一般，愈为美好矣！"子夏未达素以为绚之旨，疑其反以素为饰，乃问于孔子说："逸诗有言：'巧笑倩兮，美目盼兮，素以为绚兮。'夫素则无文，绚乃华饰，今言素以为绚，其言果何谓也？"

【原文】

子曰："绘事后素。"

【张居正注评】

绘，是绘画。孔子答子夏说："诗言素以为绚，不是说素即是绚，乃是说因素为绚耳。如今绘画之工，必先有了质素的粉地，然后加以各样彩色，是素在于先，绚在于后。犹人之相貌，必先生得自然美好，然后可加以华饰也。"

【原文】

曰："礼后乎？"子曰："起予者商也！始可与言《诗》已矣。"

【张居正注评】

起予，是起发我之志意。商，是子夏的名。子夏一闻孔子之言，遂有悟于心，说道："观绘画之事，素地在先，彩色在后，可见素而非绘，固无以各其文采，绘而非素，则虽有彩色亦将安施？然则世之所谓礼文者，其犹在于后乎？必有为之先者矣。"盖礼也者，因人情而为之节文者也。如玉帛交错，揖让周旋，宾礼也。然必先有恭敬之实心，而后以是将之，是敬在于先，礼在于后矣。又如擗踊哭泣，衰麻服制，丧礼也。然必先有哀痛之本情，而后以是节之，是哀在于先，礼在于后矣。故情实者素地也。礼文者彩色也，非礼，固无以为人情之节文。然苟情不至而徒求之于礼焉，是犹画者不先布素地，而欲施文采也，有是理乎？夫孔子以绘画明，素绚之意，不过只就书旨上发挥，而子夏礼后之言，则圣言之所未及者。可谓闻一知二，触类旁通者矣。故孔子喜而称之，说道："能起发我之志意者，是汝商也。"盖诗人之言，其旨甚微，而寓意深远。善说诗者，能求之于言语之外，而不拘泥于文字之末，乃为得之，似你这等聪明颖悟，才可与论诗也已，盖深喜之之辞也。按此章之旨，与前章林放问礼之意，大略相同。林放求礼之本，而子夏以礼为后，皆有反本尚质，挽回世道之意。故孔子于林放则以大哉称之，于子夏则以启予许之，此又圣贤未发之旨也。学者宜致思焉。

【原文】

子曰："夏礼吾能言之，杞不足徵也；殷礼吾能言之，宋不足徵也。文献不足故也，足则吾能徵之矣。"

【张居正注评】

杞、宋是二国名。杞，是夏之后。宋，是殷之后。文，是书籍。献，是贤人。徵字，解做证字。孔子说："昔者禹有天下，其制度文章为有夏一代之礼者，我能言其大略，然必有证而后人信之。今夏之后代，虽有杞国尚存，然不足取以为证矣。汤有天下，其制度文章为有殷一代之礼者，我亦能言其大略，然亦必有证而后人信之。今殷之后代，虽有宋国尚存，然亦不足取以为证矣。盖礼非书籍不能记载，非贤人不能诵习。今夏殷二代，传世久远，杞宋两国世祚衰微，既无书籍可以考究，又无贤人可以谘访，将何所取以证吾之言耶！若使二国之书籍尚存，贤人未谢，则考究谘访皆有所据，而吾能取之以为证，人皆信之矣。惜乎！今之不能也。"盖孔子当时，欲斟酌三代之礼，以立万世常行之法，而夏殷不可考，故为是叹息之词如此。然三纲五常古今不易，所损所益，百世可知，则二代之礼又不以杞宋无徵而遂泯也。有仪礼制度之责者，宜究心焉。

【原文】

子曰："禘自既灌而往者，吾不欲观之矣。"

【张居正注评】

禘，是祭祀之名。古者天子既祭其始祖，又推始祖所自出之帝，祭于太庙，而以始祖配之，这礼五年一举，叫做禘。成王以周公有大勋劳，赐鲁重祭，使鲁国以周公为始祖，以文王为所自出之帝，而以周公配之，故鲁国得禘祭其先。然以诸侯而僭行天子之祭，实为非礼也。灌，是奠酒于地以降神。往字，解做后字。孔子说："我鲁国君臣举行禘祭，我也曾在太庙中，观其行礼何如，但是他未曾降神之先，诚敬尚在，犹有可观。及到那灌地降神之后，君臣之间都懈怠了，虽有陈设的俎豆，升降的威仪，全是虚文，无一些恭敬诚恪的意思。到这时节，我之心不欲观之矣。"夫鲁国本是诸侯，僭用王者之大祭，已是失礼，及举祭之时，又不诚敬，是失礼之中又失礼焉。故孔子叹之如此。

【原文】

祭如在，祭神如神在。子曰："吾不与祭，如不祭。"

【张居正注评】

祭，是祭先祖。祭神，是祭外神。吾不与祭，如不祭，是孔子平日的言语。门人记说："祭以诚为主，而他人则不能。惟吾夫子，观其在家祭先祖的时节，则孝心纯笃，就如先祖在上的一般。其在官祭外神的时节，则敬心专一，就如神明在上的一般。夫鬼神无形与声，岂真有所见，乃心极其诚，故如有所见耳。"考其平日尝说："吾于祭祀，必亲行之，乃慊于心。若或有故，不得已，而使人代之，则不得以伸吾之孝敬，故礼虽已行，而此心缺然，还似不曾祭的一般。即此言观之，则其祭祀必致如在之诚可知矣。"这是门人记孔子祭祀之诚敬如此。若天子一身，为天地宗庙百神之主，尤不可不致其诚。所以古之帝王，郊庙之祭，必躬必亲，致斋之日，或存或著，然后郊则天神格，庙则人鬼享，而实受其福也。承大祭者，宜致谨焉。

【原文】

王孙贾问曰："'与其媚于奥，宁媚于灶。'何谓也？"

【张居正注评】

王孙贾，是卫大夫。媚，是亲顺。奥，是室之西南隅。灶，是灶神。古者夏月祭灶，必先祭主于灶陉。然后迎尸入奥，而设馔以祭。是祭于奥则似尊崇，祭于灶则似卑亵。故当时俗语说："奥虽有常尊，而非祭之主，灶虽卑贱，然日用饮食所司，当时用事，所以说媚奥不如媚灶。"盖奥以比君之势分崇高，难以自结；灶以比臣之专权用事，容易干求。时俗之见，浅陋如此。王孙贾乃问孔子说："俗语有云'与其求媚于奥，宁可求媚于灶'。夫奥本尊崇，灶甚卑亵，今乃言媚奥不如媚灶，其意果何谓也？"

贾疑孔子在卫，有求仕之心，欲求附己以进用，故以此讽之耳。

【原文】

子曰："不然。获罪于天，无所祷也。"

【张居正注评】

获字，解做得字。祷，是祈祷。孔子答王孙贾说："俗语所谓媚奥不如媚灶，我甚不以为然。盖天下之至尊而无对者，惟天而已。作善则降之以福，作不善则降之以祸，感应之理毫发不差。顺理而行，自然获福，若是立心行事，逆了天理，便是得罪于天矣。天之所祸，谁能逃之，岂祈祷于奥灶所能免乎！"此可见人当顺理以事天，非惟不当媚灶，亦不可媚于奥也。孔子此言，逊而不迫，正而不阿，世之欲以祷祀而求福者，视此可以为鉴矣！

【原文】

子入太庙，每事问。或曰："孰谓鄹人之子知礼乎？入太庙，每事问。"子闻之，曰："是礼也。"

【张居正注评】

太庙，是鲁周公之庙。鄹，是邑名。鄹人之子，指孔子说。孔子父叔梁纥，曾为鄹邑大夫。故当时叫孔子为鄹人之子。昔孔子仕鲁之时，尝陪祭于周公之庙，与执事焉。那庙中陈设的器数，如笾豆、玉帛之类，周旋的仪节，如灌献酬酢之类，每事都详细访问，却似不曾知道的一般，盖惟其敬之至，故其问之详如此。或人不知而疑之，说道："鄹人之子孔丘，素以知礼见称于人，如今看来，谁说他知礼？"盖知者不待于问，问者必有不知。观他在太庙之中，事事都问过，则其不知礼也明矣。世固有无其实而有其名者乎！孔子闻而解之说道："礼莫大于祭，祭莫先于敬。今太庙之中陈设的都是礼器，周旋的都是礼仪，若一毫知得不真，行得不当，便是轻忽放肆，而非所以为敬矣！今我每事访问者，正以对越奔走之际，当有恭敬严肃之心，固不敢强其所不知以为知，亦不敢恃其所已知而不问，是乃所以为礼也。或人之言，岂知我者哉！"此可见圣人之心极其敬慎，故祭祀之礼尤加谨严。圣人之心极其谦虚，故每事问人，不厌详细，其与尧之钦明，舜之问察，一而已矣。学圣人者，当于此求之。

【原文】

子曰："射不主皮，为力不同科，古之道也。"

【张居正注评】

射，是射箭。皮，是皮革。射不主皮，这一句是《乡射礼》中的说话。科字，解做等字。孔子说:"《乡射礼》有云,射以观德。但主于中的,不必穿透皮革,然后为能。所以然者,盖为人之气力,有强有弱,其等不同。若必主皮,则惟强者能之,而弱者必不能矣。此所以不主皮也。然这是古昔盛时,尚德而不尚力,其道如此。今世衰礼废,列国兵争,惟以强力为尚,虽礼射亦主于贯革,而尚德之风,不可复见矣。"可胜叹哉!孔子思古伤今之意如此。

【原文】

子贡欲去告朔之饩羊。

【张居正注评】

告,是告庙。朔,是正朔。饩,是牲牢。古时天子以季冬颁来岁十二月之朔于诸侯。诸侯受而藏之祖庙。每遇月朔,则以特羊告庙,请而行之。鲁自文公以后,把这告朔之礼,废而不行了,而有司每月犹照常办备此羊。子贡以此礼今既不行,饩羊徒为靡费,故欲去之,以省费焉。是徒知一羊之可惜,而不知制礼之初意矣。

【原文】

子曰:"事君尽礼,人以为谄也。"

【张居正注评】

礼,是恭敬之见于仪文者,乃道理当然的去处。谄,是求媚。孔子说:"臣之于君,既有尊卑上下的定分,便自有恭敬奉承的定礼。这礼,是先王所制,万世通行,不可违越者也。今我之事君,心里极其敬谨,不敢有一毫轻慢,故每事依着礼节,不敢有一些差失,这不过尽那礼之当然者而已,非有加于礼之外也。时人不知,乃以为求媚取悦而然,是岂知事君之礼者乎!"盖当时公室衰微,强臣僭窃,上下之际,多不循礼,惟孔子欲明礼法以挽回之。如过位则色勃,升堂则屏气,违众而拜堂下,闻命而不俟车,这等循礼,当时反以为谄,则礼法之不明于天下可知。故孔子之言如此。然尽礼与谄,其迹相似,而其心不同。君子之事君,其礼固无不尽,然却不肯阿谀顺从,如责难以为恭,陈善以为敬,一心只要成就君上的美名,干办国家的大事,这便真是尽礼。小人之事君,外面虽似尽礼,然心里未必忠实,如阿顺以为容,逢迎以为悦,一心只要干求君上的恩宠,保全自家的官爵,这便真是谄媚。君子尽礼,小人以为谄,小人谄媚,亦自以为尽礼。心术之邪正,迥然不同,人君不可不察也。

【原文】

子曰:"《关雎》乐而不淫,哀而不伤。"

【张居正注评】

《关雎》,是《国风》诗之首篇。孔子说:"凡乐音不和乐,则不足以畅意;不哀婉，则不能以感人。然又贵于得中，若乐之过，则有淫荡邪僻之声；哀之过，则有忧思燋杀之病，而失其性情之正矣。惟有《关雎》之诗，其发之咏歌，而被之管弦者，优柔平中，虽欣然和乐，而不至于淫荡，虽凄然哀婉，而不至于悲伤。听之使人欲心平，躁心释，而足以为养德之助，诚盛世之遗音也。"盖诗本性情，乐以彰德。《关雎》之诗，咏后妃之德也。昔周文王之妃太姒，有圣德，不妒忌，忧在进贤，不淫于色，旁求淑女以配君子。求之未得，至于寤寐反侧而不能安；求之既得，则以钟鼓琴瑟乐之而致其喜，其德之盛如此。故其发为声诗，自然中正和平，而无过淫过伤之病，是乐音之和，本于后妃柔顺之德，后妃之德，又本之文王刑于之化。学者玩其辞，审其音，则所以基化闺门，而御于家邦者，必有得于言意之表矣。

【原文】

哀公问社于宰我，宰我对曰："夏后氏以松，殷人以柏，周人以栗。曰，使民战栗。"

【张居正注评】

哀公，是鲁君。社，是为坛以祭地。宰我，是孔子弟子。战栗，是恐惧的模样。哀公问于宰我说："有国家者，必有社以祭地，不知其义何如？"宰我对说："古之立社者，必栽树木。夏后氏立社，则以松树。殷人立社，则以柏树。周人立社，则以栗树。然所以用栗树者，取于战栗之义。盖戮人必于社，欲使民见之而战栗恐惧也。"夫祭地以报其功，乃立社之本意，至于所栽的树木，则各因其土之所宜，而非有取义于其间也。宰我不知而对，谬妄甚矣。

【原文】

子闻之，曰："成事不说，遂事不谏，既往不咎。"

【张居正注评】

遂事，是事虽未成，而势不能已者。谏，是谏正。咎，是罪责。孔子闻宰我使民战栗之言，以其所对，既非先王立社之本意，又启鲁君杀伐之心，因厉言以责之曰："大凡事之未成者，犹可以言语说之，若事既成者，说之何益？所以不说。事之未遂者，犹可以谏诤止之，若事既遂者，谏之何益？所以不谏。事之未往者，犹可咎而罪之，若事之既往，咎之何益？所以不复追咎。今汝使民战栗之言，已出之口，而告之于君，是事之已成，已遂，已往者也。吾又何以责汝乎！"孔子以为不足责者，正所以深责之，欲其知言之不可妄发，而致谨于将来耳。

【原文】

子曰："管仲之器小哉？"

【张居正注评】

管仲，是齐大夫，名夷吾。器，指人之局量规模说。器小，譬如说小家样。管仲相齐桓公，九合诸侯，一匡天下。当时皆以为莫大之功，然出于权谋功利之私，而不本于圣贤大学之道。故孔子讥之说："管仲虽有大功，然其为人，局量褊浅，规模狭隘，没有正大光明的气象，其器不亦小哉！"盖深责备之词也。

【原文】

或曰："管仲俭乎？"曰："管氏有三归，官事不摄，焉得俭？"

【张居正注评】

三归，是台名。摄字，解做兼字。孔子以管仲为小，或人不知而疑之说："吾闻俭约之人，凡事吝啬，却似器小的模样。夫子以管仲为器小，得非以其俭约而然乎？"孔子答说："凡人俭约者，必能制节谨度。今管仲筑三归之台，以为游观之所，其兴作之靡费可知。又多设官属，使每人各治一事，不相兼摄，其廪禄之冗滥可知。观其行事如此，岂得谓之俭乎？夫以俭为器小，失之远矣。"

【原文】

"然则管仲知礼乎？"曰："邦君树塞门，管氏亦树塞门。邦君为两君之好，有反坫，管氏亦有反坫。管氏而知礼，孰不知礼？"

【张居正注评】

邦君，是有国的诸侯。树，是门屏。塞，是遮蔽。好，是宴会。坫，是放酒杯的案。凡宾主献酬饮毕，必反置酒杯于此，故谓之反坫。孔子斥管仲为非俭。或人又不知而疑之，说道："吾闻知礼之人，凡事备具，不肯苟简，却似奢侈的模样，然则管仲之不俭，得非以知礼而然乎！"孔子答说："礼莫大于名分，分莫大于君臣，不可一毫僭差者也。且如有国的诸侯，才得设屏于门，以蔽内外，非大夫所宜有者。今管氏也设屏于门以蔽内外，与邦君一般，其僭礼一也。诸侯为两国的宴会，那时献酬，有反爵之坫，非大夫所宜用者。今管氏也有反爵之坫，与邦君一般，其僭礼二也。这等僭上，决不是知礼的人。若说管氏知礼，则天下之人，谁是不知礼者乎？"盖人之器量大小，固不在于行事之广狭。大禹恶衣菲食，不害为圣。周公之富，不病其奢。或人既以器小为俭，又以不俭为知礼，其心愈惑，而失之愈远矣。然孔子竟亦未明言器小之意，岂或人之浅陋，不足以语此欤？

【原文】

仪封人请见，曰："君子之至于斯也，吾未尝不得见也。"从者见之。出曰："二三

子何患于丧乎？天下之无道也久矣，天将以夫子为木铎。"

【张居正注评】

仪，是卫邑名。封人，是掌封疆之官。见，是相见。从者，是随从，孔子的门人。丧，是失位去国。木铎，是古人施政教时，用以警众的器具。其器金口木舌，摇之则有声，即今之铃是也。昔孔子周游四方，到卫国之仪邑，有个掌封疆的官，来请见说："敬贤者，吾之素心。凡贤人君子来到这地方，我必求见，未尝拒我而不得见也。今夫子幸至于此，独不容我一见乎？"门人以其求见之诚，为之引见于孔子。封人既见孔子而出，乃对门人说："夫子之失位去国，固其一时之不遇，然二三子何必以此为忧乎？盖治乱相因，是乃必然之数，而易乱为治，必待非常之人。今世教陵夷，人心陷溺，天下之无道，亦已久矣。世无终乱之理，必当复治。吾观夫子之道德，正可以易乱而为治者。天生斯人，岂是偶然，必将使之得位行道，施政教于四方，以开生民之耳目，以觉天下之愚昧，就如那警众的木铎一般，岂终于不遇也哉！"夫圣人盛德感人，能使封人尊敬而笃信之如此。然当时列国之君，不能委国而授之以政。至于辙环天下，卒老于行，此春秋之时，所以终不能挽而为唐虞之世也欤！

【原文】

子谓《韶》："尽美矣，又尽善也。"谓《武》："尽美矣，未尽善也。"

【张居正注评】

韶，是舜的乐名。武，是武王的乐名。尽美，是说声容到极盛的去处。尽善，是说盛美之中到极妙的去处。门人记说："自古帝王有成功盛德于天下，则必作乐以宣之，故观乐之情文，便可以知其功德，然其间自有不同。吾夫子尝说，帝舜之乐，叫做《大韶》。他作于绍尧致治之后，其声音舞蹈至于九成，固极其盛美而可观矣。然不但尽美，而美之中又极其善焉。盖舜以生知安行之圣人，雍容揖逊而有天下，故心和气和，而天地之和应之。至于格神人，舞鸟兽，其妙有不可形容者，所以说又尽善也。武王之乐，叫做《大武》。他作于伐暴救民之日，其节奏行列，至于六成，固极其盛美而可观矣。然就其美之中而求之，则有未极其善者焉。盖武王以反身修德之圣人，征诛杀戮而得天下，故虽顺成和动之内，未免有发扬蹈厉之情，比于韶乐，则微有所不足者，所以说未尽善也。"然孔子此言，虽评论古乐之不同，而二圣之优劣，亦可概见矣。

【原文】

子曰："居上不宽，为礼不敬，临丧不哀，吾何以观之哉？"

【张居正注评】

孔子说："凡事有本，必得其本，而后其末有可观。且如宽弘简重，乃居上之体也；恭敬严肃，乃行礼之实也；伤痛悲哀，乃临丧之道也。这都是本之所在，有其本，则推之于行事者，自然可观。若使居上的，苛刻琐碎，而不知宽弘之大体；行礼的怠惰简慢，而无恭敬之实意；临丧的专事矫饰，而无哀痛之真情，则其本已先失了。虽其政教号令之施、进退周旋之节，缞麻擗踊之文，未必尽无可观。然大本既失，则末节无可言者，吾何以观之哉？"盖甚言其不足取也。盖当时王道不举，而苛政至于残民，古礼不复，而繁文至于灭质，故孔子矫时之敝如此。

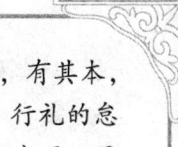

里仁第四

凡二十六章。

【原文】

子曰："里仁为美。择不处仁，焉得知？"

【张居正注评】

二十五家为一里。仁，是仁厚的风俗。择，是拣择。处，是居处。孔子说："人之居处甚有关系，不可不择。若使一里之中，人人都习于仁厚，在家庭，则父子相亲，兄弟相爱，在邻舍，则出入相依，患难相恤，没有残忍浮薄的人，此乃俗之至美者也。这等的去处，不但相观而喜，可以养德，亦且各守其业，可以保家，但有见识的人，必然择居于此。"若卜居者，不能拣择仁厚之里而居处之，则不知美恶，不辨是非，其心昏昧而不明甚矣，岂得谓之智乎！夫择居不于仁，尚谓之不智，况夫存不仁之心，行不仁之事，则其为害有不可胜言者矣。又岂非不智之尤乎！此圣人立言之意也。

【原文】

子曰："不仁者不可以久处约，不可以长处乐。仁者安仁，知者利仁。"

【张居正注评】

约，是穷困。乐，是安乐。安，是自然合理。利，是贪得的意思。孔子说："仁之在人，乃本心之天德，人能全此德，而后中心有主，不为外物所摇。若那不仁之人，私欲锢蔽，失其本心，中既无主，则外物得以移之。使处贫贱困穷之时，起初或能强制。久之，则愁苦无聊，凡苟且邪僻之事，无不为已，岂可以久处约乎？使处富贵安逸之地，暂时犹能矫饰，久之，则意得志满，凡骄淫奢纵之事，无不为已，岂可长处乐乎？"惟仁者之人，纯乎天理，无一毫私欲，其于这仁道，不待勉强，而心与之相安，处约处乐皆相忘而不自知也。所以说仁者安仁。知者之人，中有定见，无一毫昏昧，其于这仁道，深知笃好，而求必欲得之，处乐、处约皆确然不易其所守也。所以

说,知者利仁。仁、知之分量虽殊,而其能全乎仁则一,此所以久约而不滥,久乐而不淫也。

【原文】

子曰:"惟仁者能好人,能恶人。"

【张居正注评】

惟字,解作独字。仁者,是纯乎天理而无一毫私意的人。好,是喜好。恶,是憎恶。孔子说:"好善恶恶,天下之同情也。人惟心有私系,是以好恶鲜有当于理者。独是那仁人,其心至公而无私,故有所好也。必其人之贤而可好者,而后好之。好,当于理而无私,这才是能好人。有所恶也,必其人之不肖而可恶者,而后恶之。恶,当于理而无私,这才是能恶人。"夫好人恶人惟仁者能之,可见人当以仁为务,克去己私而后可。至于人君之好恶,其于进退用舍关系匪细,尤不可不先纯其心于仁也。

【原文】

子曰:"苟志于仁矣,无恶也。"

【张居正注评】

苟字,解作诚字。志,是心所专向的意思。孔子说:"人性本善,而所为有不善者,皆不仁之念累之也。若其心能专向于仁,而欲以克去己私,复还天理,则一时察识虽未能精,践履虽未能熟,亦可保其必无为恶之事矣。"盖天理人欲,不容并立,心既专于天理,又岂有纵欲灭理之为乎?孔子勉人为仁之意如此。

【原文】

"君子去仁,恶乎成名?"

【张居正注评】

孔子说:"审富贵,安贫贱,不徇欲恶之情,而惟要之于理,这是仁之道。而君子之所以为君子异乎人者,以其有此实也。若于富贵则贪之,于贫贱则厌之,但徇欲恶之私情,则舍去此仁,而无君子之实矣,何以成其名叫做君子。仁之不可去也如此。

【原文】

"君子无终食之间违仁,造次必于是,颠沛必于是。"

【张居正注评】

终食之间,是一顿饭的时候。违,是违背。造次,是急遽苟且之时。颠沛,是倾覆流离之际。是字，解作此字，指仁而言。孔子说："去仁不可以为君子。"所以君子之为仁，不但处富贵贫贱而不去也。自至静之中，以至应物之处，自一时之近，以至终身之远，其心常在于仁，未尝有一顿饭的时候，敢背而去之。虽造次之时，急遽苟且，当那等忙迫，他的心也只在这仁上。虽颠沛之际，倾覆流离，遭那等患难，他的心也只在这仁上。夫当造次颠沛而其心犹在于仁，则无一时而不仁矣！所以说君子无终食之间违仁。夫君子存养之功，其密如此，由是以处富贵贫贱，又岂有不得其道者哉！此君子之所以成其名也。

【原文】

子曰："人之过也，各于其党。观过，斯知仁矣。"

【张居正注评】

过，是差失。党，是类。孔子说："凡人心术之邪正难知，而行事之差失易见。世之观人者，但知以无过为仁，岂知有过亦可以观仁乎？"盖人有君子，有小人。君子的人，存心宽厚，就有过失，只在那厚的一边，必不苛刻。小人的人，立心奸险，他的过失，只在那薄的一边，必不宽恕。其党类各自不同如此。人惟律之以正，而不察其心，固皆谓之过而已。若观人者，因其过而察之，则过于厚的，必是忠爱的君子，而其为仁可知矣！若过于薄的，便是残忍的小人，而其为不仁，又何疑哉！此可见取人者，固不可以无过而苛求，亦不可以有过而轻弃也。是道也，在人君尤所当知，盖人材识有短长，气质有纯驳。自非上圣大贤，孰能无过，顾其立心何如耳。小人回互隐伏，有过却会弥缝；君子磊落光明，有过不肯遮饰。故小人常以欺诈而见容，君子或以真率而得罪，是不可不察也。且如汉之汲黯，面折武帝，是他狂戆之过，然其心本是爱君；矫诏发粟，是他专擅之过，然其心本是爱民。仁者之过，大概如此。人君若以此体察群臣，优容小过，则人人得尽其用，而天下无弃才矣！

【原文】

子曰："朝闻道，夕死可矣。"

【张居正注评】

闻，是闻知。道，是事物当然之理。孔子说："道原于天而赋于人。人生下来，便有日用常行的道理。如为子便要孝，为臣便要忠，一毫亏欠不得。若不曾知得这道理明白，便是枉过了一生，虽死犹有所憾。若是平日间，着意去讲求，竭力去体认，一旦豁然贯通，无所疑惑，则凡性分之所固有，与夫职分之所当为，事事完全，无少亏欠，就是晚上没了，其心亦安，而可以无遗恨矣。"孔子此言盖甚言道之不可不闻，欲人知所以用力也。然人不学不知道，欲闻道者，可不以务学为急哉？

【原文】

子曰："士志于道而耻恶衣恶食者，未足与议也。"

【张居正注评】

士，是为学之人。道，是事物当然之理，即学之所求者也。恶衣，是粗恶的衣服。恶食，是粗恶的饮食。议，是议论。孔子说："人之为学，有志于斯道者，必是识见高明，见得自己性分为重，外物为轻。凡富贵贫贱，都动他不得，而后于道为有得也。若夫士而为学其志将以求道也，却乃愧耻其衣服饮食之不美，则是羞贫贱，慕富贵，其识趣之卑陋甚矣。与之论道，必不能知其味而信之，何足与议哉！"大抵衣服饮食，不过奉身之具，于性分原无加损。故大舜在贫贱之时，饭糗茹草，若将终身，及其为天子，被袗衣鼓琴，若固有之。而禹之菲饮食，恶衣服，非徒以示俭，盖亦以口腹身体之欲，不足留意于此耳。孔子之所谓志于道者，岂专为为士者警哉！

【原文】

子曰："君子之于天下也，无适也，无莫也，义之与比。"

【张居正注评】

适，是必行的意思。莫，是必不行的意思。义，是事之宜。比字，解做从字。孔子说："天下之事，都有至当不易的道理。但当随事顺应，不可先有意必之私。且如有一件事来，心里主于必行，这便是适。适，则凡事之不可行的，都看做可行了，其弊必至于轻率而妄为。心里主于必不行，这便是莫，莫则凡事之可行的，都看做不可行了。其弊必至于拘滞而不通。这两件都是私心，必然害事。君子之人，其处心公而虚，其见理明而悉，故于天下之事，未尝主于必行而失之适。也未尝主于必不行而失之莫。只看于道理如何，若道理上当行的，便行，无所顾忌。道理上不可行的，便不行，不敢轻易是非可否，一惟义之是从，而无容心于其间，此君子之所以泛应曲当，而无有败事也。然必平时讲究得精明，而后临事乃能审处，有一日万几之责者，可不慎哉！"

【原文】

子曰："君子怀德，小人怀土；君子怀刑，小人怀惠。"

【张居正注评】

怀，是思念。德，是固有之善。土，是居处之所安者。刑，是刑法。惠，是货利。孔子说："君子小人，为人不同，而其所思念者亦异。君子之所思念者，在于固有之善，立心则欲其无私，行事则欲其合理，惟恐悖德而为不肖之人。若夫小人，则不知德之可好也，而所思念者在于土。凡居之所安适处，即依依于此，恋而不舍。盖惟知适己自便，虽违德义而不恤矣。君子之所思念者，在于朝廷之法，循理而不敢放肆，奉上而不敢违越，惟恐犯法而为有罪之人。若夫小人，则不知法之可畏也，而所思念者在于惠。凡利之可歆羡者，即营营于此，求必得之。盖惟知贪得无厌，虽触刑法而不顾矣。"夫君子小人之所怀不同，如此观人者，但看其意思何如，便可以知其为人之实矣。

【原文】

子曰："放于利而行，多怨。"

【张居正注评】

放，是依仿。孔子说："人能好义，则事皆公平，而人亦悦服。若其处心制行，只依着利的那边，物之有利者，必欲得于己，事之有利者，必欲专于己。这叫做放利而行。夫利既在己，害必归人，则不惟受其害者有所不堪，而不受害者，亦有所不平也。岂不多取怨于人乎！"夫放利而行，本欲为身谋，为家计也。至于多怨，又岂保身全家之道哉！故君子不以利为利，以义为利也。

【原文】

子曰："能以礼让为国乎，何有？不能以礼让为国，如礼何？"

【张居正注评】

礼，是尊卑上下的礼节。让，是逊让，即礼之实处。何有，是不难的意思。如礼何，譬如说没奈他何。言礼不为之用也。孔子说："人君为国不可专倚着法制禁令，必须以礼让为先。盖礼以别尊卑，辨上下，固有许多仪文节目，然都是恭敬谦逊的真心生发出来。如君臣有朝廷之礼，然上不骄，下不僭，名分自然相安，这就是君臣间的礼让；父子有家庭之礼，然父慈子孝，情意自然相洽，这就是父子间的礼让。是让，乃行礼之实也。若是为人君的，能以礼让为国，或修之威仪言动之间，以示之标准，或严于名器等威之辨，以防其僭踰。凡所行的礼，都出于恭敬谦逊之实，则礼教既足以训俗，诚意又足以感人，那百官万姓每，自然都安分循理，相率而归于礼让，纪纲可正，而风俗可淳，其于治国何难之有？若不能以礼让为国，都只在外面粉饰，没有恭敬谦逊的真心，则出之无本，行之无实，虽有许多仪文节目，都不是制礼的初意，虽欲用礼，亦无如之何矣！礼且不可行，而欲其治国，岂不难哉！此可见为国以礼，行礼以让，先王化民成俗之道，莫要于此。"

【原文】

子曰："不患无位，患所以立。不患莫己知，求为可知也。"

【张居正注评】

患，是忧患。位，是爵位。所以立，是所以居位之具。可知，是可以见知之实。孔子说："天下之事，有系于人者，不必忧。有在于己者，所当忧也。如爵位之不得，人常忧之，君子则以人不我用，其责在人，于我无预，何忧之有。惟所以立乎其位者，乃吾职分之所当为也。苟上不能致君，下不能泽民，而吾之职分有亏，即幸而居位，亦不免尸位之诮矣！故必以为忧焉。名誉之不著，人常忧之，君子则以人不我知，其失在人，于我无预，何忧之有。惟可以见知之实，乃吾性分之所固有也。苟知未至于高明，行未至于光大，而吾之性分有亏，即幸而得名，亦不免名胜之耻矣，故必以为求焉。"夫患所以立，非修此以觊得其位，求为可知，非务此以求知于人，盖君子为己之学如此也。不然，有为而为，则亦小人儒耳。奚足贵哉！

【原文】

子曰："君子喻于义，小人喻于利。"

【张居正注评】

喻字，解做晓字。义，是天理之所宜。利，是人情之所欲。孔子说："天下之道二，义与利而已，而君子小人，实于此辨焉。"君子循天理，有好义之心，又有精义之学。故其立身行己，只在义上见得分明，义当进则进，不然则退，义当受则受，不然则辞。虽有时不避形迹，而涉于为利者，亦不过委曲以成其义耳。是君子之心，惟知有义，而义之外，皆非所知矣。小人徇人欲，有怀利之心，又有谋利之巧，故其立身行己，只在利上见得分明，有利则趋，无利则避，利于己则为，利于人则否。虽有时假托形迹，似乎为义者，亦不过借此以图其利耳。是小人之心，惟知有利，而利之外，皆非所知矣。夫君子小人所喻不同如此。然喻义则君子固自成其君子，而天下之事，亦因以济。喻利则小人固终陷于小人，而天下之事亦因以坏。修己用人者，可不慎择而深辨之哉！

【原文】

子曰："见贤思齐焉，见不贤而内自省也。"

【张居正注评】

贤，是有德的人。齐，是齐一。不贤，是无德的人。省，是省察。孔子说："人之自修者，砥砺之功，固当尽于己，观感之益，亦有资乎人。如见个有德的贤人，心必美之，然不可徒美之，又必自家思想说：'善本吾性，事在人为，他有这等贤德，我何为独不能？'必勉强奋发，定要与他一般才罢，这是见贤思齐焉。如见个无德不贤的人，心必恶之，然不可徒恶之，又必自家省察说：'为恶甚易，自知甚难，他干的这等样事，莫不我身上也有？'一或有之，必当速改以复于善才罢，这是见不贤而内自省也。"夫见贤思齐，则日进于高明，见不贤内省，则不流于污下，此君子之所以成其德也。然是道也，通乎上下者也，人君若能以古之圣哲自期，而务踵其芳规，以古之狂愚为鉴，而毋蹈其覆辙，则为圣君不难矣。

【原文】

子曰："父母在，不远游，游必有方。"

【张居正注评】

方，是方向。孔子说："父母爱子无所不至，为人子者，必能体父母之心而后可也。若是有父母在堂，不可出外远游。盖凡为人子之礼，冬温而夏清，昏定而晨省，若出外则定省旷而音问疏，不但己之思亲，亦恐亲之念己不忘也，所以不可远游。若或不得已而出游，亦必告父母以一定的方向，如往东则不更从西行，往南则不更从北行，使父母知我定在某处，可以无忧。若有呼唤，便可应期即至而无失也。"夫人子事亲，一出游而不敢轻易如此。又岂可纵肆逸乐，不惜其身，以贻父母之忧乎！所以古之孝子，不登高，不临深，出必告，反必面，无非欲安父母之心而已，为人子者不可不知。

【原文】

子曰："三年无改于父之道，可谓孝矣。"

【张居正注评】

本句与前文重复。直解见第73页。

【原文】

子曰："父母之年，不可不知也，一则以喜，一则以惧。"

【张居正注评】

年，是年岁。孔子说："父母的年岁，为人子者，须常记念在心，不可以不知也。盖寿数之长短，皆系于天而不可必。今父母寿考康宁，使人子得以承欢于膝下，这是难得之事，岂不可喜。然父母年纪衰迈，来日无多，安能保其长存，这又有不测之忧，岂不可惧。"若知道这一件可喜，又有这一件可惧，时常记念在心，则爱日之诚，自不能已，而所以奉事之者，不敢有一毫之不尽矣！所以说父母之年，不可不知也。

【原文】

子曰："古者言之不出，耻躬之不逮也。"

【张居正注评】

出，是发言。逮字，解做及字。孔子说："人之言行，须要相顾，如今人说得行不得的甚多。若古之学者，沉静简默，不肯轻易出言，这是为何？盖其学务为己，志在躬行，言忠便要尽忠，言孝便要尽孝，句句言语都有下落，心里才安。若只是信口说了，都不能躬行，这便是行不及言，而为夸诞无实之人矣！古之人深以为耻，而不肯为。此其所以慎于言而不轻出也。"古之人惟其尚行，故笃实之风行，今之人只是空言，故浮华之习胜，学术既异，而世道人心亦迥然不同，孔子之言，盖伤之也。

【原文】

子曰："以约失之者鲜矣！"

【张居正注评】

约，是收敛不放肆的意思。鲜，是少。孔子说："凡人立身行己，但是心里放肆，则其所行必有过差。若能收敛省约，件件都守着规矩，岂有差失。如在身心上省约，不为逸乐，非礼之事便不至于丧志而败德；如在用度上省约，不为奢侈无益之费，便不至于伤财而害民，过失断然少矣。"这约之一字最宜详玩。盖人情才放肆，则日就旷荡；自检束，则日就规矩。故成汤制事制心，只是一个懋敬；太甲败度败礼，只是一个纵欲。圣哲狂愚之判，实系于此，可不慎哉！

【原文】

子曰："君子欲讷于言而敏于行。"

【张居正注评】

讷，是迟钝的意思。敏，是急速的意思。孔子说："放言甚易，力行甚难。故言常失之有余，行常失之不足。惟是成德之君子，一心只要做笃实的工夫，其于言语则务欲其讷，非惟不当言的不敢言，就是当言的，亦必谨慎收敛。讷讷然却似迟钝的一般，不敢信口便说，以取失言之悔也。于行事则务欲其敏，除是有所不知则已，若知道当行的事，便奋发勇往，急急然惟恐失了的一般，不敢少有怠缓，以致废时而失事也。"欲讷于言，则言必能顾行，欲敏于行，则行必能顾言，岂非慥慥笃实之君子乎！

【原文】

子曰："德不孤，必有邻。"

【张居正注评】

孤，是独立。邻，是邻舍。孔子说："德乃人心之所固有，亦人情之所同好。人而无德，则人皆贱恶，固有独立而无与者。若是有德的人，则岂有孤立之理乎！必然同声相应，同气相求，见其德者，固愈加亲近，闻其风者，亦翕然信从，就似居处之有邻家一般，有不招而自来者矣！"故人君修德于上，则万姓归心，四夷向化，而天下为一家，不然，则众叛亲离，不免于孤立而已。可不慎哉！

【原文】

子游曰："事君数，斯辱矣；朋友数，斯疏矣。"

【张居正注评】

子游，是孔子弟子言偃，字子游。数，是烦数。辱，是羞辱。疏，是疏远。子游说："人臣以匡救为忠，朋友以切磋为义，固皆理之当然，然于言语之际，也要见几。且如君有过而谏诤，使其听焉，固可以尽吾心矣。若不肯听，便当去。苟或不识进退，而专务戆直，至于烦数而无已，则君必厌闻，不以为忠，而反以为谤，未免加之以斥辱矣！事君者可不戒哉！朋友有过而相规，使其听焉，固可以尽吾心矣。若不肯听，便当止，苟或不度可否，而徒好尽言，至于烦数而不止，则彼必厌听，不以为德而反以为怨，必将日至于疏远矣。交友者可不戒哉！"然子游之说，特为进言者发耳。若夫为君为友者，又当思毒药苦口利于病，忠言逆耳利于行，优容褒奖，以求乐告之诚，虚心受善，以求切磋之益，庶德日进而过日寡，与圣贤同归矣！若一有厌恶之心，而加之以疏辱之罪，则在彼固以言为讳，而不肯再言。他人亦以彼为戒而无复直言，上下隔绝，彼此蒙蔽，其害有不可胜言者矣！听言者，又可不戒哉！

子游

公冶长第五

此篇皆论古今人物贤否得失，盖修穷理之一端也，凡二十七章。胡氏以为疑多子贡之徒所记云。

【原文】

子谓公冶长："可妻也。虽在缧绁之中，非其罪也"。以其子妻之。

【张居正注评】

公冶长是孔子弟子。女嫁与人为妻，叫做妻。缧，是黑索，绁，是拘挛犯罪的人，以黑索拘系之于狱中，叫做缧绁。子，是所生的女，古人男女皆谓之子。门人记孔子曾说："人伦莫重于婚姻，匹配莫先于择德。吾门弟子，若公冶长者，可以女配之而为妻也。他平日素有德行，虽曾为事拘系于狱中，乃是被人连累，而非其自致之罪，既非其罪，则固无害其为贤矣！"于是以所生之女而为之妻焉。此可见圣人之于婚嫁，不论门族，而惟其人；不拘形迹，而惟其行。非独谨于婚姻，亦可谓明于知人者矣！

【原文】

子谓南容，"邦有道，不废；邦无道，免于刑戮"。以其兄之子妻之。

【张居正注评】

南容，是孔子弟子南宫绦，字子容。废，是弃而不用。戮，是杀戮。门人又记，孔子曾说："吾门有南容者，尝三复白圭之诗，平日素能谨言慎行，是个有德的君子。若遇着国家有道，君子进用之时，他有这等抱负，必然人人荐举他，使之得位而行道，必不至于废弃而不用也。遇着国家无道，小人得志之日，他既言语谨慎，不至取怨于人，亦可以全身而远害，必不陷于刑戮之祸也。处治处乱，无所不宜，则其贤可知矣！"于是以其兄之女配之而为妻焉。前章以己女妻公冶长，此章以兄女妻南容，皆择贤而配，圣人致谨于婚配之礼如此。

【原文】

子谓子贱："君子哉若人！鲁无君子者，斯焉取斯？"

【张居正注评】

子贱，是孔子弟子宓不齐，字子贱。斯字，解做此字。上一个斯字是说此人，下一个斯字，是说此德。门人记孔子曾说："人之为学，都要学做君子。然君子之德，未易成也。吾门若宓子贱者，他的学力已造到成德的地位，君子哉！其若人乎！然子贱所以能为君子，虽是他自家向上，有志进修，亦由我鲁国多君子，人才众盛，故得以尊师取友而成其德耳。若使鲁没有许多君子，则虽要尊师，而无师之可尊；虽要取友，而无友之可取。斯人也，亦不免孤陋寡闻而已，将何所取以成此德乎！"此可见自修之功固不可废，而师友之益，又不可无也。然师友之益，不但学者为然，古之圣帝明王屈己下贤，虚心访道，尊崇师保，而资其启沃，慎择左右，而责之箴规，无非欲严惮切磋，养成君德而已。古语说："师臣者帝，宾臣者王。"然则人君欲成其德者，当以好学亲贤为急。

【原文】

子贡问曰:"赐也何如?"子曰:"女,器也。"曰:"何器也?"曰:"瑚琏也。"

【张居正注评】

赐,是子贡的名。器,是器皿。瑚琏,是宗庙中盛黍稷的器,以玉为之,夏时叫做瑚,商时叫做琏。子贡平日,好比方人物,因见孔子以君子许子贱,故以己为问,说道:"赐也学于夫子,亦尝有志于进修,但造诣之浅深,自家不能知道。夫子试说赐之为人何如?"孔子答说:"人之为学,以致用为贵,如世间器皿,以适用为宜,汝能告往知来,料事多中,既达于政事,又长于言语,是个有用的成材,就如器之适用一般,汝其已成之器乎。"子贡又问说:"器有贵贱之不同,夫子以赐为器,不知是何等样器?"孔子答说:"器中有瑚琏者,陈之于宗庙,而饰之以玉,最是贵重而华美的。以汝之才,试之于用,必然事功可就,文采可观,而足以为邦家之光,岂非器中之瑚琏矣乎。"然则子贡虽未能如君子之不器,其亦器之贵者矣。

【原文】

或曰:"雍也仁而不佞。"

【张居正注评】

雍,是孔子弟子冉雍。仁,是有德。佞,是口才。春秋之时,人皆以口才便利为尚。而冉雍为人,重厚简默,与时俗不同。故或人谓孔子说:"夫子之弟子有冉雍者,论其为人,可谓仁而有德者矣。但惜其素性简默,无有口才,而不能为佞也。"或人之言,非惟不知仁,亦不知冉雍者矣。

【原文】

子曰:"道不行,乘桴浮于海,从我者,其由与!"子路闻之喜。子曰:"由也好勇过我,无所取材。"

【张居正注评】

桴,是木筏。由,是子路的名。材与裁字同,是量度的意思。昔春秋之时,上无贤君,不能信用孔子,故孔子有感而叹说:"吾之周游四方,本欲得位行道,以致君而泽民。今人不见知,世不我用,吾道已不行于天下矣!虽居在中国,亦何为乎!不如乘着木筏,浮于海中,可以绝人而逃世。吾门弟子中求其可以从我远去者,其惟仲由欤?"盖仲由勇于为义,是个临难不避的人,故孔子许其从己。然这说话也只是孔子自伤其不遇而假设之词,非真有浮海之意也。子路闻之,以为夫子不许他人而独许己,遂信以为实然,心中喜悦。盖过于信人为急务哉!

【原文】

孟武伯问："子路仁乎？"子曰："不知也。"

【张居正注评】

孟武伯，是鲁大夫仲孙彘。仁，是本心之全德。孟武伯问于孔子说："夫子之门人如子路者，果能全其心德而为仁人矣乎。"孔子以仁道至大，不可轻许，故答他说："仁具于各人之心，难以必其有无，仲由之仁与未仁，我所不知也。"

【原文】

"赤也何如？"子曰："赤也，束带立于朝，可使与宾客言也。不知其仁也。"

【张居正注评】

赤，是孔子弟子公西赤。束带，是着礼服而束带于其上。宾客，是四方来聘的使臣。孟武伯又问："夫子之门人若公西赤者何如，抑能全其心德而为仁人矣乎？"孔子答说："赤也知礼。若使他束带立于朝廷之上，应对那四方来聘的宾客，必能通两国之情，达宾主之意，而不至于失礼。其才之可见者如此。若其心之仁与不仁，吾不得而知也。"盖仁之为言，必纯乎天理，而无一私之杂，始终惟一，而无一息之间，才叫做仁。其心之纯与不纯，有非行事所可见，他人所能识者。故夫子于三子皆许其才，而未信其仁。盖以发于外者易见，而蕴于心者难知也。有志于求仁者，当省察于吾心独知之地而后可。

【原文】

子谓子贡曰："女与回也孰愈？"

【张居正注评】

愈字，解做胜字。昔孔子因子贡好比较他人的短长，而或暗于自知，故问之说："你与颜回同游吾门，你自家说，比他所学，孰为胜乎？"

【原文】

对曰："赐也何敢望回？回也闻一以知十，赐也闻一以知二。"

【张居正注评】

子贡对说："人之资质有高下，悟道有深浅。赐也何敢指望到得颜回。盖回也是生知之亚，资禀既高，工夫又到，其于天下的义理，听得一件，就晓得十件。从头彻尾，无不默识心通，盖闻一以知十者也。赐也学而知之，资禀既庸，工夫又浅，其于天下的义理，听得一件，只晓得两件，比类思索，因此识彼，不过闻一以知二而已。"即此观之，回胜于赐远矣！赐也果何敢望回乎！

【原文】

子曰："弗如也，吾与女弗如也。"

【张居正注评】

与，是许。孔子因子贡之言，遂激励引进之说道："汝自谓不如颜回，此言非虚，汝委的不及他。但人莫难于自知，而亦莫难于自屈。今汝自以为弗如，则是自知之明，而又不难于自屈矣。夫能自知，则必不安于所已知，能自屈则必益勉其所未至，今日之不如，安知他日之终不如乎？我诚取汝这弗如之说也。"其后子贡终闻性与天道，不止于闻一知二而已。岂非夫子激励造就之欤！然这弗如之一念不但是学者上进的机栝，若使为人君者能以古之帝王为法，而自视以为不如，必欲仰慕思齐而后已，则其进于圣帝明王也不难矣！

【原文】

宰予昼寝。子曰："朽木不可雕也，粪土之墙不可杇也。于予与何诛？"

【张居正注评】

宰予，是孔子弟子，姓宰名予。昼寝是当昼而睡。朽木，是腐坏的木植。雕，是刻。墙壁上盖着泥粉，叫做杇。诛，是责。何诛，是说不足怪责。昔孔门设教，只是要人好学。盖能好学，则志气精明，工夫勤密，然后可以入道。宰予学于孔子之门。一日当昼而寝，这便是昏昧怠惰，不肯好学的人。故孔子责之说："凡木之坚者，然后可雕。若朽腐之木，虽欲雕刻成文，必然坏烂，岂可得而雕乎？凡墙之固者，然后可杇。若粪土之墙，虽欲饰以泥粉，必然剥落，岂可得而杇乎？譬如人必有志向学，然后可教，今予之昏惰如此，就似那朽腐之木，粪土之墙一般，虽欲教之，而无受教之地矣！然则我之于予，又何用于责备乎！"言不足责乃所以深责之也。夫宰予以一昼寝之失，而孔子责之严切如此，可见人当以勤励不息自强，以怠惰荒宁为戒。故禹惜寸阴，成汤昧爽丕显，文王日昃不遑息，孔子发愤忘食，此皆生知之圣人，其勤如是。况未及圣人者乎！学者不可不深省也。

【原文】

子贡曰："我不欲人之加诸我也，吾亦欲无加诸人。"子曰："赐也，非尔所及也。"

【张居正注评】

子贡自言其志于夫子，说道："天下之人，皆同此心。大凡非礼之事，我心固所不

欲。度量他人的心，也是不欲的。若以己所不欲者而加之于人，是知有己，而不知有人者之所为也。赐则视人犹己，视己犹人。凡我不欲人加于我之事，我亦不以此而加之于人。"夫观子贡此言，固是他志量高处，然此乃仁者之事，子贡之学尚未能到此地位。夫子恐其自许太过，而行不逮言也，故呼其名而抑之，说道："最难克者己私，未易全者仁德。如汝所言，凡己之所不欲者，即不以加之于人，则是视天下为一人，而略无形骸之间，以万物为一体，而溥其兼利之仁，这非是心德纯全，而己私克尽者不能。汝之所学，岂能遽及于此乎？所以说非尔所及也。"然孔子此言，不是言难以阻人之进，盖欲子贡知其难而加勉也。

【原文】

　　子贡曰："夫子之文章，可得而闻也；夫子之言性与天道，不可得而闻也。"

【张居正注评】

　　文章，是德之见乎外者，指威仪文词说。性，是人所受于天之理。天道，是天理自然之本体。子贡说："凡人学力有浅深，故其闻道有难易。吾夫子平日，凡动作威仪都有法度，言词议论都有条理，这是德之著，见乎外的，所谓文章也。夫子固常以教人，无所隐秘，故不待深造者而后闻之。凡浅学之士，从游门墙者，皆可得而闻也。若夫仁义礼智，禀于有生之初的，叫做性。元亨利贞，运于於穆之中的，叫做天道。夫子亦尝言之矣。但道理极其微妙，言语难以形容，若不是学力既深，可与上达的人，决不轻告。故不但浅学之士，不得而闻，虽久于门墙者，亦不可得而闻也。"盖子贡晚年进德，乃始得闻性与天道，故叹之如此。然圣门教人，循序渐进，于此亦可见矣。

【原文】

　　子路有闻，未之能行，唯恐有闻。

【张居正注评】

　　这是门人记子路之勇于为善，说道："人固贵于闻善，然闻而不行，与不闻同。行而不力，与不行同。惟子路之为人，有兼人之才，负刚果之气，每闻一善言，必即时行之而后已，若或未之能行，则此心惕然不宁，惟恐复有、所闻，而前闻者，或壅滞而不得行焉。"曰惟恐有闻者，非不欲后闻之至也，乃其惟日不足之心，欲急行其所已闻，而预待其所未闻耳。观未行而惟恐有闻，则既行而惟恐不闻可知矣！子路之勇于体道如此。

【原文】

　　子贡问曰："孔文子何以谓之'文'也？"子曰："敏而好学，不耻下问，是以谓之'文'也。"

【张居正注评】

孔文子，是卫国的大夫，姓孔名圉，谥文子。敏，是聪敏。下问，是问于在下的人。古时生有爵位者，殁必有谥。人有贤否，则其谥有美恶。孔圉得谥为文，是个美谥。子贡疑其为人不足以当之。乃问于孔子说："卫大夫孔文子者，不知何以得谥为文也。"孔子答说："凡人资性明敏的，便恃着他的聪明，不肯向学。孔圉虽有明敏之资，他却不敢自是。凡礼乐名物，古今事变，一一讲习讨论，而无有厌心，其勤学如此。爵位尊显的，便看得自己过高，耻于下问。孔圉虽居大夫之位，他却不敢自亢，凡事有未知的，一一访问于人，虽下僚之卑，小民之贱，也虚己问之，而不以为耻，其好问如此。盖谥法中有云：勤学好问曰'文'。今孔圉之行，正与之相合，此其所以得谥为'文'也。"然勤学好问，不但是卿大夫之美行，虽古帝王之盛节亦不外此。盖人君有聪明睿智之资，尤易于自用；居崇高富贵之位，尤难于自谦。然不学，则义理无由而明；不问，则闻见无由而广。故虞舜好问好察，所以为圣；高宗逊志典学，所以为贤，真万世人君所当法也。

【原文】

子曰："臧文仲居蔡，山节藻棁，何如其知也？"

【张居正注评】

臧文仲，是鲁大夫，姓臧名辰，谥为文仲。素以智名者也。居，是藏。蔡，是大龟，用以为卜者，以其获之于蔡地，遂名为蔡。节，是柱头斗栱。藻，是水草。棁，是梁上短柱。孔子说："人都以臧文仲为智，然明智之人必然见理不惑，试举他一事言之。且鲁之有大龟，虽所以为占卜之用，然不过以决疑示兆而已，非能司其祸福之柄也。文仲乃为屋室以居之，又将那柱头斗棋上，都刻为山形，梁上的短柱，都画上水草，真若大龟居处于其中，而能降福于人者，斯不亦大惑矣乎。"盖人有人之理，神有神之理。人之理所当尽，而神之理，则幽昧而不可知。惟尽其所当务，而不取必于其所难知，斯可谓智矣。今文仲不务民义，而谄渎鬼神如此，则是不达幽明之理，而惑于祸福之说，其心之不明亦甚矣。何如谓之智乎？夫文仲之智，人皆称之。夫子独据实而断其不然，这正是众好之必察焉者。所以为人物之权衡也，观人者宜取以为法。子张又问说："制行如此，人所难能，亦可谓之仁人矣乎？"孔子答说："仁在于心，不在于事。文子之行虽清，未知他心里如何？若有一毫愤俗自高之意，而后来不免于怨悔，这也是私心，而非纯乎天理之公者矣！焉得遽信其为仁矣乎！故亦不敢轻许之也。"大抵人之行事易见，而心术难知。其念虑之纯与不纯，存主之实与不实，有非他人所能尽察者，故虽以文子之忠，文子之清，而夫子犹未肯以仁许之。观此，则仁之所以为仁，其义可知，而人之有志于仁者，当知所务矣。

【原文】

季文子三思而后行，子闻之，曰："再，斯可矣。"

【张居正注评】

季文子，是鲁大夫，名行父，谥为文子。三思，是思了又思，展转无已的意思。再，是两次思量。昔鲁大夫季文子者，是个用心周密的人，每事必反复计虑，思了又思，展转数次，然后施行。孔子闻之说道："人之处事，固不可以不思，而亦不可以过思。故凡事到面前，造次未可轻动，从而仔细思量一番，及思之已得，犹恐见不的确，又平心易气，再加斟酌一番。如此，则事理之可否从违，裁度已审，行出来自然停当，斯亦可矣！何必三思为哉！"盖天下之事，虽万变不齐，而其当然之理，则一定不易，惟在义理上体察，则再思而已精，若用私意去揣摩，则多思而反惑。中庸教人以慎思者，意正如此。善应天下之事者，惟当以穷理为主，而济之以果断焉，则无所处而不当矣！

【原文】

子在陈，曰："归与！归与！吾党之小子狂简，斐然成章，不知所以裁之。"

【张居正注评】

陈，是陈国。党，是乡党。小子，指门人之在鲁者说。狂简，是志大而略于事的意思。斐，是有文采。裁，是裁正。昔孔子周游四方，至于陈国淹留既久，知道之终不能行，乃发叹说道："吾之初心本欲行其道于天下，今周流至此，而竟不一遇，是世终无用我者矣。我其归于鲁国欤？我其归于鲁国欤？然我之道虽不行于当时，犹当传于后世。今吾乡党后生中，尽有识见高明，志趣远大，不拘拘于小节的人，看他规模体段，已是斐然有文理之可观。但其志愿太高，学力未至，不知以中正之道自裁，而时出于规矩之外耳。若就其才性之所近者，因而抑其过，矫其偏，以归于中，则皆可以任斯道之重，而寄吾欲行之心，又何必栖栖遑遑以求用于世哉！此吾之所以欲归也。"是可见圣人为当时计，固欲其道之行，为后世计，又欲其道之传，其心真有视天下为一家，通古今为一息者。此所以继往圣开来学，而教万世无穷也欤？

【原文】

子曰："伯夷、叔齐，不念旧恶，怨是用希。"

【张居正注评】

伯夷、叔齐，是孤竹君之二子。长曰伯夷，幼曰叔齐。念，是追念。怨，是恨。希字，解做少字。孔子说："伯夷、叔齐，古之至清介者也。大凡清介的人，疾恶太甚，其中多褊狭而不能容物，故人亦多有怨之者。惟伯夷、叔齐，持身虽介，处心甚平，人有不善，固尝恶而绝之矣。然只是恶其为恶，而非有心以绝其人也。若其人能改而从善，则止见其善，而不复追念其旧日之恶，其好恶之公，度量之广如此，所以人皆尊敬而悦服之，就是见恶的人，亦乐其后来之能怨，而谅其前日之无他。怨恨之心，自然少矣。"此可见疾恶固不可以不严，而取善尤不可以不恕。古圣贤处己待人之道，莫善于此。若人君以此待下，尤为盛德。盖凡中材之人，孰能无过，惟事出故为，怙终不悛者，虽摈斥之，亦不足惜，然或一事偶失，而大节无亏，初时有过，而终能迁改，以至迹虽可议，而情有可原，皆当舍短取长，优容爱惜，则人人乐于效用，而天下无弃才矣。虞舜宥过无大，成汤与人不求备，皆此道也。此可以为万世人君之法。

【原文】

子曰："孰谓微生高直？或乞醯焉，乞诸其邻而与之。"

【张居正注评】

鲁人有微生高者，素以直见称于时。人但慕其名而不察其实，故孔子举一事以断之说："人皆以微生高为直，如今看来，谁说他是直人。盖所谓直者，必诚心直道，有便说有，无便说无，无一毫矫饰，而后谓之直。今微生高者，人曾问他求醋，其家本是没有，却不肯直说，乃转问邻家求来与他，这是曲意徇物，掠人之美以市己之恩矣。即此一事推之，则其心之私曲，行之虚伪可知，焉得谓之直乎？"夫微生高之直，人皆信其行，而孔子独断其非，所谓众好之必察焉者如此。然当时似是而非，虚名无实者，不止一事，利口之人乱信，乡愿之人乱德，孔子皆深恶而痛绝之。盖欲人致谨于名实之辨也，然则用人者岂可徒采虚名而不考其实行哉！

【原文】

子路曰："愿闻子之志。"子曰："老者安之，朋友信之，少者怀之。"

【张居正注评】

安，是安逸。怀，是抚恤的意思。子路问于孔子说："吾二人之志，已各言于夫子矣。但不知夫子之志何如？愿有闻焉。"孔子答说："吾之志无他，只愿天下之人各得其所而已。盖天下之人不同，有老者焉，有朋友焉，有少者焉。老者当安，吾愿养之以安，而使之各享其逸。朋友当信，吾愿与之以信，而使之各全其交。少者当怀，吾愿抚恤之以恩，而使之各适其性，随其心之所欲得，而与之以理之所本然。此则吾之志也。"合而观之，子路公其物于人，而有难于兼济。颜子忘其善于己，而犹出于有心。惟夫子之志兼利万物而不知其功，仁覆天下而不见其迹，真与天地之量一般，又岂二子之所能及哉！使得君师之位，以行其政教，则时雍风动之化，当与尧舜比隆，惜乎不得其位，徒有志而未遂也。

【原文】

子曰："已矣乎！吾未见能见其过而内自讼者也。"

【张居正注评】

已矣乎，是绝望之辞。内自讼，是心里自家悔责。孔子说："人不能以无过，而能改则可为君子。然必自知其过，而内自讼责，则即其悔悟深切，而能改可必矣。我尝以此望于天下之人，自今看来，凡人有过，不是饰非以自文，便是委靡以自安，并未见有自家知所行的不是，而内自悔责者也。然则欲求其能改过，岂可得乎！昔之所望于人者，今则已矣。"这是孔子欲人悔过迁善，故为是绝望之辞，以激励天下人的意思。大抵悔之一字，乃为善之机。《易》曰："震无咎者存乎悔。"太甲悔过，自怨自艾，故终为有商之令主。然能居敬穷理以预养此心，则自然邪念不萌，动无过举。圣人所以能立无过之地者，其要在此。若待其有过而后悔之，不亦晚乎？孔子之言，盖为中人以下者发也。

【原文】

子曰："十室之邑，必有忠信如丘者焉，不如丘之好学也。"

【张居正注评】

十室之邑，是十家的小邑。忠信，是资质纯实，可进于道者。丘，是孔子的名。孔子说："人之造道，固在于天资，而尤须乎学力。我之得闻斯道，非徒以资质之美而已，实由好学以成之也。若但以资质言之，则岂必天下之广，就是那十家的小邑，也必有纯朴笃实，可进于道如我者焉。则天下之如我者，可胜言乎！但人皆恃其美质，不如我之勤敏好学以扩充其资，所以不能闻道，而有成者鲜也。"夫人乃不咎其学之不至，而徒诿于资之不美，岂不过哉！盖美质易得，至道难闻，故君如尧舜，必孳孳于精一，圣如孔子，犹汲汲于敏求，况其他乎！欲法尧舜孔子者当知所以自勉也。

雍也第六

凡二十八章。篇内第十四章以前大意与前篇同。

【原文】

子曰："雍也，可使南面。"

【张居正注评】

雍，是孔子弟子冉雍。南面，是人君之位。冉雍素以德行著名，故孔子称许他说：

"吾门弟子如冉雍者,其器宇识量,恢恢乎有人君之度,就使之居南面之位,以总理众务,统驭庶民,亦无不可者。"盖仲弓为人宽洪简重,惟宽洪则不失之苛刻,而有容物之量,惟简重则不失之琐碎,而得临下之体,故孔子称之。昔皋陶称帝舜临下以简,御众以宽,文王罔兼知于庶狱庶慎,亦是此意,读者合而观之,可以知君德矣!

【原文】

仲弓问子桑伯子。子曰:"可也,简。"

【张居正注评】

仲弓,是冉雍的字。子桑伯子,是鲁人。简,是不烦琐的意思。仲弓知孔子许己南面之意,盖因其器度之简重而取之,而疑子桑伯子之为人,亦有与己近似者。故问说:"子桑伯子之为人如何?"孔子答说:"凡人立身行事,多有过于琐碎,自为烦扰者。伯子为人,简易不烦,盖亦有可取者焉。"按:《家语》记伯子不衣冠而处,是乃率意任情,轻世傲物之徒。而孔子以为可者,毋亦以其真率简略,独超于流俗而取之欤?斯仲弓之所以致疑也。

【原文】

仲弓曰:"居敬而行简,以临其民,不亦可乎?居简而行简,无乃大简乎?"

【张居正注评】

仲弓因孔子许子桑伯子之简,而不能无疑于心,乃遂评论之说:"居上临下之道,固贵乎简,然有简当之简,有苟简之简,不可不辨也。若能自处以敬,兢兢业业,无一息惰放肆之心,则中有主而自治严矣。如是而行简以临其民,凡事只举大纲,存大体,不至于琐屑纷更,则事有要而不烦,民相安而不扰,这才是简当之简,岂不为可贵乎!若先自处以简,恣意任情,无矜持收敛之意,则中无主而自治疏矣。而所行又概从简略,不分缓急,不论重轻,一味只是纵弛,则事无可据之规,民无可守之法,是则苟简之简而已,岂不失之过甚而为太简乎!"仲弓此言,盖以伯子为太简,而疑孔子之过许也。

【原文】

子曰:"雍之言然。"

【张居正注评】

然字,解做是字。当时孔子许子桑伯子之简,特就其所可取者而许之,盖亦未暇深论。而仲弓之言则精确至当,诚居上临下不易之定论,故孔子深许之说:"雍也以居敬之简为可,以居简之简为过,其言岂不诚然乎!"此可见仲弓平日盖能居敬而行简

者，孔子许其可居南面，其意正在于此。为人君者，若能详味仲弓之言，而知敬简之义，则所谓笃恭而天下平者，亦不外是矣。

【原文】

哀公问："弟子孰为好学？"孔子对曰："有颜回者好学，不迁怒，不贰过。不幸短命死矣。今也则亡，未闻好学者也。"

【张居正注评】

迁，是移，本怒此人，而又移于他人，叫做迁怒。贰，是重复，已先差失了，后来重复差失，叫做贰过。昔鲁哀公问于孔子说："夫子之门人弟子甚众，不知谁是好学的人。"孔子答说："入之为学，必是潜心克己，深造有得，然后谓之能好。吾门弟子中，独有颜回者，是个好学的人。何以见得他好学？夫人意有所拂，孰能无怒，但血气用事的，一有触发，便不能禁制，固有怒于此而移于彼者。颜回也有怒时，但心里养得和平，容易消释，不曾为着一人，连他人都嗔怪了，何迁怒之有乎！夫人气质有偏，不能无过。但私欲锢蔽的，虽有过差，不知悔改，固有过于前而复于后者。颜回也有过失，但心里养得虚明，随即省悟，不曾惮于更改，致后来重复差失，何贰过之有乎！回之潜心克己如此，岂不是真能好学的人，惜其寿数有限，不幸短命而死。如今弟子中，已无此人，求其着实好学如颜回者，吾未之闻矣。岂不深可惜哉！"夫颜回之在圣门，未尝以辩博多闻称，而孔子乃独称之为好学，其所谓学者，又独举其不迁怒，不贰过言之。是可见圣贤之学不在词章记诵之末，而在身心性情之间矣！然是道也，在人君尤宜深省。盖人君之怒，譬如雷霆之震，谁不畏惧，若少有迁怒，岂不滥及于无辜。人君之过，譬如日月之食，谁不瞻睹，若惮于改过，岂不亏损乎大德，故惩忿窒欲之功，有不可一日而不谨者。惟能居敬穷理涵养此心，使方寸之内，如秤常平，自然轻重不差，如镜常明，自然尘垢不深，何有迁怒贰过之失哉！所以说，圣学以正心为要。

【原文】

子曰："赤之适齐也，乘肥马，衣轻裘。吾闻之也：君子周急不继富。"

【张居正注评】

适，是往。裘，是皮服。周，是周济。急，是贫穷窘急。继，是续。夫子因冉有之过与，乃教之说："我非吝于财而不与之也。盖赤之往齐国也，所乘者肥壮之马，所衣者轻暖之裘，则其家之富足可知。吾尝闻之，君子但周济那贫难窘急之人，不继续那富足的人。今以赤之富足，而汝乃为之请粟，又多与之，是继富非周急也，夫岂用财之道哉！"这是不当与而与者，夫子教之以义如此。

【原文】

原思为之宰，与之粟九百，辞。

【张居正注评】

原思，是原宪，字子思。宰，是邑长。粟，是宰的俸禄。门人又记说："夫子为鲁司寇时，弟子原思为属邑之宰。夫子与之粟九百，乃其常禄所当得者也，原思却乃辞而不受焉。"盖其素性狷介，故虽常禄亦辞而不受，则过于廉而非理之中矣。

【原文】

子曰："毋！以与尔邻里乡党乎！"

【张居正注评】

毋，是禁止之词。五家为邻，廿五家为里，万二千五百家为乡，五百家为党。夫子因原思之辞禄，乃教之说："尔毋辞也，盖官有常禄，乃国家之定制，安得以私意辞之。若俸禄有余，则尔之邻里乡党有贫乏者，推以与之，不亦可乎！"而何以辞为也，这是不当辞而辞者，夫子教之以义如此。大抵人之取与辞受，都有个当然的道理。当与而不与，固失之吝；不当与而与，则失之滥；当辞而不辞，固失之贪；不当辞而辞，则失之矫。夫惟圣人，一酌之于义理之中，而自不至有四者之失，视世之私恩小惠，小廉曲谨者，只见其陋而已。善用财者，当一以圣人为准可也。

【原文】

子谓仲弓曰："犁牛之子骍且角，虽欲勿用，山川其舍诸。"

【张居正注评】

仲弓，是孔子弟子冉雍，字仲弓。犁，是杂文。骍，是赤色。角，是头角周正。周人尚赤，故牛之赤色而又头角周正者，乃用于祭祀，若杂色之牛，则贱之而不用也。山川，是山川之神。昔者仲弓之父贱而行恶，仲弓却为圣门高弟，以德行著名，当时有以其父病之者，故孔子取譬之说道："牛之杂色者，固不可用为祭祀之牺牲，若其所生之子，纯然赤色，而又头角周正，则正祭祀之所须者。人虽以其为犁牛所生，要不用他，然那山川之神，岂能舍此而他享乎。今雍父之恶就如犁牛一般，雍之贤就如牛之骍且角的一般，人虽以其父恶而欲勿用，然有如此之德，自当见用于世，又岂能终废之哉！"是可见圣贤之生，不系乎世类，用人者但当取其才德，而不必问其世类之何如。古之帝王，立贤无方，盖为此也。

【原文】

子曰："回也，其心三月不违仁，其馀则日月至焉而已矣。"

【张居正注评】

　　回，是孔子弟子颜回，离此至彼，叫做违，从彼来此叫做至。孔子说："仁乃吾心之全德，必纯乎天理而无私欲之累者，乃足以为仁。若有一私之杂，一息之间，皆非仁也。吾门弟子有志于仁者多矣，其中独有颜回，天资既高，学力又到，真能克去己私，复还天理，至于三月之久，而其心之所存所发未尝有一毫私欲之间杂，盖庶几乎中心安仁者焉。其余众弟子，一般也去求仁，也有到得仁的时候，但已得而复失，暂明而复蔽。或一日之内能至于仁，不能日日如此。或一月之内能至于仁，不能月月如此，欲如回之三月不违，岂可得乎！"观孔子此言，不惟知圣门弟子之优劣，亦可以见仁道之难成矣！然孔子他日又言，我欲仁，斯仁至矣，则亦岂言难以沮人之进者哉！盖仁具于心，故欲之而即至，心惟易放，故舍之而即失，欲求仁者先收放心可也。

【原文】

　　季康子问："仲由可使从政也与？"子曰："由也果，于从政乎何有？"曰："赐也可使从政也与？"曰："赐也达，于从政乎何有？"曰："求也可使从政也与？"曰："求也艺，于从政乎何有？"

【张居正注评】

　　季康子，是鲁大夫。从政，是为大夫而从事于政治。果，是有决断。达，是通事理。艺，是多才能。何有，是说不难的意思。季康子问于孔子说："夫子之门人若仲由者，可使为大夫而从政也与？"孔子答说："凡人优柔不断者，不足以从政。由也，勇于为义，是刚强果毅的人，使为大夫，必能决大疑，定大计，当断即断，有振作而无废弛矣！其于从政，何难之有。"季康子又问说："如端木赐者，可使为大夫而从政也与？"孔子答说："凡人执滞不通者，不足以从政，赐也闻一知二，是明敏通达的人，使为大夫，必能审事机，通物理，斟酌处置，有变通而无窒碍矣！其于从政，何难之有？"季康子又问说："如冉求者，可使为大夫而从政也与？"孔子答说："凡人才力空疏者，不足以从政，求也长于政事，是多才多艺的人，使为大夫，必能理繁治剧，区画周详，随事泛应，绰乎其有余裕矣！其于从政，何难之有？"夫三子之才，各有所长而皆适于用如此。使季康子能劝鲁君尊信孔子，委任群贤，则何东周之治不可复哉！惜乎其不能用也。

【原文】

　　季氏使闵子骞为费宰。闵子骞曰："善为我辞焉！如有复我者，则吾必在汶上矣！"

【张居正注评】

　　季氏，是鲁大夫。闵子骞，是孔子弟子闵损，字子骞。费，是季氏的属邑。辞，是言词，复是再来。汶，是水名。在鲁之北境上。昔季氏为鲁大夫，专执国政。一日使人召闵子骞，着他做费邑之宰，闵子骞是个有德行的人，心恶季氏，不肯入于其党，而又不敢显言，乃对使者说："大夫虽欲用我，然我之心，不愿仕进，汝其为我从容委曲，善为说词，以达吾不仕之心，而止其用我之意，必不可再来召我也。若不肯见信，而再来召我，则吾当逃避于汶水之上，而不复居于鲁国矣。大夫岂能强我之必仕乎！"夫闵子隐而不仕，既不失身于权臣，其言逊而不阿，又能免祸于乱世，真可以为贤矣！然以闵子之贤，鲁君不能用之以匡公室，而使季氏欲引之以为私人，此鲁之所以微而不振也。

【原文】

伯牛有疾，子问之，自牖执其手，曰："亡之，命矣夫！斯人也而有斯疾也！斯人也而有斯疾也！"

【张居正注评】

伯牛，是孔子弟子冉耕，字伯牛。牖，是窗。古之病者，卧于北窗下，若人君来视，则暂时移在南窗下，使人君得以南面视己，所以尊君也。亡，是丧亡。命，是天命。昔者伯牛有疾，孔子往问之，伯牛乃迁于南牖下，使孔子南面视己，盖以尊君之礼尊之也。孔子不敢当，故不入其室，但自牖中执其手，而与之诀曰："病势危笃如此，其丧亡必矣，然此乃天之所命，非由于人者也。何则？人而无德，或不能谨疾，或有以召灾，固不足言矣。今以如此之贤人，而何乃有如此之恶疾也。"以如此之贤人，而何乃有如此之恶疾也。岂非莫之致而至者耶！信乎其为命也已！盖夫子痛惜之深，故重言以叹之如此。

【原文】

子曰："贤哉！回也。一箪食，一瓢饮，在陋巷，人不堪其忧，回也不改其乐。贤哉！回也。"

【张居正注评】

贤，是有德之称。箪，是竹器。食，是饭。不堪，是受不得的意思。孔子称许颜回说："凡人学道者多，得道者少。我看颜回是个有德的贤人。如何见得？盖人莫难于处贫，而回则贫之至者。他的饮食不过是一箪之饭，一瓢之饮，又居处于荒陋的巷中，其困穷一至于此。若使他人处之，有不胜其愁苦者。然颜回之心自有乐处，但见其优游自得，不以身之困穷而遂改其乐也。这是所见者大，故中心自无不足，所得者深，故外物自不能移，非贤而有德者能如是乎？所以说贤哉回也！"大抵处富贵而佚乐，居贫贱而忧戚，乃人情之常。圣贤之所乐，盖有超乎贫富之外者，舜禹有天下而不与，孔子饭蔬饮水，乐在其中，颜子箪瓢陋巷，不改其乐，其心一也。善学者当自得之。

【原文】

冉求曰:"非不说子之道,力不足也。"子曰:"力不足者,中道而废,今女画。"

【张居正注评】

说,是喜悦。中道,是半途。废,是止。画,是自家限量的意思。冉求自言于孔子说道:"夫子之道高矣美矣,我非不欣慕而求以至之,但资禀昏弱,心虽欲进,而力有所不足,故不能至耳!"孔子教之说:"所谓力不足者,非不用其力也,乃是心诚向道尽其力以求之,至于中道,气力竭了,莫能前进,而不得不废,这才叫做力之不足。今汝本安于怠惰,不肯用力向前,譬如画地以自限的一般,乃能进而不欲,非欲进而不能者也,奚可自诿于力之不足哉!"大抵人之勇往力行,生于真知笃好,盖志之所至,气必至焉。若冉有者,还是不曾真知道中之味而悦之。使其果悦之深,则必如颜子之欲罢不能矣,而岂以力不足为患哉!学者不可不勉也。

【原文】

子谓子夏曰:"汝为君子儒,无为小人儒!"

【张居正注评】

儒,是学者之称。孔子尝教门人卜子夏说:"如今为学的人,都谓之儒,不知儒者亦有分辨。有一样君子之儒,有一样小人之儒。所谓君子儒者,其学道固犹夫人也,但其心则专务为己,不求人知,理有未明,便着实去讲求,德有未修,便着实去体验,都只在自己身心上用力,而略无干禄为名之心,此君子之儒也。所谓小人儒者,其学道亦犹夫人也,但其心专是为人,不肯务实,知得一理,便要人称之以为知,行得一事,便要人誉之以为能,都只在外面矫饰而无近里着己之学,此小人之儒也。汝今但学那君子之儒,而专务为己,不可学那小人之儒,而专务为人。能审乎此,则趋向正而心术端,自然日进于高明,而不流于污下矣,可不谨哉!"这君子、小人之儒,不但学术所关,亦世道之所系。人君若得君子之儒而用之,则必能守正奉公,实心为国,而社稷苍生皆受其赐。若用了小人之儒,则背公营私,附下罔上,而蠹国殃民之祸,有不可胜言者。故用人者,既观其行事,而又察其心术,斯得之矣。

【张居正注评】

子曰:"不有祝鮀之佞,而有宋朝之美,难乎免于今之世矣。"

【张居正注评】

祝鮀,是卫大夫。佞,是有口才。宋朝,是宋国的公子名朝。美,是容色之美。难免,是说不免为人所恶。孔子说:"方今世道不古,人情偷薄,不好直而好谀,不悦德而悦色。故必言词便佞如祝鮀，容色美好如宋朝，然后可以取人之悦。若不有祝鮀之佞口，宋朝之美色，则无以投时俗之好，人将厌而弃之，求免于今世之憎恶，亦难矣。"夫巧言令色本尧舜之世所深恶者，而春秋之时，乃以为好，则习俗之浇漓可知，圣人所以伤叹之也。有世道之责者，可不谨其所好尚哉！

【原文】

子曰："谁能出不由户，何莫由斯道也。"

【张居正注评】

户，是门户。道，是人伦事物日用之理。人所当共由者也。何莫，是怪叹之辞。孔子说："事必有道，譬如室必有户一般。人若能出不由户，则其行不由道可也。然天下之人，其谁有能出不由户者乎？何故乃不由此道也。"盖为人之道，各在当人之身，既非有所禁而不得由，又非有所难而不能由，则夫人独何为而不由乎？是诚可怪也已。圣人警人之意莫切于此，人能反而求之，道岂远乎哉！

【原文】

子曰："质胜文则野，文胜质则史。文质彬彬，然后君子。"

【张居正注评】

质，是质实。文，是文采。野，是村鄙的人。掌管文书的，叫做史。彬彬，是匀称的意思。孔子说："凡人固要质实，也要文采。二者可以相有，而不可以相胜。若专尚质实，胜过乎文，则诚朴有余，而华采不足，就似那村野的人一般，一味是粗鄙简略而已，岂君子之所贵乎！若专尚文采，胜过乎质，则外虽可观，而中无实意，就似那掌管文书的一般，不过是虚浮粉饰而已，亦岂君子之所贵乎？"惟是内有忠信诚恪之心，外有威仪文词之饰，彬彬然文质相兼，本末相称，而无一毫太过不及之偏，这才是成德之君子。德至于君子，则岂有野与史之弊乎？盖周末文胜古道尽亡，孔子欲矫其偏而归之正，故其言如此。但当时之君，安于弊政，而不能变更，公卿大夫习于流俗，而不知救正，此周道之所以日衰也。有挽回世道之责者，其念之哉！

【原文】

子曰："人之生也直，罔之生也，幸而免。"

【张居正注评】

直，是真实公正的意思。罔，是虚罔不直。幸，是侥幸。孔子说："人得天地之正理以生，其是是非非，善善恶恶存之于中，发之于外者，都有个本然的公心，当然的正理，所谓直也。人能全此道理，则生于天地之间乃为无愧。若使存心虚妄，行事私

邪，或作伪以沽名，或昧心而徇物，则是矫揉不直，而失其有生之理矣！生理既失，便不可以为人，就是生在世间，不过侥幸而得免于死耳，岂不深可愧哉！"譬之草木，或夭或乔，畅茂条达者，乃其生理也。今乃矫揉造作，或扭直以为曲，或移此以接彼，则戕其有生之理，其不死者幸耳。人之不直，何以异于是哉！孔子深恶不直之人如此。故圣王在上，举用正直之士，斥远憸邪之徒，则举措当而人心服矣。

【原文】

子曰："知之者，不如好之者；好之者，不如乐之者。"

【张居正注评】

知之，是知此道。好之，是好此道。乐之，是乐此道。孔子说："人之造道，有浅深之不同，然必到那至极的去处，乃为有得。彼不知道者，固不足言，若能识其为当然不易之理，而不可以不求，是固胜于不知者矣！然这只是心里晓得，未能实用其力也，不如好之者，悦其义理而爱慕之深，玩其旨趣，而求为之力，然后可以进于道也，岂徒知者之可比乎？所以说知之者不如好之者。夫好固胜于知，然这才是用力进修，未能实有诸己也。不如乐之者融会于心，而充然自得，全体于身，而浩然自适，然后乃为学之成也，岂徒好者之可比乎！所以说好之者不如乐之者。"夫是三者以地位言，则知不如好，好不如乐。以工夫言，则乐原于好，好原于知。盖非知则见道不明，非好则求道不切，非乐则体道不深。其节次亦有不可紊者。学者诚能逐渐用功，而又深造不已，则斯道之极，可驯至矣！此圣人勉人之意也。

【原文】

子曰："中人以上，可以语上也；中人以下，不可以语上也。"

【张居正注评】

中人，是中等的人。语，是告语。上，是上等精微的道理。孔子说："凡人资质有高下，学问有深浅。教人者，要看他力量如何。若是中等以上的人，其资禀既不凡，功夫又精熟，已是有上达之机了。然后告以精微的道理，则言者适当其可，而听者不苦其难，就似登山的一般，将到高处，才说与高处的景象，便理会得，所以说可以语上也。若是中等以下的人，资质既是寻常，功夫又未积累，但当就其力之所及而引进之。若遽告以精微的道理，不惟强其所不能，亦终茫然而无得，就似行路的一般，才在近处，便说与远处的路途，如何知道，所以说不可以语上也。"然则君子之教，但当因人而施，岂可躐等而进乎！然此为施教者言耳。若学者之学，又当自加勉励，盖奋发勇往，则下学皆可以上达。因循怠惰，则中人亦流于下愚，是在人立志何如耳。孔子他日告鲁君说，果能此道矣，虽愚必明，虽柔必强。此又进学者所当加意也。

【原文】

子曰："知者乐水，仁者乐山，知者动，仁者静。知者乐，仁者寿。"

【张居正注评】

知者，是明理的人。乐，是喜好。仁者，是全德的人。孔子说："天下有明智之人，有仁德之人，人品不同，则其性情亦异。大凡知者之所喜好，常在于水，仁者之所喜好，常在于山。盖知者于天下之理，见得明白，其圆融活泼，无一些凝滞，就似水之流动一般，此其所以乐水也。仁者于吾心之德，养得纯粹，其端凝厚重，不可摇夺，就似山之镇静一般，此其所以乐山也。夫人惟心有拘系，所以多忧。知者既流动不拘，则胸次宽弘，遇事便能摆脱。凡世间可忧之事，皆不足以累之矣，岂不乐乎！人惟嗜欲无节，所以损寿。仁者既安静寡欲，则精神完固，足以养寿命之源。凡伐性丧生之事，皆不足以挠之矣，岂不寿乎！"夫人情莫不欲乐，亦莫不欲寿，而惟有知仁之德者，为能得之，则反身修德之功，人当知所以自勉矣！

【原文】

子曰："齐一变，至于鲁；鲁一变，至于道。"

【张居正注评】

齐、鲁是二国名。变，是变易而作新之。道，是先王文武之治道。孔子说："我周初有天下，封太公于齐，封周公于鲁。二国皆被圣人之治，其政教风俗固纯然文武之盛也。至于今日，则齐、鲁皆与旧时不同，然齐经桓公霸政之后，其习俗相传，遂急功利，喜夸诈，而太公之治已荡然无存。鲁则无所变更，至今犹知重礼教，崇信义，而周公之遗风尚在，但人亡政息，不能无废坠耳。若齐之君臣，能变其政而作新之，则仅可如今日之鲁。盖功利既革，方可望于礼教，夸诈既去，方可望于信义，而文武之盛，固难以遽复也。若鲁之君臣能变其政而作新之，则便可至于先王之道。盖礼教信义莫非先王之旧，但修举其废坠，则纪纲制度焕然维新，而文武之盛可复见于今日矣！所以说齐一变至于鲁，鲁一变至于道耶！"此可见夫子经纶的次第，使二国能用之，则虽至道有难易，而一变再变之余，治功无不成者，惜乎其不能也。

【原文】

子曰："觚不觚，觚哉！觚哉！"

【张居正注评】

觚，是木简。古时未有纸札，唯削木为数方，书字其上。用以记事，以其器有棱角，故谓之觚。觚哉！觚哉！言不得为觚也。孔子发叹说道："天下的事物有其实，乃

可以称其名，如器之所以名为觚者，本内其有棱角故名为觚也。若为觚而去其棱角，则失其觚之本制矣！既失其制，则名虽存而实已废，尚得谓之觚哉！尚得谓之觚哉！"然圣人之意，非为一觚，盖见世之有名无实者多因感于觚而发叹也。故君尽君道，而后可以为君，臣尽臣道，而后可以为臣，不然亦皆觚而不觚者也。若其所关系则又岂特一器之小而已哉！

【原文】

子曰："君子博学于文，约之以礼，亦可以弗畔矣夫！"

【张居正注评】

博，是广。文，是《诗》、《书》六艺之文。约字，解做要字，是敛束的意思。礼，是天理之节文。畔字，解做背字。孔子说："君子之学，将以求道也。然道散于万变，而文则所以载之，使非博之以文，则闻见浅陋，而不能旁通。道本于身心，而礼则所以检之。若徒博而不能约之以礼，则工夫汗漫而无所归宿，便与这道理相背了。所以君子之学，务要旁搜远览，凡天地民物之理，《诗》、《书》六艺之文，一一去讲习讨论，以广吾之闻见，这是博学于文。然又不徒务博而已，必收敛约束，举凡视听言动之间，都守着天理之节文，不敢少有放肆，这是约之以礼。夫博学于文，则闻见日多，既不病于孤陋；约之以礼，则身心有据，又不涉于支离。如此用工，虽未必便能与道为一，然由此进之，则亦可以至于道矣！何相背之有乎？"圣人示人为学之方莫切于此。若就君道上说，则凡亲贤纳谏，读书穷理，即是博文的工夫，以其所闻所见者，而检束其身心，体验于政事，即是约礼的工夫。人主务此，则二帝三王之治可几而至矣！

【原文】

子曰："中庸之为德也，其至矣乎！民鲜久矣。"

【张居正注评】

中，是无过不及。庸，是平常。人所同得的道理，叫做德。至，是极至。鲜，是少。孔子说："天下之事但有一毫太过，便可减损。有一毫不及，便可增益，都不是至善的道理。惟是中庸之为德，本于天命人心之正，而不离乎民生日用之常，既不偏于太过，亦不偏于不及，而其理经久可行，乃是至精至粹，尽善尽美的道理，岂非极至而无以加者乎！然这道理是人人之所同得，亦人人之所当行，自古圣贤所以治世修身都不外此。但如今的人，或拘于气禀之偏，或安于习俗之敝。贤智的，则失之太过，而不能裁抑以合乎中；愚不肖的，则终于不及，而不能黾勉以求其至。少有此德者，亦已久矣。"孔子深有感于世道之衰，故叹之如此。

【原文】

　　子贡曰："如有博施于民而能济众，何如？可谓仁乎？"子曰："何事于仁，必先圣乎！尧、舜其犹病诸！"

【张居正注评】

　　博，是广施，是施恩于人。济众，是济度众人，使各得其所。何事，是说不止如此。病，是心里不足的意思。子贡未得为仁之方，而徒志于高远，乃问于孔子说："吾闻无所不爱之谓仁。如有人焉，广施恩惠于天下之民，能使万民之众，各得其所，而无有不济，这等为人，夫子以为何如，亦可以谓之仁矣乎？"孔子答说："仁者之心无穷，而分量亦有限。如必博施而济众，则岂止于仁而已。必是圣人全体仁道而造其极者，然后能之乎。然圣如尧、舜可谓至矣！而尧、舜之治天下，犹有下民其咨之叹，黎民阻饥之忧，其心歉然常若有所不足也，况他人乎！"夫圣人且以为难，而子以是求仁，失之远矣！

【原文】

　　"夫仁者，己欲立而立人，己欲达而达人。"

【原文】

　　立，是成立。达，是通达。孔子告子贡说："汝以博施济众为仁，只为未识仁体故耳。夫所谓仁者，只是纯乎天理之公，而无私欲之间，看得天下的人，就如自己一般，疾痛疴痒，都有相关的意思。如自己要成立，便不忍他人之颠危，必思以扶持调护，使之同归于成立而后已；自己要通达，便不忍他人之穷困，必思以开导引掖，使之同归于通达而后已。"这等立心就是天下一家，万物一体的气象，虽不必遍物而爱之，而本体已具，则功用在其中矣。此乃所以为仁，而非博施济众之谓也。

【原文】

　　"能近取譬，可谓仁之方也已。"

【张居正注评】

　　譬字，解做喻字，是比方较量的意思。方，是术。承上文说："仁之本体，只是一个公心，则为仁者，亦不必求之于远矣！若能近取诸身，将自己的心，比方他人的心。如自己欲立便知人之欲立与我一般，即推之以立人；自己欲达便知人之欲达与我一般，即推之以达人。这就是为仁的方法，所谓纯乎天理之公，而无私欲之间者，不过如此。岂复有他术哉！"盖子贡之说，是在功用上求仁，故其效愈难而愈远。孔子之论，只在心体上求仁，故其术至简而至易。况能知为仁之方，则虽尧、舜之所以为圣，亦不外

此。盖尧舜之圣岂能遍物而爱之，只是其心常在安民而已。人君若能以安民为心，而推之以治天下，则仁圣之事，一以贯之，而何尧舜之不可及哉！

述而第七

此篇多记圣人谦己诲人之辞及其容貌行事之实。凡三十七章。

【原文】

子曰："述而不作，信而好古，窃比于我老彭。"

【张居正注评】

述是传旧。作是创始。窃字解做私字。比是仿效。老彭是商时的贤大夫。昔孔子删诗书，定礼乐，赞周易，修春秋，传先王之道，以教万世。然犹不敢以作者之圣自居，乃谦逊说道："大凡天下之事，有前人已为，而后人传之者，谓之述；有前人未为，而自我创始者，谓之作。作非圣人不能，而述则贤者可及也。我今虽有所修为，只是传述先王之旧，或考之方册而重加发明，或闻之故老而更为裁定，实未尝重新创造而有所作也。盖天地间的道理，哪一件不是古人说过的？就中讲求，自有无穷的妙处。我则深信而笃好之，惟日孜孜，不能自已，故但见其可述，而无容于复作也。然此岂我之独见哉？比先商时贤大夫有老彭者，他能信古而传述，我尝慕其为人，今我所为不过私自仿效我老彭耳！"夫孔子于古之贤人，犹不敢显然自附如此，其德愈盛而心愈下，盖可见矣。

【原文】

子曰："默而识之，学而不厌，诲人不倦，何有于我哉？"

【张居正注评】

默是不言。识是记。诲人是教人。孔子说："人之求道，如徒务口语而不能存之于心，则闻见虽多，终非实得。必须沉静简默，只在心上去理会。凡所闻所见的都不费辞说，而自无所遗忘，然后能深造而自得也。人之为学，若只是始初奋发，到后来便厌烦了，则工夫间断，岂能有成？必须深信义理之无穷，而实用其力，自始至终都只是这等勤学，无一毫厌怠之意，然后谓之好学也。人之设教，若不能尽心开导，到费力去处，便都倦了。则私意未忘，岂能成物？必须真知物我之无间，而有教无隐，随人问难，都因材而造就之，无一毫倦怠之心，然后谓之善教也。这三件都是成德之事，而我之尝所致力者。然反而求之，何者能有于我哉？"夫圣人会道全体而曲成不遗，乃犹自以为不能，其谦己诲人之意至深切矣！

【原文】

子曰："德之不修，学之不讲，闻义不能徙，不善不能改，是吾忧也。"

【张居正注评】

义是理之所当为者。徙字解作迁字。孔子说："德必修而后成，学必讲而后明。闻义能徙而后善可积，不善能改而后恶可去。这四件是切实紧要的功夫。凡欲为圣贤者皆当用力于此也。今我之于德，未能省察克治，以涵养其本源；我之于学，未能讲习讨论而研穷其精奥；义有当为的，未能闻斯行之而迁徙以从其新；不善当改的，未能务于决去而惩创以革其旧。则是德有不成，学有不明，善不能积，恶不能去，将日流于污下，而不可进于高明矣，岂非吾之深忧者乎？"夫孔夫子之圣，非真有所不能也，亦非自知其能而故为是言也。盖其好学无已之心，自视常若有不能耳！然此四者，在人君尤为切要。古之帝王或懋敬厥德，终始典学，或取人为善，改过不吝皆是道也。欲法古帝王者，宜三复孔子之言。

【原文】

子之燕居，申申如也，夭夭如也。

【张居正注评】

燕居是闲居无事之时。申申是舒畅的意思。夭夭是和悦的意思。门人记说：凡人在闲暇之时，有怠惰放肆的，便自亵其威仪；有矜持矫饰的，或反过于严厉，皆非盛德之气象也。惟吾夫子在闲居无事之日，以四体则从容舒展，而略无拘迫，何其申申如也！以颜色则融和润泽而自然愉悦，何其夭夭如也！盖德性极其纯粹，故容貌合于中和者如此。门人此言可谓善形容有道气象者矣。

【原文】

子曰："志于道，据于德，依于仁，游于艺。"

【张居正注评】

这一章是孔子示人为学之全功。志是心之所向。据是执守。依是依止。游是游衍玩习的意思。孔子说："学莫先于立志，而道乃人伦事物当然之理。志不于是，则趋向差矣。故必以道为终身之准的，而专心致志以求之，则所适者正，而无他歧之惑矣。行此道而有得于心，叫做德。德而不据，则持守之功不继，能保得者之不失乎？必拳拳服膺，务使此德常有诸己，而日积月累，不至于若存若亡而后可。体此道而心德纯全，叫做仁。仁而不依，则私欲有时复萌，能保全者之不亏乎？必念兹在兹，务使此仁存养愈熟而周流贯彻，无一毫间断错杂而后可。夫志道、据德、依仁，是本之在内

者，无不尽矣。至于礼、乐、射、御、书、数之事，虽艺文之末，非德行之本，然亦至理所寓，而日用之不可缺者，亦必游息于藏修之余，从容而玩味其理，用以收敛身心，调养性情，而成其道德焉。则本末兼该，内外交养，而忽不自知，其入于圣贤之域矣。"学之全功，何以加此？然此章之旨，不但是学者所当知，在人君尤为切要。盖道、德、仁，乃人君修身治天下之本，必当深造其极，方可无歉，而凡游心于艺文者，又须务求实用，始为有益。古之帝王所以学古有获，道积厥躬，德修罔觉者，正是如此。善学者当以圣言为法程可也。

【原文】

子曰："自行束修以上，吾未尝无诲焉。"

【张居正注评】

俺是脯，乃干肉也。十脡为一束。古人初相见，必执贽以为礼。一束之修乃其至薄者。自行束修以上，言随其厚薄之不同也。诲是教诲。孔子说："无不善者，人之性。而无不欲其入于善者，吾之心。但人不知来学，吾固无往教之理。苟知求教，自行束修以上之礼而来者，即是可与为学之人，吾则未尝不教诲之焉。"盖天生圣人，非徒使自圣而已，正欲其先知觉后知，以先觉觉后觉，而为时人之耳目也。所以圣人教人之心，惓惓无已如此。使其得君师之位，则必能大行其政教，使人人皆为君子而后已。惜乎不得其位，但能成就后学，以传道于来世也。

【原文】

子食于有丧者之侧，未尝饱也。子于是日哭，则不歌。

【张居正注评】

侧是边傍。哭是吊丧而哭。歌是咏歌。盖古人以歌咏养性情，遇心有所乐则歌也。门人记说：夫子哀死之心真切而不能自己。如人有死丧之事，而夫子食于其侧，则未尝饱。盖临丧哀，故食之而不能甘也。又如夫子于是日吊丧而哭，则其一日之间不复咏歌。盖余哀未忘，而自不能为乐也。然此乃是不忍之心，古之帝王见百姓之饥寒困苦流离死亡，则必为之减膳、撤乐，急急救恤，即是此心。有天下者能推此心以仁民，则无一夫不得其所，而仁覆天下矣。

【原文】

子谓颜渊曰："用之则行，舍之则藏，惟我与尔有是夫。"

【张居正注评】

行是出而行道，舍是不用，藏是隐而不出。昔颜子深潜纯粹，学已几于圣人。故孔子称许他说："吾人出处进退，只看时之所遇何如。或以仕为通，而至于枉己徇人，固不可；或以隐为高，而务于绝人逃世，亦不可。惟是人能用我，时可以有为，则出而行道，以图济世之功；人舍我而不用，时不可以有为，则隐而不出，以全高尚之志。或出或处，无一毫意必于其间，这才是随时处中的道理。此惟我与尔为能有之，在他人则不敢以轻许也。"盖孔子为时中之圣，自然合乎仕止久速之宜。颜子具圣人之体，能不失乎出处进退之正。观孔子有东周之志，而疏食饮水，乐在其中。颜子有为邦之问，而箪瓢陋巷，不改其乐，盖可见矣。然以大圣大贤，而皆不过于春秋之世，则岂非世道之不幸哉！

【原文】

子路曰："子行三军，则谁与？"子曰："暴虎冯河，死而无悔者，吾不与也。必也临事而惧，好谋而成者也。"

【张居正注评】

一万二千五百人叫做一军，大国则有三军。暴虎是不用兵器而徒手搏虎。冯河是不用舟楫而徒步涉河。子路见孔子独美颜子，乃就问说："用舍行藏，夫子固与颜回共之矣。设使夫子统领三军，而行战伐之事，则将与谁共事乎？"盖自负其勇，意夫子行军必与己同也。孔子答说："君子之所贵者，在乎义理之勇，而不在乎血气之刚。若是徒手搏虎，徒步涉河，甘心必死而无怨悔，这是轻举妄动，有勇无谋的人。使之用兵，必然取败，吾不与之行三军也。必是平昔为人不敢轻忽以误事，亦不敢苟且以成事，但事到面前常有兢兢业业，凛然危惧的意思。又好用计谋，预先斟酌停当，然后果决以成之，这才是持重详审，智勇兼备的人。使之用兵，必能全胜，吾方与之行三军耳！亦何取于徒勇哉？"子路好勇而无所取材，故孔子以是抑而教之。其实行军之道，亦不外此。故赵括好谈兵，而致长平之败，充国善持重而收金城之功。任将者当知所择矣。

【原文】

子曰："富而可求也，虽执鞭之士，吾亦为之。如不可求，从吾所好。"

【张居正注评】

这是孔子设词以警人的说话。执鞭是贱者之事。孔子说："人之所以役役焉以求富者，意以富为可求也。若使富而可以人力求之，则虽执鞭之事，吾亦为之。盖执鞭虽贱者之役，而苟足以致富，则亦无不可为者。但人之富贵贫贱，莫不有命存焉，决非人力所能强求者。如其不可强求，则在我自有义理可好。吾惟从吾所好，而安于命耳。何必终日营营，为是无益之求，以徒取辱哉。"夫孔子之圣，非真屑为执鞭之士也，特见当世之人，多自决其礼义之防，而甘心于苟贱之羞，故甚言以警人之妄求耳。所以他日又曰："不义而富且贵，于我如浮云。"观此，则自修者固不当愿乎其外，而取人

者尤必先观其所守可也。

【原文】

子之所慎：齐、战、疾。

【张居正注评】

齐是将祭时斋戒。战是统兵而行战阵之事。疾是疾病。门人记说："夫子之所最谨慎者有三件事，其一曰斋，盖斋以交神，苟有不慎则志意涣散，神必不享。所以夫子之于斋也，内秉寅恭，外敦俨恪，务致其精诚，而后承祭以交于神焉。其一曰战，盖战者众之死生，国之存亡系焉。苟有不慎，则机宜不审，何以能胜？所以夫子之于战也，临事而惧，好谋而成，务出于万全，而不敢轻率以取败焉。其一曰疾，盖疾乃吾身之所以死生存亡者，苟有不慎，能元伤乎？所以夫子于无疾之时，则薄滋味，寡嗜欲，时节其起居，而不敢宴游无度；和平其性气，而不敢喜怒过当。不幸有疾，则加意调养，审择医药，而不敢有一毫之忽略焉。"盖圣人无所不慎，而此三者关系尤大，故谨之又谨如此。

【原文】

子在齐闻《韶》，三月不知肉味，曰："不图为乐之至于斯也。"

【张居正注评】

《韶》是舜乐名。不图是不意。古者圣王作乐以象德，帝舜以至圣之德，当极治之时，故所作《韶》乐最为美盛。舜之后封于陈，犹传其乐，至陈敬仲奔齐，而《韶乐》遂在齐矣。夫子周流至齐，得闻其音，乃从而学之，至于三月之久，一心只在乐上，虽当食之时，有不知肉味之为甘者。盖不特习其声容节奏之末，而其契合之深，就如亲见虞舜之圣，身在雍熙之时者矣。遂不觉发叹说道："吾向也但知《韶》乐之美，犹未能得于亲闻。今也始得闻而学之，不意其所作之乐至于如此之美也。"盖夫子中和之蕴本自与舜合德，故一闻《韶》乐而叹息之深如此！他日又称其尽善尽美，而颜渊问为邦，则以韶乐告之，其上嘉于虞舜者至矣。

【原文】

冉有曰："夫子为卫君乎？"子贡曰："诺，吾将问之。"

【张居正注评】

为字解做助字。卫君名辄，是灵公之孙，世子蒯聩之子。诺是应答之词。昔卫灵公时，世子蒯聩得罪出奔，灵公薨，国人遂立蒯聩之子辄。及晋人送蒯聩归国，辄拒之不受。当时卫国之人都说道："蒯聩得罪于父，于义当绝。辄以嫡孙嗣立，于礼为宜。未有明言拒父争国之非者。"那时孔子在卫，冉有疑孔子亦以为宜，乃私问子贡说："卫君之立，国人固皆助之矣，不知夫子亦以为当然而助之否乎？"子贡即诺而应之说："吾将入见夫子而问之。"盖未能深谅孔子之心，而不敢遽答冉有之问也。

【原文】

入曰："伯夷、叔齐何人也？"曰："古之贤人也。"曰："怨乎？"曰："求仁而得仁，又何怨？"出曰："夫子不为也。"

【张居正注评】

叔齐

伯夷、叔齐是孤竹君之二子，长子叫做伯夷，第三子叫做叔齐。孤竹君曾有遗命，要立叔齐为君。及卒，叔齐又逊伯夷而不肯立。伯夷说父命不可违，叔齐说伦序不可乱，两人互相推让，都逃去了。这是兄弟逊国的事，正与卫君父子争国的相反。子贡不敢直斥卫君，乃入而问孔子说："伯夷、叔齐是何等人也？"子贡之问是要看孔子之取舍何如。若以争国为是，则必以让国为非。若以让国为当然，则必以争国为不可矣。孔子答说："二子逊国而逃，制行高洁，是乃古之贤人也。"子贡又问说："二子固是贤人，不知让国之后，其心亦有所怨悔否乎？"子贡之意，盖以让国之事人所难能，若贤如二子者，尤出于一时之矫激，而未免于他日之怨悔，则不可概责之他人，而卫君犹或可恕也。孔子答说："凡人有所求而不得则怨，今伯夷以父命为尊，叔齐以天伦为重。只要合乎天理之正，即乎人心之安，所以求尽乎人也。今既不违父命，不悖天伦，是求仁而得仁矣。求之而得，则其心已遂，又何怨悔之有乎？"夫孔子之于夷、齐，既许其贤而又谅其心如此，则让国之事乃孔子之所深取也。以让国为是，则必以争国为非，而其不为卫君之意不问可知矣！故子贡出而谓冉有说："夫子不助卫君也。"盖惟孔子为能谅夷、齐之心，惟子贡为能谅孔子之心。一问答之间，而父子兄弟之伦，昭然于天下矣。为国者可不以正名为先乎？

【原文】

子曰："饭疏食，饮水，曲肱而枕之，乐亦在其中矣。不义而富且贵，于我如浮云。"

【张居正注评】

饭是吃，疏食是粗饭，肱是手臂。孔子自叙其安贫乐道之事说道："人生日用之间，无不欲饮食充足，居处安逸者。我所食的不过是粗饭，所饮的不过是水，其奉养之菲薄如此；夜卧无枕，但曲其肱而枕之，其寝处之荒凉如此。贫困可谓极矣！只是我心中的真乐，初不因是而有所损，亦自在其中焉。若彼不义而富且贵，苟且侥幸以得之，虽胜于疏食饮水，以我视之，漠然如浮云之无有，何尝以此而动其心耶！"盖圣人之心，浑然天理，故不以贫贱而有慕乎外，不以富贵而有动于中如此。

【原文】

子曰："加我数年，五十以学《易》，可以无大过矣。"

【张居正注评】

加字当做假字。五十字当作卒字。假是借。卒是终。《易》即是如今《易经》所载的道理。孔子说："《易》之为书，广大悉备。凡天道之吉凶消长，人事之进退存亡，都具载于其中，学者所当深察而玩味也。但其理深奥精微，我尝欲学之而尽其妙，然今则老矣。天若假借我数年，使我得终其学《易》之功，或观其象而玩其辞，或观其变而玩其占。凡道理精微的去处一一都讲究得明白，则吉凶消长之理，进退存亡之道，我皆能融会于一心。由是见诸行事，必能审动静之时，得趋避之正。虽未必全然无过，而亦可以无大过矣。"夫圣人全体易道，行不逾矩，岂待假以数年而学《易》，亦岂待学《易》而后能免过？正谓易理无穷，欲人当及时以勉学耳。欲寡过者当以讲学穷理为先。

【原文】

子所雅言，《诗》、《书》、执礼，皆雅言也。

【张居正注评】

雅字解做常字。执是执持。人能事事循礼，才有执持，所以叫做执礼。门人记说：夫子之设教，固必因人而施。然平日所常言者，则有三件：一是《诗》，盖《诗》之为言有美有刺，美者可以劝人为善，刺者可以戒人为恶。吾人所以养性情者莫切于此。一是《书》，盖书之所载有治有乱，与治同道则无有不兴，与乱同事则无有不亡，吾人所以考政事者莫切于此。一是执礼，盖礼主恭敬而有节文，既可以防闲其心志，又可检饬其威仪。吾人欲养其德性，使有所执持者莫切于此。这三件都是切实的道理，紧要的功夫。故夫子常以为言，欲人念念在此而不忘，时时用力而不懈也。夫以孔子之圣犹汲汲于学易，而于《诗》、《书》、执礼则雅言之。可见圣人之道具在六经，学者必讨论讲习，乃可以明理。人君必体验推行乃可以致治，读者宜致思焉。

【原文】

子曰："我非生而知之者，好古，敏以求之者也。"

【张居正注评】

古是古人的典籍。敏是急速的意思。孔子说："天地间的道理，凡精粗小大，那一件不是吾人之所当知。但人之气禀不同，有天生上智，自然知此道理者；有必待学习然后能知此道理者。我今虽有所知，岂是聪明睿知，生来自然能知而不待学习者乎？只是见得这个道理，都具于古人之典籍，若非心里喜好，则志向不专，非上紧讲求，则功夫有间，所以笃信好古，汲汲焉勉力以求之。将古人的言语，字字去体认；将古人的行事，件件去思索，就似饥之求食，渴之求饮一般，惟日孜孜，不敢有一毫之懈怠。是以学力至到，义理固然贯通，而能有所知耳，岂真生而知之者哉！"此虽孔子自谦之辞，其实学问之功，虽圣人亦不能废。故尧、舜舍己从人，大禹不自满假，成汤之得师，武王之访道，皆不敢自恃其聪明，而必从事于学问也。傅说说学以古训，逊志务时敏，正与好古敏求之言相合，为人君者不可不知。

【原文】

子不语：怪、力、乱、神。

【张居正注评】

语是言语，怪是怪异，力是勇力，乱是悖乱，神是鬼神。门人记说：夫子教人，固无所隐，然亦有所不语者，怪、力、乱、神是也。夫怪者诡异无据，虚诞不经，最能骇人之听闻，惑人之心志者也。力者以强凌弱，以众暴寡，专用血气而不顾义理者也。乱者臣子叛君父，妻妾弃其夫，乃人伦之大变，天理所不容者也。鬼神者视之而弗见，听之而弗闻，其感应之理幽远而难测者也。前三件非理之正，后一件非理之常。言之，则有以启人好奇不道之心，渺昧荒唐之想，故夫子绝不以为言。其所雅言者不过《诗》、《书》、执礼，其所立教者不过文、行、忠、信而已。

【原文】

子曰："三人行，必有我师焉。择其善者而从之，其不善者而改之。"

【张居正注评】

师是师范。孔子说："学无常师，随在有益。人能存心于为己，斯无往而非进德之地，便是三人同行，亦必有我之师范存焉。盖人的所为非善则恶，而师也者，所以引人为善，教人去恶者也。今三人虽寡，而观其所行，岂无合于义理而为善者乎？亦岂无悖于义理而为不善者乎？善者我则景仰欣慕，取法其善而从之；不善者我则反观内省，恐己亦有是恶而改之。夫择善而从，则足以长吾之善，是善固我之师也。见不善而改，则足以救我之失，是不善亦我之师也。所以说三人行必有我师焉。"三人且如此，则天下之人无往而非师矣！人能随处而自考，触类以求益，进善岂有穷乎？即此推之，可见人君之学，尤须广求博采，凡臣下之忠言嘉谟，古今之治乱得失，盖无非身心治理之助者，诚能以圣哲为芳规而思与之齐，以狂愚为覆辙而深用为戒，是谓能自得师，而德修于罔觉矣。

【原文】

子曰："天生德于予，桓魋其如予何？"

【张居正注评】

桓魋是宋之司马。如予何，是说没奈我何，言不能害己也。昔孔子周游四方，行到宋国，那时宋国的司马有桓魋者，忌孔子而欲杀之，门人都惧其不免。孔子晓之说："人之死生祸福皆系于天。若天无意于我，必不生我以如是之德。既生我以如是之德，则我之命，天实主之，必将佑我于冥冥之中矣。桓魋亦人耳，其将奈我何哉？盖必不能违天而害我也。"然孔子虽知天意之有在，而犹必微服过宋以避之，则可见天命固不可以不安，而人事亦不可以不尽。故知祸而避，则为保身之哲，以义安命，则为乐天之仁。观圣人者于此求之可也。

【原文】

子以四教：文、行、忠、信。

【张居正注评】

文是《诗》、《书》、六艺之文。行是体道于身。尽己之心叫做忠。待物以实叫做信。门人记说：夫子以成就后学为心，其为教虽无所隐，然大要不过四件。四者何？文、行、忠、信是也。盖天下之义理无穷，皆载于《诗》、《书》、六艺之文，使不有以讲明之，则无以为闻见之资，而广聪明之益，故夫子每教人以学文也。然道本于身，使徒讲明，而不一一见之于躬行，则所学者不过口耳之虚，而非践履之实，故夫子每教人以修行也。然道原于心，使发乎己者有不忠，应乎物者有不信，则所知所行皆为虚伪，而卒无所得矣。故夫子每教人以忠，使其发于心者肫肫恳至，而无一念之欺；教人以信，使其应乎物者，愊愊笃实，而无一事之诈。苟能此四者，则知行并尽，表里如一，而德无不成矣。为学之道，岂有加于此哉？此夫子所以为善教也。

【原文】

子曰："圣人，吾不得而见之矣；得见君子者，斯可矣。"子曰："善人，吾不得而见之矣；得见有恒者，斯可矣。亡而为有，虚而为盈，约而为泰，难乎有恒矣。"

【张居正注评】

圣人，是神明不测之号。君子，是才德出众之名。善人，是志仁无恶的人。有恒，是存心有常的人。亡字即是有无的无字。虚是空虚。盈是充满。约是寡少。泰是侈泰。孔子说："天下之人品等第，每有不同，而随其才器造诣，皆可上进。彼神明不测，大而化之的圣人，乃人之至者，吾不得而见之矣，得见才德出众而为君子者，斯亦可矣。然君子去圣人不远，岂易得哉？不惟君子不可得而见，至于天资粹美，志仁无恶的善人，吾亦不得而见之矣，得见存心之有常者，斯亦可矣。夫有恒者之与圣人，高下固为悬绝，而实为入德之门，然谓之有恒，不过质实无伪耳。盖天下之事，必有其实，乃能常久。若是存心虚伪，本无也，却做个有的模样；本空虚也，却做出个盈满的模样；本寡少也，却做个侈泰的模样，似这等虚夸无实，虽一时伪为以欺人，而本之则无自将不继于后，欲其终始如一，守常而不变，岂可得乎？所以说难乎有恒矣。夫无恒者如此，则所谓有恒者可知。人若能纯实无伪而充之以学，则固可由善人而为君子，由君子而为圣人，不止于有恒而已，此吾所以思见其人也。"然《中庸》言达道达德，九经而归本于一诚。先儒说：诚者圣人之本。孔子此言，岂徒以引进学者哉？要其极则参赞位育之化，亦不过自有恒之实心以充之耳。欲学二帝三王者，宜体验于此。

【原文】

子钓而不纲，弋不射宿。

【张居正注评】

钓是钓鱼，以大绳系纲，截水取鱼叫做纲。弋是以丝系矢而射。宿是鸟之栖者。门人记说：吾夫子在贫贱时，为奉养、祭祀亦尝取鱼、鸟以为用矣。但常人都有贪得之念，而夫子每存好生之心。其取鱼也只用钓饵以钓之而已，不曾以大绳系纲拦截水中而尽取之也；其射鸟也只以丝系矢，射其飞者而已，如鸟之宿者，则未尝出其不意而射取之也。盖于取物之中，而寓爱物之意，圣人之仁如此！古之圣王网罟之目，必以四寸，田猎之法，止于三驱，皆以养其不忍之心，而使万物各得其所也。人君能举斯心以加诸民，则人人各遂其生而天下治矣。

【原文】

子曰："盖有不知而作之者，我无是也。多闻，择其善者而从之；多见而识之，知之次也。"

【张居正注评】

不知而作是不知其理而妄有作为。识字解做记字。孔子说："天下之事，莫不有理，必先知得此理明白，然后处事停当而无有过差。今天下之人，盖有不知其理而妄有所作为者，若我则无是也。然吾所以无不知而作者，岂是生来便晓得许多道理？盖我以天下之义理无穷，非闻见广博，则无以开聪明而扩智虑。于是多闻天下之理，择其善者而体之于身，务使有得而不敢不勉；又多见天下之事，不论善恶皆记之于心，

以备参考而不敢遗忘。夫闻见既多，而又有所抉择参考，则得于人者无穷，而裁于己者有据，虽是闻见之知与生而知之者不同，然自此进之，则智虑日广，义理日明，亦可次于知之者矣。知之既明，则处之自当，又何妄作之有哉?"夫圣人本生知安行，而其自谦之词如此。则知学为圣人者，必先造其理，而后可以履其事。此讲学穷理之功，不可一日而不勉也。

【原文】

互乡难于言，童子见，门人惑。

【张居正注评】

互乡是地名。昔孔子时，有地名互乡者，其人都习于不善，难于言善。那时有道之君子皆恶而绝之。一日有个童子，慕孔子而求见，孔子许其进见，不加拒绝。门人都疑惑说道："君子持身贵正，疾恶贵严。今互乡童子乃不善之人，夫子何为见之?"此所以疑而未解也。

【原文】

陈司败问："昭公知礼乎?"孔子曰："知礼。"

【张居正注评】

陈是国名，司败是官名，即司寇也。昭公是鲁君。昔者鲁昭公习于威仪之节，当时以为知礼。陈司败以昭公娶同姓为夫人是失礼之大者，而乃负知礼之名，有所不足于心。故问于孔子说："人皆以鲁君为知礼，果知礼乎?"孔子答说："知礼"盖人臣与君，称美不称恶，而陈司败亦未显言所以不知礼之事，故夫子直以知礼答之。

【原文】

孔子退，揖巫马期而进之，曰："吾闻君子不党，君子亦党乎?君取于吴，为同姓，谓之吴孟子。君而知礼，孰不知礼?"

【张居正注评】

巫马期是孔子弟子，姓巫马，名施，字子期。党是庇护的意思。孟是长。子是宋国的姓。陈司败因孔子以昭公为知礼，心中不以为然。及孔子既退，适遇其弟子巫马期在前，乃迎揖而进之，与他说道："吾闻君子之为人，平心直道而公其是非贤否于人，不私其人而为之党也。由今观之，君子亦阿党于人乎?何以言之?盖周家礼制，同姓不得为婚姻。吴，泰伯之后，鲁，周公之后，同是姬姓，而鲁君乃娶吴国之女为夫人，正犯此礼。却乃假辞遮饰，不称之曰吴孟姬，而称之曰吴孟子，夫子是宋姓也，娶吴国之女而冒宋国之姓，其能掩乎?是其任情越礼，明知故为，鲁君之不知礼甚矣!

若君而可谓之知礼,则人人皆可谓之知礼矣,谁为不知礼者乎?夫君不知礼,而夫子以知礼与之,是私之而为掩其过也,非党而何?"司败品评昭公,固为确论。但疑孔子为党,则圣人用意之忠厚,彼盖有所不知也。

【原文】

巫马期以告。孔子曰:"丘也幸,苟有过,人必知之。"

【张居正注评】

巫马期述司败之言,以告孔子。孔子既不可自谓讳君之恶,又不可以娶同姓为知礼,乃自引以为己之过失说道:"这委的是我说差了。然凡人有过不得闻,则过无由改,此不幸之大者也。丘也可谓幸矣,苟有过失,人必知之。既知于人,则得闻于己,而可以改图于后日矣,岂非幸乎?"夫善则称君,过则归己,本理之当然。然孔子既自任以为过,则昭公之不知礼亦自有不可讳者。一则不昧天下是非之公,一则不失臣子忠厚之至。圣人一问答之间,真可以为万世法矣。

【原文】

子与人歌而善,必使反之,而后和之。

【张居正注评】

歌是歌咏。善是歌得好,反是反复再歌。自歌以应人之歌叫做和。门人记说:夫子好善之心无穷,不惟取人之善,而又以助人之善。如与人同歌,而其人之所歌,或辞意相协,音律相和,是歌之善者也。此时夫子之心,与之契合,要与之相和而歌,然不遽和也。必使之反复再歌,凡其辞意音律所以为善处,皆审察而详味之。既得其善矣,然后自歌以和之,使彼此迭奏,而同声相应焉。盖不但取彼之善为我之善,而又以我之善助彼之善矣。夫孔子一咏歌之间,而气象从容,诚意恳至如此。其心与舜之取人为善,汤之用人惟己一般。此其所以为至圣也。

【原文】

子曰:"文,莫吾犹人也。躬行君子,则吾未之有得。"

【张居正注评】

言语成章叫做文。莫是疑词。犹人是说犹可以及人。孔子说:"人之所以为君子者,不在于言,而在于行。世间有能言的人,或讲论道理,或敷陈政事,焕然有文采之可观,这不过在言语上求工而已。我虽未能过人,而犹或可以及人也。惟是身体力行,事事都实有诸己,而不为空言,这乃是成德之君子。我反而求之,则全未有得,虽欲勉焉以求至,而力有所不及矣。"观孔子此言,可见言易而行难,文在所缓,而行

在所急。进德者固当先行而后言，用人者尤当听言而观行也。

【原文】

子曰："若圣与仁，则吾岂敢！抑为之不厌，诲人不倦，则可谓云尔已矣。"公西华曰："正唯弟子不能学也。"

【张居正注评】

大而化之叫做圣。心德浑全叫做仁。抑是反语辞。公西华是孔子弟子。昔孔子至圣至仁，当时必有以是称之者。故孔子谦说："人各有能，有不能。若是那道德浑化的圣人与那心德纯全的仁人，则吾岂敢当乎？只是以仁圣之道而为之于己，则孜孜焉以求之，未尝以少有所得而遂生厌足之心；以仁圣之道而教诲乎人，则谆谆焉以语之，未尝以劳于开导而或萌倦怠之意，这便是我之所能，不过如此而已矣。若圣与仁则吾岂敢乎？"门人中有公西华者，闻夫子之言，乃仰而叹之说："夫子辞仁圣之名，而自任夫不厌不倦者，岂以不厌不倦为易能乎？殊不知这正是弟子不能学处。"盖为之可能也，使非全体仁圣，而至诚无息者，孰能无厌乎？诲人可能也，使非全体仁圣，而善与人同者，孰能无倦乎？然则夫子虽欲辞仁圣之名，而其实自有不容掩者矣。昔祗德如大禹，而不自满假；缉熙如文王，而望道未见。孔子之心即禹、文之心也。圣人且然，况其他乎？欲学为圣人者，诚不可以自足矣。

【原文】

子曰："奢则不孙，俭则固。与其不孙也，宁固。"

【张居正注评】

奢是奢侈。孙字与逊顺的"逊"字同。不孙是僭越不循理的意思。俭是省约。固是鄙陋。孔子说："先王制礼自有个中道，不可加损。若专尚侈靡而过乎中者，谓之奢。奢则意志骄盈，纵肆无节。虽理之所不当为者，亦将僭越而为之，其弊至于不孙。若专务省约，而不及乎中者，谓之俭。俭则悭吝鄙啬，规模狭小，虽理之所当为者，亦将惜费而不为，其弊必至于固。这不孙与固，皆不免于失中。但就这两样较来，则与其为不孙也，宁可为固。"盖奢而不孙，则越礼犯分，将至于乱国家之纪纲，坏天下之风俗，为害甚大。若俭而固，则不过鄙陋朴野而已。原其意犹有尚质之风，究其弊亦无僭越之罪，不犹愈于不孙者乎？盖周末文胜，孔子欲救时之弊，故其言如此！然俭，乃德之共；奢，乃恶之大，二者之相去岂特过与不及之间而已哉？帝尧茅茨土阶，大禹恶衣菲食而万世称圣，汉之文帝，宋之仁宗皆以恭俭化民，号为贤主。至如骄奢纵欲，横征暴敛，以败坏国家者，往往有之。然则去奢崇俭乃帝王为治之先务，有国家者所当深念也。

【原文】

子曰："君子坦荡荡，小人长戚戚。"

【张居正注评】

坦是平坦，荡荡是宽广貌。戚戚是忧愁不宁的意思。孔子说："欲知君子、小人之分，但观其心术气象自然不同。盖君子心循乎天理，素位而行，不愿乎外。故仰焉不愧于天，俯焉不怍于人，利害不能为之惊，毁誉不能为之惑，但见其坦然荡荡，无适而不宽舒自得也。小人心役于物欲，行险侥幸，惟日不足，故非切切以谋利禄，则汲汲以干名誉。其未得也，患得之；其既得也，患失之。但见其长是戚戚，无时而不忧虑愁苦也。"夫坦荡荡者，作德心逸日休也；长戚戚者，作伪心劳日拙也。一念既差，而人品遂顿殊矣，可不慎辨之哉！

【原文】

子温而厉，威而不猛，恭而安。

【张居正注评】

温是和厚。厉是严肃。威是有威可畏。猛是暴戾。恭是庄敬。安是安舒。门人记说：容貌乃德之符。人惟气质各有所偏，故其见于容貌者亦偏。惟夫子则容貌随时不同，而无有不出于中和者。如人之温者难于厉也，夫子和厚可亲是固温矣。然和厚之中自有严肃者在，可亲也，而不可犯也，又何其厉乎？温而厉，是温之得其中也。人之威者易于猛也。夫子尊严可畏，是固威矣，然尊严之内自无暴戾者存，可畏也亦可近也，何至于猛乎？威而不猛，是威之得其中也。人之恭者难于安也。夫子庄敬自恃，是固恭矣，然舒泰而不拘迫，自然而非勉强，盖周旋中礼而有忘其恭者焉，又何其安乎？恭而安，是恭之得其中也。盖圣人全体浑然，阴阳合德，故其中和之气见于容貌之间者如此。欲取法其盛德之容者，当先涵养其中和之蕴可也。

泰伯第八

凡二十一章。

【原文】

子曰："泰伯，其可谓至德也已矣。三以天下让，民无得而称焉。"

【张居正注评】

泰伯是周太王之子。昔周太王古公生三子。长的即泰伯，次的是仲雍，少的是季

历。季历生子昌，乃文王也。太王因见昌有盛德，欲传位季历以及昌。泰伯知之，遂与其弟仲雍，托名采药，逃去于荆、蛮地方，断发文身，自毁其形，从夷之俗以示不可用。于是太王乃立季历，传国至文、武而有天下焉。三让是固让。孔子追原周家王业之所由起，因见泰伯之事历世久远，几于泯灭，故特表而出之说道："人但知我周太王肇基王迹，王季勤劳王家，至于文、武，遂成王业，都是周家贤圣之君。不知太王之长子泰伯者，其德可谓极至而无以复加也已矣。何以言之？周家王业之兴，实始于太王，而泰伯嫡长当立，则后来的天下乃泰伯之所宜有者也。泰伯因见太王意在贤子圣孙，舜与仲雍逃去不返。因此，王季、文王承其统绪，遂开八百年之周。是名虽让国，实以天下固让其弟侄而不居也。然却托为采药，毁体自废，其让隐微泯然，无迹可见，故人莫得以窥其心事而称颂之焉。夫以天下让，其让大矣。三以天下让，其让诚矣。而又隐晦其迹，使民无得而称，是能曲全于父子兄弟之间，而绝无一毫为名之累，其德岂非至极而不可加者乎？"然要之太王之欲立贤子圣孙，为其道足以济天下，非有爱憎利欲之私也，是以泰伯去之不为狷，王季受之不为贪。亲终不赴，毁伤肢体不为不孝。盖处君臣父子之变，而不失乎中庸，此所以为至德也。夫子叹息而赞美之，宜哉。

【原文】

子曰："恭而无礼则劳，慎而无礼则葸，勇而无礼则乱，直而无礼则绞。"

【张居正注评】

礼是节文。劳是烦劳。葸是畏惧的模样。乱是悖乱。直是径直。绞是急切的意思。孔子说："人之立身行事，必合乎天理之节文，而后可以无太过不及之弊。如待人固以恭敬为贵，然亦有中正之准则，若恭敬而无礼以为限制，则仪节烦多，奉承过当而不免于劳矣。处事固以谨慎为贵，然亦有事理之当然，若谨慎而无礼以为裁度，则逡逡畏缩，小心太过，而不免于葸矣。勇敢而不可屈挠，固是美德，然不能以礼自守，则不顾名分，而逞其血气之刚，必将至于悖乱矣。径直而无所私曲，固是善行，然不能以礼自防，则任情喜怒，而略无含容之意，必将至于急切矣。"夫恭、慎、勇、直，四者皆人之所难，而无礼则各有其弊如此！可见君子当动必以礼，而不可须臾离也。

【原文】

"君子笃于亲，则民兴于仁；故旧不遗，则民不偷。"

【张居正注评】

君子是在上位的人。笃是厚。兴是起。故旧是平日相与或有功劳的旧人。遗，是弃。偷字解做薄字。孔子说："在上位的君子，凡有举动，百姓每都瞻仰而仿效之，不可不慎也。若能孝顺父母，友爱兄弟，和睦宗族，笃厚于一家之亲，则自己能尽乎仁矣。将见百姓每都感发兴起，而各亲其亲，自然伦理正而恩义笃，岂不兴于仁矣乎？若能信用老成，尊礼耆旧，凡平时相与的旧人，皆不以其迹之疏远，年之衰迈而遗弃之，则自己能处于厚矣。将见百姓每都欢欣联属，而各厚于故旧，自然教化行而风俗美，又岂有偷薄者乎？"夫一处亲故之间，而上行下效，其应如响如此。为人君者可不正心修身，以为化导斯民之本哉。

【原文】

　　曾子有疾，召门弟子曰："启予足！启予手！《诗》云：'战战兢兢，如临深渊，如履薄冰。'而今而后，吾知免夫！小子！"

【张居正注评】

　　召是呼喊。门弟子是曾子的门人。启是开。《诗》是《诗经·小旻》之篇。小子就指门弟子说。曾子在圣门素以孝称，平日所以守身事亲者，不但正心修德为圣贤之学，以求显亲扬名，虽至于身体发肤之微，亦以其受之父母加以谨守，不敢毁伤，至于有疾将终，追思平生守身之道，至此可以无愧，故呼其在门弟子而教之说："父母全而生之，子全而归之，不亏体，不辱亲才叫做孝。汝辈试开衣衾而视吾之足，视吾之手，曾有一之伤毁不全者乎？然所以得全此身者，亦非容易！盖我平日所以保守之者，就是《诗经》上所谓战战然恐惧，兢兢然戒谨，如临在深渊之上，常恐坠下去一般；如行于薄冰之上，常恐陷下去的一般。我惟是这等谨慎，所以得保其全也。夫使吾生尚存，则犹未敢必他日之何如？今则已矣，自今以后，吾始知其得终免于污玷，而可以无恐矣！汝小子其念之哉？"语毕而又呼小子者，盖所以致丁宁之意，亦欲其如己之戒谨恐惧，一举足而不敢忘亲也。夫以曾子之保身如此，则凡纵欲以伤其本，亏行以辱其亲者，固在所必无矣。为人子者，宜以曾子为法，庶可以体亲心而尽子道也。

【原文】

　　曾子有疾，孟敬子问之。曾子言曰："鸟之将死，其鸣也哀；人之将死，其言也善。"

【张居正注评】

　　孟敬子是鲁大夫仲孙捷。昔曾子有疾，孟敬子往问其疾。曾子将有言以告之，恐其忽略而不加之意，故先发言说道："大凡鸟之将死，恐惧迫切，故其鸣叫必哀。人之将死，本然之良心发见，故其言语必善。今我既将死矣，有言则善言也，子其听而念之哉！"

【原文】

　　曾子曰："可以托六尺之孤，可以寄百里之命，临大节而不可夺也。君子人与？君子人也。"

【张居正注评】

托是付托。六尺之孤是幼君。寄也是付托的意思。百里是侯国。命是政令。大节是大关系处。与是疑词，也是决词。曾子说："天下之言成德者，期于君子。然才者德之用，节者德之守。二者兼备，而后为德之成也。若有人于此，不但可辅长君而已，虽亲受顾命，把六尺幼冲之君付托与他，亦可以承受而辅佐之。既能保卫其国家，而又能养成其令德，不但可共国政而已。虽侯国无君，把一国之政令委寄与他，亦可以担当而总摄之。既能安定其社稷，而又能抚辑其人民，其才之过人如此！至于事变之来，国势仓皇，人心摇动，其从违趋避，乃大节之所关也。其人临此时，而所以辅幼君，摄国政者，卓乎见理之精明，确乎持志之坚定，惟以义所当然为主，虽议论纷沓，终不能摇，虽死生在前，亦不能夺，其节之过人又如此。若此人者，果可谓之君子人乎？"吾知既有其才，又有其节，信非君子不能也。然是人也，自学者言，则为君子；自国家言，则所谓社稷之臣者也。盖有才无节，则平居虽有干济之能，而一遇有事，将诡随而不能振；有节无才，则虽有所执持，而识见不远，经济无方，亦何益于国家之事哉？所以人君用人，于有才而未必有节者，则止用之以理繁治剧；于有节而未必有才者，则止用之以安常守法。至于重大艰难之任，则非才、节兼备之君子，不可以轻授也。

【原文】

曾子曰："士不可以不弘毅，任重而道远。仁以为己任，不亦重乎？死而后已，不亦远乎？"

【张居正注评】

弘是宽广。毅是强忍。任是责任。道字解做路字。曾子说："士立身于天地间，要为圣为贤，必须有大涵养，方才做得。故规模广大，心不安于自足，叫做弘，不弘则隘矣。执守坚定，事必期于有终，叫做毅，不毅则馁矣。士岂可以隘焉而不弘，馁焉而不毅哉？所以然者为何？盖以士所负之任甚重，而其所行之路又甚远也。惟其任之重，必弘而后能胜其重；惟其道之远，必毅而后能致其远，此所以不可不弘毅也。然果何以见其任之重而道之远？盖仁者，人心之全德，兼众理，备万善者也。士乃以之为己任，必欲身体而力行之，则是举天下之善，尽万物之理，皆在于我之一身，其任不亦重乎？且其任是仁也，直至没身而后已，若一息尚存，此志亦有不容少懈者，则是向前策励再无可驻足之时，其道不亦远乎？"夫其任重而道远如此，此士之所以贵弘毅也。大抵孔门为学，莫要于求仁，而仁之为道，则非全体不患者，不足以当之。惟其全体也，则无一理之不该，所以不可不弘；惟其不息也，则无一念之间断，所以不可不毅。这正是曾子平生所学得力处，故其示人亲切如此。

【原文】

子曰："兴于《诗》，立于《礼》，成于乐。"

【张居正注评】

兴是兴起。立是卓立。成是成就。昔孔子删诗书，定礼乐，以教学者，正欲其实体于身而有所得，故特举以示人说道："君子立教，不过要人为善去恶而已。然所以兴起其好善恶恶之良心者，每得之于《诗》。盖《诗》本性情，有邪有正，其言词明白易知，而吟咏之间，抑扬反复，其感人又易入。于此学之，则其好善恶恶之心，有油然感发而不能自已者，所以说兴于《诗》。此可见《诗》之当学也。善念既兴，又必卓然有以自立，然后善在所必为，恶在所必去。而其立也，则得之于《礼》。盖《礼》以恭敬辞让为本，而有节文度数之详，可以敛束人之身心，坚定人之德性。于此学之，则自能卓立持守，而不为外物之所摇夺。所以说立于《礼》，此可见《礼》之当学也。既能自立，又必造到那纯粹至善的地位，乃为成就，而其成也，则得之于乐。盖乐以和为主，其声容节奏可以养人之性情，而荡涤其邪秽，消融其渣滓。于此学之，则自然义精仁熟，而和顺于道德矣，所以说成于乐，此可见乐之当学也。"然古人《诗》、《礼》乐之教，皆发于性情之正，本于中和之德，故能成就人才如此，若后世以吟咏声韵为诗，而无关于性情，以虚饰仪文为礼，而不本于恭敬，以嬉戏淫哇为乐，而反乖于中和，则于《诗》、《礼》乐之本然者失之远矣，亦何足务哉？善学者辨之。

【原文】

子曰："民可使由之，不可使知之。"

【张居正注评】

民是凡民。由是身行其事。知是心悟其理。孔子说："道理在天地间，件件都是人所当知的。然为人上者之于凡民，但可使之由于是理之当然，而不能使之知其所以然。"盖所当然者，如父当慈，子当孝之类，皆民生日用之事，就是寻常庸众的人也都行得，故能使之由。若其所以当然之故，则皆出于天命人心之本然，其理精微奥妙，必须资质高明，学力至到者，乃能脱然有悟。其在凡民，如何便会晓得？所以不能使之知也，然知之之理，亦不外于所由之中。圣人在上以先知觉后知，以先觉觉后觉，至于渐摩既久，天下自然化成矣，亦何不可知之有哉！

【原文】

子曰："好勇疾贫，乱也。人而不仁，疾之已甚，乱也。"

【张居正注评】

勇是勇敢。两个疾字都是疾恶的意思。乱是悖乱。已甚是过甚。孔子说："柔懦之

入，虽恶贫无能为也；安贫之人虽好勇，固无害人。惟是那好勇尚气的人，身处穷困，乃疾恶其贫，而不肯安分守己，则必以血气之强而济其苟得之念，虽为盗贼从悖逆皆不顾矣，岂不至于为乱乎？至若不仁的人，本心已失，如其恶未著，尚可容恕，则化之以善可也。若其罪当诛，而吾又得以诛之，则遂诛之可也。不然而徒疾恶过甚，使之无所容其身，则事穷势迫，必将求泄其忿恨，而逞凶肆暴，无所不至矣，岂不足以致乱乎？"夫好勇疾贫者，是身自为乱，固为天下之首恶，至于恶不仁者，本为正理，特以处之不善，乃亦足以致乱，而徒为祸阶。则君子之待小人，岂可以轻发而不审处哉！

【原文】

子曰："三年学，不至于谷，不易得也。"

【张居正注评】

至字当作心志的志字。谷是俸禄。孔子说："古人之学将以明善诚身，求尽其为人之理而已。然学既成矣，则君必见用而养之以禄。此乃理之自然，而其本心则不为此也。后世人心不古，见学之可以得禄，乃遂有为干禄而后学者，亦有学问之功始加，而利禄之念随之者。此不惟失学之本意，而心逐于利，其学亦无所得，乃天下之通患也。若有人焉专精为学至于三年之久，而其心不志于谷禄，则是谋道而不谋食，为己而不为人，志高识大，超出乎时俗之表者也，这等的人岂易得哉？"所以人君用人，于那有实学的必录用而尊显之，使得以展尽底蕴。若夫假学以沽名干进者，则摈抑而不用。庶乎贪位慕禄之徒，不至于滥窃名器，而无补于国家世。

【原文】

子曰："笃信好学，守死善道。危邦不入，乱邦不居。天下有道则见，无道则隐。"

【张居正注评】

笃是深厚牢固的意思。孔子说："君子之修身处世，必须学问、操守，兼造其极，乃为尽善，甚不可苟也。若有人焉于道理的确有见，则信之极其诚笃，虽议论纷纭，一毫都动移他不得，其志向之专如此，而又能孜孜务学，格物穷理，以求其是非之真，而尽其精微之奥，则讲究明而辨别审，所信者一出于正矣。遇事心里主定在此，则守之极其坚固，虽死生利害，一切都摇夺他不得，其执持之果如此，而又能事必由理，行必合义。初未尝劝匹夫之小信，而乖中庸之大道，则关天常而扶人纪，所守者允得其当矣。夫笃信好学是有学也，守死善道是有守也。为君子而有学有守，则知之必明，行之必勇，出处去就，焉往而不善哉？故其遇危邦也，则避之而不入；其在乱邦也，则去之而不居。当天下之有道也，则显身而仕；天下无道也，则退藏而隐。"此其去就之义洁，出处之分明，非有学有守者，何足以与此？然这样人，不但可以善一己之行藏而已，使人君得而用之，则有大涵养，自有大设施。平时必能尊主庇民，建功立业。有事必能砥砺名节，匡扶世运，所补殆非浅浅矣！学问、操守之系于人也，大矣哉！

【原文】

"邦有道，贫且贱焉，耻也；邦无道，富且贵焉，耻也。"

【张居正注评】

耻是愧耻。孔子说："士之处世，既贵有可用之才，又贵有能守之节。若乃邦国有道，有明君以出治于上，有贤臣以辅治于下，贤者必使之在位，能者必使之在职，正君子向用之时也。当此时而乃为世所弃，困处于贫贱之中，则其无善可称，无才可录可知矣。岂不可愧耻乎？至若邦国无道，上无明君，下无贤臣，非贿赂不可得官，非谄佞不能固宠，正小人向用之时也。当此时而乃与世相合，致身于富贵之地，则其贪位慕禄，卑污苟贱可知矣，岂不可愧耻乎？"盖惟其不能笃信好学，守死善道，故世治而无可行之道，世乱而无能守之节，乃碌碌庸人而已，何足取哉？士之不可以无养也如是夫！

【原文】

子曰："不在其位，不谋其政。"

【张居正注评】

谋是图议，政是政事。孔子说："凡人有是职位，则有是责任，则有是谋为，如任公卿大夫之职，则当谋公卿大夫之政。若不在其位，则其政事本与我无预者，而乃商度其可否之宜，条陈其利害之故，是为思出其位，犯非其分矣，奚可乎？故凡不在其位，则当介然自守，虽知识见得到，才力干得来，亦不可图谋其政事。"盖所以安本然之分，而远侵越之嫌，人之自处当如是也。然士人之学期于用世，则匹夫而怀天下之忧，穷居而抱当世之虑，亦有所不容已者。要之，潜心讲究，则为豫养非分干涉，则为出位。豫养者待用于不穷，出位者轻冒以取咎，此又不可不辨也。

【原文】

子曰："学如不及，犹恐失之。"

【张居正注评】

如不及，是如有所追而不能及的意思。孔子说："人之为学将以致知力行，而求进乎圣人之道也。然使无勤敏之功，则其心徒劳而无益，使无警省之心，则其功终怠而不前。所以，君子之为学也，研穷以求进其知，体验以求进其行，孜孜汲汲，惟日不足，常如有所追而不能及的一般。其用功之勤如此，而其心犹不敢有一时之或惰，当

日进之时，怀日退之惧，惟恐失其所学，而果有所不及也。"夫以君子之学，其勤励警惕有如此者，此所以能成其学也，不然，则心不在焉，或作或辍，终亦岂能有成也哉？

【原文】

子曰："巍巍乎，舜、禹之有天下也，而不与焉。"

【张居正注评】

巍巍是高大的模样。不与是不相关的意思。孔子说："圣人之识见度量迥与常人不同。常人之情即有一命一爵之荣，未免自视侈然，志得意满，何其卑小也！若乃巍巍乎识量高大而不可及者，其惟舜、禹乎？盖舜、禹二圣人，本以匹夫之微，一旦有天下为天子，其崇高富贵可谓极矣，乃舜、禹则视之漠然，不以为乐，全似与己不相干涉的一般。此其心直超乎万物之上，而众人以为可欲而不可得者，举无一足以动其中，其胸襟气象视寻常真不啻万倍矣，是何其巍巍矣乎？"盖舜、禹之心只知天位之难居，虑四海之不治，日惟兢业万机，忧劳百姓而已。若夫有天下之可乐，奚暇计哉？此万世颂圣明者，必归之也。后世人君，诚能以其不与天下之心，而尽其忧勤天下之实，则二圣人之巍巍不难及矣！

【原文】

子曰："大哉，尧之为君也！巍巍乎，唯天为大，唯尧则之。荡荡乎，民无能名焉。巍巍乎，其有成功也。焕乎，其有文章！"

【张居正注评】

则字解做准字。荡荡是广远之称。名是名状。成功指勋业说。焕是光明。文章是礼乐法度之类。孔子说："自古帝王多矣，然莫有过于尧者。大矣哉，尧之为君乎，何以见其大？盖巍巍乎极其高大而无不覆冒者，唯天而已。谁能并之？独有帝尧之德高不可及，大而无外，能与之准，其包涵遍覆，就与天一般，故其德之广远，荡荡无涯，而形迹俱泯。当时之民一皆涵咏盛德而不识其功，鼓舞神化而莫测其妙，无有能指而名之者。其与天之不可以言语形容，又何异哉？惟其不可名，此所以为天也。然亦岂无可见者乎？就其治功之成就处观之，则黎民吾见其时雍，万邦吾见其协和。巍巍乎功业之隆盛，有莫可得而尚者焉，又就其治功之有文采处观之，以礼乐则极其明备，以法度则极其修明，焕乎文章之光显有不可得而掩者焉，尧之所可见者如此！若其德之不显者，则终不可名也。大哉尧之为君，非冠古今而独盛者乎？"

【原文】

舜有臣五人而天下治。武王曰："予有乱臣十人。"孔子曰："才难，不其然乎？唐、虞之际，于斯为盛，有妇人焉，九人而已。"

【张居正注评】

乱字解做治字。际是交会之时。妇人指武王之妃邑姜。昔门人将述孔子评论人才之言，先记说：自昔君天下者治莫盛于虞舜。其时有圣哲之臣五人，如禹平水土，稷播百谷，契敷五教，皋陶明刑，益掌山泽。凡虞舜所欲为的，五人都代为之，故能使四方风动从欲以治焉。是虞舜得人之盛如此！继夏、商而王者，治莫胜于周武王。武王尝自言曰：“予有致治之臣十人。在外有周公旦、召公奭、太公望、毕公、荣公、太颠、闳夭、散宜生、南公适为之辅理，在内有贤妃邑姜为之赞助，故能使四海永清，垂拱而治焉。”是有周得人之盛如此！孔子有感而叹之说道：“吾闻古语说，人才之生，最为难得，以今观之，岂不信然矣乎？盖自古圣圣相承，如唐虞交会之际，其时气运方隆，人才辈出，固极盛而无以加矣，自此以后，则惟我周为盛焉。唐虞固有五人，以赞成风动之功。我周亦有十人，以夹辅永清之烈，是我周真与唐虞比隆，而非夏商之所能及也。然数止十人，已为少矣，而中间有妇人焉，其实奔走御侮之臣，不过九人而已。以我周之盛而贤臣止于九人，岂不为难得哉？”然则，才难之一言，信乎其不诬矣。大抵得人固难，而知人与用人尤难，虞舜、武王惟其知之明而用之当，故能成天下之治如此。若知有未真，则取舍犹有所眩惑，用之未尽，则底蕴无由以展布，何以收得人之效乎？故知人善任，尤人君治天下之本，不可不慎也。

【原文】

"三分天下有其二，以服事殷。周之德，其可谓至德也已矣。"

【张居正注评】

服事是臣服敬事。孔子说："人臣事君，固有一定之分，然使国家全盛，君德休明而为之臣者，能敬顺守职乃是常事，不足称也。惟殷纣暴虐无道，国祚日益衰微，文王发政施仁，人心日益归向，以天下大势计之，三分之内，二分都归于文王，盖有天下之大半矣。当是时以仁伐暴，以周代殷，特一反掌之间耳。乃文王则坚守臣节，以服事殷纣，初不以盛衰强弱二其心，则是时可为而不为，势可取而不取，非盛德之极，能如是乎？然则我周文王之德，其可谓至极而无以加者矣。"夫孔子之称至德者二，于泰伯则以其让天下，于文王则以其服事殷，皆所以明君臣之义，立万世之防，而惧乱臣贼子之心也，读者宜致思焉。

子罕第九

凡三十章。

【原文】

子罕言利与命与仁。

【张居正注评】

罕是少。利是人情之所欲。命是气运之流行，如死生祸福之类，幽远而难必者。仁是心之德。门人记说：夫子平日教人，虽言无不尽，然亦有所少言者，则有三件：利与命与仁是已。盖利与义相反，学者而谋利则廉耻之道乖。有国家者而好利则争夺之祸起，其端甚微，其害甚大，故夫子罕言之，欲人知所戒也。天命靡常，其生死祸福寿夭穷通之理窈冥而难知，幽远而难必，人惟宜尽人道之所当为者，而默以听之。若语人以命，则人将一一取必于天，而怨尤之心生矣，故夫子亦罕言，欲人之自修也。仁具于心，乃四端万善之统体，其道至大而难尽，若强以示人，则未免有躐等之患矣，故夫子亦罕言之，欲人之渐进也。夫观圣人之所罕言，则吾人之所当务者可知矣。

【原文】

达巷党人曰："大哉孔子！博学而无所成名。"

【张居正注评】

五百家叫做一党，达巷是党名。孔子道全德备，其学无所不通，当时无有知之者。有个达巷党人曾私议说："凡人知识有限，常患于狭小，今观孔子大矣哉，其学之博乎！大而道德性命之奥，细而礼乐名物之微，靡不究其旨归，析其条理。今虽欲指其一事而名之，则但见其无所不通，无所不能。诚不可以一善之成名者目之也，何其大矣哉！"夫党人以大哉称孔子，盖庶几乎知言，而其所以为大者，乃徒以博学称之，则亦非深圣人者矣。

【原文】

子闻之，谓门弟子曰："吾何执？执御乎？执射乎？吾执御矣。"

【张居正注评】

执是专执。御是御车。孔子闻党人之言，乃对门弟子谦逊说道："党人称我之博学，以吾之多能鄙事也。其谓我无所成名是欲我专执一艺以自见也。然则吾将何所执乎？夫六艺之中有所谓御与射者，守着一件，皆足以成名。我将执御者之事乎？抑将执射者之事乎？就这两样较来，则御乃卑贱之役，执守尤易。然则，我将执御以成名矣。"盖闻人誉己，承之以谦也。夫孔子之圣，生而知之，其道一以贯之。固不待于博学，而亦非有意于求名者，惜乎党人不足以语此！若夫观人之法，则不可以概求，或全德之士可以大受，或偏长之士可以小知。随材善用，此又为治者之先务也。

【原文】

子曰："麻冕，礼也；今也纯，俭。吾从众。拜下，礼也；今拜乎上，泰也。虽违众，吾从下。"

【张居正注评】

古时布皆用麻。麻冕是用麻布染作缁色以为冠者也。纯是丝。俭是省约。泰是骄慢。孔子说："大凡事之无害于义者，或可以随俗；若有害于义者，断不可以苟从。如古者之冕，以细麻绩成的缁布为之，礼也。今也以其细密难成而改用丝为之，用丝比之用麻较为省约，是之谓俭。俭虽非礼，然不过制度节文之小，无害于义，犹可以随时者也，故吾亦从众，不必立异焉。若夫臣之拜君而必于堂下者，亦古制之礼也。而今也则皆拜于堂上，是流于骄慢而为泰矣。泰则有亏于君臣之义，乃纲常伦理所关，非细故也，故虽违背众人之所行，吾宁从下而不顾焉。"此可见圣人之处世，不论流俗之好尚，而惟以义理为权衡，或从或违，惟其是而已。此所以为万世礼义之中正也。

【原文】

子绝四：毋意，毋必，毋固，毋我。

【张居正注评】

绝是绝无。四个"毋"字都与有无的无字同。意是私意。必是期必。固是执滞。我是私己。门人记说：吾夫子应事接物，其所绝无者有四件。四者谓何？意、必、固、我是已。盖人心本自虚明，只为物欲牵引，便不能随事顺应。如事之未来，先有个臆度的心，这叫做意。又有个专主的心，这叫做必。事已过去，却留滞于胸中不能摆脱，这叫做固。只要自己便利，不顾天下之公理，这叫做我。此四者，人情之所不能无也，若吾夫子，则廓然太公，物来顺应，未事之先，无有私意，亦无有期必，既事之后，未尝固滞，亦未尝私己。其心如镜之常明，略无一些蔽障。如称之常平，略无一毫偏着，所谓绝四者如此！然是四者，非圣人不能尽无。若人能随事省察，克人欲而存天理，则亦可由寡以至于无，而入于圣人之域矣。先儒说："忘私则明，观理则顺。"此学圣人者所当知。

【原文】

太宰问于子贡曰："夫子圣者与？何其多能也？"

【张居正注评】

太宰是官名。当时有个太宰，曾问于子贡说："吾闻无所不通之谓圣。今观夫子其殆所谓圣者与？不然何其多才多艺，而无所不能也？"夫以多能为圣，则其知圣人亦浅矣。

【原文】

子贡曰："固天纵之将圣，又多能也。"

【张居正注评】

纵字与肆字一般，是无所限量的意思。将字解做使字。又是兼而有之。子贡答太宰说："汝以多能为圣乎？不知圣之所以为圣者，固在德而不在多能也。且如天生圣贤都各有个分量，独吾夫子则德配天地，道冠古今，自生民以来未有如其盛者。是乃天纵之而使圣，未尝有所限量。"德既造乎至圣，则其才自无所不通，所以又兼乎多能耳。然则多能乃圣之余事，而岂足以尽夫子之圣哉？子贡之言，盖智，足以知圣人者也。

【原文】

牢曰："子云：'吾不试，故艺。'"

【张居正注评】

牢是孔子弟子琴牢，字子张。试是用，艺即是多能。门人因记琴牢之言说道："夫子平日尝云，我少时人不见知，未尝试用于当世，故得以习于艺而通之。夫子此言，其即吾少也贱，故多能鄙事之谓也。然则多能非君子之所贵，而夫子之所以为圣，诚不在于多能矣，太宰恶足以知之？"按：此章太宰之言与达巷党人之见相似。孔子一则以执御自居，一则以多能为鄙，固皆自谦之词。其实圣学之要，不在于此。盖修已有大本大原，治天下有大经大法，自尧舜以至于孔子皆然，不以博学多能为急也。学圣人者宜详味乎斯言。

【原文】

子曰："吾有知乎哉？无知也。有鄙夫问于我，空空如也。我叩其两端而竭焉。"

子张

【张居正注评】

鄙是凡陋。空空是无能的模样。叩是发动。两端譬如说两头，言备举其理也。竭是尽。孔子之圣无所不知，当时必有以是称之者。孔子闻而辞之说："人固谓我为有知，我果有知乎哉？实无所知也但我平日告人，不敢不尽，固不待贤者问之而后告也。就是个鄙陋之夫来问于我，在他虽然空空然其无能也，我却不敢以其愚而忽之，务必罄吾所知，发动其两端以告之，始终本末、上下精粗，无有不尽者焉。夫以我之告人，必尽其诚如此。所以时人遂以我为有知，而我实则无所知也。"此乃圣人之谦辞，然谓之叩两端而竭，则其无所不知，与夫诲人不倦，皆可见矣。

【原文】

子曰："凤鸟不至，河不出图，吾已矣夫！"

【张居正注评】

凤鸟、河图都是盛世的祥瑞。昔虞舜时凤凰来仪于庭，文王时凤凰鸣于岐山，伏羲时河中有龙马负图而出，其数自一至十，伏羲则之以画八卦。盖圣王在上，则和气充溢于天地之间，故其祥瑞之应如此。已矣夫是绝望之词。春秋之时，圣王不作，孔子之道不行，故有感而叹说："吾闻圣王之世，凤鸟感德而至，河图应期而出，今凤鸟不至，则非虞舜、文王之时矣。河不出图，则非伏羲之时矣，时无圣王，谁能知我而用之？则吾之道其终已矣夫，不复望其能行矣。"此可见圣人之进退，关世运之盛衰，以春秋之世，有孔子生于其间，而终莫能用，此衰周之所以不复振也。

【原文】

子见齐衰者、冕衣裳者与瞽者，见之，虽少，必作；过之，必趋。

【张居正注评】

齐衰是丧服。冕是冠冕。冕衣裳是贵者之命服也。虽少二字当在冕衣裳者之下，盖简编之误也。瞽是无目之人。作是起。趋是急行。门人记说：吾夫子平日但见有丧而服齐衰的人，有爵位而冕衣裳的人，便肃然起敬，蹩然改容。其人虽年少，或瞽而无目，如遇见之，亦必为之起立。如过其前，则必急趋而行。盖有丧的人方抱悲痛之意，于情可哀；有爵的人既受朝廷之命，于礼当尊。夫子但见其可哀可尊，即为之改容致敬，初不因其少与瞽而遂忽之也。然有爵之当尊，有丧之可矜，人皆知之。惟少者人之所易忽，瞽者人之所易欺，而夫子哀敬之容不为之少异。此所以为圣德之至也。

【原文】

颜渊喟然叹曰："仰之弥高，钻之弥坚，瞻之在前，忽焉在后。"

【张居正注评】

喟然是叹声。弥是愈甚的意思。昔颜渊游于圣门，学既有得，乃喟发叹说道："甚矣，夫子之道无穷尽无方体也。始吾见其甚高也，固尝仰之以为庶几其可及也，然但

觉进得一级又有一级，仰之而愈见其高焉；始吾见其深也，固尝钻之，以为庶几其可入也，然但觉透得一层，又有一层，钻之而愈见其坚焉。吾又尝瞻之，见圣人之道若在吾前，我固不及。待去勇猛赶上，则恍惚之间却又在后，而我反过之。"其流动不拘，变化莫测，有不可以为象者焉，夫子之道高妙一至于是，回将何所从事乎？其始之难如此。

【原文】

"夫子循循然善诱人，博我以文，约我以礼。"

【张居正注评】

循循是有次序。诱是引进。博是广博。文是载道之具。约是约束。礼是天理之节文。颜渊说："夫子之道高妙如此，使不有善教之施，则学者亦何由而入哉？幸而夫子则循循有序，而善于引人之进焉，以这道理散见于天地间的叫做文，文有不博，则无以见道之万殊而得真，乃博我以文，使我通古今达事变，把天下的道理都渐次去贯通融会，而聪明日开，不病于寡陋矣。以道理散殊中，各有个天理自然的节文，叫做礼。礼有不约，则无以会道之一本而体其实，又约我以礼，使我尊所闻，行所知，把天下的道理都逐渐去操持敛束，而依据有地，不苦于泛漫矣。博以开约之始，既非径约者之无得，约以收博之功，又非徒博者之无归。"夫子之循循善诱如此，回之得知所从事者，不有赖于此乎？

【原文】

子贡曰："有美玉于斯，韫椟而藏诸？求善贾而沽诸？"子曰："沽之哉！沽之哉！我待贾者也。"

【张居正注评】

韫是藏。椟是柜。两个贾字，即是价值的价字。沽是卖。昔子贡以孔子怀才抱德不出而求仕，故设言以问之说："天下有重宝，则必有重用，且如物之贵重者莫如玉，而美玉则尤贵者。今有美好之玉于此，果只自家爱惜，韫之于柜而藏之欤？抑将出售与人，求价值之相当者卖之欤？"子贡之意盖以美玉比夫子，而以藏沽喻行藏也。孔子答说："玉本有用之物，使不沽之，是使有用为无用也。吾其沽之哉，吾其沽之哉！盖天下之宝，当与天下共之，何可以自私也？然玉本至贵之物，使自沽之，则人将轻视而不以为宝，是使贵为贱也。吾必待夫以善价来求者而后与焉。"盖天下之宝，当为天下惜之，尤不可以自轻也。知玉之当沽，则知夫子之当仕。知玉之待价，则知夫子之待礼。如无礼而自往者，是衒玉而求售也，圣人岂为之乎？此可见士之出处，待则为自守之正，求则为奔竞之私，诚不可不慎辨矣。若夫人主之于贤才，又当精其选于未用之先，不使匪人得枉道以求合。专其任于既用之后，不使贤者舍所学而从我。然后为真好贤之明君也。

【原文】

子欲居九夷。或曰："陋，如之何？"子曰："君子居之，何陋之有？"

【张居正注评】

九夷是东方九种夷人。陋是鄙陋。昔孔子周游四方，本欲行道于天下。然当时上无贤君，不能信用，孔子知其道终不行，乃欲远去中国，而居九夷之地。是虽伤时愤世，有所激而云然。然孔子大圣，自能用夏以变夷，则虽夷狄，亦无不可居者。或人不知，乃问孔子说："九夷之地言语不通，嗜欲不同，其俗鄙陋，如之何其可居也？"孔子答说："天下无不可变之俗，亦无不可化之人。九夷虽是鄙陋，若使有道德的君子居于其间，则必有诗、书、礼、乐以养其身心，有冠裳文物以新其耳目，自将化鄙陋而为文雅，与中国一般，又何陋之有哉？"此可见圣人道大德宏，存神过化，如帝舜耕于历山，而田者让畔。泰伯、端委以化荆蛮，感应之妙，有不约而同者，使孔子得邦家而治之，则绥来动和之化，其功效岂小补哉？惜乎春秋之不能用也。

【原文】

子曰："吾自卫反鲁，然后乐正，《雅》、《颂》各得其所。"

【张居正注评】

《雅》是《大雅》、《小雅》。《颂》是《周颂》、《鲁颂》、《商颂》。都是《诗经》的篇名。其中的诗词就是乐章。孔子说："周之礼乐尽在我鲁国，音乐诗词本是全备的，但历年久远，那诗乐的篇章节奏都错乱了。我尝周流四方，参互考订，始知其说，故自卫归鲁，特为正之。残缺者悉为之补，失次者悉为之序，然后乐之始终条理皆得其正。而二《雅》三《颂》之诗被诸弦歌者，或用诸宗庙，或用诸朝廷，亦各得其所，而无有紊乱者矣。"这是孔子自叙其正乐之事如此。

【原文】

子曰："出则事公卿，入则事父兄，丧事不敢不勉，不为酒困，何有于我哉？"

【张居正注评】

孔子说："人于日用伦理之间，起居饮食之际，每每视为近易。若必一一求尽其道，盖亦甚难。且如出而在邦国，则善事公卿，而上交有道，不失其尊贵之礼；入而在家庭，则善事父兄，而孝敬恳至，克修其弟子之仪。遇有丧事则不敢不勉，不特三年之丧，然后竭诚尽慎，就是期功缌麻，亦必缘分敦礼。至于宴享饮酒，则不为所困，虽有时而饮，用以成礼合欢，却未尝多饮，至于昏神乱气。这四件虽不过是寻常的事，

然前三件是能于天理之当为者，各尽其道；后一件是能于人情之易动者，不逾其则。亦非德盛礼恭、涵养纯粹者不能也，反之于己，果何有于我哉？"夫此四者，皆人伦日用庸德之行，而我犹有所未能。况君子之学更有大于此者乎？此吾之进修所以惕然而不宁，汲汲然而匪懈也，此圣人谦己诲人之词，然其至诚无息之心，躬行实践之学，于此亦可见矣。

【原文】

子在川上曰："逝者如斯夫！不舍昼夜。"

【张居正注评】

川是水之流处。逝字解做往字。不舍是不息，天地之间，气化流行，亘古今彻日夜，而无一息之停，乃道体之本然也。但其机隐微难识，惟是水之流动最为易见。故孔子偶在川上有感而发叹说："吾观此水，往者既过，来者复续，混混滔滔，曾无止息。盖天地之化推迁往来，相续而无穷有如是夫。昼固如是，夜亦如是，未尝有顷刻之暂停也。"夫天地之间无物非道，即水流之不息，可以验化机之不滞。即化机之不滞，可以知道体之常存，观物者于此而察之，则自强不息以尽道体之功者，不可有须臾之或间矣！

【原文】

子曰："吾未见好德如好色者也。"

【张居正注评】

孔子叹息说道："常人之情但见有美色，则未有不知好者。至若天所赋予的正理叫做德，德乃人之所本有，亦人之所当好也。然今天下之人，或气禀昏愚，不见其为美而莫之好，或物欲牵引，知其为美而不能好，或自己修德虽尝用力，而无勇往精进之功，或见人有德，虽尝美慕而无尊贤敬士之实，吾未见有好德如好色之真诚者也。"人若能以好色之心好德，则如《大学》所谓自慊而无自欺。推之以正心、修身、齐家、治国、平天下又何难哉？孔子此言，其勉人之意深矣。

【原文】

子曰："譬如为山，未成一篑，止，吾止也。譬如平地，虽覆一篑，进，吾往也。"

【张居正注评】

篑是盛土的筐。覆是加。孔子说："人之为学不日进，则日退。然其进止之机皆系于己，非由于人。以言其止也，不但方进而遽已者才为无成。便是平日已用了九分的工夫，乃一旦止而不为也，就把前面的功夫都废弃了。譬如筑土为山，已是至得高了，所少者仅一筐之土耳，于此成山岂不甚易，他却忽然中止，不肯加工，则向者所筑皆置之无用而山终不可成矣。然其止也，岂是有人阻挡他来？只是自家心生懈怠，自弃其垂成之功耳，学者可不以是为戒哉？其进也，不但垂成而不已者，才为有益。便是平日未曾下一些工夫，一旦奋发起来，则将来为圣为贤，也限量他不得。譬如在平地上要筑一座高山，所加者才一筐之土耳，指望成山岂不甚难。他却锐然奋进，不肯暂停，则日积月累，功深力到，山亦有时而成矣。然其进也，岂是有人撺掇他来？只是自家勇往向上，不肯安于卑近耳，学者可不以是加勉哉？"大抵人之为学，莫先于立志，所谓止吾止者，其志骤也。志一骤，则何功不废？进吾往者，其志笃也，志一笃，则何功不成？故汤圣人也，而仲虺犹以志自满为戒，高宗令主也，而傅说犹以逊志时敏为言，武王之学可谓成矣，召公犹防其玩物丧志，而譬之于为山九仞，功亏一篑，夫子之言盖昉于此。有事于帝王之学者，可不坚持其志哉。

【原文】

子曰："语之而不惰者，其回也欤！"

【张居正注评】

语是告语。惰是怠惰。孔子说："吾之教人，虽言无不尽，然受教者多，能体而行之者甚少。若我以道理告之，而彼即能心解力行，无怠惰之意者，其惟颜回也欤？盖回以睿智之资，务深潜之学，但有所闻，便能融会而贯通，其有所行，又能笃信而专确，如告以克己复礼，则请事斯语，告以博文约礼，则欲罢不能，无一言一动不是发明我所言的道理，何尝有一毫怠惰之心？我所见者，惟此入耳，其他弟子皆不能及也。大抵不惰二字，最为学者之所难，以冉求之多艺，犹画而不进，以子贡之多识，犹倦而请息，况他人乎？"观孔子以不惰称回，以不厌自处，可见圣贤造诣，都自勤学中来，读者所当深玩也。

【原文】

子谓颜渊，曰："惜乎！吾见其进也，未见其止也。"

【张居正注评】

昔颜渊既没，孔子追思而叹息说道："惜乎颜氏之子！吾但见其进也，未见其止也。盖人或资禀有限，则欲进而不能，或立志不专，则进锐而退速。故能进为难，进而不止者为尤难。惟回之为学，真能勇往直前，惟日不足，必欲造乎精微纯粹之域而后已，吾未见其有止息也。"夫进而不已，则其进未可量，虽至于圣人不难，而今不幸死矣！岂不深可惜乎？孔子深惜颜回，亦勉励门弟子之深意也。

【原文】

子曰："法语之言，能无从乎？改之为贵。巽与之言，能无说乎？绎之为贵。说而不绎，从而不改，吾末如之何也已矣。"

【张居正注评】

法语之言是直言规谏。改是改正。巽与之言是委曲开导。绎是寻思，末字解做无字。孔子说："进言者固当因人而施，听言者必当虚己而受，且如我见人有过，将直切的言语明白规正他，叫做法语之言。这样言语说得道理既明快，利害又激切，人之听之，必且肃然起敬，能不畏而从我乎？然不贵于徒从而已，必须因我之言，一一反求，有不是处，随即改正，不肯畏难苟安，这才是能受直言的人，所以可贵也。见人有过，将道理的言语委曲开导他，叫做巽与之言。这样的言语说得情意既婉转，词气又和平，人之听之，必且恍然有寤，能不说而受我乎？然不贵于徒说而已，必须因我之言细细寻思，想我的微意所在，时常体贴玩味，这才是乐闻善言的人，所以可贵也。若一时喜说，而不能绎思其理，外面顺从而不能自改其过，则虽正直规谏之论，日陈于前，委曲开导之语，日接于耳，终不足以开其昏迷，救其过失。我亦将奈之何哉？"盖人有不闻善言的，犹望其闻而能悟。今既顺从喜说，有挽回开导之机了，却依旧不能改绎，与不曾闻的一般，则虽言亦何益乎？所以说吾末如之何也已矣，亦深绝之词也。按：孔子此言，乃人君听言之法。盖人臣进言最难，若过于切直，则危言激论，徒以干不测之威，若过于和缓，则微文隐语，无以动君上之听。是以圣帝明王，虚怀求谏，和颜色而受之。视法言则如良药，虽苦口而利于病，视巽言则如五谷，虽冲淡而味无穷，岂有不能改绎者乎？人主能如舜之好察迩言，如成汤之从谏弗咈，则盛德日新，而万世称圣矣。

【原文】

子曰："三军可夺帅也，匹夫不可夺志也。"

【张居正注评】

万二千五百人为军。大国则有三军。帅是主将。匹夫是一匹之夫，言其微也。孔子说："人莫贵于立志，志苟能定，则主宰在我，天下莫之能夺，且以势之难夺者言之，今以三军之众，拥护一主将，若有不可犯者，然三军虽众，其勇在人。在人则势有时而不合，心有时而不齐。故能以智胜者，可以伐其谋，能以力胜者，可以挫其气。谋败气摧，则主将可擒矣，是至难夺者尚有可夺也。若乃一匹之夫，自持其志，势孤力独，似无难夺者。然匹夫虽微，其志在己，我自家所守要如此，虽千万人无所用其力，故欲困之以危辱，则不过屈其身耳，而心固不可回。欲临之以威武，则不过戕其生耳，而意固不可转，有终不得而夺之者矣。"夫以匹夫之志胜于三军之帅如此，则志之于人岂不大哉？所以为学而有志于圣贤，则便可以为圣贤，为君而有志于帝王，则便可以为帝王。盖其机在我，夫孰得而御之？是以君子贵立志也。

【原文】

子曰："衣敝缊袍，与衣狐貉者立，而不耻者，其由也欤？"

【张居正注评】

衣是著衣。敝是坏。缊袍是絮麻的衣服，服之贱者。狐貉是二兽名，其皮可以为裘，乃服之贵者。由，是孔子弟子仲由。孔子说："凡人不戚戚于处贫，则汲汲于求富。故贫富相形之际未有不动心者，若是身上穿着敝坏的缊袍与那穿着狐貉贵服的人并立，而其心恬然不以为耻，其惟仲由之为人也与？"盖仲由识见已进于高明，志趣不安于卑陋。故能有以自重，而不动心于贫富之间如此。

【原文】

"不忮不求，何用不臧？"子路终身诵之。子曰："是道也，何足以臧？"

【张居正注评】

忮是妒忌的意思。求是贪求。臧字解做善字。孔子称许仲由，又引诗词证之说道："卫风之诗有云：人之处世，若能于人无所忮忌，于物无所贪求，则其心无累，而人已咸得矣。将何所用而不善乎？若此诗者，仲由足以当之矣。"盖贫与富相形，强者必忮，弱者必求。今由也能不耻己之无，不慕人之有，则其无忮求之心可知，斯可以为善也已。然孔子以是许子路者，盖欲因是而益求其所未至也，乃子路则遂将这两句诗词常常讽咏，终身诵之，是自喜其能，而不复求进于道矣。故孔子又勉励之说："道不容以易求，学不可以自足，这不忮不求，固是道理所在，然亦不过自守之一端耳。若论终身学问，自有广大高明，精微纯粹的道理，这诗人所言何足为善乎？汝当勉力进修，以求至于尽善之地可也。"昔子贡以无谄无骄为至，而夫子益之以乐而好礼，子路以不忮不求自足，而夫子抑之以何足以臧，皆取其所已能，而勉其所未至也。

【原文】

子曰："岁寒，然后知松柏之后彫也。"

【张居正注评】

岁寒是岁暮之时，天气寒冷。彫是凋零。孔子有感于当时风俗颓靡，思见特立之君子，故比喻发叹以励学者，说道："春夏和暖之时，万物长养，草木无不畅茂，松柏也不过如此，未见其刚坚有操也。惟当隆冬岁暮之时，寒风凛冽，生意憔悴，草木无不萎死零落者。而松柏乃独挺然苍秀，不改其常。到这时候，然后知其有孤特之节，不与众草而俱凋也。"盖治平之世，人皆相安于无事，小人或与君子无异，至于遇事变、临利害，则或因祸患而屈身。或因困穷而改节，于是偷生背义，尽丧其生平者多

矣。独君子挺然自持，不变其旧。威武不能挫其志，死生不能动其心，就是那后凋的松柏一般。所以说士穷见节义，世乱识忠臣，必至此而后知也。知松柏之后凋，则虽春夏之时，亦不可等松柏于他物。知君子之有守，则虽治平之世，亦不可视君子如常人。如必待有事，然后思得君子而用之，岂不晚哉？

【原文】

子曰："知者不惑，仁者不忧，勇者不惧。"

【张居正注评】

惑是疑惑。忧是忧患。惧是恐惧。孔子说："人之不免有疑惑者，凡以见理不明故也。惟夫智者，平日把天下的道理都讲究研穷，明白透彻于心。故事物之来，其是非可否、隐微曲折，无不洞达分晓，便是疑难的事情、巧诈的言语也一毫眩乱他不得，何惑之有？人之不能无忧患者，凡以私心为累故也。惟夫仁者克己复礼，涵养纯熟，浑然天理之公，绝无私欲之累，故能顺理安行，心广体胖，外慕之念不萌，忧戚之心自泯，便是贫贱、夷狄、患难、一切拂意之事临于吾前，也安然素位而行，无入而不自得，何忧之有？人之不免于恐惧者，凡以正气不充，不足以配道义故也。惟夫勇者，直养此气，至大至刚，浩然塞于天地之间。故能执守坚定，不可屈挠。遇事奋发果敢，当行便行，当断便断，有始有终，略无逡巡畏缩之意。便是利害切身，毁誉乱真，也一毫摧沮他不得，何惧之有？"盖智、仁、勇三者，乃天下之达德，学者之修己，帝王之治天下国家，皆本于此，故智至于不惑，然后足以照临四海；仁至于不忧，然后足以并包九有，勇至于不惧，然后足以裁决万机。欲学为帝王者，可不勉哉？

【原文】

"唐棣之华，偏其反而，岂不尔思？室是远而。"子曰："未之思也，夫何远之有？"

【张居正注评】

唐棣即今之郁李。偏字当作翩翩然的翩字。反字当作翻字，都是摇动的模样。这四句诗不在三百篇中。盖孔子删诗时已去此一章，故谓之逸诗也。昔诗人托物起兴说道："我观唐棣之花，翩翩然摇动于春风扇和之时，因此感触，睹物怀人，岂不惟尔之思念乎？"但所居之室相去隔远，不可得而见耳！夫诗人之所思者，固未知其所指何在？孔子遂借其词而反之说道："天下之事不患其难致，而患其不求。今诗之所言，既云思之，而复以室远为患者，是殆未之思耳。若果有心以思之，则求之而即得，欲之而即至，夫何远之有哉？如诚心以思贤，则虽在千古之前，万里之远，而精神之所感乎，自有潜通而冥会者，何病于时势之相隔乎？如诚心以思道，则其理虽极其精微，至为玄远，而吾之心力既到，自有豁然而贯通者，何病于扞格之难入乎？"这是孔子借诗词以勉人之意。然人心至灵，思在于善则为善固不难，思在于恶则为恶亦甚易。故先儒言，哲人知几，诚之于思，学者又不可不审察于念虑之萌也。

乡党第十

杨氏曰："圣人之所谓道者，不离乎日用之间也。故夫子之平日，一动一静，门人皆审视而详记之。"尹氏曰："甚矣孔门诸子之嗜学也！于圣人之容色言动，无不谨书而备录之，以贻后世。今读其书，即其事，宛然如圣人之在目也。虽然，圣人岂拘拘而为之者哉？盖盛德之至，动容周旋，自中乎礼耳。学者欲潜心于圣人，宜于此求焉。"旧说凡一章，今分为十七节。

【原文】

孔子于乡党，恂恂如也，似不能言者。其在宗庙朝廷，便便言，唯谨尔。

【张居正注评】

乡党一篇都是记孔子容貌威仪，起居动静之详。虽圣人之小德细行，然亦可见其盛德积中，有动容周旋，自然中礼之妙矣。这一章是记孔子处乡党在朝廷之容。恂恂是信实的模样。便便是详辨。门人记说：吾夫子居乡党之间，其容貌则恭敬诚恪，略无文饰，但见其恂恂然信实而已，且谦卑逊顺，不欲以贤智先人，却似不会说话的一般。盖乡党乃父兄宗族之所在，与尊长相处，故礼恭而辞简如此。至于与祭而在宗庙，居官而在朝廷，则便便然与人议论，或仪节有该讲究的，则问之必审，或事体有该商榷的，则辨之必明，但言所当言，常谨慎而不放肆尔。盖宗庙乃礼法之所在，在朝廷乃政事之所出，又与处乡党之时不同，故言之不容不尽，而辨之不容不明如此。此圣人盛德之至，故随所处而皆合乎礼之中也。

【原文】

朝，与下大夫言，侃侃如也；与上大夫言，訚訚如也。

【张居正注评】

这一章是记孔子在朝之容。侃侃是刚直，訚訚是和悦中有持正的意思。门人记说：吾夫子在朝之时与众大夫相接，每视其位之尊卑，以为礼之隆杀。如与下大夫言，其势分犹卑，言或可以直遂，则当言即言，无所隐讳，但见其侃侃如也。若与上大夫言，其体貌尊重，言不可以径情，虽理之所在，持正不阿，然每出之以从容，导之以和悦，但见其訚訚如也。盖朝廷之上，以爵为序，故虽直道而行，亦必因人而施如此。

【原文】

君在，踧踖如也，与与如也。

【张居正注评】

君在，是君上临朝之时。踧踖，是恭敬不安的模样。与与，是从容自在的意思。夫子遇君上临朝之时，其心敬谨，不敢一毫怠忽。看他进退周旋，却似踧踖不安的模样。但常人过于矜持，未免失之拘迫。夫子则从容和缓，自然有威仪之可观，但见其与与然中适也。盖不惟可以见盛德之仪容，亦可以知其事君之尽礼矣。

【原文】

君召使摈，色勃如也，足躩如也。

【张居正注评】

这一章是记孔子为君摈相之容。古者列国诸侯，朝聘往来，其相见之时，都选平日礼仪习熟的人为之摈相。主谓之摈，言其接待宾客也。客谓之相，言其辅相行礼也。色勃如，是颜色变动，足躩如，是步履盘旋。门人记说：吾夫子当君命有召，使之为摈迎接宾客，此乃两君交好，大礼所系。故夫子一闻君命，敬慎之至，顿改常容，观其颜色则勃然变动，不比平时之安和自如；观其步履则盘旋退避，有似欲前进而不能的模样。这是承命之初，其敬有如此者。

【原文】

揖所与立，左右手，衣前后，襜如也。

【张居正注评】

推手向前叫做揖。所与立是同为摈的人。襜是整齐的模样。凡摈用三人，有上摈，有次摈，有末摈。摈主有命，则递传以相达。夫子此时适为次摈，则末摈、上摈居乎身之左右矣。故揖所与同为摈者。或揖左人，传命而出，则以手向左；或揖右人，传命而入，则以手向右。然手虽有左右，而身则端正自如，未尝随之而动。但见其衣之前后，襜如其整齐也。

【原文】

趋进，翼如也。

【张居正注评】

趋是疾走。宾主相见之后，主君延宾而入，则为摈者当入而有事。夫子当疾趋而进之时，张拱端好，如鸟之展舒两翼然。这二节是行礼之时，其敬有如此者。

【原文】

宾退，必复命曰："宾不顾矣。"

【张居正注评】

行礼既毕,主君送宾以出。宾方退出之际,主君之敬未解。夫子必复命于君说道:"宾已去,不复回头矣,所以纾君之敬也。"这是礼毕之后,其敬有如此者。夫以为摈一事,自始至终动容周旋,无不中礼。非盛德之至,其孰能之哉?

【原文】

入公门,鞠躬如也,如不容。立不中门,行不履阈。

【张居正注评】

这一章是记孔子在朝之容。公门是朝门。中门是当门而立。履是践。阈是门限。门人记说:吾夫子趋朝之时,一入公门,便肃然起敬,但见其曲身而行,虽公门高大,却似容不得他的模样,何其敬之至也!其站立的去处,必不敢当门之正中,盖恐当尊而失之僭也;其行过的去处,必不敢践着门限,盖恐违礼而失之肆也。此时尚未面君,而敬谨之心已无所不至矣。

【原文】

过位,色勃如也,足躩如也,其言似不足者。

【张居正注评】

位是人君所坐的虚位。不足,是不敢出声。夫子既入内朝,行过君之虚位就如君在上面的一般。其颜色则勃然而变动,其行步则躩然而盘旋,其言语则讷讷然谨慎收敛,如不能出声者。盖去君渐近,故其敬渐加,与入门之初不同矣。

【原文】

摄齐升堂,鞠躬如也,屏气似不息者。

【张居正注评】

摄齐是两手抠衣。屏字解做藏字。息是鼻息。夫子既已面君而行朝礼,乃两手抠衣,使之离地,以防倾跌之患。历阶升堂,曲身而行,不敢仰视,其鼻息出入亦屏藏收敛,恰似没有鼻息的一般。盖愈近君则愈敬慎,其视过位之时又不同矣。

【原文】

出,降一等,逞颜色,怡怡如也。没阶,趋进,翼如也。复其位,踧踖如也。

【张居正注评】

等是阶级。逞是舒放。怡怡是和悦。没阶是下尽阶级。进字是多了的。复位是复

班。夫子升堂见君，行礼已毕，出而降阶一等，则渐远于君矣，此时颜色才稍稍舒放，有怡怡然和悦之意。然其敬君之心有终不能忘者，但见其下堦而趋，则端拱如翼，而手容之恭如故也；复班之后犹踧踖不宁，而身容之肃如故也。岂以既远于君，而遂有怠忽之心乎？夫臣子见君，未有不敬畏者，至于未见君之先而敬已至，既见君之后而敬不忘。此所以为事君尽礼，而非常人之所能及也。

【原文】

享礼，有容色。私觌，愉愉如也。

【张居正注评】

凡聘问之后，复陈圭币舆马之类以献其君，谓之享礼。公享之后，使臣又有私礼以见其君，谓之私觌。夫子既聘而行享献之礼，此正展尽情意之时，故有至和之容色。既享而用私礼以见于君，所以将己之诚，又与公礼不同，故益愉愉然其和悦焉。夫一聘礼之行也，方执圭将事，则致其敬而敬焉者，所以尽聘问之礼。及享与私觌，则致其和而和焉者，所以通聘问之情。和敬兼至，各当其可，非圣人其孰能之？

【原文】

君子不以绀緅饰，红紫不以为亵服。

【张居正注评】

这一章是记孔子的衣服之制。君子就指孔子说。绀是深青扬赤色，即今之闪色也。緅是赤色。饰是领缘。红是浅红色。亵服是私居之服。门人记说：吾夫子之衣服各有定制，如常服，则不用绀緅二色以为领缘，盖绀乃斋服之饰，緅乃辣服之饰，用之则恐与丧祭无别也。私居之服不用红紫二色，盖正色有五，红紫皆间色不正，用之，则恐以似而乱真也。其致谨于服色之辨如此。

【原文】

当暑，袗絺绤，必表而出之。缁衣，羔裘；素衣，麑裘；黄衣，狐裘。

【张居正注评】

袗字解做单字。絺、绤都是葛布。精者为絺，粗者为绤，表是外见。缁是黑色。羔是黑羊皮。麑是白色的小鹿。夫子当暑月则衣葛，或精而为絺，粗而为绤，皆单服之。然必先着里衣，表絺绤而出之于外，盖不欲其见体，而近于亵也。当冬月则衣裘，裘必有衣以裼之于外。如黑色之衣，则以裼夫黑羊之裘，白色之衣则以裼夫白麑之裘。黄色之衣，则以裼夫黄狐之裘。盖取其色之相称也。其致详于裘葛之制如此。

【原文】

亵裘长，短右袂。必有寝衣，长一身有半。

【张居正注评】

亵裘是私居之裘。袂是袖。寝衣是卧时所着之衣。夫子私居之裘，其制则长，取其温暖。然必短其右边之袖。盖做事常用右手，取其便于举动也。至于斋戒之时，既不可解衣而寝，又不可着明衣而寝，故必别有寝衣，其制则周身之外，仍长有一半，使其可以覆足也。其长短各适于用如此。

【原文】

狐貉之厚以居。去丧，无所不佩。非帷裳，必杀之。

【张居正注评】

狐貉是二兽名，其皮可以为裘。居是私居。佩是佩玉。朝祭之服，其下裳皆用正幅，如帷幔一般，叫做帷裳。杀是斜裁的衣缝。夫子私居之裘，则用狐貉为之，以其毛深温厚，可以御寒而适体也。居丧不用佩。若既除丧，则凡当所佩者皆佩之。盖古人凡用物皆佩之于身，如玉与刀觽之类。夫子居丧则解佩以示变，除丧乃佩之也。朝祭之服，其下裳则用正幅如帷，腰有衣褶而旁无杀缝。若非朝祭之服，不用帷裳，则斜裁其幅，而有杀缝。其制上窄下宽，取其省约而不妄费也。其丰余各有所宜如此。

【原文】

羔裘玄冠不以吊。吉月，必朝服而朝。

【张居正注评】

玄是黑色。吉月是每月朔日。夫子见人有丧则变服以往吊。若羔裘玄冠乃是吉服，必不用之以吊丧，所以致其哀也。夫子当致仕之时，虽已不在其位，至于每月朔日，犹必衣朝服以朝见鲁君，所以致其敬也。其谨于吉凶之礼又如此。

【原文】

斋，必有明衣、布。斋必变食，居必迁坐。

【张居正注评】

这一章是记孔子谨斋之事。明衣是洁净的衣服。变食是变其常日之食。迁坐是移其常处之地。门人记说：夫子将祭祀而斋戒，沐浴既毕，必更明衣，而衣以布为之。不但内志之精明，而且外体之纯洁也。至于斋之所食，必变其常，不饮酒茹荤，盖淡

泊以致其诚也。其居止宿歇，必别有斋居，不在平日常处之处，盖洁净以致其敬也。圣人祭神如在，故其谨于斋戒如此。

【原文】

食不厌精，脍不厌细。

【张居正注评】

这一章是记孔子饮食之节。食是饭。米，舂的熟叫精。脍是鱼肉之细切者。门人记说：吾夫子日用饮食，虽未尝必求精美，然于饭则不厌其精，于脍则不厌其细。盖食精脍细皆足以养人，故不嫌于过也。

【原文】

食饐而餲，鱼馁而肉败，不食。色恶，不食。臭恶，不食。失饪，不食。不时，不食。

【张居正注评】

饭伤于热湿叫做饐。餲是味变。馁是烂。败是腐。色恶、臭恶是颜色气味变动者。饪是烹调生熟之节。不时是五谷果实不该成熟之时。夫子与饭，若伤于热湿而味变者，鱼馁烂而肉腐败者，则不食。物虽未败而颜色已变者亦不食。气味已变者亦不食。失其烹调生熟之节者不食。五谷果实之类尚未成熟，气味不全者不食。盖以上数者，食之皆足以伤生，故夫子谨之。

【原文】

食不语，寝不言。虽疏食菜羹，必祭，必斋如也。

【张居正注评】

语是答述。言是自言。疏是粗。祭是当食之时，每品各出少许，置之豆间之地，以祭先代始为饮食之人，盖古礼也。斋如，是严敬的模样。夫子当食之时，不与人语。盖人喉中有食、气二管。食管以纳饮食，气管以出声音。当食而语，则气管为食所碍，或致哽咽之患，故慎之也。当寝之时，不自发言，盖人脏腑虚悬，然后声气之发，出而无窒。当寝而言，或致损气，故亦慎之也。其食也，虽是粗饭菜汤，亦必每种各出少许，以祭先代始为饮食之人。其祭虽小，亦必斋如其严敬，有若神明在上者焉。这都是圣人饮食之节，无不中礼者如此，盖不止于养身，而亦所以养德。学者能随事而体察焉，固莫非道之所在也。

【原文】

席不正，不坐。

【张居正注评】

席是坐席。古人皆席地而坐。门人记说：夫子心存至正，事事都整齐严肃，如设席也要端正。若少有不正，则不肯就坐也。观其一坐之不苟，而其出入起居之无不正可知矣。

【原文】

乡人饮酒，杖者出，斯出矣。

【张居正注评】

这一章是记孔子居乡之事。杖者是年老的人。古人六十岁以上，则用杖以出入，以其血气既衰，必用扶持故也。门人记说：夫子居乡之时，或与乡人宴会饮酒，其中有年老的人，必加尊敬。宴毕之后，老者既出，夫子既随之而出，未出固不敢先，既出亦不敢后也。盖乡党尚齿，长幼有序，故夫子之恭谨如此。

【原文】

乡人傩，朝服而立于阼阶。

【张居正注评】

傩是古时逐疫之礼。周礼方相氏，主索疫鬼而驱逐之。季冬之月，则命有司大傩以驱除鬼祟，而迎纳吉祥也。阼阶是主阶。夫子家居遇乡人行大傩之礼，此时乡俗皆欲驱逐鬼邪，恐家中先祖五祀之神或致惊动，乃致其诚敬，穿着朝服，立于主阶之上，使之依己而安也。

【原文】

问人于他邦，再拜而送之。康子馈药，拜而受之，曰："丘未达，不敢尝。"

【张居正注评】

这一章是记孔子与人交之诚意。康子是鲁大夫季康子。达是通晓。门人记说：夫子交人，一出于至诚而不欺。如所交的人在于他邦，遣使去问候他，使者临行，则必从后再拜而送之。如亲见其人一般，不以其在远而废敬也。季康子曾馈之以药，夫子因尊者有赐，则拜而受之，又对来使说："丘未晓此药所用何品，所疗何病，不敢尝也。"盖药有未达，自不可尝。然受而不饮，则又虚人之赐，故直以不敢尝告之。圣人交人，无往而非诚意之流通如此。

【原文】

厩焚。子退朝，曰："伤人乎？"不问马。

【张居正注评】

厩是马房,焚是烧。门人记说:夫子养马之厩为火所焚。夫子退朝,闻之,即问说:"火得无伤人矣乎?"不复问马,是非不爱马也,心切于爱人,故不暇问马耳。盖贵人贱畜,理当如此,而仓卒之际,尤见圣人用爱之真心也。

【原文】

君命召,不俟驾行矣。

【张居正注评】

俟是待。驾是以马驾车。夫子为大夫时,或君有命召之,则其心急于趋命,即时徒步而往,不待既驾而后行也,其敬君之命不敢以劳而废礼如此。盖春秋之世,君臣之义不明,至于仪节简略,名分倒置,反以尽礼为谄,孔子伤之。故虽纤悉委曲,无所不用其诚敬,非独明事君之义,亦以维衰世之风也。

【原文】

入太庙,每事问。

【张居正注评】

此处与前文重复,见94页。

【原文】

朋友死,无所归,曰:"于我殡。"朋友之馈,虽车马,非祭肉,不拜。

【张居正注评】

这一章是记孔子交朋友之义。门人记说:朋友五伦之一,遇死丧而能收之,人情所难也。夫子于朋友不幸而死,别无亲属可以依归者,即自任说,当于我而殡殓之,盖不忍其暴露而转于沟壑也。至若朋友有通财之义,常情鲜有不以物为轻重者。夫子于朋友所馈之物,虽是车马之重,若非祭祀的胙肉,则以直受而不拜。盖必祭肉,然后拜者,敬其祖考同于己亲,非车马所得比也。此可见圣人之交朋友,一于道义。义所当殡而殡,不以凶为嫌,义所不当拜而不拜,不以财为重也。

【原文】

寝不尸,居不容。

【张居正注评】

这一章是记孔子容貌变于平时之事。尸是偃卧如尸。居是私居。容是容仪。门人记说：夫子心存庄敬，无一毫惰慢之气。虽寝处之时，亦自收敛，未尝偃卧如尸也，承祭见宾，乃修容仪。如私居之时，则申申夭夭，安舒自在，而不为容仪也。盖寝而尸，则过于肆，居而容则过于拘。夫子不然，所以为有道之气象也。

【原文】

见齐衰者，虽狎，必变。见冕者与瞽者，虽亵，必以貌。

【张居正注评】

狎是平素亲近的人。变是变色。亵是私见。貌是礼貌。夫子见有丧而服齐衰的人，虽素所亲狎，必变色以待之。见冠冕有爵的人与无目的人，虽私居燕见，必加之以礼貌。盖有丧之人，所当哀怜；有爵之人，所当尊敬。无目之人，人每因其不见而忽之，不加礼貌，而圣人待之各中其节如此。

【原文】

凶服者式之。式负版者。

【张居正注评】

凶服是丧服。古人乘车时，遇有所敬，则俯而凭于车前之横木，这叫做式。版是户口人民的版籍，如今之黄册一般。夫子或在车中，见有穿着凶服的，便恻然不宁而为之式，亦所以哀有丧也，见有负着版籍的，便肃然起敬而为之式，盖所以重民数也。

【原文】

有盛馔，必变色而作。迅雷风烈，必变。

【张居正注评】

盛馔是肴馔丰盛。作是起。迅是疾。烈是猛。夫子当宴享之时，见主人肴馔丰盛，则必变色而起，以致其敬。盖馔为己设，所以答其礼也。遇有疾雷猛风，则必变色改容，惕然恐惧，盖畏天之威，不敢逸豫也。夫圣人一动容之间，皆各攸当如此。至如负版必式，则知邦本之当重；风雷必变，则知天威之当畏。尤治道君德所关，读者不可以为细事而忽之也。

【原文】

升车，必正立，执绥。车中，不内顾，不疾言，不亲指。

【张居正注评】

这一章是记孔子升车之容。绥是六辔之总索。内顾是回看。疾是急遽。亲指是以

手指物。门人记说：升车者必立而执绥，但人情容易忽略，或至偏倚。若夫子之升车，亦必庄敬严肃，正立执绥，而无所偏倚焉。其在车中，则瞻视有常，不回头观看。言语必慎，不急遽发言。手容必恭，不以手指物。盖三者不但失己之容仪，且足以惑人之视听。故夫子谨之如此。

【原文】

色斯举矣，翔而后集。曰："山梁雌雉，时哉时哉！"子路共之，三嗅而作。

【张居正注评】

举是飞起。翔是回翔。集是栖止。山梁是山脊。雉是野鸡。时是饮啄得时。共是向，嗅字古代戛字，雉鸣之声。门人记说：鸟之为物，但见人颜色不善，将欲取之，则飞而远去，必回翔审视，择可止之地，而后集焉。盖虽蠢然无知之物，而犹能见几知止如此。昔夫子偶见山脊上有个雌雉，因叹说："这山梁之雌雉，时哉时哉！"言其时饮而饮，时啄而啄，能适其性之自然也。此时子路在侧，共而向之，若有取之之意，雉乃三鸣而起焉。此正色斯举矣之一证也。故人必见几而作，如鸟之见人而举；审择所处，如鸟之翔而后集，则去就不失其正，而有合于时中之道矣。不然，可以人而不如鸟乎？此记者之深意也。

先进第十一

此篇多评弟子贤否。凡二十五章。胡氏曰："此篇记闵子骞言行者四，而其一直称闵子，疑闵氏门人所记也。"

【原文】

子曰："先进于礼乐，野人也；后进于礼乐，君子也。如用之，则吾从先进。"

【张居正注评】

先进、后进，譬如说前辈、后辈。礼乐不专是仪节声容，凡人之言、动、交际，与施之政治者，但敬处都是礼，和处都是乐。野人，是村野的人，言其朴陋也。君子，是贤士大夫之美称。用之，是用礼乐。孔子说："礼乐贵于得中。但世道既殊，而人之习尚亦异。由今日观之，前辈之于礼乐，专尚简质，不事浮华，恂恂然却似郊外野人的模样，何其朴也。后辈之于礼乐，威仪习熟，文采可观，彬彬然却似贤人君子的气象，何其美也。今时之人，固皆愿为君子，而不屑为野人矣，若我之用礼乐则不然。盖前辈的人，存心淳厚，行事质实，与浮薄虚夸的不同。我今但欲反薄归厚，敛华就实，一一依着前辈的规模，虽冒野人之名，有所不恤也。"盖周末文胜，古道寝薄，孔子伤今思古，欲损过以就中，故其言如此。其后汉儒董仲舒，劝武帝损周之文，用夏之忠，亦是此意。故人君之治天下，若能因时救敝，返朴还淳，行政，则敦本实而不为虚文；用人，则重老成而不取浮薄，庶几先进之风可追，而先王之治可复矣。

【原文】

子曰："从我于陈、蔡者，皆不及门也。"

【张居正注评】

从，是随从。陈、蔡，是二国名。昔楚昭王聘孔子欲委之以国政，孔子往应其聘。行到陈、蔡二国之间，那时二国大夫谋说："楚用孔子，必然强大，不利于我小国，不如阻绝了他。"乃发兵围困孔子，至有绝粮之厄。其后孔子还归鲁国，追思前事，因发叹说："我当初厄于陈、蔡之间，弟子多从我者。至于今日，或散之四方，或出仕他国，不但有隐显之异，亦且有存殁之殊，皆不在吾门矣。"盖以其相从于患难之中，故念之而不忘也。

【原文】

德行：颜渊、闵子骞、冉伯牛、仲弓。言语：宰我、子贡。政事：冉有、季路。文学：子游、子夏。

【张居正注评】

颜渊以下十人，都是孔子弟子。门人因孔子追思陈蔡诸贤，遂详记之说道："当时从夫子于陈蔡者，都是师门高弟，各有所长。有践履笃实，长于德行的，是颜渊、闵子骞、冉伯牛、仲弓；有应对明敏，长于言语的，是宰我、子贡；有才识疏通，长于政事的，是冉有、季路；有闻见博洽，长于文学的，是子游、子夏。此皆平时受教于门墙，相从于患难者也。然观此四科之目，则夫子之因材造就，亦可见矣，使得邦家而治之，则随才授任，必有可观，惜乎其终不遇也。"

【原文】

子曰："回也非助我者也，于吾言无所不说。"

【张居正注评】

助我，是有益于我，譬如帮助的一般。说，是喜悦。孔子说："门弟子于问辨之际，常有发吾之所未发者，是有助于我矣。若颜回，则非助我者也。何也？人必疑而后有所问，问而后有所发。回也，于凡吾之所言，无不契合于心，欣然领受而无疑。夫既无所疑，自无所问，又安得有助于我哉？"盖颜子于圣人之言，默识心融，有非群弟子所可及者，夫子盖深喜之，故抑扬其词以称之如此。

【原文】

颜渊死，颜路请子之车以为之椁。子曰："才不才，亦各言其子也。鲤也死，有棺而无椁，吾不徒行以为之椁。以吾从大夫之后，不可徒行也。"

【张居正注评】

颜路，是颜渊之父。椁，是外棺。鲤，是孔子之子孔鲤。徒行，是步行。孔子尝为大夫，与闻国政，其曰"从大夫之后"，是谦词。昔颜渊死，其父颜路以贫不能具葬，乃请孔子所乘之车，欲卖之以买椁。孔子答说："人之生子，虽有贤愚不等，然以其父视之，都谓之子，其恩爱之情，初未尝异也。孔鲤固不及颜渊之才，然亦吾之子耳。当初死时，也只有棺而无椁。吾未尝徒步而行，为之卖车买椁。岂吾爱子之情，独异于汝乎？盖以吾尝受命鲁君，从大夫之后，体统有在，不当舍车而徒行故也。昔吾既不为孔鲤而舍车，今岂得为颜渊而舍车乎？"夫颜渊死，孔子至有丧予之叹，岂吝一车而不以周之乎？盖义有所不可故耳，此可以观圣人之用情矣。

【原文】

颜渊死。子曰："噫！天丧予！天丧予！"

【张居正注评】

噫，是伤痛声。昔者颜渊死，夫子伤痛叹息说道："吾之道，实赖颜回以传。今颜回死，则吾身虽存，而道已无传，就如丧予的一般，是天之丧予也！是天之丧予也！"重言以发叹，盖深惜之也。

【原文】

颜渊死，子哭之恸。从者曰："子恸矣！"曰："有恸乎？非夫人之为恸而谁为？"

【张居正注评】

恸，是哀之过。夫人，是说此人，即指颜渊也。昔颜渊死，夫子哭之而过于哀，门人之从夫子者说："夫子之哭恸矣。"欲其节哀也。是时夫子哀伤之至，殊不自知，乃问说："果有恸乎？即有恸也，乃亦理所宜然者。吾非为此人恸，而更为谁人恸乎？"明其哭颜渊非他人比也。

【原文】

颜渊死，门人欲厚葬之。子曰："不可。"门人厚葬之。子曰："回也视予犹父也，予不得视犹子也。非我也，夫二三子也。"

【张居正注评】

门人，是孔门弟子，二三子即指门人说。昔颜渊既没，其家甚贫，不能具葬事，于是孔门弟子以朋友之义，欲相与厚葬之。孔子止之说："不可。"盖丧具，称家之有无。若贫而厚葬，则无财而强以为悦，非礼之当然也。门人不听孔子之言，竟厚葬之。孔子责之说："颜回虽我之门人，然平日与我恩义兼尽，视我如父一般。我今日乃不得视之如子一般。盖鲤也死，衣衾棺椁，事事合理，于心无有不安。今回之葬，则不合于礼，不安于心矣。是吾不得以视鲤者而视回也。然此非我之所为，乃二三子自为之耳。其以非礼处回，而使之不安于地下者，是谁之过欤？"盖以深责门人也。

【原文】

季路问事鬼神。子曰："未能事人，焉能事鬼？"曰："敢问死。"曰："未知生，焉知死？"

【张居正注评】

季路，即是子路。事鬼神，是所以奉祭祀之道。季路问说："鬼神者，人之所当事，不知事之之道何如？"孔子答说："明则为人，幽则为鬼。若未能事人，而得父兄长上之欢心，又安能事鬼，而使之来格来享乎？汝当先求尽其所以事人者可也。"季路又问说："死者，人之所必有，不知其道何如？"孔子答说："人必有生而后有死，若未能原始而知所以生，又安能反终而知所以死乎？汝当先求知其所以生者可也。"然事人之道，即是事鬼之道，不过一诚之感通而已。生之理，即是死之理，不过一气之聚散而已。果能明所以事人之道，则事神者可以兼举。果能尽所以有生之理，则全归者可以无愧。是夫子虽不明言以告子路，实所以深告之也。

【原文】

闵子侍侧，訚訚如也；子路，行行如也；冉有、子贡，侃侃如也。子乐。"若由也，不得其死然。"

【张居正注评】

侍侧，是侍立于旁。訚訚，是和悦而又正直的模样。行行，是强勇的模样。'侃侃，是刚直的模样。不得其死，是不得正命而死。门人记说：昔闵子骞侍立于夫子之旁，其气象则外和内刚，德器深厚，但见其訚訚如也。子路的气象，则多强勇而少含蓄，但见其行行如也。冉有、子贡的气象，则和顺不足，而刚直有余，但见其侃侃如也。四子气象虽不同，然皆禀刚明正直之资，而绝无阴邪柔暗之病。这等的人，熏陶造就，将来皆可以副传道之寄，而入于圣贤之域者。故夫子见之欣然而乐，盖喜其得英才而教育之也。然四子之中，惟子路过于刚强，有取祸之理。夫子亦尝警之说道：

"我看仲由的气象，却似不得正命而死的一般。若能克其气质之偏，则庶乎可以免祸矣。"其后子路死于孔悝之难，果如孔子之言，此可以见圣人知人之哲矣。

【原文】

子曰："由之瑟奚为于丘之门？"门人不敬子路。子曰："由也升堂矣，未入于室也。"

【张居正注评】

瑟，是乐器，古之为士者，无故不去琴瑟，所以养性情也。奚字，解做何字。堂，是厅堂。室，是房室。昔子路好勇，故其鼓瑟常有北鄙杀伐之声。孔子闻而微之说："吾之教人，以变化气质、涵养德性为要，而乐之为道，审声可以知人。今听由之瑟声如此，则其气质未变，德性未纯可知。何为而鼓瑟于我之门乎？"孔子此言，盖欲子路深自警省，以克其刚勇之偏，非遽绝之也。门人闻孔子之言，乃遂不敬子路。孔子晓之说："汝等岂以仲由为不足敬耶？凡人之学识，其正大高明的去处，譬如厅堂一般；其精微深邃的去处，譬如房屋一般。今由之学识，已造到高明之域，而未入于精微之奥，就似人已升到厅堂，但未入于房室耳。使能勉力进修，所至固不可量，安可以是而遽轻忽之哉？"然观孔门入室之徒，自颜、曾之外，盖亦无几，以是知圣学精微之奥，诚未易窥，而人既知所趋向，又不可不勉其所未至也。

【原文】

子贡问："师与商也孰贤？"子曰："师也过，商也不及。"曰："然则师愈与？"子曰："过犹不及。"

【张居正注评】

师，是颛孙师，商，是卜商，都是孔子弟子。愈字，解做胜字。子贡问于孔子说："门弟子中，若颛孙师、卜商者，二人所造，果谁为贤？"孔子答说："师也才高意广，而好为苟难，其学每至于太过；商也笃信谨守，而规模狭隘，其学每失之不及，是二人之所造也。"子贡不达过与不及之义，乃问说："师既是过，商既是不及，然则师固胜于商欤？"孔子答说："不然。道以中庸为至，不及的固不是中道，那太过的也不是中道，是太过也与不及的一般。若能各矫其偏，固皆可至于中，不然，则其失均耳。吾未见师之胜于商也。"

【原文】

子张问善人之道。子曰："不践迹，亦不入于室。"

【张居正注评】

践，是践履，亦是圣贤之成法。入室，是造乎精微之域，譬如入于室内一般。子张问于孔子说:"世有一等自然有善而无恶的人,其所行何如?"孔子答说:"善人者,质美而未学者也。惟其质美,故生来暗与道合,虽不必循途守辙以践圣贤之成法,而自不至于为恶。惟其未学,故亦不能涵养扩充,以造乎精微之域,而入圣人之室也。"夫其不践迹而自不为恶,此善人之所以为善人。不践迹而亦不能入室,此善人之所以止于善人也。然则夫人岂可徒恃其生质之美,而不加学问之功哉!

【原文】

子曰:"论笃是与,君子者乎?色庄者乎?"

【张居正注评】

论,如论官论才之论。笃,是笃实。与,是许可的意思。君子,是有德的人。色庄,是内无实德,矜饰外貌的小人。孔子说:"忠信之人,可以学道。故器质之敦笃而不虚华,朴实而无文饰者,乃君子之所与也。然人藏其心,情伪难测,外貌未足以尽人也。若不加深察,只论人于容貌词气之间,见以为笃实而遽许之,则斯人也,其果表里相符,而为有德之君子乎?抑亦矫饰外貌,假做个老实的模样,而为色庄者乎?使其为君子之人,则与之诚是也,若是个色庄之人,而亦与之,不几于失人乎?然知人实难。以帝尧之圣,而犹见欺于象恭之共工,况其他乎?"夫子之言,盖有所感也。

【原文】

子路问:"闻斯行诸?"子曰:"有父兄在,如之何其闻斯行之?"冉有问:"闻斯行诸?"子曰:"闻斯行之。"公西华曰:"由也问:'闻斯行诸?'子曰:'有父兄在。'求也问:'闻斯行诸?'子曰:'闻斯行之。'赤也惑,敢问。"子曰:"求也退,故进之;由也兼人,故退之。"

公西华

【张居正注评】

诸,是语词。求也退,这退字,是怯弱的意思。故退之,这退字是裁抑的意思。兼人,是胜过乎人。昔子路问于孔子说:"由尝闻道而患于未之能行也,自今一有所闻,即断然行之可乎?"孔子答说:"闻义固当勇为,然父兄在上,有不得以自专者,若不禀命而行,则反伤于义矣。如何可以闻斯行之乎?"冉有问说:"求尝悦道而患于力之不足也,自今但有所闻,即勉而行之可乎?"孔子答说:"学莫贵于力行。若见义不为,是无勇矣。汝其闻斯行之乎。"公西华疑而问说:"由也问'闻斯行诸'?夫子告他说,有父兄在,则既以禀命为恭。及求也问'闻斯行诸'?夫子又告他说'闻斯行之',则又以必行为是。由、求之问本同，而夫子之答迥异如此，赤也不能无惑，敢问其说如何？"孔子答说："人之材质不同，教人者，当因材而造就之，不可执一也。冉求是个怯弱的人，凡事每逡巡畏缩不肯前进，故我告以闻斯行之，使知勇往力行，以变其柔懦之习，所以引其不及而归之中也。仲由是个刚强的人，凡事都径情直遂，只要胜过乎人。故我告以有父兄在，使知安分循理，不流于妄动之失，所以抑其太过而归之中也。其问同而答异者以此，汝何疑之有哉？"按：《洪范》有云："沉潜刚克，高明柔克。"沉潜而治之以刚，即所谓退而进之者也；高明而治之以柔，即所谓兼人而退之者也。可见圣人立教，与帝王出治，其斟酌化裁，操纵阖辟，皆不出此二者，所以能甄陶一世，而尽君师治教之责也。

【张居正注评】

子畏于匡，颜渊后。子曰："吾以女为死矣。"曰："子在，回何敢死？"

【张居正注评】

畏，是恐惧。后，是相失在后。昔孔子被围于匡而有畏心，一时仓卒，遇难之际，颜渊偶相失在后。方其相失之时，夫子惧其为匡人所害，心正悬虑，及其至也，不胜其喜幸之意，乃迎而谓之说："吾只以汝为死矣，今乃幸而无恙乎？"颜渊对说："回于夫子，分则师生，恩犹父子，生死患难，相与共之者也。若夫子不幸而遇难，回必不爱其生，捐躯以赴之矣。今夫子既喜得以保全，回亦何敢轻于赴斗，以犯匡人之锋而死乎？"于此不独见其师生相与，恩谊甚深，抑且死生在前，审处不苟。盖由平日涵养纯粹，见理分明故耳。所谓笃信、好学、守死、善道，若颜渊者，真其人矣。

【原文】

季子然问："仲由、冉求可谓大臣与？"子曰："吾以子为异之问，曾由与求之问。所谓大臣者，以道事君，不可则止。今由与求也，可谓具臣矣。"

【张居正注评】

季子然，是季孙意如之子。异，是非常。不可，是君不信从。止，是去位。具臣，是备数为臣，无可称述的意思。昔仲由、冉求为季氏家臣，故季子然问于孔子说："臣一也，然有大臣，有小臣，职任既有崇卑，则其称之亦有难易。夫子之门人，若仲由、冉求者，其德器才识，可以谓之大臣与？"盖夸二子之贤，以见季氏之得人也。然季氏乃僭窃之臣，由、求既不能谏，又不能去，正孔子之所深恶者，故答之说："汝之问我，我以为必有非常之事，与非常之人。乃今以由、求二子为问，则汝之问亦卑矣。且汝以由、求为大臣，是岂知大臣之道乎？盖所谓大臣者，乃君德成败之所关，国家安危之所系，其责任隆重，与群臣不同。若只是阿意曲从，不顾道理，与夫贪位慕禄，不识进退，则何以成就君德，表率百僚？必须学术纯明，忠诚恳至，凡事都以道理辅佐其君。如君之所行有合道理的，便为之赞助于中，为之宣布于外，以成其美；如君之所行有不合道理的，便为之正言匡救，为之尽力扶持，以补其阙，必欲引其君于当道而已。若使君不向道，而吾之言或不从，谏或不听，则虽居官食禄亦是尸位素餐，便当引过自归，奉身而退，必不可枉道以辱其身也。盖大臣以正君为职，故志在必行；以旷职为耻，故身在必退，其道固当如此。今由、求之为家臣，既不能直道事人，以尽责难陈善之忠；又不能安分知止，以全难进易退之节，是乃备数为臣者耳，何足道哉！"夫子之轻由、求，所以抑季然也。

【原文】

曰："然则从之者与？"子曰："弑父与君，亦不从也。"

【张居正注评】

季子然又问说："由、求既不可以为大臣，则凡事只听命于所事，唯唯诺诺，而无所是非者与？"孔子答说："由、求虽不知大臣之道，然君臣之义，明白易见者，彼亦晓然知之。至于弑父与君，大逆无道之事，必不肯党恶以从人也。"盖季氏素有不臣之心，欲借二子以为羽翼，故孔子阴折其心如此。此可见天下有大臣，有具臣，有乱臣，若人君能尊德乐道，则大臣得以尽其忠；能随材器使，则具臣得以勉其职；能防微杜渐，则乱臣无所容其奸，此又明主所当加意也。

【原文】

子路、曾晳、冉有、公西华侍坐。子曰："以吾一日长乎尔，毋吾以也。居则曰：'不吾知也！'如或知尔，则何以哉？"

【张居正注评】

曾晳，名点，是曾参之父。门人记子路、曾晳、冉有、公西华，一日侍坐于夫子之侧，夫子欲使尽言以观其志，乃先开诱之说："人情若拘于少长之分，则心生严畏意不展舒，虽欲知其心之所存，不可得矣。今我之年齿，虽有一日少长于汝辈，而为汝等之师，然汝勿以我长而难于尽言，务当有怀必吐，有言必尽，可也。盖汝辈方平居之时，固皆自负说：'吾之才，本足以为世用，但人莫能知我耳。'如或有人知汝，举而用之，则汝将何所设施，以展其生平之蕴哉？试为我言其所以待用之具何如？"夫子此问，盖欲考见四子自知之明，而因以施其裁成之教也。

【原文】

子路率尔而对曰："千乘之国，摄乎大国之间，加之以师旅，因之以饥馑，由也为之，比及三年，可使有勇，且知方也。"夫子哂之。

【张居正注评】

率尔,是轻遽的模样。千乘之国,是地方百里,可出兵车千乘的侯国。摄,是管束。二千五百人为师,五百人为旅,加以师旅,是说有兵战之事。因,是频仍。谷不熟叫做饥,菜不熟叫做馑。勇,是强勇。方,是向,知方,是知向于义。哂,是微笑。子路一承夫子之问,更不逊让,便轻遽而对说:"今有千乘之国,两边都是大国管束于其间,又加之以师旅,而调发不宁,常有兵战之事,又因之以饥馑,而荒歉频仍,每有匮乏之忧,时势之难为也如此。若使由也为之,外当事变之冲,内修政教之实;务农积谷于其先,简阅训练于其后;果锐以作其气,忠信以结其心。将及三年之久,可使民皆强勇,而敌忾御侮之争先,又且皆知向义,而亲上死长之无二,是则由之志也。"于是夫子微笑之。盖笑其言词轻率,非谓其所志之不大也。

【原文】

"求,尔何如?"对曰:"方六七十,如五六十,求也为之,比及三年,可使足民。如其礼乐,以俟君子。"

【张居正注评】

孔子既闻子路之志,遂以次问于冉求说:"尔之志何如?"冉求对说:"千乘大国,非求所堪也。但方六七十里,或五六十里的小国,若使求也为之,制田里,教树畜,以开其源;薄赋敛,敦节俭,以导其流。将及三年之久,可使民皆富足,不惟仰事俯育之有资,亦且水旱凶荒之有备,求之志,如斯而已。若夫礼以节民性,乐以和民心,使化行而俗美,则必俟夫才全德备之君子,然后能行之,非求之所敢当也。"盖冉有之资,本自谦退,又因子路见哂,故其词益逊如此。

【原文】

"赤,尔何如?"对曰:"非曰能之,愿学焉。宗庙之事,如会同,端章甫,愿为小相焉。"

【张居正注评】

宗庙之事,是祭祀祖考。诸侯时,见叫做会,众俯叫做同。端,是玄端、礼服。章甫,是礼冠。相,是赞礼者。谓之小者,谦词。夫子又呼公西赤而问说:"尔之志何如?"公西赤对说:"礼乐之事,非敢说我便能之,诚愿即其事而学焉。彼宗庙之中,有祭祀之事,至如诸侯修好,则有会同之事,皆礼乐之所在也。赤当斯时,若得周旋供事于其间,服玄端之服,冠章甫之冠,愿为赞礼之小相焉。序其仪节,使君不失礼于神明;审其应对,使君不失礼于邻国。赤之志,如斯而已矣。"盖礼乐本公西华之所优为,其曰愿学,曰小相,亦因问而承之以谦也。

【原文】

"点，尔何如？"鼓瑟希，铿尔，舍瑟而作，对曰："异乎三子者之撰。"子曰："何伤乎？亦各言其志也。"曰："莫春者，春服既成，冠者五六人，童子六七人，浴乎沂，风乎舞雩，咏而归。"夫子喟然叹曰："吾与点也！"

【张居正注评】

希，是间歇。铿尔，是瑟之余音。作，是起。撰，是具。莫春，是三月的时候。春服，是单夹之衣。风，是乘凉。沂，是水名。舞雩，是祭天祷雨。有坛墠树木的去处，都在鲁城之南。咏，是歌咏。喟然，是叹息之声。与，是许。方三子言志之时，曾点正在鼓瑟。三子言志既毕，夫子乃呼曾点问说："尔之志何如？"点承夫子之问，鼓瑟之声方才间歇，余音尚铿然可听，乃舍瑟而起，从容对说："点之志，与三子之所具者不同，有难言者。"夫子开导之说："汝但言之，庸何伤乎？人各有志，亦惟各言其志而已，不必同也。"曾点乃对说："点之志，非有他也，亦以性分之中，自有真乐，随寓而在，无事旁求。就如今暮春之时，天气和煦，景物固足以畅怀；冬衣已解，单夹之服既成，又足以适体，因而偕那同志之徒，冠而成人者五六人，年少的童子六七人，少长有序，气类相投，油油然往游于鲁城南之胜处。沂水有温泉，其洁可濯也，则相与洗浴乎沂水之滨；舞雩有坛墠树木，其阴可庇也，则相与乘凉于舞雩之下；兴寄有时而可止也，则相与歌咏而归。唱和交迭，舒卷自如，是亦足以自乐矣，而他尚何慕焉？点之志，所以异乎三子者如此。"夫子一闻曾点之言，有契于心，乃喟然叹息说道："吾与点也，其深嘉乐，予之意，溢于言表矣。"盖君子所性，万物皆备，人惟见道不明，未免有慕于外，始以得失为欣戚耳。若是反身而诚，无所愧怍，此心泰然，纯是天理，则无往而不得其乐矣。故蔬食水饮，箪瓢陋巷，此乐也。用于国而安富尊荣，达之天下而老安少怀，施诸后世而亲贤乐利，亦此乐也。大行不加，穷居不损，用行舍藏，惟其所遇，而我无心焉。盖圣门学术如此，曾点知之，故为夫子所深许也。

【原文】

三子者出，曾皙后。曾皙曰："夫三子者之言何如？"子曰："亦各言其志也已矣。"曰："夫子何哂由也？"曰："为国以礼，其言不让，是故哂之。"

【张居正注评】

礼，是天理之节文。让，是谦逊。昔诸子言志已毕，曾皙以夫子独与己之志，而于子路则哂之，于冉有、公西华则无言，不能无疑，乃俟三子皆出，独留身在后，问于夫子说："适间三子所言之志，其是非得失何如？"夫子说："也只是各言其志而已，无他说也。"曾皙又问说："夫子何为独笑仲由也？"夫子说："凡为国者，必以礼让为先，则上下雍睦，示民不争，而后国可治也。今由也，言辞急遽，自负有才，直任之

而不让，则失乎恭敬辞逊之道，而有悖于礼矣，将何以为国哉？此吾所以笑之也。"

【原文】

"唯求则非邦也与？安见方六七十，如五六十，而非邦也者？唯赤则非邦也与？宗庙会同，非诸侯而何？赤也为之小，孰能为之大？"

【张居正注评】

曾晳又问说："冉求之志，虽在足民，而其所治，不过六七十、五六十之小，其无乃非为邦也欤？"夫子说："先王之建万国，亲诸侯，虽有百里、七十里、五十里之不同，而分封之典则一也。百里固为大邦矣，安见方六七十与五六十之小，而遂非邦也者？盖土地虽云狭小，然一般有封疆社稷，一般有人民政事，岂可谓之非邦乎？是求之所任，固为邦之事也，汝何疑哉？"曾晳又问说："公西赤之志，虽在于礼乐，而其所愿，不过为小相耳，其无乃非为邦也欤？"夫子说："自诸侯享亲，然后有宗庙；睦邻，然后有会同。赤既志于宗庙会同矣，谓非诸侯之事而何？且赤本素具礼乐之才，而顾愿为小相，特其谦退之意耳。若以赤为不足于大，而仅可以为其小，则谁有能优于礼乐，出乎其右，而为之大者乎？是赤之所任，亦为邦之事也，汝又何疑哉？"合而观之，三子言志，固亦夫子之所取者，乃独许曾点，何也？盖君子藏器于身，待时而动，穷不失意，达不离道，乃出处之大节也。若负其才能，汲汲然欲以自见于世，则出处之际，必有不能以义命自安，而苟于所就者。子路仕卫辄冉有从季氏，病皆在此，故夫子独与曾点，以其所见超于三子也。

颜渊第十二

凡二十四章。

【原文】

颜渊问仁。子曰："克己复礼为仁。一日克己复礼，天下归仁焉。为仁由己，而由人乎哉？"

【张居正注评】

仁，是本心之全德。克，是胜。己，是人心之私欲。礼，是天理之节文。归字，解做与字。昔孔门之学，以求仁为要，故颜渊问于孔子说："如何可以为仁？"孔子教之说："仁，心德也。心德在人，本无不具，就中件件都有个天理当然之则。所谓礼也，人惟累于己私，不能自克，把这礼丧失了，故流于不仁耳。为仁者，必须从心上做工夫，但有一些己私，便都着力克去，务使一私不存，而念念事事，依旧复还乎天理当然之则，则本心之德全，而仁不外是矣。然这个道理，乃天下人心所同具的，果能于一日之间，己无不克，礼无不复，而先得乎人心之所同然，则天下莫不翕然称许其仁。盖秉彝好德，其理固有然者，其效之甚速而至大也如此。然事之由己者易，由人者难。今己，是自家的私欲，礼，是自家的天理，其克其复，皆由于我，亦为之而已，而岂由人乎哉？其机之在我而无难也如此。"孔子以是告颜渊，所以勉之者至矣。然要之尧舜相传心法，亦不过如此。盖所谓人心惟危，即是己也；所谓道心惟微，即是礼也；所谓精一执中，即是克复为仁之功，初无二理也。然则欲纯全乎尧舜之仁者，可不服膺于孔子之训哉！

【原文】

颜渊曰："请问其目。"子曰："非礼勿视，非礼勿听，非礼勿言，非礼勿动。"颜渊曰："回虽不敏，请事斯语矣。"

【张居正注评】

目，是条件。勿，是禁止之词。敏，是明敏。请事，是奉行的意思。斯语，指非礼勿视四句说。颜渊闻孔子克己复礼之训，其于天理人欲之际，已判然矣，故不复有疑而直请问说："克己复礼，用功的条目何如？"孔子告之说："人生而静天之性也，感物而动，则不能不发见于视听言动之间。然视听言动，皆有个自然的天则，是即所谓礼也。才涉非礼，便是己私，故必谨于萌动之初，制于未发之始。视必以礼，而一毫非礼，即禁止之于心而勿视；听必以礼，而一毫非礼，即禁止之于心而勿听；言必以礼，而一毫非礼，即禁止之于心而勿言；动必以礼，而一毫非礼，即禁止之于心而勿动。夫非礼皆己也，于此而禁之，皆克己也。己克，则礼复，而仁在是矣。所谓克己复礼为仁者如此。"颜渊一闻孔子之教，便直任之说道："人必才质明敏，方能造道。回虽不敏，然夫子之教可循也。请从事此言，务克去其视、听、言、动之私，以复于天理节文之内，使本心之德，复全于我而后已，岂敢自诿于质之不敏，以负夫子之教哉！"盖颜子自量其力之可至，故直任之而不辞如此。

【原文】

仲弓问仁。子曰："出门如见大宾，使民如承大祭。己所不欲，勿施于人。在邦无怨，在家无怨。"仲弓曰："雍虽不敏，请事斯语矣。"

【张居正注评】

仲弓，是孔子弟子冉雍的字。大宾，是有德位的宾客。大祭，如郊祭、庙祭之类。仲弓问于孔子说："如何可以为仁？"孔子教之说："为仁之道，不外于存心；存心之要，惟在于敬恕而已。夫人见大宾无不起敬者，若于出门易忽之时，也俨然如见大宾的一般，则无一时之敢忽可知；承大祭无不致敬者，若于使民易慢之际，也肃然如承

大祭的一般，则无一事之敢慢可知，是之谓敬也。人以非礼之事加我，我不欲也，若我以此加人，人亦不欲也。必推己之心，度人之心；不欲人之加诸我者，亦不以之加诸人焉，是之谓恕也。夫能敬，则私意无所容，而仁之体以立；能恕，则私意无所杂，而仁之用以行。由是外而在邦，上下莫不相安，何怨之有？内而在家，宗族莫不相悦，何怨之有？主敬行恕，而至邦家无怨，则心存理得而仁在是矣。"仲弓闻夫子之教，遂直任之说道："人须是才质明敏者，方能体道。雍虽不敏，然夫子之教切至如此，敢不以敬恕之功自尽，以无怨之效自考，而期无负于夫子之明训哉！"盖仲弓自量其力之可至，故勇于自任如此。

【原文】

司马牛问仁。子曰："仁者，其言也讱。"曰："其言也讱，斯谓之仁矣乎？"子曰："为之难，言之得无讱乎？"

【张居正注评】

司马牛，是孔子的弟子，名犁。讱，是坚忍不轻发的意思。司马牛问说："如何可以为仁？"孔子教之说："子欲知所以为仁，当自言不妄发始。盖人惟心有不存，故言语每有伤，易伤烦之病。惟仁者涵养深沉，措词简默，其于言语，若有所忍而不敢以轻发焉者。子欲为仁，亦惟致谨于斯可矣。"司马牛又问说："仁道至大，只这言不轻发，便可以为仁矣乎？"孔子又告之说："这讱言，不是容易的事。盖人惟其心之放也，故率意而妄为；惟其为之妄也，故肆言而无忌。若夫仁者，则心存而不放，故于临事之际，必熟思审处，其难其慎，不肯以苟且为之。是以言必虑其所终，行惟恐其不掩，出诸口者，自然不敢轻易，又安得而不讱乎？是其言之讱者，由于为之难；为之难者，本于心之存。心存则理得，而仁不外是矣，岂可以为易而少之哉？"夫子以牛心放而言躁，故反复晓告如此，盖约之使求仁于心也。

【原文】

司马牛问君子。子曰："君子不忧不惧。"曰："不忧不惧，斯谓之君子矣乎？"子曰："内省不疚，夫何忧何惧？"

【张居正注评】

君子，是成德之人。忧，是忧愁。惧，是恐惧。内省，是自家省察于心。疚，是病。司马牛问于孔子说："学也者，所以学为君子也，不知君子之人何如？"孔子告之说："成德之人，心常舒泰，绝无忧愁恐惧之私，人能如是，斯可以为君子矣。"司马牛说："君子之道大矣，只这不忧不惧，便可谓之君子矣乎？"夫子又教之说："不忧不惧，未易能也。盖凡人涵养未纯，识见未定，祸福利害皆足以动其心。所以未事则多疑虑，临事则多畏缩，此忧惧之所由生也。惟君子平日为人，光明正大，无一事不可对人言，无一念不可与天知，内而省察于心，无有一毫疚病。故其理足以胜私，气足以配道义，纵有意外之患，亦惟安于命而已，夫何忧何惧之有？此非自修之功，已造于成德之地者不能。汝何疑其不足以尽君子乎？"按：司马牛因其兄桓魋作乱常怀忧惧，故孔子开慰之如此。然内省不疚，实自常存敬畏中来，非徒悍然不顾而已。况人君居艰难重大之任，自非忧勤庶政，治民只惧，其何以永贻四海之安，长享天下之乐哉？故兢兢业业，入主不可不加内省之功也。

【原文】

司马牛忧曰："人皆有兄弟，我独亡。"子夏曰："商闻之矣：'死生有命，富贵在天。'君子敬而无失，与人恭而有礼，四海之内皆兄弟也。君子何患乎无兄弟也？"

【张居正注评】

商，是子夏的名。无失，是无间断。有礼，是有节文。昔司马牛之兄桓魋，为乱于宋，而其弟子颀、子车，亦与之同恶。司马牛虑其得祸，故忧愁说道："兄弟无故，乃天伦之真乐也。今人皆有兄弟，相安相乐，于无事之天；而我之兄弟，独不得以相保，岂不大可忧乎？"子夏闻其言而宽解之说道："商也尝闻诸夫子矣，人之或死或生，是从命里生定的，非今之所能移；人之或富或贵，是皆天所付与的，非我之所能必，但当顺受之而已。若夫兄弟之有无，固天也、命也，忧之亦无益也。君子亦惟以天命自安，而修其在我所当自尽者耳。诚能持己以敬，而内外动静，无间其功；接人以恭，而亲疏贵贱，皆合乎礼，则盛德所感，人人皆知爱敬，四海之内相亲相保，就似同胞的一般，何所往而非兄弟也。然则君子患不能自修耳，又何患乎无兄弟耶？"子夏欲以宽司马牛之忧，故为是不得已之词。然要之至理，亦不外此。

【原文】

子张问明。子曰："浸润之谮，肤受之诉，不行焉，可谓明也已矣。浸润之谮，肤受之诉，不行焉，可谓远也已矣。"

【张居正注评】

明，是心中明白，无所蔽惑。浸润，谓如水之浸灌滋润，是形容毁人者，入之以渐，使听者不觉的意思。谮，是毁人之短。肤受，谓肌肤上受害，是形容祸患切身的意思。诉，是诉己之冤。不行，是不听信。远，是明之至而不蔽于浅近。子张问说："人情微暧而难知，物态纷纭而莫辨，苟非至明，何以察识？请问如何方可谓之明？"孔子告之说："凡见人之所易见者，未足以谓之明；惟察人之所难察者，乃可谓之明耳。如谗谮人者，若直将那人的不是处说将来，则情犹易窥也。惟夫谮而浸润焉者，或乘我喜怒，而暗为中伤，或即其近似，而巧为诬诋，微言冷语，积之以渐而不露形迹，譬如水之浸物的一般，则听者不觉其入而信之深矣。又如假诉冤者，若使其词少缓，则情犹可见也。惟夫诉而肤受焉者，或言人之害我，苦在至极，或言我之受祸，就在目前，情状危急，事势迫切，譬如就加到身上的一般，则听者不及致详而发之暴矣。夫是二者，设心甚狡，用机至深，皆人所难察者也。若能察其为伪而不行焉，则是确然有见，洞烛群情之隐，而人不得以售其奸矣，岂不谓之明乎？然不但可谓之明也，若能于浸润之谮、肤受之诉而不行焉，则是超然远识，明见万里之外，而非浅近之知可比矣，岂不谓之远乎？盖于难察者而能察焉，则凡人之所易见者，皆无足言也。其谓之明且远也，不亦宜哉！"按：此章之旨，在人君尤为切要。盖人君以一人之耳目，照临乎天下，使非明而且远，则憸邪之情状难明，谗谮之游言易入。苟听信或差，其关系治乱，非小小矣。故必居敬穷理，使心有主持，而情伪毕照，然后人莫能欺，足称明且远也。明君宜三致意焉。

【原文】

子贡问政。子曰："足食，足兵，民信之矣。"

【张居正注评】

子贡一日问政于孔子。孔子告之说："为政之要，惟视民生之最切者以为之所而已。食者，民所赖以为养。食有不足，则民生不遂，不可也。必须为之制田里，薄税敛，使闾阎有乃积乃仓之富，国家有九年六年之蓄，这等样足食才好。兵者，民所赖以为卫。兵有不足，则民生不安，不可也。必须为之比什伍，时简阅，使伍两卒旅之无缺，车马器械之咸备，这等样足兵才好。然米粟虽多，兵革虽利，苟信有未孚，则民心日离，又岂可乎？必须施教化，明礼义，使为吾之赤子者，皆有尊君亲上之心，无欺诈离叛之意，这方叫做民信之矣。夫食足，则导之而生养遂；兵足，则治之而争夺息；民信，则教之而伦理明。虽帝王之治，不过如此。兼是三者，政其有不举者乎？"

【原文】

子贡曰："必不得已而去，于斯三者何先？"曰："去兵。"

【张居正注评】

子贡又问说："三者兼全，固为善政。若事势穷蹙，难以兼得，必不得已，于三者之中，姑去其一，则以何为先？"孔子说："若不得已，宁可去兵。"盖食足而信孚，则民亲其上，死其长，虽无兵而守固矣。此兵之所以可去也。

【原文】

子贡曰："必不得已而去，于斯二者何先？"曰："去食。自古皆有死，民无信不立。"

【张居正注评】

子贡又问说:"三者去兵,已是权宜,若事势愈蹙,虽食与信,亦有难兼者,必不得已,于二者之中又当去一,则以何为先?"孔子说:"又不得已宁可去食。"盖民无食必死,然自古及今,人皆有死,是死者,人所必不能免。若夫信者乃本心之德,人之所以为人者也。民无信,则相欺相诈,无所不至,形虽人而质不异于禽兽,无以自立于天地之间,不若死之为安。故为政者,宁死而不可失信于民,则民亦宁死而不失信于我矣,此食所以可去,而信必不可无也。即此观之,可见国保于民,民保于信,是以古之王者,不欺四海,善为国者,不欺其民。盖必有爱民之真心,而后有教养之实政,自然国富兵强,民心固结而不可解矣,此信所以为人君之大宝也。

【原文】

棘子成曰:"君子质而已矣,何以文为?"子贡曰:"惜乎,夫子之说君子也!驷不及舌。文犹质也,质犹文也。虎豹之鞟犹犬羊之鞟。"

【张居正注评】

棘子成,是卫大夫。质,是质朴。文,是文采。驷,是四马。皮去毛的叫做鞟。昔棘子成厌周末文盛,人皆习于利巧,而无忠信之意,故立论说:"君子之行己应务,惟当存其本质,不失了原来真意就是了,何必缘饰文采,以眩观美,反使实意之不存乎?"子贡闻而正之说:"今时方逐末,人皆不知有质。吾子之说,意在崇本抑末,乃君子之道也。惜乎发言太易,不无矫枉过正之失,既已出于舌,虽四马不能追及之矣。盖人之为道,无质不立,无文不行,是文也与质一般,质也与文一般,可相有而不可相无。君子小人之所以辨者,正在此也。若尽去其文,徒存其质,则君子小人混而无辨,就如虎豹之鞟和那犬羊之鞟,都是一般,看不出好歹了。盖虎豹之皮,所以异于犬羊者在于毛;君子之人,所以异于小人者在于文,然则文岂可以遂废哉?"夫棘子成矫当时之弊,固失之过,而子贡矫子成之弊,又无本末轻重之差,胥失之矣。若求其尽善而无弊,则必如孔子所谓文质彬彬,乃为定论也。

【原文】

子张问崇德、辨惑。子曰:"主忠信,徙义,崇德也。爱之欲其生,恶之欲其死。既欲其生,又欲其死,是惑也。"

【张居正注评】

崇,是日有增加的意思。行道而有得于心,叫做德。辨,是辨别。惑,是心有所蔽。忠,是尽心而不欺。信,是诚实而无伪。徙,是迁。义,是理之所当为者。子张问于孔子说:"得于心之谓德,所当崇也;蔽于心之谓惑,所当辨也。兹欲崇之辨之,

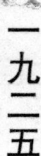

果何所用其力乎？"孔子告之说："德根于心而达于事者也，使内有伪妄之心，则善端充长之无基；外无迁善之勇，则培养滋益之无助，德何由崇耶？故必存于心者，常以忠信为主，而无一毫之虚伪。又能于理之所当为者，便迁改以从之，而事事欲其合宜。如此，则根本既固，而善行又有所积累，本心之德，自将日进于高明矣，岂不是崇德之事？人之生死有命，本非吾所能张主也。今也爱其人，便要他生，恶其人，便要他死，既已溺于爱恶之私，而不达夫死生之定分矣。况此一人耳，方其爱之，既要他生，及其恶之，又要他死，易喜易嗔，变迁无定。然则造化死生之柄，岂在吾好恶中耶？甚矣其惑也。能于此而辨之，则惑可得而去矣。"盖惑虽多端，死生乃其大者，推之于一切理外之事，皆不必虚用其心，又何惑之有？

【原文】

齐景公问政于孔子。孔子对曰："君君，臣臣，父父，子子。"

【张居正注评】

齐景公，名杵臼，一日问政于孔子。孔子对说："为政以叙彝伦为先，彝伦以君臣父子为大，必也。君尽为君的道理而止于仁，臣尽为臣的道理而止于敬，父尽为父的道理而止于慈，子尽为子的道理而止于孝。君、臣、父、子各尽其道，则治理由此而举，国家由此而治，乃人道之大经，政事之根本也。若于此忽焉而不图，岂所以为政乎？"按：是时，景公失政，而大夫陈氏厚施于国，则君不君，臣不臣矣。又多内嬖，而不立太子，则父不父，子不子矣。故夫子告之如此，所以深儆之也。

【原文】

公曰："善哉！信如君不君，臣不臣，父不父，子不子，虽有粟，吾得而食诸？"

【张居正注评】

景公闻孔子之言，深有契于心，遂称赞说道："善哉此言，真切要之论也。如果君不成其为君，臣不成其为臣，而君臣失其道；父不成其为父，子不成其为子，而父子失其道。则纪纲颓败，法度废弛，国之灭亡无日矣。国家虽富，米粟虽多，吾岂得安享而食之乎？"景公知善夫子之言如此，亦可谓本心之暂明矣。然卒以继嗣不定，启陈氏篡弑之祸，岂非悦而不绎，吾末如之何者欤？

【原文】

子曰："片言可以折狱者，其由也与？"子路无宿诺。

【张居正注评】

片言，譬如说一言半句。折，是剖断。狱，是争讼。由，是子路的名。稽留隔夜叫做宿。诺，是有所许于人。子路无宿诺一句，是门人说的。孔子说："人之争讼者，各怀求胜之心，情伪多端，变诈百出。听讼者，虽极力以讯鞫之，尚有不得其情者矣。若能于片言之间，剖断曲直，使各当其情，而人无不输服者，其惟仲由也欤？"盖仲由为人忠信明决，惟其有忠信之心，故人不忍欺。惟其有明决之才，故人不能欺，此所以言出而人信服之，不待其辞之毕也。门人因夫子之言，遂记之说：子路平日为人，最有信行，若受人之托，已应承了，则必急于践其言，曾未有迟留经宿而不行者。其为人忠信如此，则其所以取信于人者，正由其养之有素也。夫子称之，岂无自哉。

【原文】

子曰："听讼，吾犹人也。必也使无讼乎！"

【张居正注评】

听讼，是听断狱讼。犹人，是不异于人。孔子说："为人上者，因民之争讼，而判其孰为曲孰为直，此事我也可以及人，不为难也。然要不过治其末，塞其流而已。必也，正其本，清其源，而道之以德，齐之以礼，使民知耻向化，兴于礼让，自然无讼之可听，乃为可贵耳。"这是门人因孔子称许子路，并记其平日之言如此。盖治民而至于使之无讼，则潜消默夺之机，有出于政刑教令之外者，视彼片言折狱，又不足言矣。明君观此，可不以德化为首务哉。

【原文】

子张问政。子曰："居之无倦，行之以忠。"

【张居正注评】

政，是治人之道。居，是存诸心者。倦，是倦息。行，是施诸事者。忠，是尽心而无伪。两个之字，都指政说。子张问于孔子说："如何是为政之道？"孔子告之说："凡人心所存主叫做居，设施于事叫做行。为政者，孰无所存之心，但始虽如此，而其终不免于倦息，则其为政不过苟且而已。必也居之无倦，如何养民而使之得所，如何教民而使之成俗，念念在兹，始如是，终亦如是，不以时之久远，而少有懈惰之意，则政自有恒，而治民可期其成效矣。为政者，孰无所行之事，但事虽如此，而未必出于真心，则其为政不过虚文而已。必也行之以忠，凡制田里以养民，兴学校以教民，肫肫切切，外如是，内亦如是，一皆本于真德实意，而不徒为粉饰之具，则政皆实事，而德泽自然及于民矣。"盖政虽多端，皆由一心以为之根本，未有始终表里一于诚，而政有不举者。是道也，小可以治一邑，大可以治一国，又大可以治天下，虽圣人之至诚无息亦不过此。有为政之责者，可不知所务哉。

【原文】

子曰："博学于文，约之以礼，亦可以弗畔矣夫！"

【张居正注评】

此处与前文重复，见134页。

【原文】

子曰："君子成人之美，不成人之恶。小人反是。"

【张居正注评】

这是孔子论君子小人用心之不同。说道："君子见人行一件好事，便诱掖之以助其所不及，奖劝之以勉其所欲为，务期以成就其美而后已；若见人行不好的事，则规戒以晓其惑，沮抑以挽其失，务期以改易其恶而后已。"盖君子之心，有善而无恶，故见人之善其心好之，惟恐其志之不坚而行之不力也；见人之恶，若身有之，惟恐其名之玷而身之辱也。小人则不然，见人之为恶，则迎合容养以成其为恶之事；见人之为善，则忌克诋毁以阻其为善之心。盖小人之心，有恶而无善，故见人之恶，即喜其与己同，惟恐其不党于己也；见人之善，即恶其与己异，惟恐其或胜于己也，其用心之相反如此。是以国家用一君子，则不止独得其人之利，而其成就天下之善，为利更无穷也；用一小人，则不止独被其人之害，而其败坏天下之善，为害更无穷也。人君可不审察而慎用之哉！

【原文】

季康子问政于孔子。孔子对曰："政者，正也。子帅以正，孰敢不正？"

【张居正注评】

季康子，是鲁国大夫，名肥。帅，是表率的意思。季康子问于孔子说："如何是为政之道？"孔子对说："子欲知为政之方，先须识政字之义。盖政之为言，所以正人之不正以归于正也。然必先自正其身，而后可以正人之不正，固未有己不正而能正人者。今子为政，不宜责之于人，唯当求之于己。如欲人之以正事君，则先自笃其忠敬，以示为臣之则；如欲人之以正守官，则先自尽其职业，以为居官之准。所言者必天下之正言，侃侃乎守经据理，而无少涉于诡随；所行者必天下之正道，挺挺然持廉秉公，而无少动于私曲，能帅之以正如此。将见标准立而人知向方，模范端而众皆取则。凡望子之风采，仰子之仪刑者，皆将改心易虑，而相率以归于正矣，其孰有自逾于范围之外者乎？不然，则虽刑驱势迫，有不能强之使从者，子欲为政，亦惟本诸身焉可也。大抵下之应上，如影之随形，响之应声。立曲木而求影之直，为缓呼而求响之疾，此理之必无者。"孔子斯言，不独以告鲁大夫，实治天下之要道也。汉儒董仲舒有言："正心以正朝廷，正朝廷以正百官，正百官以正万民。"亦是此意，君天下者念之。

【原文】

季康子患盗，问于孔子。孔子对曰："苟子之不欲，虽赏之不窃。"

【张居正注评】

欲，是贪欲。昔季康子患国多盗贼，因问于孔子，求所以止盗之方。孔子对说："民之为盗，生于欲心，而所以启之者上也。诚使吾子清心克己，不事贪欲，则上行下效，廉耻风行，虽赏以诱之，使为盗窃，而其心愧耻，自不肯为之矣，尚何盗之患哉？"盖羞恶之心，人皆有之，未有上以不贪为宝，而下犹寇攘成俗者也，所以说虽赏之不窃。其实上不贪欲，则观法之地以善，诛求之扰以去，优恤之政以施。观法善，则民良；诛求去，则民安；优恤施，则民足。虽外户不闭，比屋可封之俗，将由此成矣，岂止不为盗而已耶？为人上者慎诸。

【原文】

季康子问政于孔子曰："如杀无道，以就有道，何如？"孔子对曰："子为政，焉用杀？子欲善，而民善矣。君子之德风，小人之德草，草上之风，必偃。"

【张居正注评】

无道，是为恶的人。有道，是为善的人。君子，指在上者说。小人，指在下者说。上字，解做"加"字。偃字，解做"仆"字，是颓靡倒倚的意思。季康子问政于孔子说："稂莠不翦，则嘉禾不生；恶人不去，则善人受害。若将那为恶而无道的杀了，以成就那为善而有道者，何如？"孔子对说："民之善恶，顾所以倡之者何如耳。今以子之为政，则何用杀乎？子诚欲善，而躬行以率之，则民自然视效而归于善矣。"何也？那在上的君子，其德能感乎人，譬如风一般，在下的小人，其德应上所感，譬如草一般，草而加之以风，无不偃仆，小人而被君子之化，无不顺从，此乃理之必然者也。然则欲民之善，亦反诸其身而已矣，而何以杀为哉？"按：康子三问，皆是责之于人。夫子三答，皆使求之于己。盖正人必先于正己，而不欲，正也。欲善，亦正也。使康子能以其欲利之心欲善，则民岂特不为盗，而且皆为善矣。所谓子帅以正，孰敢不正者也。《大学》说："尧舜帅天下以仁而民从之。"即是此意。人君可不以躬行德教为化民之本哉。

【原文】

子张问："士何如斯可谓之达矣？"子曰："何哉，尔所谓达者？"子张对曰："在邦必闻，在家必闻。"子曰："是闻也，非达也。"

【张居正注评】

达，是所行通达。闻，是名誉著闻。昔子张之在圣门，心驰于务外，而不肯着实

为己，孔子亦每因事而裁抑之，一日问于孔子说："士何如斯可谓之达矣？"夫士君子处世，随其所往，而皆通达顺利，无有阻滞，乃人人所欲者。然必有实德于己，而后人皆信之，非可以袭取而倖致者也。夫子已知子张不识达字之义，乃故诘之说："何哉，汝之所谓达者？"盖将发其病而药之也。子张遂对说："人惟名誉不彰是以行多窒碍，吾之所谓达者，惟欲声称播乎人耳，誉望服乎人心，在邦则必闻于邦，在家则必闻于家，如此而已。"是盖以闻为达，而忽于近里着己之功，正其平日受病处。夫子遂从而折之说："据子所言家邦必闻，是乃所谓闻也，非所谓达也。"盖闻之与达虽若相似而实不同。达则以实行动人，闻则以虚声鼓众，以闻为达，差之毫厘，谬以千里矣，岂可昧于所从而不知辨哉。

【原文】

"夫闻也者，色取仁而行违，居之不疑。在邦必闻，在家必闻。"

【张居正注评】

色取仁，是外貌假做为善的模样。违，是背。孔子又说："德修于己，而人自信之，然后谓之达。若夫闻也者，存心虚妄，其中本非仁也，却乃矫情饰貌，做出个善人君子的模样。夷考其行，则素履多怨，全然相背，是与质直而好义者异矣。且又肆无忌惮，果于欺人，泰然处之，略无疑沮，恰似实有此仁的一般，是又与察言观色，虑以下人者异矣。夫深情厚貌，彼既巧于文其奸，而久假不归，人又无由窥其诈，则掩饰之际，疑似乱真，人有不被其欺而称誉之者乎？故其在邦也，则动辄见称于朝廷州里焉；其在家也，则动辄见称于父兄宗族焉，盖所谓闻者如此。"然声闻过情，君子所耻，况作伪之事，终必败露，比之于达，其相去何啻千里哉！是可见达者，为己而自孚于人；闻者，为人而终丧乎己。诚伪之间，学者固当深辨矣。若乃实行登庸，则邦家获无穷之益；虚名误采，则邦家贻莫大之忧。其关系又岂小小哉！用人者，尤宜致慎于斯。

【原文】

樊迟从游于舞雩之下，曰："敢问崇德、修慝、辨惑。"子曰："善哉问！先事后得，非崇德与？攻其恶，无攻人之恶，非修慝与？一朝之忿，忘其身，以及其亲，非惑与？"

【张居正注评】

舞雩，是鲁城南祭天祷雨的去处。修，是治而去之。慝，是恶之藏匿于心者。攻，是克伐。忿，是忿恨。昔者孔子闲游于舞雩之下，樊迟从之，因问说："理得于心之谓德，如何可崇？恶匿于心之谓慝，如何可修？事蔽于心之谓惑，如何可辨？"孔子以其问之切于为己也，故美之说："善哉汝之问乎。夫人心不可以两用，使为其事而即计其功，则天理夺于人欲之私，德之所以不崇也。若能先其事之所难，而后其效之所得，则心志专一，功夫无间，本心之善，将日积而不自知矣，这岂不是崇德的事？人惟轻于责己，而重于责人，则自家过恶卤莽而不暇治，慝之所以不修也。若能专于攻己之恶，一毫不肯放过，而无暇去攻人之恶，则自治诚切，而纤恶不留矣，这岂不是修慝的事？若夫一时之忿恨甚小，乃不能自制，而与人争斗，遂至于丧亡其身，因以连累父母，至于亏体辱亲，则其祸大矣。夫以小忿而致大祸，这岂不是愚惑之甚欤？能于此觉悟而惩创之，则心无所蔽，而惑可辨矣。"樊迟粗鄙近利，故夫子告之如此，所以救其失也。然工夫虽有三件，贯通只是一理。盖崇德者，所以存吾心之天理也，其事属之涵养；修慝辨惑者，所以遏吾心之人欲也，其事属之省察克治。非涵养，不足以培其源；非省察克治，不足以去其累。善学者，体验而密其功可也。

【原文】

樊迟问仁。子曰："爱人。"问知。子曰："知人。"樊迟未达。子曰："举直错诸枉，能使枉者直。"

【张居正注评】

达，是明其义。举，是举用。直，是正直的君子。错，是舍置。诸字，解做众字。枉，是邪枉的小人。樊迟问说："如何可以为仁？"孔子告之说："仁主于爱，必也于人之亲疏厚薄皆在其所爱之中，斯可谓仁矣。"樊迟又问说："如何可以为智？"孔子告之说："智主于知，必也于人之邪正贤否莫逃其洞察之下，斯可谓智矣。"樊迟虽闻夫子之言，而未能通晓其义。盖以仁者爱无不周，而智者知有所择。有所拣择，必有伤于爱物之仁。混同兼爱，又恐昧夫知人之哲。夫子之言，恰似自相违背的一般，此所以疑而未达也。于是夫子解之说："仁智虽有二用，其实只是一理。如立心正大，举动光明，此人之直者也，吾真知其为直，则举而用之。若夫立心偏陂，举动暧昧，此人之枉者也，吾真知其为枉，则舍而置之。由是那邪枉的人，见吾之所举者在于直，亦莫不有所感发，而去恶从善以求举用，是能使枉者直矣。甄别方行，而感化随之，道固有并行而不悖者，子何疑哉？"夫子之意，盖以举直错枉，智也；能使枉者直，仁也，于知人之中，自寓爱人之理，二者不惟不相悖，亦且相为用矣，何樊迟之终不悟耶！

【原文】

子贡问友。子曰："忠告而善道之，不可则止，毋自辱焉。"

【张居正注评】

忠告，是见人有过，尽心以告戒之。善道之，是委曲开导。子贡问处友之道。孔子告之说："友所以辅仁者也，若见人有过，而不尽心以告语之，则己之情有隐；忠告而非善道，则人之意不投，皆非善处友者也。故凡过失当规者，务用一点相爱的实心

以告劝之，而又心平气和，委曲开导，不径直以取忤，如此，则在我之心无不尽矣。至于听不听，则在彼也。若其蔽锢执迷，终不肯从，则当见几知止，无徒以数见疏，而自取辱焉。"盖朋友以义合者也。合则言，不合则止，乃理之当然者。处友者知此，交岂有不全者乎？

【原文】

曾子曰："君子以文会友，以友辅仁。"

【张居正注评】

文，是《诗》、《书》、六艺之文。友，是朋友。辅，是相助的意思。仁，是心之全德。曾子说："君子之学，所以求仁也，苟无朋友以辅助之，固不足以有成。然使会友而不以文，则群居终日，言不及义，亦不足以辅仁矣。故君子之会友也必以文，或相与读天下之书，以考圣贤之成法，或相与论古今之事，以识事理之当然，庶乎日有所讲明，不徒为会聚而已。于是乃以友而辅仁，过失赖其相规，德业赖其相劝，取彼之善，助我之善，务使吾德之修，因之而益进焉，庶乎相与以有成，不徒为虚文而已。"夫以士人之为学，尚必资于友如此，若夫人君资臣下以纳诲辅德，尤莫有要焉者。使能听之专而行之力。则其益当何如哉！

子路第十三

凡三十章。

【原文】

子路问政。子曰："先之劳之。"请益。曰："无倦。"

【张居正注评】

先，是倡率的意思。劳，是以身勤劳其事。倦，是厌怠。子路问为政之方，孔子告之说："为政有本，不宜徒责于人，惟当反求诸已。以兴民行，毋徒以言语教导之而已，必也以身先之。如欲民亲其亲，则先之以孝；欲民长其长，则先之以弟；欲民之忠，则先之以不欺；欲民之信，则先之以用情。件件都从己身上做个样子与他看，则民自有所观感兴起，而教无不行矣。以作民事，毋徒以政令驱使之而已，必也以身劳之。如欲民勤于耕，则春省以补其不足；欲民勤于敛，则秋省以助其不给。或劝课其树蓄，或巡行其阡陌，件件都亲自与百姓每料理，则民竞相劝勉，而事无不举矣。为政之道，不外此二端而已。"子路自负其兼人之勇，以为政亦多术，恐不止于先之劳之二者而已，故复请增益焉。孔子以勇者喜于有为而不能持久，故又告之说："为政不在多言，前说已尽，无可益也。但天下之事，勤始者多，克终者少，子惟于此二者，持之有常，勿生倦怠。民行虽已兴矣，所以率先之者愈加；民事虽已举矣，所以勤劳之者愈力，则教思无穷容保无疆，为政之能事毕矣。二者之外，更何所益乎？"然先劳无倦，不止居官任职者为然，人君之治天下，非躬行不足以率人，非久道不足以成化，尤当于此深加之意也。

【原文】

仲弓为季氏宰，问政。子曰："先有司，赦小过，举贤才。"曰："焉知贤才而举之？"子曰："举尔所知，尔所不知，人其舍诸？"

【张居正注评】

季氏，是鲁大夫。宰，是邑长。有司，是众职。赦，是宽宥。昔者仲弓为季氏属邑之宰，问政于孔子。孔子告之说："宰兼众职，若不分任于先，何以责成于后？故必先授其任于有司，使各专去办理，而后考其成功，则己不劳而事毕举矣。人有大过，固不可不惩，若小小差失一概苛责，则法太密而人无所容，故必小过而宽宥之，则刑不滥而人心悦矣。至于贤才不举，则众务必至于废弛，故凡贤而有德，才而有能者，必举而用之，则有司皆得其人而政益修矣，这便是为政之道。"仲弓又问说："先有司可能也，赦小过可能也，若夫贤才之伏无尽，我岂能以一人之智，尽知天下贤才而举之乎？"孔子说："贤才之在世也，汝虽不能尽知，然岂一无所知者乎？汝虽有所不知，然人岂无知之者乎？汝但于汝之所知者，举而用之，则人见其诚心荐贤，莫不感动。凡汝之所不知者，亦皆将举之矣，其孰肯终舍之哉。"盖秉彝、好德，人心所同，举其所知者于己，而付其所不知者于人，自可无遗贤之患矣，若必自己尽知而尽举之，何其示人之不广耶？即此观之，圣贤用心之大小可见矣。大抵夫子所言，皆为政之大体，虽古先帝王致治之盛，亦不外此。故狱慎罔兼，先有司也；眚灾肆赦，赦小过也；畲受旁招，举贤才也。三者之中，举贤为尤要，能举贤才，则政平讼理。凡先有司，赦小过，皆举之矣，所以说，治天下者在得人，诚君道之首务也。

【原文】

子路曰："卫君待子而为政，子将奚先？"子曰："必也正名乎！"子路曰："有是哉，子之迂也！奚其正？"子曰："野哉，由也！君子于其所不知，盖阙如也。"

【张居正注评】

卫君，是出公，名辄。昔卫灵公逐其世子蒯聩，出奔于晋。灵公卒，立蒯聩之子辄为君。其后蒯聩欲返国，辄拒而不纳，凡宗庙祭祀，与夫出政施令于国，都只称灵公为父，不认蒯聩，是统嗣不明，名实乖乱甚矣。此时孔子自楚反乎卫，子路方仕于卫，因问于孔子说："卫君慕夫子之道德久矣，今见夫子之来，必且虚己隆礼，以待子

而为政。不知子之为政，其所设施者，以何为先乎？"夫子答之说："君臣、父子，人之大伦，未有彝伦不叙，而可以为国者。今卫君乃不以其父为父，而以其祖为父，彝伦斁而名实爽矣。若使我行政于卫，必也先正其名，使君臣父子之间，伦理昭然，名实不紊，此乃政事之根本，有国者之急务也。"子路识见未能到此，乃不深思其意，率尔妄言说："有是哉，夫子之迂阔而不达于时务也。夫为政者，惟取今日可以安国治民者而急图之可矣。至于父子称谓之间，乃是小节，何关于国之治乱，事之得失，而必以正名为先乎？"子路之言，粗野甚矣，故孔子直责之说："野哉仲由，何其识见之鄙陋，而言词之粗俗也。夫君子于事理有不通晓处，则姑阙其疑，以俟考问。今汝于我之言有所未知，不妨从容辩问，乃率尔妄对，直以为非，不亦野哉！"夫子盖将详示子路以正名之说，故先折其粗心浮气如此。

【原文】

"名不正，则言不顺；言不顺，则事不成；事不成，则礼乐不兴；礼乐不兴，则刑罚不中；刑罚不中，则民无所措手足。"

【张居正注评】

事得其序便是礼。物得其和便是乐。措，是安置的意思。孔子告子路说："吾之所以欲先正名者，岂故为是之迂哉！盖以为政之道，必名分先正，而后百凡施为皆有条理。若使名有不正，非君臣而强为君臣，非父子而强为父子，则发号施令，称谓之间必然有碍而言不顺矣。言不顺，则名实乖错，言行相违，所为之事如何得成？事不成，则动皆苟且，必然无序而不和，礼乐如何可兴？礼乐不兴，则法度乖张，小人得以幸免，君子反罹于罪，刑罚如何可中？刑罚不中，则民莫知所趋避，而无安身之地，何所措其手足？夫以名之不正，其弊遂至于此，可见大纲一隳，万目瓦裂，而国非其国矣。为政者，乌得不以正名为先乎？"

【原文】

"故君子名之必可言也，言之必可行也。君子于其言，无所苟而已矣。"

【张居正注评】

孔子又告子路说："名一不正，则言不顺，事不成，其流弊有不可胜言者。是以君子之于名也，必其称谓之间，皆当其实而无爽，而后以为名，若不可言者，则不敢以为名也。其于言也，必其出诸口者，皆可见之行而无窒，而后以为言。若不可行者，则不敢以为言也。夫名必可言，则名正而言顺；言必可行，则言顺而事成；而礼乐兴，而刑罚中，皆在是矣。所以君子为政，凡于言之称名者，务求当其实，无所苟且，盖以是耳。盖一事得，则其余皆得；一事苟，则其余皆苟。吾之欲先正名者，意正为此，子乃反以为迂，岂知治体者哉！"

【原文】

子曰："诵《诗》三百，授之以政，不达；使于四方，不能专对；虽多，亦奚以为？"

【张居正注评】

诵，是读。诗三百，是《诗经》三百篇。授之以政，是与之以位，而使其行政。达，是通晓。使于四方，是将君之命，出使于他国。专对，是自以己意应对诸侯，不烦指授也。奚字，解做何字。以，是用。为，是语词。孔子说："《诗》之为经也，本乎人情，该乎物理，可以验风俗之美恶，政治之得失，故读之者，必达于政。且其言温厚和平而不激亢，多所讽喻而不直率，故读之者必长于言。若有人焉读《诗》三百篇，可谓多矣。乃授之以政务，而漫不知所设施；出使于四方，而不能自为应对，则是徒有记诵之勤，全无心得之益，读诗虽多，有何用处？亦与不读者同矣。所以说虽多亦奚以为？"盖穷经必先明理，明理方能适用，若不能明理，不过记问口耳之学而已，何足贵哉！然不止三百篇为然，大凡经书所载，莫非经世之典，修齐治平之理备在其中，读者须逐一体验而推行之，乃为有益。不然则是求多闻而不能建事，学古训而不能有获，虽多而无用矣，善学者，可不知所究心乎？

【原文】

子曰："其身正，不令而行；其身不正，虽令不从。"

【张居正注评】

令，是教戒。孔子说："上之导下，以身不以言。若使伦理无不尽，言动无不谨，淫声美色不以乱其聪明，便嬖谗佞不以惑其心志，则身正矣。由是民皆感化，虽不待教令以驱使之，而自然迁善敏德，无敢有违背者。若其身不正，伦理不能尽，言动不能谨，声色乱其聪明，便佞惑其心志，则民心不服，虽教令谆切，使之为善，亦有不从者矣。"盖上之一身，下所视效，不能正己，焉能正人？所以《大学》论齐治均平，皆以修身为本，即是此意。有天下国家者，可不求端于身哉。

【原文】

子曰："鲁、卫之政，兄弟也。"

【张居正注评】

孔子说："鲁乃周公之后，卫乃康叔之后，本是兄弟之国。以今日观之，两国之政，也正是兄弟一般。以鲁，则三家僭窃而公室微；以卫，则不父其父而祢其祖。纪纲同一陵替，法度同一纵弛，何其衰乱之适相类也！"盖夫子思拨二国之乱以反之治，

而时不我用，力莫能挽，故徒付之慨叹如此。

【原文】

子曰："苟有用我者，期月而已可也，三年有成。"

【张居正注评】

期月，是周一年之月。可，是治理可观。成，是治功成就。昔孔子怀匡世之志，抱经纶之具，而不得试，故感而叹说："当今之世，无用我者耳。诚使有人委我以国政而用我焉，虽至于周一年之月而已，将见弊者革，废者兴，纪纲法度渐次就理，皆有可观者矣。若至于三年之久，则化行俗美，礼备乐和，民生以厚，民德以新，而治功成矣。"惜乎不得少试，而使其徒托诸空言也。

【原文】

子曰："善人为邦百年，亦可以胜残去杀矣。诚哉是言也！"

【张居正注评】

善人，是天资仁厚的人。胜残，是化残暴之人。去杀，是不用刑戮。孔子说："古语有云：善人治国，累代相继，至于百年之久，则世德积久，和气薰蒸，亦可以化残暴之人，使之同归于善，不用刑杀而天下自治矣。古语如此，诚哉是言，信有此理也。"盖凡民之心，有善无恶，其所以放辟邪侈而陷于刑辟者，岂无仁义之良哉？惟上之人无以感之耳。善人为政，虽未必德业全备、礼乐修明，只以其一念醇厚之心，积之而化，便可使刑措不用，但须先后相承，迟以岁月耳。若夫圣人之治天下，何待百年，其效亦岂止此而已哉。

【原文】

子曰："如有王者，必世而后仁。"

【张居正注评】

王者，是圣人受命而兴。以君主天下者，三十年为一世。仁，是教化浃洽。孔子说："善人为邦百年，仅可以胜残去杀，不过小康之国而已。若乃至治之世，仁恩渗漉，教化浃洽，举天下之大，如人一身，血气周流，无不贯彻，才叫做仁。今明主不作，民之不被其泽久矣。如有圣人受命而起，欲纳天下于同仁之域，恐亦未可遽期其效。必是积之以渐，仁心仁政，涵育熏陶，至于三十年之久。然后深仁厚泽，浃于肌肤，沦于骨髓，天下之人皆涵濡于德化之内，而相忘于熙皞之天也。夫岂一时可致者哉！"此可见非王道不足以成至治，非悠久不足以行王道。盖惟唐虞之万邦时雍，成周之宇宙泰和，可以语此愿治者当知所从事矣。

【原文】

子曰:"苟正其身矣,于从政乎何有?不能正其身,如正人何?"

【张居正注评】

从政,是为大夫而从事于政治。孔子说:"为政所以正人也,而其本在于正身。苟能居仁由义,动遵礼法,先自正其身矣,则上行下效,捷于影响,其于从政而正人也,何难之有?若立身行己,一有未善,不能自正其身,则表仪不端,焉能率下,其如正人何哉?"

【原文】

冉子退朝。子曰:"何晏也?"对曰:"有政。"子曰:"其事也。如有政,虽不吾以,吾其与闻之。"

【张居正注评】

朝,是鲁大夫季氏私家之朝。晏,是晚。政,是国政。事,是家事。以,是用。古者大夫虽致仕,犹得与闻国政。昔者冉子为季氏宰,朝于季氏而退,来见孔子。孔子问说:"今日何退朝之晚也?"冉子对说:"适有国政,相与商议,所以来迟。"孔子说:"此必是季氏私家之事耳,非国政也。若是国政,则我旧日曾为大夫,虽已致仕不用,于礼犹得与闻之。今既不闻,则非鲁国之政明矣。"是时季氏专鲁,其于国政,盖有不与同列议于公朝,而独与家臣谋于私室者。故夫子阳为不知而言,所以正名分,抑季氏,而教冉子之意深矣。

【原文】

定公问:"一言而可以兴邦,有诸?"孔子对曰:"言不可以若是,其几也,人之言曰:'为君难,为臣不易。'如知为君之难也,不几乎一言而兴邦乎?"

【张居正注评】

定公,是鲁君。几,是期必的意思。鲁定公问于孔子说:"为治有要,不在多言,紧要的只一句言语,便可以兴起国家,果有之乎?"孔子对说:"兴邦,大功也。一言之微,便未可若是而必期其效。然亦有之。今时人有句话说道:'为君难,为臣不易。'夫人君势分崇高,威福由己。若无难为者,殊不知君之一身,上焉天命去留所系,下焉人心向背所关。一念不谨,或贻四海之忧;一日不谨,或致无穷之患,为君岂不难乎?人臣职守有常,随分自尽。若可易为者,殊不知臣之事君,上焉辅之以凝承天命,下焉辅之以固结人心。致君之道少亏,则有瘝官之咎;泽民之方未备,则有旷职之愆,为臣亦岂易乎?时人之言如此,人君惟不知其难,固无望于兴邦耳。诚使真知为君之

难，而就业以图之。处己，则不敢有一念之或肆；治民，则不敢有一事之或忽。由是以倡率臣工，皆务勤修职业，以共尽克艰之责。如此，将见君德日以清明，政事日以修治，上而天命于是乎眷佑，下而人心于是乎爱戴，国家之兴，端可必矣。然则为君难一言，不几乎为兴邦之明训乎？吾君有志于兴邦，亦于斯言加之意而已。"

【原文】

曰："一言而丧邦，有诸？"孔子对曰："言不可以若是，其几也，人之言曰：'予无乐乎为君，唯其言而莫予违也。'如其善而莫之违也，不亦善乎？如不善而莫之违也，不几乎一言而丧邦乎？"

【张居正注评】

定公又问说："一言兴邦，既闻之矣。若说一句言语便可以丧亡其国者，亦有之乎？"孔子对说："丧邦，大祸也。一言之间，便未可若是而必期其祸。然亦有之。今时人有言说道：'我不是喜乐为君，只是为君时随我，所言，臣下都遵奉而行，无敢违背，此乃其所乐也。'时人之言如此。自今言之，君令臣从，固无敢有违者，然也看君之所言何如。如其所言而善，有益于生民，有利于社稷，那臣下每都依着行，不敢违背，则生民必受其福，社稷必得其安，岂不是好事？如其所言不善，有害于生民，有损于社稷，也都要臣下每依着行，不敢违背，则生民必受其祸，社稷必为之危，而国不可以为国矣。然则惟言莫违之一言，岂不可期于丧邦乎？"夫邦之兴亡，非细故也，而皆始于一言。《大学》所谓一人定国，一言偾事，意亦如此。人君审其所以兴，鉴其所以亡，则可以永保天命而长守其社稷矣。

【原文】

叶公问政。子曰："近者说，远者来。"

【张居正注评】

叶公，是楚大夫。叶公问政于孔子。孔子说："为政之道，在得民心。若能使民之近者被其泽而喜悦，远者闻其风而来归，则为政之道得矣。然人心至愚而神，苟非有实心实政足以感人，而欲以欢虞小术违道干誉，则四境之内且不能服，况其远者乎？"此盖夫子言外之意也。

【原文】

子夏为莒父宰，问政。子曰："无欲速。无见小利，欲速，则不达；见小利，则大事不成。"

【张居正注评】

莒父，是鲁邑。速，是急速。小利，是小小便益。达，是通达。昔者子夏为莒父邑宰，问政于孔子。孔子说："为政之弊有二，躁急之人，方为其事而遽责其效，这是欲速之弊。子之为政，必须推行有渐，不可欲速以求目前之效。浅狭之人，狃于浅近而昧于远大，这是见小之弊。子之为政，必须志量广大，不可见些小事功便以为得。何也？盖欲以能达为贵，然必有渐而后可以达也。若欲速，则求治太急而无次第，欲其通达，反不能达矣，此所以不可欲速也。政以大成为期，所志者大，则小者有所弗顾也。若见小利，则其心已足而无远图，所得者小，而所失者大矣。此所以不可见小利也。"盖子夏素有近小之病，故孔子以此教之，其实为政之道，不外于此矣。

【原文】

叶公语孔子曰："吾党有直躬者，其父攘羊，而子证之。"孔子曰："吾党之直者异于是：父为子隐，子为父隐，直在其中矣。"

【张居正注评】

党，是乡党。直躬，是直身而行者。攘，是窃盗。证，是证明。昔楚大夫叶公与孔子说道："吾乡党之中，有直身而行，无所私曲的人。其父盗人之羊，而己为之子，乃从而证明其事。夫父子至亲，尚且不能隐，则其直可知矣。"孔子说："我乡党中亦有直身而行者，与此不同。子有过也，而父为之隐，不使闻之于人；父有过也，而子为之隐，不使闻之于人。夫父子相隐，虽不得为直，然于天理为顺，于人情为安，迹虽枉而理则直，虽不求为直，而直自在其中矣。若父子相证，则于天理、人情两有所乖，岂得为直哉！"此可见道不远于人情，事必求夫当理。矫情以沽誉，立异以为高，流俗之所慕，而圣人之所不取也。后世论道与论人者，宜以孔子之言为准。

【原文】

樊迟问仁。子曰："居处恭，执事敬，与人忠。虽之夷狄，不可弃也。"

【张居正注评】

仁，是心之德。恭，是敬之见于外者。敬，是恭之主于中者。忠，是尽心而不欺。之字，解做往字。弃，是舍去的意思。樊迟问说："如何可以为仁？"孔子告之说："仁具于心，本体事而无所不在。故为仁之道，须随事而检束其心。大凡日用之间，不是闲居，即是应事，不是应事，便是接人。若此心一有不存，即失其本然之理，而不足以为仁矣。故必静而居处，便要俨然恭庄，而不敢惰慢，则心存于居处之时矣。动而应事，便要肃然敬谨，而不敢急忽，则心存于执事之时矣。以至与人相处，又要忠实而不敢欺诈，则心存于与人之时矣。然又不可少有间断，必须以此三者拳拳服膺，而无须臾之违。不但安常处顺之时为然，虽到那夷狄患难之中，居处也是这般样恭，执事也是这般样敬，与人也是这般样忠，确然固守而不可弃失。则此心无往不存，将至于全体不息，而浑然天理之周流矣，岂非为仁之道乎？"

【原文】

子贡问曰："何如斯可谓之士矣？"子曰："行己有耻，使于四方不辱君命，可谓士矣。"曰："敢问其次？"曰："宗族称孝焉，乡党称弟焉。"曰："敢问其次？"曰："言必信，行必果，硁硁然小人哉！抑亦可以为次矣。"曰："今之从政者何如？"子曰："噫！斗筲之人，何足算也。"

【张居正注评】

耻，是羞耻。硁硁，是小石之坚确者。小人，是局量浅狭的人，非为恶之小人也。斗筲，是器名，所容不多。何足算，是说不足数。昔子贡问于孔子说："民生有四，士为之首，士之名亦难称矣。必何如，然后可以谓之士乎？"孔子说："节行乃立身之本，才略为用世之具。若于行己之间，以道义为大闲，凡非义之事，皆羞耻而不为，是大本已立矣。及其奉君命而出使于四方，则又能应对诸侯，随机达变，不至辱了君命，是其志既有所不为，而其才又足以有为，若此者，始可以谓之士也。"子贡又问说："全才不容以多得，取人不可以求备，亦有次于此而可以称为士者乎？"孔子说：

吴王夫差盉

"士固以才行相兼为贵，然与其行之不足，宁可才之不足。若有人焉，善事其亲，而宗族皆称其为孝；善事其长，而乡党皆称其为弟。此其才虽有不足，而大本不失，亦可以为次一等之士矣。"子贡又问说："人之品类不同，一节非无可取，又有下此一等而可称为士者乎？"孔子说："人之言行，本不可以意必。然与其失之放恣，宁可失之固执。若有人焉，所言者，不择理之是非而必期于信；所行者，不问其事之可否而必期于果，是乃识量浅狭，硁硁然坚固拘小之人也。此其本末虽无足观，而亦不害其为自守之固，抑亦可以为又一等之士矣。"子贡又问说："今之从政而为大夫者何如，亦有可取者乎？"夫子叹息而鄙之说道："此辈乃猥琐之徒，譬如斗筲小器，所容无几，何足置之谈论哉！"此可见论士以才行为准，而取人以实行为先。苟有其行，则虽硁硁之小人，尤为圣门之所不弃，不然，则市井无行之徒虽有小才，不可以称为士矣。有用人之责者，宜致辨于斯。

【原文】

子曰："不得中行而与之，必也狂狷乎？狂者进取，狷者有所不为也。"

【张居正注评】

中行，是资质既高，学力又到，无过不及，中道而行者。与，是传授。狂，是有志的人。狷，是有守的人。进取，是进而取法乎上。有所不为，是不为非礼之事。孔子说："道以中庸为至。若得那无过不及，中道而行之士，以传授之，固吾之所深愿者。但中庸之道，民之鲜能已久，斯人不可得而见之矣。然道不可终无所寄，下此而求其可教者，必也狂与狷乎？夫狂者志大而略于事，狷者孤介而违于俗，皆性禀之失中者，而吾反有取焉，何也？盖天下有一种谨厚的人，其已检饬，而不见其过差，其处人和易，而动谐于流俗，恰似个中行的模样。然其识趣凡近，而无向上之志；行履卑陋，而鲜特立之操，这等的人，未可以进于道也。惟夫狂者，进而取法于上，动以远大自期，虽其行有所不逮，而迈往之志，则有骎骎乎不可以限量者。狷者，自爱其身，非礼之事断然不为，虽其知有所未及，而能守之节，则有皎皎乎不可以少缁者，吾于是因其志节，而激励裁抑之。狂者使之践履笃实，以充其进取之志，狷者使之恢弘通达，以扩其不为之节。则今日之狂狷，固他日之中行也，传道之托，庶几其有望乎？若夫谨厚拘挛之士，非吾之所愿与者矣。"按：孔子所谓中行，即《洪范》所谓平康正直。狂、狷，即《洪范》所谓高明沉潜之人也。中行之士不可以易得，故不得不有取于狂狷，平康之世不可以常见，故不得不用刚柔以克治之。圣人之教人，与帝王之治世，其道一而已，有君师治教之责者，宜留意焉。

【原文】

子曰："南人有言曰：'人而无恒，不可以作巫医。'善夫！'不恒其德，或承之羞。'"子曰："不占而已矣。"

【张居正注评】

南人，是南国之人。恒，是常久。巫，是巫祝，祝鬼的人。医，是行医的人。承，是进。占，是占卜。孔子说："南国之人，有常言说道：'凡人之处己处人，皆当有恒久之心。若使人而无恒，处事则或作或辍，而有始无终；处人则一反一覆，而多变难测。这等的人，虽巫医贱役亦不可以为。'"盖巫所以交鬼神，不恒，则诚意不足，而神必不享；医所以寄死生，不恒，则术业不精，而医必不效，南人之言如此。此虽常言，实有至理，不亦善乎！然不独南人有此言，《易经》中《恒卦》九三爻辞也说道："人而不恒其德，则内省多疚，而外侮将至，人皆得以羞辱进之矣。"孔子既引此辞，又说道："《大易》之戒，明显如此，人但不曾玩其占而已矣。苟玩其占，岂不惕然省悟哉。"此可见天下无难为之事，而人贵有专一之心。君子恒其德，则可以为圣贤；圣人久其道，则可以化天下。若以卤莽灭裂之心，而尝试漫为天下之事，是百为而百不成者也。

【原文】

子曰："君子和而不同，小人同而不和。"

【张居正注评】

和，是以道相济，而心无乖戾。同，是以私相徇，而务为雷同。孔子说："君子、小人，心术不同，故其处人亦异。君子之心公，其与人也，同寅协恭，而绝无乖戾之心。既不挟势以相倾，亦不争利以相害，何其和也。然虽与人和，而不与人同。事当持正，则执朝廷之法，而不可屈挠；理有未当，则守圣贤之道，而不肯迁就。固未尝不问是非而雷同无别也。小人之心私，其与人也，曲意徇物，而每怀阿比之意。屈法以合己之党，背道以顺人之情，何其同也。然外若相同，而内实不和。势之所在，则挟势以相倾；利之所在，则争利以相害。固未尝一德一心，而和衷相与也。"此可见和之与同，迹同而心异。公则为和，私则为同，此君子、小人之攸分，而世道污隆之所系。欲进退人才者，所宜慎辨于斯也。

【原文】

子贡问曰："乡人皆好之，何如？"子曰："未可也。""乡人皆恶之，何如？"子曰："未可也。不如乡人之善者好之，其不善者恶之。"

【张居正注评】

子贡问于孔子说："公道每出于众论。今有人焉，一乡之人都道他好，果可以为贤乎？"夫子答说："一乡未必尽善人也，而皆好此人，安知其非同流合污者乎？未可便信其为贤也。"子贡又问说："正人多忤于流俗。今有人焉，一乡之人都憎恶他，抑可以为贤乎？"夫子答说："一乡未必尽不善人也，而皆恶此人，安知其非诡世戾俗者乎？亦未可便信其为贤也。盖好恶之公，不在于同，而善恶之分，各以其类，与其以乡人皆好为贤，不如只以乡人之善者好之之为得也；与其以乡人皆恶为贤，不如只以乡人之不善者恶之之为得也。盖善者循乎天理，今从而好之，是必喜其与己同也。不善者狃于私欲，今从而恶之，是必嫉其与己异也。既能取信于君子，又不苟同于小人，其为贤也，复何疑哉！"此可见观人之法，徒取其同，则群情或有所蔽；各稽其类，则实行自不能掩。欲辨官论才者，尤当以圣言为准可也。

【原文】

子曰："君子泰而不骄，小人骄而不泰。"

【张居正注评】

泰，是安舒自得的模样。骄，是矜高放肆的模样。孔子说："君子，小人，其存心不同，故其气象亦自有辨。君子以道德润身，是以内和而外平，心广而体胖。但见其安舒自得而已，何尝矜己傲物，而或涉于骄乎？小人以才势自恃，是以志得而意满，心高而气盛。但见其矜夸自足而已，何尝从容不迫，而有所谓泰乎？"盖泰若有似于骄，而有道之气象与逞欲者自殊；骄若有似于泰，而负势之气习，与循理者迥别。欲知君子小人之分，观诸此而已矣。

【原文】

子曰："刚、毅、木、讷，近仁。"

【张居正注评】

刚，是强劲。毅，是坚忍。木，是质朴。讷，是迟钝。孔子说："仁为心德，本人人所固有者。但资禀柔懦，而委靡者，不胜其物欲之私；文饰而口辨者，每蹈于外驰之失，其去仁也远矣。若夫刚者，强劲而不挠；毅者，坚忍而不馁；木者，质朴而无华；讷者，迟钝而不佞。这四样资质，虽未可便以为仁，而实与仁相近。何也？刚毅，则不屈于物欲，欲之分数少，自然理之分数多矣。木讷，则不至于外驰。心不驰于外，自然能存于内矣，岂不与仁相近乎？有是质者，若能加以自强不息之学，则天理易于纯全，且将与仁为一矣，岂止于近而已哉！不然亦徒有是美质，而终不足以为仁，良可惜也。"

【原文】

子路问曰："何如斯可谓之士矣？"子曰："切切偲偲，怡怡如也，可谓士矣。朋友切切偲偲，兄弟怡怡。"

【张居正注评】

切切，是情意恳到的意思。偲偲，是告诫详勉的意思。怡怡，是容貌和悦的意思。昔子路问于孔子说："士者，人之美称，然必何如而后可以谓之士乎？"孔子说："士之质性，贵于中和。若于行己接人之时，或径情直行，或率意妄言，或过于严厉而使人难亲，皆非所以为士也。必也切切焉情意恳到，而竭诚以相与；偲偲焉告诫详勉，而尽言以相正。又且怡怡焉容貌温和，而蔼然其可亲，斯则恩义兼笃，刚柔不偏，非涵养之有素者不能也，可谓士矣。然是三者，又不可混于所施，于处朋友，则当切切偲偲以尽箴规之道；处兄弟，则当怡怡以敦天性之爱。盖朋友以义合者也，以义合者则可以善相责，苟以施之兄弟，其能免于贼恩之祸耶？兄弟以恩合者也，以恩合者，则宜以情相好，苟以施之朋友，其能免于善柔之损耶？"此可见天下有一定之道，而无一定之用，虽知其道，而不善用之，尤为德之累也，兼体而时出之，斯善矣。

【原文】

子曰："善人教民七年，亦可以即戎矣。"

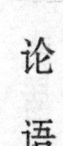

【张居正注评】

即戎，是用之为兵。孔子说："善人之道，笃实无伪。故其教民也，存之内者，皆实心，而能使其情意之流通；发之外者，皆实政，而能使其纲纪之振举。或教之以孝弟忠信之行，使之知尊君亲上之义；或教之以务农讲武之法，使之知攻杀击刺之方。积而至于七年之久，亦可以使之披坚执锐，而从事于戎伍之间矣。"谓之亦可者，是仅可而有所未尽之辞，若夫圣人在上，以善教民，自将无敌于天下，岂但可以即戎，而又何待于七年哉。

【原文】

子曰："以不教民战，是谓弃之。"

【张居正注评】

孔子说："兵者，死地；战者，危事。若平素不曾教民，则民不知尊君亲上之义，攻杀击刺之方。一旦驱之于战，适足以杀其躯而已，非弃其民而何？"此两章，总是见兵不可以不慎之意。盖天下虽安，忘战则危，所以古之帝王，常于太平之日，不忘儆戒之心。讲武事，除戎器，以备不虞，盖为此也。

宪问第十四

胡氏曰："此篇疑原宪所记。"凡四十七章。

【原文】

宪问耻。子曰："邦有道，谷；邦无道，谷，耻也。"

【张居正注评】

宪，是孔子弟子，姓原，名宪。耻，是愧耻。谷，是居官的俸禄。原宪问孔子说："人不可以无耻。不知何者为可耻之事？"孔子告之说："人之可耻者，莫过于无能而苟禄。如邦家有道，明君在上，言听计从，正君子有为之时也，乃不能有所建明，只空吃着俸禄。至若邦家无道，上无明君，言不听而计不从，虽卷而怀之可也，乃犹腼颜居位，只空吃着俸禄。夫君子居其位，则必尽其职，称其职，乃可食其禄。今世治而不能有为，世乱而不能引退，乃徒窃位以素餐，贪得而苟禄，则其志行之卑陋甚矣，人之可耻，孰大于是乎？"按：原宪为人狷介，其于邦无道，谷之可耻，盖已知之，至于际时行道，或短于设施之才，故夫子兼举以告之，乃因其所已能，而勉其所未至也。

【原文】

"克、伐、怨、欲不行焉,可以为仁矣?"子曰:"可以为难矣,仁则吾不知也。"

【张居正注评】

原宪又问说:"人心至虚,物欲蔽之。好胜者谓之克,自矜者谓之伐,忿恨者谓之怨,贪求者谓之欲,有一于此,皆为心累。若能于此四者,皆制之而不行焉,则人欲既遏,天理自存,斯可以为仁矣?"孔子说:"克、伐、怨、欲,皆人情之易动者。今能制之而不行,是其力足以胜私,刚足以克欲,斯亦可以为难矣。若遽以为仁,则吾不知也。"盖仁者纯乎天理,自无四者之累。今但日不行,则不过强制其情,暂时不发而已。譬之草根不除,终当复生;火种未灭,终当复燃。倘操持少懈,宁无潜滋暗长,而不自觉者乎?是未可便谓之仁也。要之原宪之问,徒知制其流。夫子之答,是欲澄其源。惟能致力于本源,则天理渐以浑全,私欲自然退听矣,此求仁者所当知也。

【原文】

子曰:"士而怀居,不足以为士矣。"

【张居正注评】

怀,是思念。居,是意所便安处。孔子说:"士志于道,则居无求安,为其所志者大,不暇为燕安计也。苟于意所便安处,即恋恋不能舍,或怀于宫室器用之美,或怀于声色货利之私,则心为形役,而志以物损,处富贵则必淫,处贫贱则必移,其卑陋甚矣,恶足以为士乎?"

【原文】

子曰:"邦有道,危言危行;邦无道,危行言孙。"

【张居正注评】

危,是高峻的意思。孙,是卑顺的意思。孔子说:"君子处世,其言行固当一出于正,不可少贬以徇人,然也看时势何如。如君明臣良,公道大行,此邦家有道之时也。则当高峻其言,明是非,辨邪正,而侃然正论之不屈;高峻其行,慎取与,洁去就,而挺然劲气之不回。盖道与时合,无所顾忌,故言行俱高而无害也。若夫君骄臣谄,公道不明,此邦家无道之时也。当此之时,其行固当仍旧高峻,不可少屈以失己之常,言则不妨于卑顺,不可太直以取人之祸。盖道与时违,不得不为此委曲以避害耳。"此可见行无时而不危,君子守身之节也;言有时而可孙,君子保身之智也。然有国者而使人孙言以苟容,岂国之福也哉!

【原文】

子曰:"有德者必有言,有言者不必有德。仁者必有勇,勇者不必有仁。"

【张居正注评】

孔子说:"人有存诸中的是根本,有发诸外的是枝叶。即其所存,固可以知其所发;据其所发,则未可信其所存。如行道而有得于心者谓之德。有德者虽不尚夫言,然和顺积中,而英华发外,敷之议论,必然顺理成章而可听,是言乃德之符也。若夫有言者则未必其有德,盖言一也。有君子之言,有色庄之言,若但听其言而取之,则君子色庄,何从而辨别之乎?故未可遽信其为有德也。心德浑全之谓仁,仁者虽不期于勇,然心无私曲,则正气常伸,其临事之际,自然见义必为而有勇,是勇乃仁之发也。若夫有勇者,则未必有仁,盖勇一也。有义理之勇,有血气之勇,若但从其勇而观之,则义理血气何从而辨别之乎?故未可遽信其有仁也。"此可见,德可以兼言,言不可以兼德;仁可以兼勇,勇不可以兼仁。自修者固当知所以务本,而观人者亦乌可徒取其末哉。

【原文】

南宫适问于孔子曰:"羿善射,奡荡舟,俱不得其死。然禹、稷躬稼而有天下。"夫子不答。南宫适出。子曰:"君子哉若人!尚德哉若人!"

【张居正注评】

南宫适,即南容。羿,是有穷国之君。奡,是羿臣寒浞之子。荡舟,是陆地行舟。南宫适问于孔子说:"羿善于射,奡能陆地行舟,以力言之,天下无有能过之者矣。然一则为其臣寒浞所杀,一则为夏后少康所诛,皆不得正命而死。禹平水土,稷播百谷,身亲稼穑之事,以势言之,亦甚微矣。然禹则亲受舜禅而有天下,稷之后,至周武王亦有天下。夫以强,则羿奡之亡也如彼;以弱,则禹稷之兴也如此。其得失之故,果安在哉。"南宫适之问,托意甚深,且或有感而发。夫子于此,盖有难于言者,故默然不答,但俟其既出而叹美之说道:"自世俗尚力而不尚德,此君子所以不可见,而知德者鲜也。今观适之所言,进禹稷而退羿奡,贵道德而贱权力,则其人品之高,心术之正,可知矣。君子哉其此人乎,尚德哉其此人乎。"再言以赞美之,盖深有味乎其言,且以寓慨世之意也。

【原文】

子曰:"君子而不仁者有矣夫,未有小人而仁者也。"

【张居正注评】

孔子说:"仁者,心之德。心存则仁存,心放则仁失。然存之甚难,失之却易。如君子之心纯乎天理，固宜无不仁也。然毫忽之间心不在焉，则人欲有时而窃发，天理有时而间断，间断即非仁矣。所以君子而不仁者尚有之也。若夫小人，则放僻邪侈之心滋，行险侥幸之机熟，纵有天理萌动之时，亦不胜其物欲攻取之累矣，岂有小人而仁者哉。"夫人而不仁，不可以为人，则小人固当为戒。然以君子而尚有不仁焉，则操存省察之功，盖不可一时而少懈矣。

【原文】

子曰："爱之，能勿劳乎？忠焉，能勿诲乎？"

【张居正注评】

劳，是劳苦之事。诲，是规谏之言。孔子说："天下有甚切之情，则有必至之事。父母之于子，有以姑息为爱而骄之者矣。骄则将纵其为恶以取祸败，此乃所以害之，非所以爱之也。若慈亲之于子也，爱之也切，则其为虑也远。或苦其心志，或劳其筋骨，禁其骄奢淫佚之为，而责之以忧勤惕厉之事。盖其心诚望之以为圣为贤，故自不肯以姑息豢养而误之。是劳之者，正所以成其爱，爱之能勿劳乎？臣之于君，有以承顺为忠，而谀之者矣。谀则将陷君于有过，以致覆亡，此乃所以戕之，非所以忠之也。若忠臣之事君也，其敬之也至，则其为谋也周。或陈说古今，或讥评时事，不避夫拂意犯颜之罪，而务竭其纳诲辅德之忱。盖其心诚望其君以为尧为舜，故自不忍以缄默取容事之。是诲之者，正所以忠之也，忠焉能勿诲乎？"夫知爱之必劳，则为子者不可以惮劳。惮劳，非所以自爱也。知忠之必诲，则为君者不可以拒诲。拒诲，非所以劝忠也。君臣父子之间，贵乎各尽其道而已。

【原文】

问管仲。曰："人也。夺伯氏骈邑三百，饭疏食，没齿无怨言。"

【张居正注评】

管仲，是齐大夫管夷吾，相桓公霸诸侯，一匡天下。人也，是说此人也。伯氏，亦齐大夫。骈，是伯氏所封之邑，有三百户，盖大邑也。疏食，是粗饭。没齿，是终身。或人又问："管仲之为人何如？"孔子说："此人也其功足以服人者也。昔齐大夫伯氏有罪，桓公夺其所封之骈邑三百户，以封管仲。伯氏后来穷约，饭食粗饭，以至终身，曾无怨言。夫夺人之有，人之所不堪也；夺之而致其穷约终身，尤人之所不堪也。乃伯氏安焉终不以为怨，苟非有以深服其心，岂能如此。观此而管仲之功可知矣，是则管仲之为人也。"按：子产、子西、管仲三人，皆春秋之名臣，然当时议论犹有未定，子产以法严而掩其德爱，管仲以器小而昧其大功，子西以能让千乘之国，而盗一时之名，非夫子一言以定其人品，则万世之公论几不白矣。此人之所以为难知，而论人者当以圣言为准也。

【原文】

子曰："贫而无怨难，富而无骄易。"

【张居正注评】

孔子说："贫者多怨尤之心，富者多骄肆之失，此乃人情之常。若处贫而能安于义命，无所怨尤，斯善处贫者也。处富而能收敛谦抑，不为骄肆，斯善处富者也。然贫为逆境，非心无愧怍，而真有所得者，必不堪其忧，故贫而无怨，实乃人之所难。富为顺境，但稍知义理，而守其常分者，便可以自制，故富而无骄，犹为人之所易。知无怨之难，则人固当勉其难；知无骄之易，则人又岂可忽其易哉。"

【原文】

子曰："孟公绰为赵、魏老则优，不可以为滕、薛大夫。"

【张居正注评】

孟公绰，是鲁大夫。赵、魏，都是晋之世卿，最称大家者也。老，是家臣之长。优，是有余。滕、薛，都是小国。大夫，是任国政之官。孔子说："人之材器，各有所宜，用人者，必当因材而器使之。如孟公绰为人廉静寡欲，而才干则短，本宜于简，而不宜于繁者也。若使他做家臣之长，就是赵、魏之大家，他也为之而有余。何也？家老之职，惟在端谨以领率群僚而已，公绰之廉静寡欲，固自优于此也。若使他做大夫，就是滕、薛小国，亦所不可。何也？大夫任一国之政，非有理繁治剧之才者不能，公绰短于才，则固不足以办此矣。夫一孟公绰也，以为家老，则赵、魏且优，况小于赵、魏者乎？以为大夫，则滕、薛且不可，况大于滕薛者乎？"可见人各有能有不能，任当其才，皆可以奏功；用违其器，适足以偾事。图治者，可不知人而善任之哉。为成人矣。"此又因子路之所可能者，而告之也。

【原文】

子问公叔文子于公明贾曰："信乎？夫子不言，不笑，不取乎？"公明贾对曰："以告者过也。夫子时然后言，人不厌其言；乐然后笑，人不厌其笑；义然后取，人不厌其取。"子曰："其然？岂其然乎？"

【张居正注评】

公叔文子，是卫大夫公孙拔。公明贾，是卫人。厌，是苦其多而恶之的意思。昔卫大夫公叔文子是个简默廉洁的人，故当时以不言不笑不取称之。夫子闻而疑焉，乃问于卫人公明贾说："人说汝夫子平日，通不说话，不喜笑，又一毫无取于人，信有之乎？"公明贾对说："言、笑、取、予，乃吾人处已接物之当，岂有全然不言不笑不取者？此殆言者之过也。盖多言的人，则人厌其言，吾夫子非不言也，但时可以言而后言，言不妄发，发必当理，是以人不厌其言，而遂谓之不言也。苟笑的人，则人厌其笑，吾夫子非不笑也，但乐得其正而后笑，一颦一笑，不轻与人，是以人不厌其笑，而遂谓之不笑也。妄取的人，则人厌其取，吾夫子非不取也，但义所当得而后取，苟非其义，即却而不受，是以人不厌其取，而遂谓之不取也。岂诚不言不笑不取哉。"夫时人之论文子，固为不情之言，而公明贾至以时中称之，尤为过情之誉。故夫子疑而诘之，说道："汝谓汝夫子时言、乐、笑、义、取，其果然乎？然此非义理充溢于中而得时措之宜者不能，汝夫子岂真能然乎？"夫不直言其非，而但致其疑信之词如此，圣人与人为善之心，含洪忠厚之道也。

【原文】

子曰："臧武仲以防求为后于鲁，虽曰不要君，吾不信也。"

【张居正注评】

臧武仲，是鲁大夫臧孙纥。防，是武仲所封之邑。要，是有挟而求。武仲得罪于鲁，出奔于邾，既而自邾归防，使人请立臧氏之后于鲁，而后去。孔子即其事而诛其心，说道："臧武仲既已得罪出奔，虽欲请后，只宜使人陈词于鲁，以听处分，不当又入防以请。推其心，以为若不得请，则将据邑以叛矣，是盖挟不逊之心而劫之以不得不从之势，虽曰不要君，吾不信也。"夫人臣之罪，莫大于要君，武仲之所以敢于为此者，亦以鲁君失政故耳。使鲁之纪纲正，法度举，彼武仲者，其敢蹈不轨之诛乎？图治者，宜慎鉴于斯。

【原文】

子曰："晋文公谲而不正，齐桓公正而不谲。"

【张居正注评】

晋文公，名重耳。齐桓公，名小白。谲，是诡谲，与正相反。孔子说："齐桓、晋文相继为诸侯之长。当时虽称为二霸，然文非桓比也。盖文公为人专尚诈谋，不由正道，是谲而不正者。桓公则犹知正道，不尚诈谋，是正而不谲者。即如伐楚一事，文公欲解宋围，乃伐曹卫以致楚，欲与楚战，又复曹卫以携楚，不能声罪致讨，只以阴谋取胜而已。若桓公伐楚，则以王祭不供而声其罪，又退师召陵而许其盟，名正言顺，举动光明，此桓之所以优于文也。"二公他事，亦多类此，其优劣判然矣。然夫子亦就二公之事论之耳，推其心，则皆假借仁义，同归于谲而已，其于王者之道，岂可同日而语哉。

【原文】

子路曰："桓公杀公子纠，召忽死之，管仲不死。"曰："未仁乎？"子曰："桓公九合诸侯，不以兵车，管仲之力也。如其仁！如其仁！"

【张居正注评】

公子纠，是齐桓公之弟。齐有襄公之乱，桓公出奔于莒，召忽、管仲奉子纠奔鲁，以与桓公争立。桓公既返国，使鲁杀子纠，而缚管、召以与齐。召忽死之，管仲请囚。既至，桓公释其缚，用以为相。九字，《春秋传》作纠，是督率的意思。子路问说："桓公使鲁杀公子纠，召忽致命而死，于义得矣。彼管仲者，同为子纠之臣，乃独不死，而反臣事桓公，盖忘君事仇，忍心害理之人也，岂得为仁乎？"孔子说："稽古者当论其世，论人者勿求其全。彼桓公当王室微弱，夷狄交侵之时，乃能纠合列国诸侯，攘夷狄以尊周室。且又不假兵车之力、杀伐之威，只是仗大义以率之，昭大信以一之，而诸侯莫不服从，若是者，皆管仲辅相之力也。使桓公不得管仲，则王室日卑，夷狄益横，其祸将有不可胜言者矣。夫仁者以济人利物为心，今观管仲之功，其大如此，则世之言仁者，孰有如管仲者乎？孰有如管仲者乎？殆未可以不死子纠之一节而遂病之也。"按：齐世家，桓公兄也，子纠弟也，以弟夺兄，于义已悖。是以忽之于纠，虽有可死之义，而仲之于桓，亦无不可仕之理，况实有可称之功彰彰如是乎。圣人权衡而折衷之，其义精矣。

【原文】

公叔文子之臣大夫僎与文子同升诸公。子闻之，曰："可以为'文'矣。"

【张居正注评】

公叔文子，是卫大夫公孙拔，其后谥为贞惠文子。公，是公朝。昔卫之大夫有名僎者，先为公叔文子家臣，文子因其贤，遂荐之于君，而与己为同僚。夫子闻此事而称美之，说道："谥法'文'之一字，最为美称，非其平生有才德行美者，不足以当之。今公叔之得谥为文，我固不知其他，然只就这一件观之，是即可以为文矣。夫知贤而能荐，明也；拔之家臣之贱，而升之公朝之间，公也；惟知为国用贤，不嫌名位之逼，忠也。一事而三善备焉，谥之曰文，夫何愧乎？"按：臧文仲不荐柳下惠，则夫子讥其为窃位；公叔文子荐家臣僎，则夫子称其可为文。是可见，荐贤为国，乃人臣之盛节，以人事君者，所当知也。

【原文】

子言卫灵公之无道也。康子曰："夫如是，奚而不丧？"孔子曰："仲叔圉治宾客，祝鮀治宗庙，王孙贾治军旅。夫如是，奚其丧？"

【张居正注评】

康子，是鲁大夫季康子。昔孔子在鲁，曾谈及卫灵公无道之事。盖其彝伦不叙，纲纪不张，在当时诸侯中最为失德，故夫子言之。季康子因问说："人君有道则兴，无道则亡。卫灵公既无道如此，何故能终保其位，而不至于丧亡乎？"孔子答说："灵公虽是无道，然却有件好处，他平生最善用人。如仲叔圉长于言语者也，则用之以接待宾客，应对诸侯；祝鮀熟于礼文者也，则用之管宗庙祭祀之事；王孙贾长于武事者也，则用之以治军旅，居将帅之任。夫治宾客得其人，则朝聘往来，无失礼于邻国，而不至启衅召祸矣；治宗庙得其人，则祀事精处，神人胥悦，而人心有所系属矣；治军旅得其人，则缓急有备，而敌国不敢窥矣。这三件，乃国之大事，皆择人以任之，而用之又各当其才，此所以内外咸理，而国家可保也。灵公虽无道，何由便至于丧亡哉？"夫卫灵以无道之君，得人而任之，尚可以保国，况于有道之世，得天下之贤才而善用之乎？所以说君子在朝，则天下必治。人主为社稷计者，宜知急亲贤之为务矣。

【原文】

子曰："其言之不怍，则为之也难。"

【张居正注评】

怍，是惭愧。孔子说："凡人放言易，力行难。故躬行君子，每切其言而不敢易。若或轻肆大言，高自称许，略无惭愧之心，这等的人，考其所行，必不能相顾，徒妄言以欺人耳。其为之也，不亦难乎？"所以君子贵夫实胜，而听言者又当观其行也。

【原文】

陈成子弑简公。孔子沐浴而朝，告于哀公曰："陈恒弑其君，请讨之。"公曰："告夫三子！"孔子曰："以吾从大夫之后，不敢不告也。君曰'告夫三子'者。"

【张居正注评】

陈成子，是齐大夫陈恒。简公，是齐君，名壬。讨，是兴兵以讨其罪。三子，是鲁三家：孟孙氏、叔孙氏、季孙氏。孔子尝为大夫，时已致仕，故谦言从大夫之后。昔齐大夫陈成子，平日厚施于国，以邀人心，有篡齐之意。简公恶之，使其臣阚止图之，成子遂杀阚止而弑简公。此时孔子虽已致仕家居，犹沐浴斋戒而朝，告于鲁哀公说道："陈恒不道，上弑其君，此人伦之大变，天理所不容，人人得而诛之者，请君兴兵以讨之。"当时鲁国政事都是孟孙、叔孙、季孙三家专擅，哀公不得自由，乃答说："你去与三子计议何如？"孔子出而说道："弑君之贼，法所必讨。我今虽不在位，然尝从大夫之后。此等大事，不敢不以告闻，亦以行吾义而已。君乃不能自会，而使我曰告夫三子者，何耶？"夫子此言，所以伤其君者至矣。

【原文】

子曰："君子上达，小人下达。"

【张居正注评】

达，是通透的意思。孔子说："君子之所以为君子，小人之所以为小人，始焉不过一念之少殊，终焉遂至趋向之迥绝，何以言之？天理本自高明也。君子凡有所为，都只循着天理而行，故其心志清明，义理昭著，所知者日以精深，所行者日以纯熟，渐至于为圣为贤，而造位乎天德。譬之登山者，一步高似一步，将日进于高明矣，岂非上达者乎？人欲本自污下也。小人凡有所为，都是一团私欲，故其志气昏昧，物欲牵引，良心则日以丧失，邪行则日以恣肆，渐至于为愚为不肖，而与禽兽不远。譬之凿井者，一步低似一步，将日流于污下而已，岂非下达者乎？欲脱去凡近以游高明者，当知所择矣。"

【原文】

子曰："古之学者为己，今之学者为人。"

【张居正注评】

为己，是欲得之于己。为人，是欲见知于人。孔子说："古今人所学之事虽同，而其用心则异。古之学者，其从事于学问思辨，饬躬励行，若与今同也。然学问思辨，只为道未明也。而孜孜焉以明其道，饬躬励行，只为德未立也；而孜孜焉以进其德，所知者性分之固有，所为者职分之当然，惟求尽其在我而已，所以说古之学者为己。今之学者，其从事于学问思辨，饬躬励行，若与古同也。然学问思辨，未必其明道者如何，而汲汲焉欲见知于人；饬躬励行，未必其进德者如何，而汲汲焉欲求知于世。非矜炫以要名誉，则矫饰以媒爵禄，惟恐人之不知而已，所以说今之学者为人。为己者虽专于务内，而有诸中者形诸外，其终自至于成物；为人者虽心在务外，而虚誉隆者实德病，其终并至于丧己。学者不可不知省也。"

【原文】

子曰："不在其位，不谋其政。"

【张居正注评】

此处与前文重复，见第159页。

【原文】

曾子曰："君子思不出其位。"

【张居正注评】

位，是职位。这一句是《易经》中《艮卦》的象词。曾子尝称述之说道："凡人之居位，虽有大小尊卑之不同，莫不各有当尽之职。若舍其本职，而出位妄想，则在己为旷职，而于人为侵官矣。君子则身之所居在是，心之所思亦在是，凡夙夜之所图虑者，惟求以尽其本分所当为之事。如居乎仓库之位，则思以审会计，明出纳，而尽乎理财之职；如居乎军旅之任，则思以勤训练，饬军令，以尽乎诘戎之职，初未尝越位而有所思也。如是，则众职毕举，而庶务咸理矣。"

【原文】

子曰："君子耻其言而过其行。"

【张居正注评】

耻，是羞耻。孔子说："人之言行贵于相顾。若喜为高论，轻肆大言，而考其所行未能如是，则为言过其行。究其归，不过便佞小人而已，故君子耻之。以是为耻，则勉不足而谨有余者，自不容不至矣。"

【原文】

子曰："君子道者三，我无能焉：仁者不忧，知者不惑，勇者不惧。"子贡曰："夫子自道也。"

【张居正注评】

忧，是忧虑。惑，是疑惑。惧，是恐惧。自道，是自家说自家的事，言道其实也。昔孔子以至圣之德，而常怀望道未见之心，说道："君子之道有三件，反之于我，一件也不能。三者何？曰仁、曰智、曰勇是也。仁则心德浑全，而私欲净尽，凡穷通得丧，皆不足以累其心，故不忧；智则心体虚明，而思虑详审，凡是非邪正，皆不足以蔽其心，故不惑；勇则浩然之气至大至刚，以之决大疑，任大事，自勇往直前，而无足以动其心，故不惧。此三者，皆君子之全德，而我之所未能者也。"夫孔子道全德备，其于三者，皆已各造其极而时出之，岂复有所未能者乎？故子贡闻其言而叹说："此乃夫子自言其实有者如是耳。"而乃以为未能，盖圣不自圣之心也，大抵圣人深见义理之无穷，其自视常以为不足，故圣而益圣。有志于希圣者，当知所惕励矣。

【原文】

子曰："不患人之不己知，患其不能也。"

【张居正注评】

孔子说："人之处世，常患名誉不彰，人不知己，然此不足患也。惟夫学焉而未能明其理，行焉而未能践其实，此则在己本无可知之具，反之吾心而有歉者，正学者所当患也。今乃不以此为患，而徒患人之不知，何哉？"

【原文】

子曰："不逆诈，不亿不信，抑亦先觉者，是贤乎！"

【张居正注评】

逆，是事未来而逆料的意思。亿，是事未形而意度的意思。诈，是欺诈。不信，是不实。抑，是反语词。先觉，是无心而自然知觉。孔子说："人之于己，未必有欺诈之事也，而先意以料之，叫做逆诈。人之于己，未必有不信之心也，而先意以猜之，叫做亿，不信。这等样有心防人，固有幸而中者，亦有诬而枉者，非诚心率物之道也。然虽不为逆亿，而人或得以欺之，则又忠厚太过，甘受人瞒，亦不足为贤也。惟于人之诈者，不必先意以迎之，于人之不信者，亦不先意以度之，而其诈与不信者之情伪，自能先知之，而不为所眩，斯则虚以应物，知能通微。譬之明镜，虽未尝有心以索照，而人之美恶妍媸，自无遁形，是乃可谓之贤也已。"盖多疑生于不明，而明者自无所疑，逆诈、亿、不信，皆由不明故耳。至明之人，物至即知，孰得而欺之乎？然非有居敬穷理之功，讲学亲贤之助，则此心虚灵之体，未免为物所蔽。欲以坐照天下，亦未易能也。此又事心者所当知。

【原文】

微生亩谓孔子曰："丘何为是栖栖者与？无乃为佞乎？"孔子曰："非敢为佞也，疾固也。"

【张居正注评】

微生亩，是当时的隐士，盖年高有德之人也。栖栖，是依依不舍的意思。佞，是便佞。疾，是恶。固，是执一不通的意思。昔孔子周流列国，欲行其道，而人皆不能用之。有隐士微生亩者，讥之说道："孔丘，我只见你今日之齐，明日之鲁，人不见知，则亦可以已矣。何故这等栖栖然依恋不舍欤？夫世之佞人，则务为口给，以希世取宠。你今所为，无乃为佞以求用于世乎？"孔子答说："君子立身行己，自有法度，丘岂敢为佞人之事。但以世道污浊，挽回在人，而康济民物，当有所寄。若是守拘滞之见，以隐为高，昧变通之宜，果于忘世，则执一不通的人，又我之所恶者也。其所以栖栖然而不能忘情于斯世，盖以此耳，岂敢为佞哉！"盖微生亩是齿德俱尊的人，但其所见偏执，故圣人对之礼恭而言直如此，其警之亦深矣。

【原文】

子曰："骥不称其力，称其德也。"

【张居正注评】

骥，是良马之名。德，指马之调习驯良说。孔子说："君子之所以见称于世者，不徒以其有可用之才，以其有可贵之德也。譬如马中有骥，其所以见称于世者，不徒以其有驰骤之力，以其有驯良之德也。盖马之任重致远者存乎力，然使虽有力，而不免于蹄啮，难于控御，则亦凡品而已，何得为骥乎？人虽有才，而苟无其德，是亦小人而已，何得为君子乎？故人不可徒恃其才而不修其德，观人者，论其才又当考其德也。"

【原文】

或曰："以德报怨，何如？"子曰："何以报德？以直报怨，以德报德。"

【张居正注评】

或人问于孔子说："人惟恩怨之心太明，故忠厚风日薄。若于人之有仇怨于我者，我皆忘其怨，而惟以恩德报之，何如？"孔子说："酬恩报怨，也是人道之常；称物平施，乃为事理之当。人之有怨于我者，既以德报之，则人之有德于我者，又将何以报之乎？此于情理乖谬甚矣。必也于人之有怨于我者，我则不计其怨，而爱憎取舍，一惟以直道处之。使其人之可爱可取欤，我固不以私怨而昧其与善之公心；使其人之当恶当弃也，我亦不避私嫌而废夫除恶之公典，这是以直报怨。若于人之有德于我者，则必以德酬之，大而捐躯以图报，小而一饭之不忘。虽其中有委曲用情，屈法从厚者，若于直道有背，而揆之天理人情，固亦未为过也。这是以德报德，如是而施报之间，庶为得其平乎。"夫观或人之言，非不近厚，而反不得其平；圣人之论，既得其平，而亦未尝不厚。诚权衡万事者之准也。

【原文】

子曰："莫我知也夫！"子贡曰："何为其莫知子也？"子曰："不怨天，不尤人，下学而上达。知我者其天乎！"

【张居正注评】

义理有本末精粗，从下面学起，才到得上面，所以说下学上达。昔孔子道高德厚，不求人知，当时亦罕有知之者，故发叹说："今之人，其莫我知也夫。"子贡问说："夫子之道德高厚如此，何故人都不知夫子？"孔子答说："人之学问，惟是高世绝俗，与众不同，乃可以致人之知，若我则无是也。如穷通得丧，系于天者，我虽不得于天，未尝怨天；用舍予夺，系于人者，我虽不合于人，未尝尤人，只是反己自修，循序渐进。如义理有本末精粗，我只在下面这一层着实用工，使功深力到，将上面这一层渐次通达。譬如登山的，必由卑以至高；如行路的，必自近以及远。这不过职分之当为，进修之常事，无以甚异于人，何足以致人之知哉。惟是心存为己，仰不愧天，或者上天于冥冥之中能知我耳，所以说知我者其天乎。"盖甚言其必不见知于人也。夫圣人尽性至命，与天合一，其独得之妙，真有人不能知而天独知之者，然下学上达之一言，乃万世学者之准则。人于可知可能者，逐一讲求，则于难知难能者，自然通透，固不当躐等而进，亦不可畏难而止也。有志圣学者，宜究心焉。

【原文】

子曰："道之将行也与，命也；道之将废也与，命也。公伯寮其如命何！"

【张居正注评】

孔子因子服景伯欲诛公伯寮，乃以理晓之说道："士君子之心，非不欲行其道于天下，而道之或行或废，实有非人所能为者，使其道之将行欤，则动见遇合，事事如意，是乃命之通也，固非人之所能使，使其道之将废欤，则动见阻滞，事事违心，是乃命之穷也，亦非人之所能。夫道之兴废，皆由于命如此，今仲由之或用或舍，固自有命存焉，使其命该亨通，虽有谮言何畏？若使谮说得行，则亦命之穷耳，于公伯寮何尤乎？吾子固不必深憾而欲诛之矣。"按：圣人于得失利害之际，惟义是安，本不待决之于命而后泰然也，其言命者，特以晓景伯、安子路、而警伯寮耳。然所谓不怨天，不尤人者，即此亦可见其一端矣。

【原文】

子曰："贤者辟世，其次辟地，其次辟色，其次辟言。"

【张居正注评】

孔子说："贤者之心，未尝不欲有为于天下，然时不可为，则不得不高蹈远举，避而去之。故有见世之无道，即隐居不仕，而终身以避世者矣，其次有见此邦无道，去而之他邦者，谓之避地，其次有见君之礼貌既衰而去者，谓之避色，其次有因君之议论不合而去者，谓之避言。此皆不降其志，不辱其身者也，世有此人，世道之衰可知矣。"

【原文】

子曰："作者七人矣。"

【张居正注评】

作，是隐遁。孔子说："当时之君子，不见用于世，作而隐遁者，有七人矣。"七人，今不知其姓名，夫子叹之，盖深为世道虑也。

【原文】

子路宿于石门。晨门曰："奚自？"子路曰："自孔氏。"曰："是知其不可而为之者与？"

【张居正注评】

　　石门，是地名。晨门，是管门启闭的官，盖贤而隐于下位者。奚字，解做何字。自，是从。昔子路相从孔子周流四方，晚宿于石门。时有守门官问说："汝从何来？"子路说："我从孔氏而来。"晨门说："我闻君子相时而动，邦有道则仕，邦无道则隐。彼孔氏者，既已知时事之不可为，即卷而怀之可也，乃犹遑遑焉奔走四方，必欲有为于天下，其亦不智甚矣。子之所从者，得非此人乎？"盖讥孔子之不隐也。夫晨门之言，盖亦士君子进退之常。但圣人道高德大，视天下无不可为之时，特时君不能用耳，此又非晨门之所知也。

【原文】

　　子击磬于卫，有荷蒉而过孔氏之门者，曰："有心哉，击磬乎！"

【张居正注评】

　　荷字，解做担字。蒉，是草器。昔孔子处春秋衰乱之世，而其康济天下之心，有不能一日忘者。时在卫国，偶然击磬以寓其忧世之心。适有一隐士，担着草器行过孔子之门，闻磬声而知之，说道："有心哉，斯人之击磬乎？"盖人心哀乐之感，每托之乐音以宣其意。夫子忧世之志，寓于磬声之中，隐士贤者故能审音而识其心也。

【原文】

　　既而曰："鄙哉，硁硁乎！莫己知也，斯己而已矣。'深则厉，浅则揭。'"

【张居正注评】

　　硁硁，是小石之坚确者。"深则厉"一句，是《卫风·匏有苦叶》之诗，带衣涉水叫做厉，褰衣涉水叫做揭。荷蒉者闻孔子之击磬，既叹其为有心，乃又讥之说道："斯人也，鄙哉硁硁乎，何其专确固执，而不达夫时宜也。夫君子相时而动，智者见几而作。今世莫我知，道与时违，则亦惟洁身以去乱而已，何为周流四方，可止而不止乎？观诸《卫风》之诗说道：'凡徒步涉水者，遇着水深的去处，则穿着下体之衣而过之；遇着水浅的去处，则揭起下身之衣而过之。'"夫涉水者，必视其水之深浅以为厉揭。则君子处世，当视其时之治乱以为进退。今斯人也，世不见知，犹栖栖然而不止，是深不知厉，浅不知揭矣，岂不鄙哉其硁硁乎？荷蒉之讥孔子如此，是不知圣人之心者矣。

【原文】

　　子曰："果哉！末之难矣。"

【张居正注评】

孔子闻荷蒉之言而叹，说："观斯人之言，何其果于忘世哉。夫君子之欲行其道于天下，非以为利也，将以救世也。若只要洁其一身，委而去之，亦有何难？然则荷蒉者之果，我非不能为，直不忍为耳。"盖圣人心同天地，天地不以时之闭塞而废生物之心，圣人不以时之衰乱而忘行道之志，诚上畏天命，下悲人穷，非得已也。彼荷蒉之流，何足以知之。

【原文】

子曰："上好礼，则民易使也。"

【张居正注评】

礼，是尊卑上下的礼节。孔子说："有国者常患民之难使，然民之难使，由其不知礼耳。盖礼所以别尊卑，辨上下，其节文度数之间至严至肃。若为上的心诚好之，修之于身，而视听言动必以礼；达之于政，而教训正俗必以礼。则等威辨而纪纲振，那百姓每都安分循理，而无敢抗违。不假刑驱势迫，而趋事赴工之恐后矣，岂不易使乎？若上之人，先自畏拘检而乐简傲，则下皆化之，而僭逾凌迫，固其所也，岂民之难治哉？"所以说礼达而分定，有天下者所宜深念也。

【原文】

子路问君子。子曰："修己以敬。"曰："如斯而已乎？"曰："修己以安人。"曰："如斯而已乎？"曰："修己以安百姓。修己以安百姓，尧舜其犹病诸！"

【张居正注评】

病，是有歉于心的意思。子路问说："人必何如而后可以为君子？"孔子告之说："人之为学，不外乎一心而已。能庄敬，则此心惕励，而日进于高明；才安肆，则此心放逸，而日流于污下。必须静而存养，动而省察，使戒慎恐惧之心无时而少懈，则身无不修，而德无不成矣。君子之所以为君子者，以此而已。"子路问说："君子之道大矣，乃止于如此而已乎？"盖以为未足也。孔子说："这敬不但可以成身，乃人己合一之理。诚能敬以修己，而至于充积之盛，则己正物格，此感彼通。虽推之而至于安人者，亦不外是矣。"子路又问说："君子之道大矣，乃止于如此而已乎？"盖犹以为未足也。孔子说："这敬不但可以安人，乃天下为公之理。诚能敬以修己，而至于充积之盛，则处无不当，感无不通。虽极之而至于安百姓者，亦不外是矣。夫功用至于安百姓，岂易能哉？虽尧舜至圣，以钦明温恭之德，致时雍风动之休，而当时之民亦难保其无一夫之不获，在尧舜之心，犹有歉然不能自宁者矣。夫观尧舜且以为病，则修己以敬，岂不足以尽君子乎？"按：修己以敬，乃千圣相传之要，而尧舜犹病，实圣人无穷之心。人君诚能法尧舜之敬以修身，而推尧舜之心以图治，何患德不符于二帝，而世不跻于唐虞哉。

【原文】

原壤夷俟。子曰："幼而不孙弟，长而无述焉，老而不死，是为贼！"以杖叩其胫。

【张居正注评】

原壤，是孔子的故人，平素从老氏之教，放旷于礼法者。夷，是蹲踞。俟，是待。叩，是击。胫，是足骨。昔原壤见孔子之来，而蹲踞以待之，其疏放不检如此。孔子责之说道："礼法乃检身之要，傲惰为恶德之尤。汝自年幼时，则任情傲物，而不知逊弟之道。及至长大，则蹉跎岁月，而无一善状之可称。今又老而不死，徒败常乱俗，为风化之蠹而已，非害人之贼而何？"孔子既责之，而以所曳之杖微击其胫，若使勿蹲踞然。圣人于败坏礼教之人，深恶而痛责之如此。

【原文】

阙党童子将命。或问之曰："益者与？"子曰："吾见其居于位也，见其与先生并行也。非求益者也，欲速成者也。"

【张居正注评】

阙党，是地名。将命，是传宾主之言。益，是进益。昔阙党之中，有童子者来学于孔子。孔子使之答应宾客，而传往来之命，或人问于孔子说："传命亦非易事也。此童子必学有进益，故夫子使之为此，以宠异之欤？"孔子答说："在礼童子当隅坐随行。今此童子，吾见其居于长者之位，而不循夫隅坐之礼；见其与先生并行，而不循夫随行之礼。夫为童子而不安其分如此，是乃进修无渐，积德无基，非求益者也。但欲凌节躐等，而速进于成人之列耳。故我使之给使令之役，观少长之序，而习揖逊之容，所以折其少年英锐之气，而令其日就于规矩法度之中也，岂宠而异之哉？"由是观之，可见圣门之教，虽以敏求为先，亦以躐等为戒。盖躐等，则欲速而不达；循序，则日益而不知，所以夫子亦自云下学而上达，为此故耳。学者宜知所从事焉。

卫灵公第十五

凡四十一章。

【原文】

卫灵公问陈于孔子。孔子对曰："俎豆之事，则尝闻之矣；军旅之事，未之学也。"

明日遂行。

【张居正注评】

陈，是军师行伍之列。俎豆，是礼器。昔卫灵公好勇而无道，故以战阵之事问于孔子。孔子对说："吾自幼学礼，凡俎豆礼文之事，陈设祭飨之仪，盖尝闻其说矣。若夫军旅之事，则固未之学也。既未尝学，则岂敢妄对乎？"夫以孔子之圣，文事武备，孰非其所优为者？但灵公所问，乃军师行伍之列，攻杀击刺之方，此不过武夫战士之事耳，岂足以尽圣人之蕴乎？舍其大而究其小，其不足与有为可知矣。故孔子不对，而明日遂行。所谓见几而作，可以速则速者也。

【原文】

在陈绝粮，从者病，莫能兴。子路愠见曰："君子亦有穷乎？"子曰："君子固穷，小人穷斯滥矣。"

【张居正注评】

兴，是起。愠，是含怒的意思。滥，是泛滥，言人之放滥为非，如水之泛滥而不止也。孔子既不对灵公之问，遂去卫适陈。至于陈国，粮食断绝，从者皆饥饿而病，莫能兴起。子路当此穷困之时，不胜愠怒之意，见于颜色，问说："君子之人，宜乎为天所佑，为人所助，不当得穷者也，乃亦有时而穷困若此乎？"孔子说："穷通得丧，系乎所遇。有不在我者，君子安能自必乎？盖亦有穷时也，但君子处穷，则能固守其穷，确然以义命自安，而其志不少移夺。若小人一遇困穷，则自放于礼法之外，而无所不至矣。然则今日之穷，但当固守，而不至于滥焉可矣，何必怨尤乎哉？"夫观圣贤之所遭如此，则春秋之世可知矣！

卫灵公

【原文】

子曰："赐也，女以予为多学而识之者与？"对曰："然，非与？"曰："非也，予一以贯之。"

【张居正注评】

识字，解做记字。贯，是通。子贡之学，多而能识，而于道之本原处，尚未能悟，故孔子呼其名而告之说："赐也，汝见我于天下事物之理，无所不知，岂以我为件件穷究，事事学习而记识于心，故能如此乎？"子贡对说："事物之理，不学则不能知。夫子之多知，故必由于多学也。"既而又忽疑说："事物之理无穷，夫子虽好学，亦岂能一一而周知？"意者别有简易切要之方，无事于多学而识之者欤？盖子贡学将有得，故方信而忽疑也。孔子乃晓之说："我非多学而识者也。盖天下义理，虽散见于事物之中，而实统具于吾心。吾惟涵养此心，使虚灵之体不为物欲所蔽，则事至而明觉，物来而顺应，自然触处洞然，无所疑惑。譬之镜体清明，则虽妍媸万状，自照见之而无遗；权衡平审，则虽轻重万殊，自称量之而不爽。盖一以贯之者也。若欲一一多学而识之，则事理无穷，而闻见有限，用力愈劳，而去道愈远矣，岂吾之所为学者哉？"按：一贯之旨，即尧舜以来相传心法，非子贡学将有得，孔子亦未遽以语之也。学圣人者，宜究心焉。

【原文】

子曰："由，知德者鲜矣。"

【张居正注评】

孔子呼子路之名而告之说："义理之得于心者谓之德，非实有是德者，不能知其意味之真也。若人而至于知德，则性分之乐，充然自足，倘来之遇，何所加损。凡小而是非毁誉，大而用舍行藏，极而死生祸福，皆无足以动其中矣。顾今之人，能知德者几何人哉！"夫子此言，盖为子路愠见而发，所以深誉之，使其勉进于德也。

【原文】

子曰："无为而治者，其舜也与？夫何为哉？恭己正南面而已矣。"

【张居正注评】

孔子说："自古帝王以盛德而致至治者多矣。然或开创而前无所承，则不能无经始之劳，或主圣而臣莫能及，则不能得任人之逸，是皆未免于有为也。若夫躬修玄默，密运化机，不待有所作为，而天下自治者，其惟虞舜之为君也与？盖舜之前有尧，凡经纶开创之事，尧固已先为之，舜承其后，不过遵守成法而已。下又得禹、稷、契、皋陶、伯益诸臣，以为之辅。凡亮工熙载之事，诸臣皆已代为之，舜居其上，不过询事考成而已。以今考之，舜果何所为哉？但见其垂衣拱手，端居南面，穆穆然著其敬德之容而已。"而当其时，庶绩咸熙，万邦自宁，后世称极治者必归之有虞焉。所以说无为而治者，惟舜为然也。然无为者，有虞之治，而无逸者，圣人之心。故书之称舜，不曰无怠无荒，则曰兢兢业业，一日二日万几。盖无逸者，正所以成其无为也，不然，而肆然民上，漫不经心，何以有从欲风动之治哉？善法舜者，尚于其敬德任贤求之。

【原文】

子张问行。子曰："言忠信，行笃敬，虽蛮貊之邦，行矣。言不忠信，行不笃敬，虽州里，行乎哉？"

【张居正注评】

行，是所行通利。二千五首家为州，二十五家为里。子张问于孔子说："人必何如，然后能使己之所行，无往而不通利乎！"孔子说："至诚乃能感人，君子求诸己。如使所言者忠诚信实，而绝无虚诞之辞；所行者笃厚敬谨，而不为浅躁之行。似这等诚实无伪的人，自然见者敬爱，闻者向慕，虽南蛮北貊之邦，亦将通行而无碍矣，而况其近者乎！若使言不忠信，而徒务口给以御人；行不笃敬，而徒为饰貌以相与。似这等虚诈不实的人，必然动则招尤，言则启侮，虽州里乡党之近，亦将阻碍而难行矣，而况其远者乎！行之利与不利，惟视其心之诚与不诚而已。"

【原文】

子曰："直哉，史鱼！邦有道如矢，邦无道如矢。君子哉，蘧伯玉！邦有道则仕，邦无道则可卷而怀之。"

【张居正注评】

史鱼、蘧伯玉都是卫大夫。矢，是箭。如矢，言其正直如射的箭一般。卷，是收。怀字，解做藏字。昔者孔子周流四方，往来过卫，尝识其大夫史鱼、蘧伯玉，而知其贤，故称美之说道："直矣哉，史鱼之为人也。盖人固有自守以正，而时异世殊，或不能不委曲以随俗者，未足以为直也。惟夫史鱼，当邦家有道，可以危言危行之时，彼之忠谠刚正，无所回护，固挺然如矢之直矣，及邦家无道，方当危行言逊之时，彼之忠谠刚正，无所委徇，亦挺然如矢之直焉。"时有变迁，而守无屈挠，是乃忠鲠性成，有死无二者也，所以说直哉史鱼。又称美蘧伯玉说道："君子哉，蘧伯玉之为人也。盖人德有未成，则其进退出处之间，必有不能适当其可者，未足为君子也。今观蘧伯玉，当邦家有道，正君子道长之时也，彼则居位行志，出而见用于世，及邦家无道，乃君子道消之时也，彼则从容引去，卷而怀之焉。随时进退，各适其宜，盖庶几于圣贤之大道者也。所以说君子哉蘧伯玉。"夫以卫之小国而得此二贤，亦可谓有人矣。惜乎灵公无道，而不能用也。是故惟圣主为能容直臣，惟治朝为能用君子。有世道之责者，当知所辨矣。

【原文】

子曰："可与言而不与之言，失人；不可与言而与之言，失言。知者不失人，亦不失言。"

【张居正注评】

孔子说："人之识见，有浅深不同，而我之语默，贵施当其可。彼人有造诣精深，事理通达，这是可与言的人，却乃缄默而不与之言，是在彼有受言之地，而在我无知人之明，将这样好人不识得，岂不是失了人？若其人昏愚无识，或造诣未到，这是不可与言的人，却乃不择而与之言，在彼则不能听受，在我则徒为强聒，可惜好言语轻发了，岂不是失了言？惟夫明一知之人，藻鉴素精，权衡素审，一语一默，咸适其宜。遇着可与言的人，即与之言，既不至于失人；遇着不可与言的人，即不与之言，亦不至于失言。此其所以可法也。"盖君子一言以为知，一言以为不知，知与不知，只在一言之间，言之不可不慎如此。

【原文】

子曰："志士仁人，无求生以害仁，有杀身以成仁。"

【张居正注评】

合乎天理而当于人心者，谓之仁。孔子说："好生恶死，人之常情。然有事关纲常之重，而适遭其穷者，又不得避死而偷生也。故有志之士与夫成德之人，其处纲常伦理之间，惟求以合乎天理，当乎人心，以成就吾之仁而已，使其身可以无死，而于仁又无所害，固不必轻生以犯罪矣。若身虽可免而大节有亏，则为志士仁人者，决不肯偷生苟免以害吾之仁，宁可杀身授命以成吾之仁。"盖生固可欲，而仁之可欲有甚于生，故生有所不为也；死固可恶，而不仁之可恶有甚于死，故死有所不避也。然死生之义亦大矣，自非上为君亲之难而身系纲常之重，宁肯决死生于一旦哉？欲成其仁者，又当揆之以义可也。

【原文】

子贡问为仁。子曰："工欲善其事，必先利其器。居是邦也，事其大夫之贤者，友其士之仁者。"

【张居正注评】

子贡问于孔子说："人之为学，必如何而后可以全其本心之德乎？"孔子说："为仁之功，固当决之于己；为仁之资，亦必有取于人。譬如百工技艺之人，将欲精善其所为之事，必先磨利其所用之器，器利而后事可精也。曲艺必有所资如此，况于为仁者乎？是以君子处一邦之中，于大夫之贤者，则当执弟子之礼而事之。接其言论风采，以消吾之鄙吝；考其德行政事，以励吾之进修。如此，则为吾之标准者有其人，自然此心收敛谨肃，而不敢放肆矣。士之仁者，则当执交游之礼而友之。德业则相劝，以日进于仁；过失则相规，以日远于不仁。如此则为吾之夹持者有其人，自然此心观感兴起，而不敢怠惰矣。为仁之道，孰有加于此哉？"然学者资师友以成其仁，人君赖贤臣以成其德，其道一也。所以古之帝王，左右前后，莫非正人，侍御仆从，皆得进谏，无非所以防此心之放逸耳。明主宜从事焉。

【原文】

子曰："人无远虑，必有近忧。"

【张居正注评】

孔子说："天下之事变无常，而夫人之思虑贵审。故智者能销患于未萌，弭祸于未形者，惟其有远虑也。若只安享于目前，而于身所不到处，通不去照管，苟且于一时，而于后来的事变，通不去想算。这等无远虑的人，其计事不审，防患必疏，自谓天下之事，无复可忧，而不知大可忧者，固已伏于至近之地，几席之下，将有不测之虞，旦夕之间，或起意外之变矣。是故圣帝明王，身不下堂序，而虑周四海之外，事不离日用，而计安万年之久，正有见于此也。"

【原文】

子曰："已矣乎！吾未见好德如好色者也。"

【张居正注评】

已矣乎，是绝望之词。孔子说："秉彝好德，人之良心。人固未有不好德者，然须见而好，好而乐，如好好色一般，方是心诚好德。乃今之人，见德者，未必能好，好德者，未必能乐。或外亲而内疏，或阳慕而阴忌。求其能如好色之诚者，已矣乎！吾终不得见其人矣。"孔子此言，所以激励天下，欲其移好色之心以好德也。

【原文】

子曰："臧文仲其窃位者与？知柳下惠之贤而不与立也。"

【张居正注评】

臧文仲，是鲁大夫。柳下惠，是鲁之贤人。窃位，是无德而居乎其位，如偷盗的一般。孔子说："人臣居乎其位，当求无愧于心，若鲁大夫臧文仲者，其盗窃官位而据之者与？何也？盖朝廷官位，以待才贤。是以君子居其位，不但自己尽心供职，以求称其位，又当荐引天下贤才，以布列于有位，而后谓之忠。彼臧文仲者，明知柳下惠是个贤人，便当荐之于君，以为国家之用可也，却不能汲引荐拔与己并立于公朝，而使之终身困厄于下位。夫不知其贤犹可诿也，既知其贤而故弃之，推其心，盖惟恐贤者进用夺了他这位子一般，是以嫉贤妒能之私，为持禄固宠之计，非窃位而何？"夫人臣蔽贤而不举，则为窃位，使人臣举之而君不能用，岂不亦有负于大君之任哉？

【原文】

子曰："躬自厚而薄责于人，则远怨矣。"

【张居正注评】

躬字，解做身字。躬自厚，是责己者厚。孔子说："常人之情，恕己则昏，责人则明，此怨之所由生也。诚能厚于责己，而薄于责人。如道有未尽，只就自家身上点检，而于人则每存恕心，初不强其所未能；如行有不得，只就自家身上反求，而于人则曲为包容，初不责其所不及。夫责己厚，则其身益修；责人薄，则于人无忤。如是，人将爱敬之恐后矣，怨其有不远者哉？"此修己待人之法，古帝王检身若不及，与人不求备，正此意也。

【原文】

子曰："不曰'如之何，如之何'者，吾末如之何也已矣。"

【张居正注评】

如之何，如之何，是熟思而审处之辞。末如之何，是无奈他何的意思。孔子说："人之于事，必须思之审，而后处之当。若于临事之际，不仔细思量反覆裁度，说此事当如何处置，此事当如何处置，却只任意妄为，率尔酬应。似这等的人，于利害是非，全无算计。虽与之言，彼亦不知，任之以事，必至偾事。我将奈之何哉？"于此见天下之事，必虑善而后动，斯动罔弗臧，计定而后举，斯举无弗当，亦谋国者所当知也。

【原文】

子曰："群居终日，言不及义，好行小慧，难矣哉！"

【张居正注评】

小慧，是私智。孔子说："君子之取友，本以为讲学辅仁之资也。夫苟群聚而居，至于终日之久，所言者全不及于义理，而惟以游谈谑浪为亲，所行者全不关乎德业，而惟以小事聪明为好。夫然则放辟邪侈之心滋，行险徼幸之机熟，不惟无以切磋而相成，且同归于污下而有损矣。欲以入德而免患，岂不难矣哉？"

【原文】

子曰："君子义以为质，礼以行之，孙以出之，信以成之。君子哉！"

【张居正注评】

质，是质干。孙，是谦逊。孔子说："人之处事，难于尽善。若既不失事理之宜，而又兼备众善之美，则惟君子能之。盖君子知事无定形，而有定理。故凡应事接物，以义为之质干，其是非可否，一惟视事理之当然者而处之。盖有不可以势夺，不可以利回者，其心有定见如此，然未尝径情而直行也。又行之以礼，而周旋曲折，灿然有

品节之文焉，未尝自是而轻物也。又出之以逊，而谦卑退让，蔼然有和顺之美焉，且自始至终，全是一片真切诚实的心，以贯彻于应事接物之间，而绝无一毫虚伪矫饰之意，这是信以成之。"夫以义为质，则固已得事理之当矣，而又备众善之美，以此处天下之事，将何往而不宜哉？盖非成德之君子未易及也。然此必学问深而涵养熟者，然后能之。有经世宰物之责者，当知所从事矣。

【原文】

子曰："君子病无能焉，不病人之不己知也。"

【张居正注评】

病字，解做患字。孔子说："今之学者为人，故每以人不己知为患。君子学以为己，其所患者惟在道不加进，德不加修，碌碌焉一无所能而已。若身有道德之实，而人莫我知，于我本无所损，于人果何足尤？故君子不以为患焉。"此可见自修之道，当务实而毋务名矣。

【原文】

子曰："君子疾没世而名不称焉。"

【张居正注评】

疾，是疾恶。没世，是终身。孔子说："君子学以为己，固无意于求名，然人德有诸己，则名誉自彰，是名所以表其实者也。若从少到老，至于下世的时候，而其声名终不见称于人，则其无一善之实可知。这等的人，虚过了一生，与草木同腐焉耳，岂非君子之所恶者哉？"然则君子之所恶，非恶其无名也，恶无实也。修己者当知所勉矣。

【原文】

子曰："君子求诸己，小人求诸人。"

【张居正注评】

孔子说："君子小人，人品不同，用心自异。君子以为己为心，故凡事皆反求诸己。如爱人不亲，则反求其仁；礼人不答，则反求其敬。即其省身之念，只恐阙失在己，而点检不容不详，何尝过望于人乎？小人则专以为人为心，故凡事惟责备于人。己不仁而责人之我亲，已无礼而责人之我敬，即其尤人之念，只见得阙失在人，而所求不遂不止，何尝内省诸己乎？"夫求诸己者，己无所失，而其德足以感人；求诸人者，人未必从，而其弊徒足以丧己。观于君子小人之分，而立心可不慎哉？

【原文】

子曰："君子矜而不争，群而不党。"

【张居正注评】

庄以持己，叫做矜。不争，是无乖戾的意思。和以处众，叫做群。不党，是无偏向的意思。孔子说："大凡处己严毅的人，易至于乖戾，惟君子之持己也，视听言动，无一事不在礼法之中，可谓矜矣。然其矜也，乃以理自律，而非以气陵人也，何尝矫世戾俗以至于争乎？凡处人和易的人，多流于阿党。惟君子之处众也，家国天下，无一人不在包容之内，可谓群矣。然其群也，乃以道相与，而非以情相徇也，何尝同流合污以至于党乎？"夫持己莫善于矜，而不争乃所以节矜之过；处众莫善于群，而不党乃所以制和之流。古之帝王，检身克己，而未尝忿嫉求备于人；容民蓄众，而不废旌淑别慝之典。其善处人己之间，亦用此道而已矣。

【原文】

子曰："君子不以言举人，不以人废言。"

【张居正注评】

孔子说："君子听言贵审，取善贵弘。其言虽有可取，而其人或未可信，则君子亦惟取其言而已。至于其中之所存，则有不可以言尽者。敷奏而必试以功，听言而必观其行，何尝因言而遂举其人乎？盖天下真才难辨，使以言举人，则饰言以求进者众矣，而可若是之易乎？其人虽无足取而其言或有可采，则君子亦姑置其人而已。至于其言之当理，则有不可以人弃者。狂夫或有可择，刍荛亦所当询。何尝因人而遂废其言乎？盖善之所在无方，使以人废言，则嘉言之攸伏者多矣，而可若是之隘乎？"夫用人审，既不至于失人，取善弘，又不至于失言，可以见君子至公之心矣。尧、舜静言是惩，迩言必察，正此意也。

【原文】

子贡问曰："有一言而可以终身行之者乎？"子曰："其恕乎！己所不欲，勿施于人。"

【张居正注评】

一言，是一字。子贡问于孔子说："学者必务知要，今有一言之约，可以终身行之而无弊者乎？"孔子教之说："道虽不尽于一言，而实不外于一心。欲求终身可行之理，其惟恕之一言乎？盖人己虽殊，其心则一。使把自己心上所不欲的事却去施以及人，这便不是恕了。所谓恕者，以己度人，而知人之心不异于我，即不以己所不欲者，加

之于人。如不欲上之无礼于我，则亦不以此施之于下；不欲下之不忠于我，则亦不以此施之于上。斯则视人惟己，而知之无不明；以己及人，而处之无不当。不论远近亲疏，富贵贫贱，只是这个道理推将去，将随所处而皆宜矣。然则欲求终身可行，宁有外于恕之一言者哉？"按：此恕字与《大学》"絜矩"二字之义相同。盖平天下之道，亦不过与民同其好恶而已。推心之用，其大如此，不但学者之事也。

【原文】

子曰："吾之于人也，谁毁谁誉？如有所誉者，其有所试矣。斯民也，三代之所以直道而行也。"

【张居正注评】

毁，是毁谤。誉，是夸奖。试，是验。直道，即公道。孔子说："天下本有是非之公，而人间多徇于好恶之私。吾之于人也，恶者固未尝不称之以示戒，然但指其恶之实迹而言之耳。若将人没有的事，而肆为诬谤，便是作意去毁人，非公恶矣。吾于谁而有毁乎？善者固未尝不扬之以示劝，然亦据其善之实事而言之耳。若将人本无的事，而过为夸许，便是作意去誉人，非公好矣，吾于谁而有誉乎？然毁誉固皆不可有，而誉犹不失夫与人为善之公。故我之于人，容或有誉之少过者，亦必试验其人，志向不凡，进修有序，即今日之所造，虽未必尽如吾言，料他日之有成，决可以不负所许者，然后从而誉之耳。夫誉且不敢轻易，而况于毁乎？然我之所以无所毁誉者，何哉？盖以天理之在人心，不以古今而有异者也。今之世虽非三代之世，而今之民所以善其善，恶其恶，一无所私曲者，固即三代直道之民也。民心不异于古如此，我安得枉其是非之实，而妄有毁誉哉？"孔子此言，盖深为世道虑，而欲挽之于三代之隆也。要之公道在人，以之命德讨罪，褒善贬恶者，都是此理。使在上者持此以操赏罚之权，则天下以劝以惩，而公道大行；在下者持此以定是非之论，则天下以荣以辱，而公道大明。尚何古道之不可复哉？

【原文】

子曰："吾犹及史之阙文也。有马者，借人乘之。今亡矣夫！"

【张居正注评】

孔子说："观人心可以知世道。向当我生之初，去古虽远，然质朴真率之意，犹有存者。如作史者，或闻见未真，考据未确，即阙其文而以疑传疑，未尝执己见以自是焉。有马者，或彼此相假，有无相通，即借诸人而忘物忘我，未尝挟所有以自私焉。这等风俗，犹为近古，今则不然矣。"执己自用，不顾是非之实，能知史文之当阙者何人哉？悭吝自私，全无公利之意，能以马借人者何人哉？盖人心日漓，而风俗日薄矣。有世道之虑者，岂不可慨也哉！

【原文】

子曰:"巧言乱德。小不忍则乱大谋。"

【张居正注评】

孔子说:"凡持正论者,多尚实不尚文。惟那舌辩巧言的人,以是为非,以非为是,以贤为不肖,以不肖为贤。听其言,虽若有理,而实不出于天下之公。一或误听之,则真伪混淆,而聪明为其所眩,是非倒置,而心志为其所移,适足以乱德而已。至若谋大事者,必有忍乃有济,使或小有不忍,而任情动气,当断不断,而以妇人之姑息为仁,不当断而断,而以匹夫之果敢为勇。如此,则牵于私爱,或以优柔而养奸,激于小忿,或以轻躁而速祸,适足以乱大谋而已。"然则人之听言处事,可不戒其意向之偏,而约之义理之正哉?

【原文】

子曰:"众恶之,必察焉;众好之,必察焉。"

【张居正注评】

因察,是审察。孔子说:"好善恶恶,虽人之公心,而同声附和之言,亦有未必尽实者。有人于此,众口一词,都说他是个不好的人,其所恶宜若公矣。然其中宁无特立独行,而不合于流俗者乎?还要仔细审察,必真见其可恶而后恶之可也。有人于此,众口一词,都说他是个好人,其所好宜若公矣。然其中宁无同流合污,而取悦于流俗者乎?还要仔细审察,必真见其可好而后好之可也。"盖天下有众论,有公论。众论未必出于公,公论未必尽出于众。能于此而加察焉,则朋党比周之人,不得以眩吾之明,而孤立无与之士,咸得见知于上矣。此用人者所当知。

【原文】

子曰:"人能弘道,非道弘人。"

【张居正注评】

弘,是廓大的意思。孔子说:"有此人,则有此道。道固不外于人,然人心有觉,而道体无为。故率其性分之所固有者,廓而大之,以修身齐家治国平天下,极之而至于参天地,赞化育,都是这个道理发挥出来。所以说人能弘道也。若道,则寓于形气之中,而泯乎见闻之迹,不得人以推行之,则虽有修齐治平之能,参赞弥纶之妙,亦无由而自见矣。道岂能以弘人乎哉?"夫人能弘道,则道所当自尽;非道弘人,则人不可自诿矣。然弘之一字,其义甚大。理有一之未备,不叫做弘;化有一之未达,不叫做弘。故语修己必尽性至命,语功业必际天蟠地,斯足以尽弘字之义也。体道者可不勉哉？

【原文】

子曰："过而不改，是谓过矣。"

【张居正注评】

过，是过差。孔子说："人之学问工夫，未到精密的去处，其日用之间，岂能无一言之差，一事之失。但知道是自己的不是，随即改了，则可复于无过矣。若遂非文过，惮于悛改，则无心之差，反成有心之失。一时之误，遂贻终身之尤，其过将日积而不及改矣，可不戒哉？"于此见人固以无过为难，而尤以改过为贵。故大舜有予违汝弼之戒，成汤有改过不吝之勇，万世称圣帝明王者必归焉。自治者当以为法。

【原文】

子曰："吾尝终日不食，终夜不寝，以思，无益，不如学也。"

【张居正注评】

思，是思量。益，是补益。孔子说："我于天下之理，以为不思则不能得。固尝终日不吃饮食，终夜不去睡卧，于以研穷事物之理，探索性命之精，将谓道可以思而得也。然毕竟枉费了精神，而于道实无所得，何益之有？诚不若好古敏求，着实去用工，以从事于致知力行之学，久之，工夫纯熟，义理自然贯通矣。其视徒思而无得者，岂不大相远哉？所以说不如学也。"然孔子此言特以警夫徒思而不学者耳。其实学与思二者功夫相因，缺一不可，善学者，当知有合一之功焉。

【原文】

子曰："君子谋道不谋食。耕也，馁在其中矣；学也，禄在其中矣。君子忧道不忧贫。"

【张居正注评】

谋，是图谋。馁，是饥馁。孔子说："人之所以终日营营而不息者，都只是谋图口食，干求利禄而已。乃若君子之人，其所图惟于念虑者，只在求得乎道焉耳。至于口食之求，则有所不暇计者，盖食之得与不得，不系于谋与不谋。如农夫耕田，本为谋食而求免于饥，然或遇着年岁荒歉，五谷不登，则无所得食而饥馁在其中矣。君子为学，本为谋道，固无心于禄，然学成而见用于时，则居官食俸，而禄自在其中矣。夫求者未必得，而得者不必求。则人亦何用孳孳以谋食为哉？是以君子之心，惟忧不得乎道，无以成性而成身；不忧无禄而贫，而欲假此以求禄而致富也。"君子立心之纯有如此，人臣推此心以事君，敬事而后食，先劳而后禄，斯可以为纯臣矣。

【原文】

子曰:"君子不可小知而可大受也,小人不可大受而可小知也。"

【张居正注评】

知,是我知其人。受,是彼所承受。孔子说:"君子小人,人品不同,材器自异。君子所务者大,而不屑于小。若只把小事看他,则一才一艺或非所长,未足以知其为人也。惟看他担当大事的去处,其德器凝重,投之至大而不惊;材识宏深,纳之至繁而不乱。以安国家,以定社稷,皆其力量之所优为者,观于此而后君子之所蕴可知也已。至于小人,器量浅狭,识见卑陋,譬之杯勺之器,岂能与鼎鼐并容,朴樕之才,无以胜栋梁之任,托之天下国家的大事,彼必不能堪也。然略其大而取其小,则智或足以效一官,能或足以办一事,未必一无所长焉。观此则虽小人亦有不可尽弃也已。"夫君子小人,才各有能有不能,则辨别固不可不精,而用各适有不适,则任使尤不可不当矣。但大受之器厚重而难窥,小知之才便捷而易见。自非端好尚识治体,则断断大臣,或以无他技而见疏,碌碌庸人,或以小有才而取宠,而蠹国偾事,有不可胜言者矣。欲鉴别人才者,必先有穷理正心之功焉。

【原文】

子曰:"民之于仁也,甚于水火。水火,吾见蹈而死者矣,未见蹈仁而死者也。"

【张居正注评】

足所践履,叫做蹈。孔子说:"人之生理,莫切于仁,而养生之物,莫切于水火。然水火还是外物,没了水火,不过饥渴困苦,害及其身而已。若没了这仁,则本心丧失,虽有此身,亦无以自立矣。仁之切于人也,岂不尤甚于水火乎?况水火虽能养人,亦或有时而杀人。如蹈水而为水所溺,蹈火而为火所焚。吾尝见其有死者矣。仁则天之尊爵,人之安宅,得之者荣,全之者寿,何尝见有蹈仁而死者哉?"夫仁至切于人,而又无害于人,人亦何惮而不为乎?孔子此言,所以勉人之为仁者至矣!

【原文】

子曰:"当仁,不让于师。"

【张居正注评】

当,是担当。仁,是心之全德。孔子说:"人之为学,凡道理所当尽,职业所当修者,必须直任于己,勇往以图之,不宜因循退托,而逊让于人。莫说凡人不必逊让,便是弟子之于师,他事固无所不让,至于担当为仁的去处,亦有不容让者。"盖仁者吾所自有而自为之,非夺诸彼而先之也,何让之有?故有颜子之请事,然后能克己而复礼；有曾子之弘毅，然后能任重而道远，此真足担当乎仁者也。况人君体仁以长人，将为天地立心，为生民立命，为万世开太平，又何让乎哉？

【原文】

子曰："君子贞而不谅。"

【张居正注评】

孔子说："人固贵于持守之定。然守一也，有见理明确，而守之不易者，叫做贞；有偏执己见，而居之不移者，叫做谅。夫人察理不精，而体道不熟。鲜有不以谅为贞者。君子则审时措之宜，以端其贞一之守。"凡大而经纶显设，小而酬酢云为。义当行，则勇往直前；义当止，则特立不变。精明果确，惟归于至当而已。初未尝不顾是非，不达权变，言必于信，行必于果，而硁硁然执一己之小信也。盖贞若有似于谅，然任理而无所适莫，不可谓之谅也。谅若有似于贞，然任己而不知变通，反有害乎贞矣。贞而不谅，此君子之所以异乎人，而疑似之间，学者可不深辨乎？

【原文】

子曰："事君，敬其事而后其食。"

【张居正注评】

事，是职分之所当为。食，是居官的俸禄。孔子说："人臣之事君，职任虽有大小不同，莫不各有所司之事。若禄以劝功，则系乎上者，使才任其事，而即有得禄之心，或先治其事，而随有计禄之念，皆非忠也。必须一心敬谨，办理所管的事务。如有官守者，则兢兢焉思以尽其职；有言责者，则兢兢焉思以效其忠。惟求职业之无忝，委托之不负而已。至于所食之常禄，则不必以是为先，而汲汲以图之也。尽人臣志存立功，事专报主，虽死生患难，有不暇计，而况爵禄能入其心乎？"知此义者，斯可谓之纯臣矣！

【原文】

子曰："有教无类。"

【张居正注评】

类，是等类。孔子说："人性虽同，而气禀或异。其中有智的，有愚的，有贤的，有不肖的，种种不齐。然君子之心，惟欲使人人皆复于善而后已。"智的，愚的，贤的，不肖的，都是一般样教训化导他，何尝分别等类，而有所拣择于其间哉？盖天地无弃物，圣人无弃人。故尧舜之世，比屋可封，文武之民，遍为尔德，亦有教无类之一验也。

【原文】

子曰："道不同，不相为谋。"

【张居正注评】

谋，是谋议。孔子说："人必道同而后其心同，心同而后可与谋议。若各人行的道路不同，则心术异趣，意见相反，与之商量计议，必乖违而阻格矣。是岂可相与为谋哉？"凡图议国事与讲明学术者，皆不可以不慎矣。

【原文】

子曰："辞达而已矣。"

【张居正注评】

辞，是词命之类。孔子说："凡宣上达下，与夫聘问酬答之类，皆必有赖于文辞。然古之为辞者，但以其意有所在，无以相通，不能不发之而为言。言之无文，行之不远，不能不修饰而为辞。是辞也者，惟取其达吾之意而已，意尽而止，何必为虚谈浮辞，而以富丽为工哉？"盖是时周末文胜，真意日漓，故孔子言此以救其弊也。

【原文】

师冕见，及阶，子曰："阶也。"及席，子曰："席也。"皆坐，子告之曰："某在斯，某在斯。"师冕出，子张问曰："与师言之道与？"子曰："然，固相师之道也。"

【张居正注评】

师，是掌乐之官。冕，是乐师之名，盖瞽目人也。古时乐师多用瞽者，以其听专能审音也。昔乐师名冕者，来见孔子，孔子出而迎之。方其至阶，则告之说："这是阶。"使之知而升也。行到坐席边，则告之说："这是席。"使之知而坐也。及众皆坐定，又历举在坐之人以告之说："某人在此，某人在此。"使之知同坐者姓名，便于酬对也。当时及门之徒，于夫子一言一动，无不用心省察。故师冕既出，而子张问说："师冕一瞽目之人，而夫子待之委曲周详如此，其所与之言者岂亦有道存于其间与？"夫子告之说："然。古者瞽必有相，随事而告诏之，使不迷于所从，我之所言，固相师之道也。"要之圣人矜不成人之情动于中，故扶持教导之宜详于外，乃其盛德之至，自然而然。岂作意而为之哉？而其范围曲成，欲使天下无一物不得其所之心，于此亦可见矣。

季氏第十六

洪氏曰："此篇或以为齐论。"凡十四章。

【原文】

季氏将伐颛臾。冉有、季路见于孔子，曰："季氏将有事于颛臾。"孔子曰："求！无乃尔是过与？夫颛臾，昔者先王以为东蒙主，且在邦域之中矣，是社稷之臣也。何以伐为？"

【张居正注评】

季氏，是鲁大夫。颛臾，是鲁附庸之国，盖伏羲氏之后裔也。东蒙，是山名，在鲁境内。社稷，譬如说公家。昔鲁三家强横，四分公室，季氏取其二，孟孙、叔孙各有其一。独颛臾附庸之国，尚为公臣。季氏又欲举兵伐之，取以自益。时冉有、季路仕于季氏，来见孔子说："季氏将有征伐之事于颛臾。"盖此事二子与谋，其心亦有不安者，故告于孔子，以微探其可否也。孔子以二子虽同仕季氏，而冉求为之聚敛，尤为用事，故独呼其名而责之说："此事无乃是尔之过失与。夫伐人必因其衅，兵出不可无名，今颛臾之为国，乃昔者周先王封之于东蒙山下，使主其祭。苗裔传于太皞，茅土受之天朝，是不可伐也，且在我封疆之内，原非敌国外患者比，是不必伐也。况附庸于鲁，又是公家之臣，而不在季氏管辖之内，尤非所当伐也。不可伐而伐之，则不仁；不必伐而伐之，则不智；不当伐而伐之，则悖礼而犯义。然则季氏之伐之也，何为者哉？，，夫子言此，所以罪季氏之不臣，而斥冉有之党恶者深矣。

【原文】

冉有曰："夫子欲之，吾二臣者皆不欲也。"孔子曰："求！周任有言曰：'陈力就列，不能者止。'危而不持，颠而不扶，则将焉用彼相矣？且尔言过矣，虎兕出于柙，龟玉毁于椟中，是谁之过与？"

【张居正注评】

夫子，指季氏说。周任，是古之良史。陈字，解做布字。列，是位。相，是导引瞽目的人。兕，是野牛。柙，是关兽的栏槛。龟，是占卜的宝龟。椟，是柜。冉有因夫子责其伐颛臾之非，遂为自解之词，说道："颛臾之伐，乃出于季氏之意，非我二臣所愿欲也。"夫既身与其事，而又归咎于人，冉求之文过饰非，其罪愈大矣。故夫子又呼其名而折之说："这事你如何推得？昔周任有言说道：'为人臣者，能展布其力，则可就其位。若有事不能赞襄，有过不能匡救，而力不得展，便当知止引去。'不宜觍颜居乎其位，譬如瞽目的人，全赖那相者为之扶持，而后能免于颠危，苟倾危而不能持，颠仆而不能扶，则何用彼相者为哉？今汝为季氏之臣，伐颛臾之事，若果不欲，便当谏，谏不听，便当去。乃既不能谏，又不能去，徒靦颜居位，坐视季氏之有过而不为扶持，亦将焉用汝为哉？且你推说这事情不干你事，此言差矣。比如虎兕猛兽，若不在栏槛中，走了；龟玉重宝，若不在箱柜中，坏了，固不干典守者之事。若虎兕已入于栏内，而致令走出；龟玉已收在柜中，而致令毁坏，此非典守者之责而谁与？今汝既为季氏之臣，居中用事，就如典守器物的人一般，乃任其妄为胡做，不为匡救，到这时节，却推说不是我的意思，其罪将谁诿欤？"夫子欲冉有服罪而改图，故切责之如此。

【原文】

"夫如是，故远人不服，则修文德以来之。既来之，则安之。今由与求也，相夫子，远人不服，而不能来也；邦分崩离析，而不能守也；而谋动干戈于邦内。吾恐季孙之忧，不在颛臾，而在萧墙之内也。"

【张居正注评】

这"夫子"，也指季氏说。是时鲁国公室四分，家臣屡叛。所以说邦分崩离析。萧墙，是门内的屏墙，言其近也。孔子说："为国之道，内治既修，外患自息。若能均而无贫，和而无寡，安而无倾，则不但近者悦之，虽远方之人，亦将向风慕义而来服矣。设有不服，亦不必勤兵于远，但当布教化，明政刑，益修吾之文德以怀来之。及其来归，则顺其情，因其俗，抚绥爱养，以保安之。这是柔远能迩，安定国家的大道理。今由与求也，同为季氏之辅，全无匡弼之忠。外则远人不服，既不能修文德以来之；内则国势分崩，又不能修内治以守之。而乃谋动干戈于邦内，贪远利而忽近防，上下离心，内变将作，吾恐季孙之忧，不在颛臾，而在萧墙之内矣，可不戒哉？"按：夫子此章，反复论辩，虽明正门人长恶之罪，实阴折季氏不臣之心，所以强公室、杜私门者，意独至矣。

【原文】

孔子曰："天下有道，则礼乐征伐自天子出；天下无道，则礼乐征伐自诸侯出。自诸侯出，盖十世希不失矣；自大夫出，五世希不失矣；陪臣执国命，三世希不失矣。"

【张居正注评】

希字，解做少字。陪臣，即家臣。国命，是国之命令。孔子说："天下，势而已。势在上则治，势在下则乱。礼乐征伐，乃人君御世之大柄。天下有道，君尊臣卑，体统不紊，则礼乐征伐之权，都自天子而出，礼出于天子所制，乐出于天子所作。诸侯有罪者，天子乃命将而征伐之，为臣下者，不过奉行其命而已。谁敢有变礼乐专征伐

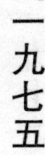

者乎？惟是天下无道，君弱臣强，下陵上替，于是礼乐征伐之权，不出自天子，而出自诸侯矣。夫上下之分明，然后民志定，而不敢相逾越。若诸侯既可以僭天子，则大夫亦可以僭诸侯。故政自诸侯出，则大夫必起而夺之，大约不过十世，鲜有不失其柄者也。大夫既可以僭诸侯，则陪臣亦可以僭大夫。故政自大夫出，则陪臣必起而夺之，大约不过五世，鲜有不失其柄者也。以陪臣之微，而操执国命，则悖逆愈甚，丧亡愈速，大约不过三世，鲜有不失其柄者矣。"考春秋之时，五伯迭兴，世主夏盟，是政自诸侯出矣；六卿专晋，三家分鲁，是政自大夫出矣；阳虎作乱，囚逐其主，是陪臣执国命矣。周天子从拥虚名，政教号令，不及于天下久矣。夫子言此，盖伤之也。然则人君威福之权，岂可使一日不在朝廷之上哉？

【原文】

"天下有道，则政不在大夫。天下有道，则庶人不议。"

【张居正注评】

这是承上章说："天下无道，而僭乱纷纷并起者，只因朝廷之上，政失其御而已。若天下有道，乾纲振举，凡政教号令，件件都在人君掌握之中，为大夫者，虽佐理赞襄于下，然主张栽夺，都请命于上，而非其所得专也，上下相维，体统不紊，有道之世固如此。然天下大权，固当归之于上，而上之御下，又不可徒恃其势之足以服人也，必有以服其心而后可。故天下有道，则朝政清明，凡用舍举措，事事都合乎天理，当乎人心，就是那庶民百姓，也都安其政令，服其教化，无有非议之言矣。议且不敢，而况敢有僭乱者乎？"然天下有公议，有私议，公议可畏也，私议不可徇也。在上者，惟自反其所为，果有背于道理，有拂乎人心，则虽匹夫匹妇之言，犹有不可忽者焉。若使其所为，一出于大公至正，而在下者，敢为私议以沮挠摇惑之，是坏法乱纪之民，刑戮之所必加也，何徇之有？此又在上者所当知。

【原文】

孔子曰："禄之去公室五世矣，政逮于大夫四世矣，故夫三桓之子孙微矣。"

【张居正注评】

禄，是国之赋税。公室，指鲁国说。逮，是及。三桓，是仲孙、叔孙、季孙三家。这三家都是鲁桓公的子孙，故叫做三桓。孔子说："天下之势，有盛必有衰，而国之大柄，下陵则上替。今以鲁事观之，自文公薨，公子遂杀了子赤，立宣公为君，自是君失其政，而国之赋税，始不入于公室。历成公、襄公、昭公、定公，凡五世矣，公室衰而政权始下移于大夫。自季武子专国政以来，历悼子、平子、桓子，凡四世矣。夫政自大夫出，五世希不失者。今鲁之大夫专政，已及四世，以数计之，也是他当衰的时候了。故今三桓之子孙，都微弱而不振，固理势之必然者也。"不久，桓子果为家臣阳虎所执，孔子之言，于是乎验矣。夫政逮于大夫，宜大夫之强也，而三桓以微，可见名分不可以僭逾，大权不可以窃据，而以僭逆得之者，终当以僭逆失之耳。《书》曰：臣之有作威作福，害于而家，凶于而国。诚万世人臣之永鉴也。

【原文】

孔子曰："益者三友，损者三友。友直，友谅，友多闻，益矣。友便辟，友善柔，友便佞，损矣。"

【张居正注评】

谅，是信实。便，是习熟的意思。孔子说："人之成德，必资于友，而交友贵知所择。有益于我的朋友，有三样，有损于我的朋友，也有三样。所谓三益者，一样是心直口快、无所回护的人；一样是信实不欺、表里如一的人；一样是博古通今、多闻广记的人。与直者为友，则可以攻我之过失，而日进于善矣；与谅者为友，则可以消吾之邪妄，而日进于诚矣；与多闻为友，则可以广吾之识见，而日进于明矣。岂不有益于我乎？所以说益者三友。所谓三损者，一样是威仪习熟、修饰外貌的人；一样是软熟柔媚、阿意奉承的人；一样是便佞口给、舌辩能言的人。与便僻为友，则无闻过之益，久之将日驰于浮荡矣；与善柔为友，则无长善之益，久之将日流于污下矣；与便佞为友，则无多闻之益，久之将日沦于寡陋矣。岂不有损于我乎？所以说损者三友。"人能审择所从，于益友则亲近之，于损友则斥远之，何患乎德之无成也哉？然友之为道，通乎上下，况君德成败，乃天下治忽所关，尤不可以不谨。故曰与正人居，所闻者正言，所见者正行，亦所谓益友也；与不正人居，声色狗马之是娱，阿谀逢迎以为悦，亦所谓损友也。养德者可不辨哉？

【原文】

孔子曰："益者三乐，损者三乐。乐节礼乐，乐道人之善，乐多贤友，益矣。乐骄乐，乐佚游，乐宴乐，损矣。"

【张居正注评】

乐，是喜好。节，是审辨。孔子说："凡人意有所适，则喜好生焉。然所好不同，而损益亦异。举其要者言之，喜好而有益于我的，有三件；喜好而有损于我的，也有三件。所谓好之而有益者，一是好审辨那礼之制度，与乐之声容，而求其中正和乐之则；一是见人有嘉言善行，便喜谈而乐道之；一是好广交那直谅多闻的好朋友。夫乐节礼乐，则外之可以治身，内之可以养心，而中和之德成矣；乐道人之善，则在人得为善之劝，在己有乐取之心，而人己同归于善矣；乐多贤友，则习与正人居，所闻者皆正言，所见者皆正行，而相规相劝之助多矣。岂不有益于我乎？所以说益者三乐。所谓好之而有损者，一是好骄惰淫荡，而任情于纵侈之事；一是好安佚邀游，而媮取

乎一时之快；一是好宴饮戏耍，而沉酣于杯酒之中。夫好骄乐，则侈肆而不知节，将日入于放荡矣；好佚游，则惰慢而恶闻善，将日流于怠荒矣；好宴乐，如淫溺而狎小人，久将与之俱化矣。岂不有损于我乎？所以说损者三乐。"此三益者，学者好之，则为端人正士；人君好之，则为明君圣主。可不勉哉？此三损者，学者好之，则足以败德亡身；人君好之，则足以丧家亡国。可不戒哉？孔子此言，其警人之意切矣。

【原文】

孔子曰："侍于君子有三愆：言未及之而言谓之躁，言及之而不言谓之隐，未见颜色而言谓之瞽。"

【张居正注评】

侍，是侍立。君子，是有德有位者之通称。愆，是过失。躁，是躁急。隐，是隐默。瞽，是无目的人。孔子说："凡卑幼者，侍立于尊长之前，其言语应对，有三件过失，不可不知也。盖人之语默，贵于当可，有问即对，无问即默可也。若君子之言问未及于我，而我乃率尔妄言，不知谦谨，这是粗心浮气的人，所以叫做躁，是一失也；如言问已及于我，而我乃缄默无言，不吐情实，这是机深内重的人，所以叫做隐，是二失也；如或时虽可言，又要观其颜色，察其意向，然后应对不差，乃未见其颜色意向所在，只管任意肆言，这就与无目的人一般，所以叫做瞽，是三失也。"此皆心失其养，故语默失宜，招尤致辱，皆由于此。学者可不加养心之功，以为慎言之地哉？

【原文】

孔子曰："君子有三戒：少之时，血气未定，戒之在色；及其壮也，血气方刚，戒之在斗；及其老也，血气既衰，戒之在得。"

【张居正注评】

色，是女色。斗，是争斗。得，是贪得。孔子说："君子检束身心，固无所不致其戒慎，而其切要者，则有三件。方年少之时，血气未定，精神未充，其所当戒者，则在于女色。盖房帷之好，易以溺人，而少年之人，又易动于欲，此而不谨，则必有纵欲戕生之事。以此致疾而伐其性命者有之，以此败德而丧其国家者有之，故少之时，所当戒者，一也。到壮盛的时节，血气方刚，其所当戒者，则在于争斗。盖好刚使气，是人之凶德，而壮年之人，易动于气，此而不谨，则必有好勇斗狠之事，小或以一朝之忿而亡其身，大或以穷兵黩武而亡其国，故壮之时，所当戒者，又其一也。及其老也，血气既衰，精神亦倦，其所当戒者，则在于贪得。盖人当少壮之时，类能勉强自守，以要名誉，比其衰老，则日暮途穷，前无希望，而身家之念重矣。此而不谨，则必多孳孳为利之图。缙绅大夫，以晚节不终，而丧其平生者有之；有土之君，以耄荒多欲，而财匮民离者有之。故既老之所当戒者，又其一也。"盖人之嗜欲，每随血气以

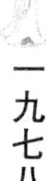

为盛衰，惟能以义理养其心，则志气为主，而血气每听命焉，故孔子随时而设戒如此。其实自天子以至于庶人，从少至老，皆当以三者为戎也，修己者可不警哉？

【原文】

孔子曰："君子有三畏：畏天命，畏大人，畏圣人之言。小人不知天命而不畏也，狎大人，侮圣人之言。"

【张居正注评】

畏，是畏惮的意思。天命，是天所赋于人之正理。大人，是有德有位之人。圣人之言，是简册中所载圣人的言语。狎，是亵狎。侮，是戏玩。孔子说："君子小人不同，只在敬肆之间而已。君子之心，恐恐然常存敬畏而不敢忽者，有三件事。三畏维何？彼天以民彝物则之理，付畀于人，这叫做天命。君子存心养性，惟恐不能全尽天理，孤负其付畀之重，故一言一动，亦必戒谨恐惧，常如上帝鉴临一般，此其所畏者一也；至若有德有位的大人，他是能全尽天理的人，君子则尊崇其德位，而致敬尽礼，不敢少有怠慢之意，此其所畏者二也；圣人之言载在简册，句句是修身齐家治国平天下的大道理，君子则佩服其谟训，而诵说向慕，不敢少有违背之失，此其所畏者三也。这三事，都是立身行己切要的工夫，故君子常存敬畏而不敢忽焉。若夫小人冥顽无知，全不晓得义理为何物，恣情纵欲，无所不为，何知有天命之足畏乎？惟其不畏天命，故于有德位的大人，也不知其当尊，反狎视而慢待之。于圣人的言语，也不知当法，反非毁而戏玩之。"盖小人不务修身成己，甘心暴弃，故无所忌惮如此，此所以得罪于天地，得罪于圣贤，而终陷于济恶不才之归也。然此三畏，分之虽有三事，总之只是敬天而已。盖人之所以勉于为善而不敢为恶者，只因有个天理的念头在心，所以凡事点检，不敢妄为，若天理之心不存，则骄淫放逸，将何所不至乎？故尧舜就业，周文小心，惟一敬耳。有志于事心之学者，不可不知。

【原文】

孔子曰："生而知之者，上也；学而知之者，次也；困而学之，又其次也；困而不学，民斯为下矣。"

【张居正注评】

困，是窒塞不通的意思。孔子说："人之资质，各有不同，有生来天性聪明，不待学习，自然知此道理的。这是清明在躬、志气如神的圣人，乃上等资质也。有生来未能便知，必待讲求习学，然后知此道理的。这样的人，禀天地清纯之气虽多，而未免少有渣滓之累，乃次一等资质也。又有始不知学，直待言动有差，困穷拂郁，然后愤悱激发而务学的，这是气质浊多清少，驳多粹少，必须着实费力，始得开明。盖又其次也。若到困穷拂郁的时节，犹安于蒙昧，不知务学以求通，这等昏愚蠢浊的人，虽

圣贤与居，亦不能化，终归于凡庸而已，所以说民斯为下矣。"

【原文】

孔子曰："君子有九思：视思明，听思聪，色思温，貌思恭，言思忠，事思敬，疑思问，忿思难，见得思义。"

【张居正注评】

孔子说："人之一身，自视听言动，以至于待人接物，莫不各有当然的道理。但常人之情，粗疏卤莽，不思其理，故动有过差，而无以成德、成身。惟君子之人，自治详审，事事留心，约而言之，其所思者凡有九件。所谓九者，目之于视，则思视远惟明，而不为乱色所蔽；耳之于听，则思听德惟聪，而不为奸声所壅；颜色则思温和，而暴戾之不形；容貌则思恭谨，而惰慢之不设；发言则思心口如一，忠实而不欺；行事则思举动万全，敬慎而无失；心中有疑，则思问之于师，辨之于友，以解其疑惑；与人忿争，则思不忍一朝之怒，或至于亡身及亲而蹈于患难；至于临财之际，又必思其义之当得与否，如义所不当得，虽万钟不受，一介不取矣。"君子于此九者，随事而致其思如此，此所以持己接物之间，事事都合乎理，而非常人之可及也。然此九思者，其本在心，若能存养此心，使之湛然虚明，澄然宁静，则应事接物，自然当理。不然，本原之地，妄念夹杂，虽有所思，安能胜其物交之引哉？此正心诚意所以为修身之本也。

【原文】

孔子曰："见善如不及，见不善如探汤。吾见其人矣，吾闻其语矣。

【张居正注评】

孔子说："古语有云：见人有善，则欣慕爱乐之，如有所追而不及的一般，惟恐己之善不与之齐也。见人有不善，则深恶痛绝之，如以手探热汤的一般，惟恐彼之不善有浼乎己也。这样好善恶恶、极其诚实的君子，吾见今有此人矣，吾闻古有此语矣。"盖在当时如颜、曾、冉、闵之徒，皆足以及之，故夫子闻其语而又见其人也。

【原文】

"隐居以求其志，行义以达其道。吾闻其语矣，未见其人也。"

【张居正注评】

孔子说："古语又云：士方未遇而隐居之时，则立志卓然不苟，把将来经纶的事业，都一一讲求豫养，而备道于一身；及遭际而行义之日，则不肯小用其道，将平日抱负的才略，都一一设施展布，而不肯负其所学。这样出处合宜、体用全备的大人，吾但闻古有此语矣,未见今有此人也。"盖此必伊尹、太公之流,乃足以当之,故夫子以未见其人为叹,其所感者深矣。

【原文】

"他日,又独立,鲤趋而过庭,曰:'学《礼》乎?'对曰:'未,也。''不学《礼》,无以立。'鲤退而学礼。闻斯二者。"陈亢退而喜曰:"问一得三:闻《诗》,闻《礼》,又闻君子之远其子也。"

【张居正注评】

二者,指《诗》、《礼》而言。远,只是不私厚的意思。伯鱼又告陈亢说:"他日,夫子又尝闲居独立,我复趋走而过于庭前。这时也没他人在旁,使有异教,亦可于此时传授矣。乃夫子却又只问说:'汝曾学《礼》否乎?'我对说:'未曾学《礼》。'夫子因教我说:'《礼》之为教,恭俭庄敬,学之,则品节详明,而德性坚定,必卓然有以自立。若不去学《礼》,则无以习其节文,而养其德性,欲自立于规矩准绳之中,岂可得乎?'鲤于是受教而退,始学夫《礼》。凡礼仪威仪,无不习其事焉。我之所闻于夫子者,一是学《诗》,一是学《礼》,惟此二者而已。夫《诗》、《礼》之教,固夫子之所常言者,我之所闻,亦群弟子之所共闻也,何尝有异闻乎?"于是陈亢闻言而退,深自喜幸说:"问一得一,乃理之常。今我所问者,异闻之一事耳,而乃有三事之得。闻学《诗》之可以言,一也;闻学《礼》之可以立,二也;又闻君子之教其子,与门弟子一般,全无偏私之意,三也。一问之间,有得三之益,岂非可喜者哉?"夫圣人之心,至虚至公,其教子也,固未尝徇私而独有所传,亦非因避嫌而概无所异,惟随其资禀学力所至,可与言《诗》,则教之以《诗》,可与言《礼》,则教之以《礼》焉耳,岂得容心于其间哉?陈亢始则疑其有私,终则喜其能远,不惟不知圣人待子之心,且不知圣人教人之法,陋亦甚矣。

阳货第十七

凡二十二章。

【原文】

阳货欲见孔子,孔子不见,归孔子豚。孔子时其亡也,而往拜之。遇诸途。

【张居正注评】

阳货,名虎,是季氏家臣,尝囚季桓子而专国政者。因孔子是鲁国人望,欲其来见已。孔子以货是乱臣,义不往见。阳货乃馈送孔子以蒸豚。孔子以货既加礼于己,

不得不往拜以谢之，而其本心实不欲相见。于是趁他不在家的时节，乃一往拜之。盖虽不废乎报施之礼，而亦终不亏其不见恶人之义也。乃不期与之相遇于途中。

【原文】

谓孔子曰："来！予与尔言。"曰："怀其宝而迷其邦，可谓仁乎？"曰："不可。""好从事而亟失时，可谓知乎？"曰："不可。""日月逝矣，岁不我与。"孔子曰："诺，我将仕矣。"

【张居正注评】

怀宝是比人有道德，如怀藏着重宝一般。亟字解做数字。阳货遇见孔子，迎而谓之说："来，我与你说话。凡人有道德则当摅其所蕴，以济时艰。如有重宝，当售之与人，不可私也。苟徒藏怀其宝而坐视国之迷乱，不为拯救，可以谓之仁乎？"孔子说："仁者心存于救世，怀宝迷邦，不可谓之仁也。"阳货又问："人之好有为者，则当乘时而出，以设施于当世。苟徒好从事，而每每坐失事机之会，可以谓之智乎？"孔子说："智者熟察乎事机，好从事而亟失时，不可谓之智也。"阳货又说："日月如流，一往不返，人之年岁日增，而不为我少留。及今不仕，更待何时？"孔子应之说："及时行道，实士君子之本心，吾将出而仕矣。"阳货所言，皆讥讽孔子的意思。不知夫子抱拯溺亨屯之志，本未尝怀宝失时，而亦非不欲仕也，但不仕于货耳。故直据理答之，不复与辩。盖圣人之待恶人，不激不随如此。

【原文】

子曰："性相近也，习相远也。"

【张居正注评】

孔子说："天之生人，本同一性。虽气有清浊，质有纯驳，然本其有生之初而言，同一天地之精，五行之秀。其清而纯者，固可以为善；其浊而驳者，未必生成便是恶人。彼此相去，未为大差，固相近也。及到形生神发之后，德性以情欲而迁，气质以渐染而变。习于善的，便为圣为贤；习于恶的，便为愚为不肖。于是善恶相去，或相什伯，或相千万，而人品始大相远矣。"夫以人之善恶，系于习而不系于性如此。则变化气质之功，乃人之所当自勉者也。岂可徒诿诸性而已哉？

【原文】

子曰："惟上知与下愚不移。"

【张居正注评】

这是承上章说。"人之初生，其性固为相近，然有一等气极其清，质极粹而为上知者；有一等气极其浊，质极其驳而为下愚者。世间惟这两样人，美恶一定，非习之所能移。其在上知，是天生成的善人，虽与不善人居，不能诱之使为不善也；其在下愚，是天生成不善的人，虽与善人居，亦不能化之使为善也。善恶系于性而不系于习者，惟这两样人为然。"世间极智之人，固不常有；极愚之人亦不多见。惟半清半浊，可善可恶者最多。此变化气质之功，在中人所不容已也。然尧舜犹谨微危之几，汤武不废反身之学，虽圣人不敢以上智自恃如此。桀纣恃其才智，荒淫暴虐，拒谏饰非，卒与下愚同辙，岂不悖哉？故曰："气质之用小，学问之功大。"

【原文】

公山弗扰以费畔，召，子欲往。子路不说，曰："末之也已，何必公山氏之之也？"子曰："夫召我者，而岂徒哉？如有用我者，吾其为东周乎！"

【张居正注评】

公山弗扰是鲁大夫季氏之家臣，为费邑宰。末之之字，解做往字。昔鲁自文公以来，季氏世执国政，公室衰弱，君反受制于臣，如此者，四世矣。至季桓子之时，有公山弗扰者与阳虎共执桓子，遂据费邑以畔。因使人聘召孔子。孔子尝愤宗国之陵替，疾季氏之不臣，而思以匡之久矣。今幸其家臣内叛，衅起私门，傥因其可乘之隙，而运吾转移之术，则亦振鲁兴周之一机也，故因其来召而遂欲往应之。乃子路不达孔子之意，怫然不悦，说："夫子之齐之鲁，道既不行，身无所往，亦可以止矣。何必又往应公山之召，而徒取失身之辱乎？"是不知公山弗扰之叛，乃叛季氏，非叛鲁也。孔子之欲往，非为公山弗扰，乃为鲁也。故不得已而晓之说："今世莫我知，无能召我而用之者。今公山氏特来召我，斯其意岂徒然哉？殆必有以用我也。当此之时，如有委我以国，授我以政，而能用我者，我必将修纪纲之废坠，正名分之陵夷，举文武周公之治，而整顿于今日，使秉礼之宗国，复西京之旧俗，而鲁其为东周矣乎？"孔子自表其用世之志，以晓子路如此。而其拨乱反正之微权，转移化导之妙用，则有未易窥者。然考之春秋传，公山弗扰与季氏战，兵败奔齐，而孔子亦竟未应其召。道之将废，而鲁之终于不振也。可慨也夫！

【原文】

子张问仁于孔子。孔子曰："能行五者于天下，为仁矣。""请问之。"曰："恭、宽、信、敏、惠。恭则不侮，宽则得众，信则人任焉，敏则有功，惠则足以使人。"

【张居正注评】

侮是侮慢。任是倚仗的意思。子张问为仁的道理于孔子。孔子教之说："仁道虽大，不外于心。心德之要，凡有五件。若能于此五者，体验扩充于身心之间，推行运用于天下之大，则其心公平，其理周遍。天德全而仁在是矣。"子张因请问其目，孔子说："所谓五者，一是恭敬，二是宽容，三是信实，四是勤敏，五是惠爱。其名虽异，都是心德之所散见，缺一不可言仁者。然五者亦人所同具，有感必通的。诚能恭以持己，则在下的人自然畏惮、尊仰而无敢侮慢矣。宽以容众，则在下的人自然心悦诚服而归服于我矣。言行一于诚信，则人都依靠着我而无所疑贰矣。行事勤敏快当，则所为无不成就而动必有功矣。恤人饥寒，悯人劳苦，而恩惠及人，则感吾之恩者莫不尽心竭力，乐为我用矣，又岂不足以使人乎？五者之效如此，汝能兼体而力行之，则天德流通，物我无间，而仁之体用皆备矣，可不勉哉？"

【原文】

佛肸召，子欲往。子路曰："昔者由也闻诸夫子曰：'亲于其身为不善者，君子不入也'。佛肸以中牟畔，子之往也，如之何？"子曰："然，有是言也。不曰坚乎，磨而不磷？不曰白乎，涅而不缁？吾岂匏瓜也哉？焉能系而不食？"

【张居正注评】

佛肸是晋大夫赵简子的家臣，时为中牟宰。磷是薄，涅是染皂之物。缁是黑色。匏是大瓠，味苦而不可食者。时晋室微弱，政在六卿。赵简子与范中行相攻，其家臣有佛肸者因据中牟以叛。一日，佛肸使人来召孔子，孔子即欲应其召而往见之。盖亦欲应公山弗扰之意也。子路不达而阻之说："昔者我闻夫子有言：'凡人有悖理乱常，亲身为不善者，君子不入其党，惟恐其浼己故也。'今佛肸据中牟以畔，正是亲为不善的人，君子当远避之不暇，而夫子乃欲往应其召，是辱身而党恶也。何自背于昔日之言乎？"孔子晓之说："汝谓身为不善，君子不入。此言诚然，我诚有此言也。然人固有可浼者，有不可浼者。譬之于物，凡可磨而薄者，必其坚之未至者也。独不曰天下有至坚厚者，虽磨

赵简子

之，安能使之损而为薄乎？凡可染而黑者，必其白之未至者也。独不曰天下有至洁白者，虽染之，安能使之变而为黑乎？夫物有一定之质，尚不可变，我之志操坚白自处固已审矣，彼虽不善，焉能浼我乎哉？且君子之学，贵适于用，我岂若彼匏瓜者哉？喟然徒不悬系，而不见食于人，则亦弃物而已！何益于世哉？然则，佛肸之召，我固当有变通之微权，而君子不入之说，有不可以概论者矣。"按：孔子前于公山之召，则以东周自期，此于佛肸之召，则以坚白自信。盖圣人道大德宏，故能化物而不为物所化。若使坚白不足而自试于磨涅，则已且不免于辱，何以能转移一世乎？君子处世，

审已而动可也。

【原文】

子曰："小子何莫学夫《诗》？《诗》，可以兴，可以观，可以群，可以怨。迩之事父，远之事君；多识于鸟兽草木之名。"

【张居正注评】

兴是兴起。观是观感。群是群聚。怨是怨恨。孔子呼门弟子而教之，说："《诗》之为教，有益于人甚大。尔小子何不于《诗》而学之乎？盖《诗》之所言，有善有恶。学之，则善者可以为劝，恶者可以为惩。而吾心好恶之机将有勃然不能自已者，故可以兴。《诗》之所载，有美有刺。学之，则美者可以考见其得，刺者可以考见其失。而吾身行事之实，将有惕然因之感动者，故可以观。其叙述情好于和乐之中，不失夫庄敬之节。学之，则可以处群，虽和而不至于流矣。其发抒悲怨于责望之下，犹存乎忠厚之情。学之，则可以处怨，虽怨而不至于怒矣。近而家庭之间，所以事父的道理；远而朝廷之上，所以事君的道理，莫不备载于中。学之，则可以为忠臣孝子，而大伦克尽矣。且其情景所发，或因鸟兽以起兴，或托草木以寓言，其中称名不一，取类至繁。学之，则可以多识鸟兽草木之名，而小物亦察矣。夫《诗》之有益于人如此，尔小子岂可以不学乎哉？"然诗之为教，不但学者所当诵习也，《关雎》、《麟趾》为风化之原，《凫鹥》、《既醉》乃太平之福。《天保》以上，所以治内；《采薇》以下，所以治外，王道莫备于斯矣。为人主者，亦不可以不究心焉。

【原文】

子曰："巧言令色，鲜矣仁！"

【张居正注评】

此处与前文重复，见第78页。

【原文】

子谓伯鱼曰："女为《周南》、《召南》矣乎？人而不为《周南》、《召南》，其犹正墙面而立也与！"

【张居正注评】

为，是习学。《周南》、《召南》是《诗经·国风》之首篇。昔周文王与其后妃俱有圣德，修身齐家以令于国中，又使周公治陕以西，召公治陕以东。由是风化自北而南，远被于江汉之域，故诗人咏歌其事。《周南》之诗，自《关雎》以下，言文王后妃闺门之化行于南国也。《召南》之诗，自《鹊巢》以下，言南国诸侯夫人与大夫之妻皆被文王后妃之化而成德也。孔子教其子伯鱼说："汝尝学夫《周南》、《召南》之诗矣乎？盖《周南》、《召南》两篇所言皆修身齐家之事，于人伦日用，最为切要。学者须把这两篇诗，讲诵玩味，身体力行，乃为有益。人若不学《周南》、《召南》则无以正性情，笃伦理。身且不知修，家且不知齐矣，安望其能经邦而济世，化民而易俗哉？譬如正对着墙面站立的一般，咫尺之地，隔碍障蔽，一物无所见，一步不可行矣，况其远者乎？"甚哉，二南之切于人，不可以不学也。然《大学》说："自天子以至于庶人，壹是皆以修身为本。"人君一身，乃万国之仪刑，未有不修身齐家，而可以治国平天下者。则二南之诗，岂独为学者之所当习哉？

【原文】

子曰："礼云礼云，玉帛云乎哉？乐云乐云，钟鼓云乎哉？"

【张居正注评】

孔子见世之用礼乐者，专事其末，而不知探其本也，故发此论说道："先王制礼以交神、人，恰上下，固未有不用夫玉帛者，然必先有个恭敬、诚悫的意思存之于中，然后用玉帛以将之。若无是敬，则虽玉帛交错，不过虚文而已。然则所谓礼云礼云者，岂徒玉帛云乎哉？先王作乐以养民德，导民和，固未有不用夫钟鼓者，然必先有个欣喜欢爱的意思蕴之于心，而后用钟鼓以宣之。若无是和，则虽钟鼓铿锵，不过虚器而已。然则所谓乐云乐云者，岂徒钟鼓云乎哉？"盖先王以礼乐教天下，皆本之和敬之实德，而发之于仪文节奏之间，后世徒事于文，而不求其本，故孔子叹之如此！

【原文】

子曰："色厉而内荏，譬诸小人，其犹穿窬之盗也与？"

【张居正注评】

厉是威严，荏是柔弱。穿窬是剜墙凿壁为窃盗之事者。孔子说："人必表里相符，然后可谓之君子。今有人焉，观其外貌，则威严猛厉，似乎确然有守，毅然有为的人，而内实懦弱，见利而动，见害而惧，全无执持刚果的志气。这等的人中实多欲，而貌与心违，譬之小人，就如盗窃一般。黑夜里剜墙凿壁偷了人家财物，外面却假装个良善的模样，惟恐人知，岂不可耻之甚哉？"孔子深恶作伪之人，故儆之如此。

【原文】

子曰："乡原，德之贼也。"

【张居正注评】

原字当做"愿悫"的愿字，是谨厚的意思。乡愿是乡俗中一样软滑的人。人都称为谨厚，所以叫做乡愿。贼字释作害字。孔子说："人之有德者为君子，悖德者为小人，不难辨也。惟有一样人，名为乡愿者，居之似忠信，而非忠信，行之似廉洁而非廉洁，自处柔佞而不肯立异，其待人软熟而惟求取悦，是以人人都道他好。这样人似德非德而反乱乎德，乃德之害也。"盖行合乎道之中，事出乎理之正，这才叫做德。今乡愿不顾道理之是非，只图流俗之喜悦。人见他以此得人心，取声誉，便都慕效他，以是为德，而不复知有大中至正之道，其惑人心，坏风俗，岂不甚乎？所以说乡原德之贼也。

【原文】

子曰："道听而途说，德之弃也。"

【张居正注评】

道途都是人行的路。孔子说："人之实心为学者，于凡天下道理，或得之师友之所传授，或考诸典籍之所记载，就便存之于心，身体而力行之，以求实德于己，方为有益。若有所闻而不体会于心，只把来放在口中谈论讲说，这是入耳出口之学。譬如道路上听了一句言语，就在途路上与人说了。如此，则虽闻善言，不过以资口说而已，何能有诸己哉？所以说德之弃也。"

【原文】

子曰："鄙夫可与事君也与哉？其未得之也，患得之。既得之，患失之。苟患失之，无所不至矣。"

【张居正注评】

鄙夫是庸恶陋劣之人，患是忧患。孔子说："为人臣者，必有忘身之诚，而后可以语事君之义。有一等鄙夫，其资性庸恶，全无忠义之心，识趣陋劣，又乏刚正之节，若此人者，岂可使之立于朝廷之上而与之事君也与哉？何也？盖所贵于事君者，惟知有君而不知有身也。乃鄙夫之心止知有富贵权利而已。方其权位之未得，则千方百计徼幸营救，汲汲然惟恐其不得之也。及其权位之既得，则千方百计系恋保守，兢兢然惟恐其或失之也。夫事君而一有患失之心，则凡可以阿意求容，要结固宠者，将何事不可为乎？小则卑污苟贱，丧其羞恶之良；大则攘夺凭陵，陷于悖逆之恶，皆生于此患失之一念而已。以此人而事君，其害可胜言哉？"然君臣之义本无所逃，而忠君爱国之臣，亦鲜不以得君为念者。但忠臣志在得君，鄙夫志在得禄。忠臣得君，志在任事；鄙夫得君，志在窃权。心术之公私少异，而人品之忠奸顿殊，明主不可不察也。

【原文】

子曰："古者民有三疾，今也或是之亡也。古之狂也肆，今之狂也荡；古之矜也廉，今之矜也忿戾；古之愚也直，今之愚也诈而已矣。"

【张居正注评】

疾字解做病字。凡人气失其平，则致病，故人之气质有偏者，亦谓之病。亡字与有无的无字同。狂是志愿太高的人。肆是不拘小节。荡是放荡。矜是持守太严的人，即狷者也。廉是棱角峭厉。忿戾是忿争乖戾。愚是昏昧不明的人。直是直憨。诈是虚诈。孔子叹说："人之气禀中和者少，偏驳者多。一有偏驳，则行有疵病而谓之疾。然古之时，风气纯厚，其中虽有三样资禀偏驳、过中失正的人，然皆质任自然，本真犹未甚凿也。今则淳者日入于漓，厚者日趋于薄，不但气禀中和者绝不复见，就是那三样病痛的人，或者也没有了。盖古之人，有志愿太高，锐意进取的，这是狂之疾。然其狂也，不过志大言大，不拘小节，肆焉耳矣。若今之所谓狂者，则不顾礼义之大闲，纵放于规矩之外，而流于荡矣。古之人有赋性狷介，持守太严的，这是矜之疾。然其矜也，不过立崖岸，有棱角，示人以难亲，廉焉耳矣。若今之所谓矜者，则逞其刚狠之气，动至与人乖忤，而流于忿戾矣。古之人，有资识鲁钝，暗昧不明的，这是愚之疾。然其愚也，不过任性率真，径行自遂，直焉耳矣。若今之所谓愚者，则反用机关，挟私妄作，而流于诈矣。"夫狂而肆焉，矜而廉焉，愚而直焉，此虽气质之偏，而本真未丧。若加以学问磨砻之功，其病犹可瘳也。至于肆变而荡，廉变而忿戾，直变而诈，则习与性成，将并其疾之本然俱失之矣，欲复乎善，岂不难哉？所以说，古者民有三疾，今也或是之亡也。夫子此言，盖深叹时习之偷，而望人以学问变化之功者至矣。

【原文】

子曰："巧言令色，鲜矣仁！"

【张居正注评】

此处与前文重复，见第69页。

【原文】

孺悲欲见孔子，孔子辞以疾。将命者出户，取瑟而歌，使之闻之。

【张居正注评】

孺悲是鲁人，尝学士丧礼于孔子。一日来求见孔子，想当时必有得罪处，故孔子不欲与之相见，而托言有疾以辞之。然既辞以疾矣，又恐其不悟，乃俟传命者方出户，即取瑟而弦歌之，使孺悲闻而知其非疾焉。夫孔子于孺悲之见，本非疾也，而辞以疾绝之也。既辞以疾矣，又使之知其非疾，警之也。使孺悲苟能省其过而迁于善焉，圣人亦其终绝之乎？此所谓不屑之教诲也。

【原文】

子曰："饱食终日，无所用心，难矣哉！不如博弈者乎？为之，犹贤乎已。"

【张居正注评】

博是居戏。奕是围棋。贤是胜。已是止。孔子说："吾人日用之间，莫不各有当为之事，必知所用心而后能有成也。设使终日之间，优游放旷，惟知餍饱饮食而已，于凡义理所当讲求，职业所当修举者，一无所用其心。如此之人，神昏志惰，把光阴都虚度了，一事无成，百事皆废，欲以入德而成人，岂不难哉？不有居戏围棋而博弈者乎？这等的人虽所为非正，然其心未尝无事也，较之悠悠荡荡，全然无所用心者，岂不犹为胜乎？"孔子此言，非以博弈为可为，特甚言无所用心之不可耳。盖人之一心常运用斯常精明，是以尧舜兢业，大禹孜孜，文王日昃不遑暇食。古之圣人岂好为是焦劳哉？诚以心易放而难收，一念不谨，则庶事隳而天工旷，其关系治乱，非细故也。明主宜深省于斯。

【原文】

子路曰："君子尚勇乎？"子曰："君子义以为上。君子有勇而无义为乱，小人有勇而无义为盗。"

【张居正注评】

尚是崇尚。昔子路好勇，故问于孔子说："君子为人，亦尚刚勇否乎？"孔子教之说："君子之人惟以义为上而已。盖义者事物之权衡，立身之主宰，是以君子尚之。义所当为，则必为；义所不当为，则不为。虽万钟千驷，有弗能诱；虽刀锯鼎镬，有所弗避，乃天下之大勇也。至于血气之勇，岂君子之所尚者乎？盖以血气为勇，非勇也。使在位的君子徒知有勇，而无义以裁制之，则必将倚其强梁，逆理犯分，或无故而自启衅端，或任情而妄生暴横，不至于悖乱不止矣；使在下的小人，徒知有勇，而无义以裁制之，则必将逞其凶狠，放荡为非，小而草窃奸宄，大而贼杀剽夺，不流于盗贼不止矣。是人之大小尊卑虽不同，苟不义而勇，无一可者也，然则，勇何足尚乎哉？"孔子因子路好勇而无所取裁，故深救其失如此！

【原文】

子贡曰："君子亦有恶乎？"子曰："有恶：恶称人之恶者，恶居下流而讪上者，恶勇而无礼者，恶果敢而窒者。"曰："赐也亦有恶乎？""恶徼以为知者，恶不孙以为勇者，恶讦以为直者。"

【张居正注评】

下流是在下卑贱之人。讪是谤毁。窒是窒塞不通。徼是伺察。讦是攻发人之阴私。

子贡问于孔子说："君子于人无所不爱，岂亦有所恶者乎？"孔子教之说："好恶，人之同情，君子岂无所恶乎？其所恶者有四：其一，恶那样刻薄的人，专喜称扬人之过恶，全无仁厚之意者；其一，恶那样恣戾的人，身居污下之地而谤毁君上，非毁尊长，无忠敬之心者；其一，恶那样强梁的人，好刚使气，徒恃其勇而不知礼让，至于犯上而作乱者；其一，恶那样执拗的人，临事果敢，率意妄为而不顾义理，往往窒塞而不通者。凡此，皆人心之公恶，故君子恶之也。"孔子因问子贡说："汝赐也亦有所恶乎？"子贡对说："赐之所恶者有三：其一，恶那样苛刻的人，本无照物之明，乃窃窃焉伺察人之动静，而自以为智耳；其一，恶那样刚愎的人，本无兼人之勇，徒悻悻然凌人傲物，而自以为勇者；其一，恶那样偏急的人，本无正直之心，专好攻讦人之阴私，而自以为直者。赐之所恶，如此而已。"由此观之，圣贤所恶，虽有不同，而以忠顺长厚之道望天下，其意则一而已。盖天下之患，常始于轻薄恣睢之徒，横议凭陵，而纪纲风俗，遂因之以大坏。明主知其然，故务崇浑厚以塞排诋之端，揽权纲以消悻慢之气。故谗慝无所容，而凶人自伏也！审治体者宜辨之。

【原文】

子曰："唯女子与小人为难养也。近之则不孙，远之则怨。"

【张居正注评】

小人是仆隶下人。近是狎昵的意思。远是疏斥的意思。孔子说："天下的人，惟有妇人女子与仆隶下人最难畜养。何以言之？常情于这两样人，不是过于用恩，狎昵而近之，便是过于用严，疏斥而远之。若是昵近他，他便狃恩恃爱，不知恭逊之礼，是近之不可也；若是疏远他，他便失去所望，易生怨恨之心，是远之不可也，此其所以难养也。"诚能庄以临之，慈以畜之，则既有以消其怙恃之心，又有以弭其愤恨之意，何怨与不逊之足患乎？

【原文】

子曰："年四十而见恶焉，其终也已。"

【张居正注评】

孔子说："人年四十，乃是成德之时。前此，而年力富强，正好加勉；过此，则神志衰怠，少能精进矣。若于此时，而犹有过恶见憎恶于人，则善之未迁者，终不及迁，过之未改者，终不及改，亦止于此而已，可不惜哉？"这是孔子勉人及时进修的意思，人能以此自警于心，虽欲一时不汲汲学问，以求日新其德业，不可得矣。

微子第十八

此篇多记圣贤之出处。凡十一章。

【原文】

微子去之，箕子为之奴，比干谏而死。孔子曰："殷有三仁焉。"

【张居正注评】

微子是商纣之庶兄，箕子、比干是纣叔父。当理而无私心叫做仁。昔纣为无道，其国将亡。微子进谏不听，恐一旦被祸，绝了商家宗祀，遂引身而去之。箕子谏纣不听，被纣囚系为奴，因佯狂而受辱。比干直言极谏，犯纣之怒，被纣杀之，剖其心以死。此三人者同为纣之亲臣，而或去，或不去，或以死，行各不同。孔子从而断之说："殷有三仁焉。"盖论人者不当泥其迹而当原其心。三人者就其迹而观之，虽有不同，原其心而论之，则其忧君爱国之忠，至诚恻怛之意，一而已也。其去者欲存宗祀，非忘君也；奴者欲忍死以有待，非惧祸也；死者欲正言而悟主，非沽名也。所以说，殷有三仁焉。盖自孔子之论定，而三子之心，始白于天下后世矣。大抵人臣之义，莫不愿世平主圣，服休宠而保荣名者，不得已而逃遁，而囚辱，而杀身，则所遇之不幸耳。向使纣有纳谏之美，而三仁者得效其进谏之忠，相与救过图存，则商祀未宜遽绝也，乃拒谏饰非，淫威以逞，卒之三仁去而殷国墟，岂不可为永鉴哉？

【原文】

柳下惠为士师，三黜。人曰："子未可以去乎？"曰："直道而事人，焉往而不三黜？枉道而事人，何必去父母之邦？"

【张居正注评】

柳下惠是鲁之贤人。士师是掌刑狱的官。三黜是屡遭罢斥。父母之邦指鲁国说。昔柳下惠为鲁士师之官，屡被退黜。人或有讽之者说："子屡摈不用如此，尚未可以去而之他国乎？"言其道不合则当去也。柳下惠答说："我之所以屡被罢黜者，只因我直道而行，不能屈己以随人耳！今世之人，谁不悦佞而恶直？若我守定这正直之道以事人，则到处为人所恶，何所往而不被其退黜？若我肯阿意曲从，枉己以事人，则到处为人所喜，只在我鲁国亦自安其位了，又何必远去父母之邦乎？"柳下惠亦此解或人之言，盖自信其直道而行，不以三黜为辱也。要之，衰世昏乱，故正直见恶于时，惟治朝清明，斯君子得行其志。是以有道之君于秉公持正者，必崇奖而保护之，倾险邪媚者，必防闲而斥远之，则众正之路开，而群枉之门杜矣！

【原文】

齐景公待孔子曰："若季氏，则吾不能；以季、孟之间待之。"曰："吾老矣，不能用也。"孔子行。

【张居正注评】

昔孔子适齐。齐景公素知孔子之贤，因与其臣商量待孔子的礼节，说道："鲁有三卿，季氏最贵，鲁君待之极隆。我今要把鲁君待季氏的礼待孔子，似为过厚，则我有所不能。若把鲁君待孟氏的礼待他，于礼又简，有所不可。就中斟酌，当以季、孟之间待之，固不至如季氏之隆，亦不至如孟氏之简，庶几其可乎？但惜我年已衰老，不能用其道矣。"夫孔子至齐，本为行道，既不能用其道，而徒拟议于礼节之间，则已虚拘焉耳。盖不合则去，一重道之义也。

【原文】

齐人归女乐，季桓子受之，三日不朝，孔子行。

【张居正注评】

季桓子是鲁大夫，名斯。鲁定公时，孔子为司寇，三月而鲁国大治。齐人惧其为霸，因设计选好女子八十人，皆衣文衣，乘文马，舞康乐以馈送鲁君，欲以惑乱其心，阻坏其政。鲁君果中其计，与同季桓子再三游观，悦而受之。于是荒于声色，怠于政事，三日不复视朝，则其简贤弃礼，不足与有为可知，故孔子行。盖礼貌衰则去，一见几之明也。合前章而观，景公知好贤矣，而耄倦于勤，好之而不能用，定公能用之矣，而中荒于欲，用之而不能终，无怪乎二国之不兢也。

【原文】

楚狂接舆歌而过孔子曰："凤兮，凤兮，何德之衰？往者不可谏，来者犹可追。已而，已而，今之从政者殆而！"孔子下，欲与之言。趋而辟之，不得与之言。

【张居正注评】

接舆，是楚之狂士。昔周之衰，贤人隐遁，接舆盖亦佯狂以避世者也。殆字解做危字。下，是下车。辟，是躲避。昔孔子周流至于楚地，楚之狂人接舆者，口中唱歌而行过孔子之车前说："凤兮，凤兮，何德之衰？说凤凰是灵鸟，能审时知世，有道则见，无道则隐，所以为稀有之祥瑞。如今是什么时候，乃出现于世，是何其德之衰而不知自重耶！然既往之事，虽不可谏止，从今以后，尚可以改图，趁此之际，可以止而隐去矣。我观今之出仕而从政者，非惟不能建功，且将至于取祸，亦岌岌乎危殆而难保矣，于此不止，安得谓之智乎？"接舆之意，盖以凤鸟比孔子，而讥其不能全身以远害也，然以避世为高，而不以救时为急，则其趋向之偏甚矣。孔子时在车中闻其歌词，知其为贤人，故下车来欲与之讲明君臣之大义，出处之微权。而接舆自以为是，不肯接谈，遂趋走避匿，孔子竟不得与之言焉。盖圣人抱拯溺亨屯之具，而又上畏天命，下悲人穷，是以周流列国，虽不一遇，而其心终不能一日忘天下也。彼接舆之徒，果于忘世，往而不返，何足以语此哉？

【原文】

长沮、桀溺耦而耕，孔子过之，使子路问津焉。长沮曰："夫执舆者为谁？"子路曰："为孔丘。"曰："是鲁孔丘与？"曰："是也。"曰："是知津矣。"

【张居正注评】

长沮、桀溺都是人姓名，盖亦贤而隐者也。二人相并为耦。津是河边渡口。执舆是执辔在车。昔孔子自楚反蔡，子路御车而行。适遇隐士二人，一个叫做长沮，一个叫做桀溺。两人并耕于野。孔子经过其地，将欲渡河，不知渡口所在，因使子路下车而问于长沮。长沮问说："那坐在车上执辔的是谁？"子路对他说："是孔丘。"长沮素知孔子之名，因问说："是鲁国之孔丘与？"子路对说："是也。"长沮遂拒之说："问者不知，知者不问。既是鲁之孔丘，他游遍天下，无一处而不到，于津渡所在，必已知之久矣，又何必问于我哉？"其意盖讥孔子周流而不止也。

【原文】

子路从而后，遇丈人，以杖荷蓧："子见夫子乎？"丈人曰："四体不勤，五谷不分，孰为夫子？"植其杖而芸。子路拱而立。止子路宿，杀鸡为黍而食之，见其二子焉。

【张居正注评】

丈人是老人。蓧是竹器。去草叫芸。昔孔子周流四方，子路随行，偶相失在后，于田间遇一老人，以拄杖挑着竹器。子路问说："你曾见我师夫子否？"丈人不对而直责之说："汝于四体，则不知勤劳耕作以自食其力；于五谷，也不能分辨其孰为稻，孰为黍稷，孰为麦菽。舍其农业而从师远游，却来问汝夫子于我，我知谁是你的夫子？"遂植立其杖，而自于田间芸草，更不答他。子路闻丈人之言，知其为贤人也，遂竦然起敬，拱手而立。丈人见子路改容相待，亦为之感动，遂留子路宿于其家，杀鸡造饭以管待之，又令其二子出见，叙长幼之礼焉。盖春秋之时，天下无道，贤人隐遁，而孔氏之徒独周流四方，欲以行道济时，故动而见沮如此，可以观世矣！

【原文】

逸民：伯夷、叔齐、虞仲、夷逸、朱张、柳下惠、少连。子曰："不降其志，不辱其身，伯夷、叔齐与！"谓：柳下惠、少连："降志辱身矣。言中伦，行中虑，其斯而已矣。"谓虞仲、夷逸："隐居放言，身中清，废中权。我则异于是，无可无不可。"

【张居正注评】

逸民，是隐逸高尚的人。虞仲，即周太王次子，仲雍与泰伯同窜荆蛮者。伦是义理之次第。虑，是思虑。记者说：古时隐逸高尚之士，可以考见者七人，如伯夷、叔齐、虞仲、夷逸、朱张、柳下惠、少连是也。然七人者，志节虽同，而制行则异。孔子一一而品评之说："立志高而不肯少有贬屈，持身洁而不肯少有污染，其伯夷、叔齐欤！观他非其君不事，非其民不使，不立恶人之朝，不与恶人言，峻节清风，何凛凛也！若夫柳下惠、少连，则和同混俗，于人无忤。虽降屈其志，卑辱其身，有弗惜者，其出言则合乎伦理，行事必当乎人心，以之处世，如此而已矣，不为过高绝俗之行也。至于虞仲、夷逸则行不必其中虑，而隐居以自适，言不必其中伦，而放言以自废矣。然虽隐居独善，而洁身不污，合乎道之清，虽放言自废，而韬晦得宜，合乎道之权。盖与矫异之士，害义伤教者不同矣。然此七人者，其行虽洁，其志虽高，而未免有执一之病也。在夷、齐、虞仲、夷逸，则以绝世离俗为可，而以和光同尘为不可；在柳下惠、少连则以和光同尘为可，而以绝世离俗为不可。各是其是，各非其非，都先有个主意在，其见偏矣！若我则异于是，可仕则仕，可止则止，用之则行，舍之则藏。因时制宜，不胶于一定，固无所谓可，亦无所谓不可也，此我所以异于逸民欤。要之，七人之心有所倚，故止成其一节之高，圣人之心无所倚，故优入于时中之妙。所以说，观乎圣人，则见贤人。凡行己处世者，当知所取法矣！

【原文】

太师挚适齐，亚饭干适楚，三饭缭适蔡，四饭缺适秦，鼓方叔入于河，播鼗武入于汉，少师阳、击磬襄入于海。

【张居正注评】

太师是乐官之长。古时国君每食，必作乐以侑食，故有亚饭、三饭、四饭之名。少师是乐官之佐。鼓、播鼗、击磬都是掌乐器的官。齐、楚、蔡、秦、河、汉、海都是地名。鲁自三家僭乱，歌雍舞佾，私家日盛，而公室反微。音乐废阙宗庙之祭，至不能备八佾之舞，于是典乐之官，皆失其职，散而之四方。有掌乐的太师名挚者，去而适齐；掌亚饭之乐名干者，去而之楚；掌三饭之乐名缭者，去而之蔡；掌四饭之乐名缺者，去而之秦；掌击鼓的官名方叔者，去而入居于河内；掌播摇鼗鼓的官名武者，去而入居于汉中；为乐官之佐名阳与击磬的官名襄者，去而入居于海岛。夫礼乐所以为国者也，鲁失其政，下陵上替，礼坏乐崩，至使瞽师乐官皆不能守其职，而纷然四散，是尚可以为国乎？记者言此，盖伤鲁之衰也。

【原文】

周公谓鲁公曰:"君子不施其亲,不使大臣怨乎不以,故旧无大故则不弃也,无求备于一人。"

【张居正注评】

鲁公是周公之子伯禽。施字当作弛字,是废弃的意思。以,是用。昔鲁公伯禽受封之国,周公训戒之说道:"立国以忠厚为本。忠厚之道在于亲亲、任贤、录旧、用人而已。盖亲,乃王家一体而分者,苟恩义不笃,则亲亲之道废矣,必也亲之欲其贵,爱之欲其富,使至亲不至于遗弃可也。大臣,国之所系以为安危者,苟大臣有怨,则任贤之礼薄矣,必也推心以厚其托,久任以展其才,不使大臣怨我之不见信用,可也。故旧之家皆先世之有功德于民者,苟弃其子孙,则念旧之意衰矣。必也官其贤者,其不贤者亦使之不失其禄,非有恶逆大故,则不弃也。人之才具各有短长,在乎因材而器使之,苟责备于一人,则用才之路狭矣。必也因能授任,不强其所不能。无求全责备于一人焉。此四者皆君子之事,忠厚之道也。汝之就封,可不勉而行之,以培植国家之根本哉?"按:周家以忠厚立国,故周公训其子治鲁之道,亦不外此。其后周祚八百,而鲁亦与周并传绵远,岂非德泽浃洽之深哉?此为国者所当法也。

【原文】

周有八士:伯达、伯适、仲突、仲忽、叔夜、叔夏、季随、季骃。

【张居正注评】

伯、仲、叔、季是兄弟次序。记者说:贤才之生,关乎气运。昔周室盛时,文武之德泽涵育者深,天地之精英蕴蓄者久,于时灵秀所钟,贤才辈出,其中最奇异者,兄弟八人同出一母,而又皆双生。其头一胎生二子,叫做伯达、伯适;第二胎生二子,叫做仲突、仲忽;第三胎生二子,叫做叔夜、叔夏;第四胎生二子,叫做季随、季骃。此八士者产于一母,萃于一门,而又皆有过人之德,出众之才。多而且贤,真乃是盛世之瑞,邦家之光。其关系一代气运,岂偶然哉?考之尧、舜之时,有八元八恺,成周则有八士。盖天将祚帝王以太平之业,则必有多贤应运而生,一气数之自然耳!顾天能生才而不能用才,举而用之,责在人主。是以,史称舜举十六相而天下治。《诗》云:"济济多士,文王以宁。"言其能用之也。

子张第十九

此篇皆记弟子之言,而子夏为多,子贡次之。盖孔门自颜子以下,颖悟莫若于贡;

自曾子以下，笃实莫若子夏。故特记之详焉。凡二十五章。

【原文】

子张曰："士见危致命，见得思义，祭思敬，丧思哀，其可已矣。"

【张居正注评】

子张说："论人当观其大节。若大节有亏，则其余不足观矣。若使今之为士者，能见危难则委致其命，以赴公家之急，而不求苟免；见财利则必思义之当得与否，而不为苟得；于祭则思敬以追远，而致其如在之诚；居丧则思哀以慎终，而极其思慕之笃。士能如此，则外著光明磊落之行，内存仁孝诚敬之心，大节无亏，其可谓士也已矣。"然此，固修己之大闲，盖亦取人之要法。人君诚得是人而用之，以之当大任，托大事，何不宜哉？外此，而求其才艺之美，智巧之优，抑末也已。

【原文】

子张曰："执德不弘，信道不笃，焉能为有？焉能为亡？"

【张居正注评】

执是执守。弘是廓大。笃是坚确的意思。子张说："理得诸心谓之德，德有诸己，贵于能执，而执之又贵于扩充。若或器量浅狭，容受不多，才有片善寸长，便侈然自以为足，不复加扩充之功，这是执德不弘。理所当然谓之道，道有所闻，贵于能信，而信之，尤贵于坚定。若或意念纷纭，把持不定，才遇事交物诱，便茫然失其所守，不复有的确之见，这是信道不笃。夫执德不弘，久则将并其所执者而失之矣；信道不笃，久则将并其所信者而亡之矣。"此等之人虽终身为学，毕竟无成，在世间，有之不为多，无之不为少，一凡庸人等耳，何足贵乎？所以说，焉能为有？焉能为亡？言不足为有无也。

【原文】

子夏之门人问交于子张。子张曰："子夏云何？"对曰："子夏曰：'可者与之，其不可者拒之。'"子张曰："异乎吾所闻！君子尊贤而容众，嘉善而矜不能。我之大贤与，于人何所不容？我之不贤与，人将拒我，如之何其拒人也？"

【张居正注评】

拒是拒绝。矜是怜悯。昔子夏、子张都是圣门高弟，而两人规模不同。子夏笃信谨守，子张才高意广，故其所见亦各有异。一日子夏的门人问交友之道于子张。子张说："你师子夏如何说？"门人对说："我师子夏说道：凡人直谅多闻，有益于我的，方可与他相交。若那便辟柔佞，无益于我的人，却宜拒绝之，不可与他相交。"子夏之论交如此。子张说："子夏此言与我平日所闻全然不同。吾闻君子之人，心存大同，而与物无忤。于人之才德出众者，则从而尊敬之。至于庸常的众人亦含容而不遽厌弃。于人之有善而可取者，则从而嘉尚之。至于一无所能的人，亦矜怜而不忍斥绝。可者固在所与，而不可者亦无所拒，君子之交当如此也。且反己而观之，我果大贤与？则与人何所不容？固自不宜拒人，我若不贤与？则入将拒我，而我何暇于拒人也？"子夏之言，何其示人之不广乎？要之，子夏之论严择交之道矣，而乏待物之宏。子张之论，得待物之宏矣，而非择交之道。惟夫以主善为师之心辨贤否，以含宏光大之度待天下，则自无迫狭与泛滥之弊矣。此非但取友，亦用人者所当知也。

【原文】

子夏曰："虽小道，必有观者焉，致远恐泥，是以君子不为也。"

【张居正注评】

小道如农圃医卜之属。泥是窒塞不通的意思。子夏说："理无往而不在，故虽日用事为之常，百工技艺之末这等的小术亦皆道之所寓，以之济民生而资世用，未必无可观者焉。然其体之所包涵者浅，用之所利济者微，就一事一物而用之可也。若要推而极之，以达于天下国家之远，则必有窒碍而难通者矣。是以君子之人，以天下国家为己责，而所志者远，以修齐治平为己事，而所务者大，于此区区之小道，自有所不屑为也。学者可不知所用心也哉？"盖道虽不遗于细微，而学贵知所当务，故孔子不以多能为圣，尧、舜不以百亩为忧。用心于大，自不暇及于其小耳！有志于帝王之大经、大法者，宜审图也。"

【原文】

子夏曰："日知其所亡，月无忘其所能，可谓好学也已矣。"

【张居正注评】

亡字与有无的无字同。所亡，是未知的道理。所能，是已得的道理。子夏说："人之为学，未得则患其有因循之心，而不知所以求之；既得则患其有遗忘之病，而不知所以守之。虽曰为学，不过入耳出口，玩时愒日而已。安得谓之好学乎？必须于每日之间，将那未知的道理，今日讲求一件，明日讲求一件，务使所知所闻者与日而俱进焉。然又恐其久而遗忘也，必于每月之间将这已得了的道理，时加温习，随事体验，尊其所闻，行其所知，拳拳服膺而弗失之焉，似这等用功，方是真能好学的人。"盖能知其所无，则既有知新之益，无忘其所能，则又加温故之功，日积月累，无时间断。非真知义理之可悦，而以远大自期者能如是乎？所以说，可谓好学也已矣。人能如是，则所知日进于高明，所行日就于光大，而为圣为贤不难矣，可不勉哉！

【原文】

子夏曰："博学而笃志，切问而近思，仁在其中矣。"

【张居正注评】

子夏说："学莫先于求仁，而仁非由于外至，诚能博学于文，而多闻以广其识，使此心无一理之不明，笃信乎道而坚心以要其成。使此心无一息之少懈，有所问辨，必关切义理，而不徒为浮泛之谈。有所思维，必体贴身心，而不徒为汗漫之想。此四者皆学问思辨之事，虽未尝力行而为仁，然仁只是此心之理而已。今能从事于学，而有精实切近之功，则此心有所收敛，天理即此而存，妄念不得纷驰，人欲何由而肆？不期仁而仁自在其中矣。"于此见求仁之道，不外于存心，存心之功，不外于务学。学在是，则心在是，心在是，则仁在是矣。有志仁者可不勉哉！

【原文】

子夏曰："百工居肆以成其事，君子学以致其道。"

【张居正注评】

肆是工匠造作的公所。致是造到极处的意思。子夏说："天下事居之必有定所，然后术业可专，为之必有成法，然后功效可集。彼百工匠作的人，要成就他一件手艺，必须住在那官府造作的处所，无别样事务相妨，尽力尽巧，用以专攻其事，然后成得那一般技艺。如梓匠则成其建屋之事，轮舆则成其造车之事，所以说百工居肆以成其事。君子之学道也，就如百工学艺的一般，必须终日修习，只在这学问上，志向更无分夺，工夫更无休歇，有一件道理未知，必孜孜然求以知之，有一件道理未行，必孜孜然求以行之，务使万理皆明，万善皆备，而道之具于我者，无不有以诣其极焉。此方是君子真实学道之全功也。"若徒慕为学之名，是外夺于纷华之诱，或作或辍，有始无终。纵然从事于学，毕竟何所成就哉？是反百工之不如矣。

【原文】

子夏曰："小人之过也必文。"

【张居正注评】

文是文饰。子夏说："人之处事，安能一一尽善？也有一时防检少疏，不觉差错了的，这叫作过。惟能知其过而速改之，则固可复于无过，此君子修德迁善之事也。若夫小人之有过也则不然，分明意向差了，却仍多方回护，求以掩其差。分明举动错了，却仍巧计弥缝，求以掩其错。"盖其心中全是私欲蒙蔽，护短自是，不肯认错，反将无心差失都做了有心罪恶，所谓耻过作非，心劳而日拙也。小人所以徇欲忘返，卒至于败德亡身者，皆由于此，可不戒哉！

【原文】

子夏曰："君子有三变：望之俨然，即之也温，听其言也厉。"

【张居正注评】

俨然是庄严的模样，即是就，温是和，厉是刚正。子夏说："君子盛德积中，而发见当可其容貌词气。夫人得于接见之顷者，有三样变态，不可以一端尽也。远而望之，则见其衣冠正，瞻视尊，俨然有威之可畏焉。俨然如此，若示人以不可近矣。及近而就之，则又见其温良乐易，蔼然和气之可亲也，其温如此，若可得而狎之矣。及听其言论，则又词严义正，是是非非，确有定执，初无一毫委曲迁就之意。听之使人悚然而可敬也。"始而俨然，中而温焉，既而厉焉，一接见之间而容貌词气屡变而不可测如此，所以说君子有三变。然君子岂有意而为之者哉？盖其德备中和，动容正辞，无非盛德所发，而人之得于瞻仰听闻，见其变动不拘若此耳，君子何心哉？

【原文】

子夏曰："君子信而后劳其民，未信，则以为厉己也；信而后谏，未信，则以为谤己也。"

【张居正注评】

厉字解作病字。子夏说："君子事上使下，皆必诚意交孚而后其事可行。如劳民动众之事，本非民所乐为者，必其平日爱民之意至诚恻怛，民已相信了，然后不得已而至于劳民，则民亦谅其心之出于不得已，而踊跃以趋事矣。若未信于民而遽劳之，事虽当为而人心不悦，不以为伤财，则以为虐下而病己矣，事何由而成乎？谏诤违拂之言，本非君所乐听者，必其平日爱君之意，至诚恳切，君已见信了，然后不得已而形之谏诤，则君亦谅其心之出于忠爱，而虚心以听纳矣。若未信于上，而遽谏之，则意虽效忠，而上心不悦，不以为讪上，则以为卖直而谤己矣，言何从而入乎？"此可见君子欲有为于天下，非积诚以感动之，未有能济者也。然此特就事君使民者言之耳。若夫下之事上，趋事赴功，乃其常分，君之于臣，听言纳谏乃为至明，上下各务自尽可也。

【原文】

子夏曰："大德不逾闲，小德出入可也。"

【张居正注评】

大德、小德譬如说大节、小节。闲是栏，所以限其出入者。子夏说："人之为学，

贵识其大，若能于立身行己大关节处，如君臣父子之间，进退出处之际，一一皆尽其道，而不越乎规矩之外，则大本立矣。至于小小节目，如动静语默，事物细微，或少有出入，未尽合理亦无害也。若不务先立乎其大，而徒拘拘为小廉曲谨之行，亦奚足贵哉？"然不矜细行，终累大德，大者固所当谨，而小者亦岂可不慎哉？子夏此言，用以观人则可，用人律己则不可也。

【原文】

子游曰："子夏之门人小子，当洒扫应对进退，则可矣，抑末也。本之则无，如之何？"子夏闻之，曰："噫！言游过矣！君子之道，孰先传焉，孰后倦焉，譬诸草木，区以别矣。君子之道，焉可诬也？有始有卒者，其惟圣人乎？"

【张居正注评】

洒扫应对进退都是小学之事。噫是叹息之声。倦是厌倦，区是类，诬是罔，卒字解做"终"字。昔子夏以笃实为学，故教人先从下学用功。子游不知其意而讥之说："道有本有末，人之学道不可徒事其末而忘其本。今子夏之门人小子观其洒扫应对进退之间，其威仪习熟，容节周详，则信乎其可矣。然特小学之事，道之一节而已，律之以根本之学，如《大学》诚意、正心之事，则全未有得，如之何其可哉！"子夏闻其言而叹之说："言游以我之门人务末而遗本，恰似我不肯把至道传给他一般，此言差矣。盖君子以大公无我之心，而施之为曲成不遗之教，何尝有意说某一样道理是浅近的，可以为先而传之；某一样道理是高深的，可以为后而倦教。定要立这等次第，但以学者所造，其分量自有浅深，譬诸草木之有大小一般，其区类判然有别，不得不分个先后，各因其材而施之耳。若不量其造诣之浅深，工夫之生熟，概以高远的道理教他，则是语之以所不能知，导之以所不能行，徒为诬之而已，焉有君子教人而可以诬罔后学如此也？若夫自洒扫应对，以至于诚意、正心，彻首彻尾，本末一贯，全不假进修次序，这惟是聪明睿智天纵的圣人，生知安行之能事也。今此门人小子岂能便到得圣人地位，安得不先教以小学乎？子游讥我失教，其言信为过矣。"盖道有定体，教有成法，古人八岁入小学，十五而后入大学，其次第自应如此。宋儒程子说，自洒扫应对上，便可到圣人事，然非穷理之至，精义入神，何以知圣人事，从洒扫应对中来？有志于成始成终之学者，不可无深造之功焉。

【原文】

子夏曰："仕而优则学，学而优则仕。"

【张居正注评】

优是有余力的意思。子夏说："凡人为学，则以藏修为主。出仕则以尽职为忠，固各有所专。然学所以求此理，而不仕则学为无用。仕所以行此理而不学，则仕为无本，乃相须以为用者也。故凡出仕而在位者，当夙夜匪懈，先尽其居官之事，待职业修举有余力之时，却也不可闲过了光阴，仍须从事于学，以讲明义理，考究古今。则聪明日启，智虑日精，所以资其仕者，不益深乎？未仕而为学者，当朝夕黾勉，先进其务学之事，待涵养纯熟，有余力之时，却不可虚负了所学，必须出仕从政，以致君泽民，行道济时。则抱负既宏，设施亦大，所以验其学者，不亦广乎？"要之，仕学不可偏废，而学尤终身受用之地。盖义理无穷，若不时时讲究，则临民治事之际，未免有差，此念始终典于学，古之贤臣所以惓惓为君告也。

【原文】

子游曰："丧致乎哀而止。"

【张居正注评】

致字解做极字。子游说："方今之世，文胜质衰。居丧者徒尚仪文之末节，而少哀戚之真情。以吾观之，人子执亲之丧，只须极尽乎哀而止，何以文饰为哉？盖哀恸有余，则真情已竭，虽礼文不足，何伤乎？"考之《礼记》，子游平素究心于丧礼，非脱略于仪文者。此言盖为救时而发，即夫子丧与其易也，宁戚之意也。

【原文】

子游曰："吾友张也为难能也，然而未仁。"

【张居正注评】

张是子张。子游说："吾友子张之为人也，才高意广，人所不能为者，彼却为之，是难能也。然少诚实恻怛之意，未免心驰于外，而天理之所存者寡矣，其于仁则未也。"盖仁者本心之德，实理具备，无假于外。人惟依著真心、本等做去，则事皆著已务内。乃所谓仁，何必为所难能哉？是以圣门教人专以求仁为本，而以徇外为戒也。

【原文】

曾子曰："堂堂乎张也，难与并为仁矣。"

【张居正注评】

堂堂是容貌之盛。曾子说："朋友所以辅仁，故必有诚笃之资，专用心于内者，彼此讲习切磋，然后可相助以进于善。乃若堂堂乎吾友子张也，惟致饰于威仪，修整其容貌而已，其驰心于务外自高如此。以之为己，则无操存涵养之功；以之为人，则无箴规观感之助。人固不能辅他为仁，他也不能辅人之仁，所以说难与并为仁矣。"曾子此言，盖救子张之失，欲其用心于内也。

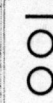

【原文】

曾子曰："吾闻诸夫子：人未有自致者也，必也亲丧乎！"

【张居正注评】

致是推致其极的意思。曾子说："吾尝闻夫子有言：常人之情于凡应事接物之际，真切恳到处少，苟且忽略处多，未有能自尽其心，推之以至其极者也。求其能自尽者，必也于父母之丧乎？"盖子与父母，本天性之至亲，而况居丧之时，又人道之大变，惟是这个时候，其哀痛迫切之诚，发于至情而不容已，乃能内尽其心，无一毫之勉强，外尽其礼，无一毫之欠缺也，使于此而不尽其心，恶乎尽其心哉？于此见人心之良，随处发见，而最真切者莫过于亲丧之时，能识其端而推广之，则礼意无一念之不真，伦理无一件之不厚，而仁不可胜用矣。此曾子所以有感于圣人之言也。

【原文】

曾子曰："吾闻诸夫子：孟庄子之孝也，其他可能也，其不改父之臣与父之政，是难能也。"

【张居正注评】

孟庄子名速，是鲁大夫，当时人皆称其有孝行。曾子说："我闻诸夫子说：孟庄子之孝也，其他生事尽礼，死事尽哀，虽足为孝，然犹可能也，惟是那不改父之臣与父之政这两件，乃是人所难能。"盖庄子之父献子贤而相鲁，其所用之臣乃贤臣，所行之政乃善政，固皆可以不改，但献子既没，庄子得以自专，苟非卓然欲继父志而为善，则其臣与政必有与己相违拂者，焉能不改乎？庄子则以亲之心为心，略无适己自便之意。其于臣也，父用之，吾亦承而用之；其于政也，父行之，吾亦踵而行之，终身遵守，无少更变。是盖志在立身行道，世济其美，以显亲扬名，乃孝之大者。非但不忍死其亲而已，岂人所易及者哉？所以说难能也。

【原文】

孟氏使阳肤为士师，问于曾子。曾子曰："上失其道，民散久矣。如得其情，则哀矜而勿喜。"

【张居正注评】

阳肤是曾子弟子。士师是掌刑狱之官。散是离散。哀矜是哀怜的意思。昔鲁大夫孟氏使阳肤为士师之官，着他断理刑狱，阳肤因问治狱之道于曾子。曾子告之说："刑狱之设，所以防民之奸，表率之而不从，教诏之而不入，乃用法以威之，非得已也。今也在上的人德教不修，既不足为民表仪，刑政无章，又无以示民趋避，将长民的道理都失了。以致百姓每情意乖离,无所维系,相率入于不善,若所当然,而不知陷于大戮也,其来非一日矣。尔为士师,当念犯法虽在于民,而所以致之则由于上。治狱之时,如或讯得其情,虽其行私干纪,信为有罪,而犹必哀怜之,矜悯之,视之有若无辜,而加恻隐之意焉。莫为情伪微暧,而我能得其隐情,便欣然自喜其明察也。如此则用法必平,民可无冤,而士师之责任为无忝矣。"

【原文】

子贡曰:"君子之过也,如日月之食焉;过也,人皆见之;更也,人皆仰之。"

【张居正注评】

更字解做改字。子贡说:"过者人之所不能无,故虽以君子之人,防检少疏,也有一时差错,但常人有过惟恐人知,所以遂成其过。君子有过即自认说,这是我差错了,明白昭示于人,绝无一毫遮饰,譬如日月之食一般,一分一秒人皆得而见之,不可得而掩也。既自认以为过差,随即就改了,复于无过。譬如日月亏而复圆,光明皎洁,人皆翕然仰之,不可得而议也。"盖日月以贞明为体,故虽暂食而无损于明,君子以迁善为心,故因有过而益新其德,若小人之遂非文过,只见其日流于卑暗而已,安望其能自新也哉?然过而使人见,更而使人仰,此其修德于昭昭者耳。若夫幽独之中,隐微之际,遏绝妄念,培养善端,此则君子慎独之功,修之于人所不见者也。欲立身于无过之地者,宜于此加谨焉。

【原文】

卫公孙朝问于子贡曰:"仲尼焉学?"子贡曰:"文武之道,未坠于地,在人。贤者识其大者,不贤者识其小者,莫不有文武之道焉。夫子焉不学?而亦何常师之有?"

【张居正注评】

公孙朝是卫大夫。识是记。卫大夫公孙朝问于子贡说:"汝夫子仲尼于天下事理无大无小,莫不周知,果何所从学而能然耶?"子贡晓之说:"道之灿然者,莫备于文武。其一代谟训功烈,礼乐文章之类,虽去今已远,然未至坠落于地,固尚在人也。世有贤而出众的人,其识见宏远,则能记其纲领之大;有不贤而平常的人,其识见浅近,亦能记其节目之小。是人之贤否虽不齐,而识大识小,莫不有文武之道存焉。文武之道既无所不在,夫子之学亦何所不周。如贤者识其大,夫子则于贤者而学其大;不贤者识其小,夫子则于不贤者而学其小。盖随处访求,无往而非学也。无往而非学,则亦无往而非师也,而又何常师之有?岂如他人之学有定在,师有常主者哉?"夫孔子以生知之圣,犹且学无常师如此,诚以义理无穷,而取善贵广也。况人君以一身而赝天下国家之寄,尤当以务学为急,故高宗则逊志时敏,成王则日就月将,所以称殷周之盛王也。

【原文】

叔孙武叔语大夫于朝曰："子贡贤于仲尼。"子服景伯以告子贡。子贡曰："譬之宫墙，赐之墙也及肩，窥见室家之好。夫子之墙数仞，不得其门而入，不见宗庙之美，百官之富。得其门者或寡矣。夫子之云，不亦宜乎！"

【张居正注评】

叔孙武叔、子服景伯都是鲁大夫。七尺为仞。后面夫子指武叔说。昔孔子道德高深，时人不能窥测。一日，叔孙武叔在朝中对众大夫说："人皆称孔子是圣人，以我观于子贡，其聪明才辨还过于仲尼，仲尼殆不及也。"时子服景伯适闻此言，因告于子贡。子贡说："人惟见道而后可以言道。武叔以我为贤，由于所见者浅也。以赐之道，上比于夫子，其高卑悬绝，譬如官墙一般。赐也造诣未深、识见有限，比之于墙，不过及肩而已。其墙既卑，故人不必入其门也，但从外面窥之，于凡室家所有，一器一物之好，举目便看见了，是赐之道浅狭而易见如此。若吾夫子，道德尊崇，地位峻绝，比之于墙，其高数仞者也。其墙既高，若不得其门而入，则其中宗庙气象之美，百官威仪之富，何由而见之乎？是夫子之道，深广而难窥如此。今之人不过宫墙外望而已，能得其门而入者几何人哉？若武叔者，正不得其门而入者也。他于圣道之美富，本不曾见是何等模样，则谓我贤于仲尼，亦何足怪乎？"盖由其识见之未深，故其拟议之欠当耳。子贡以是而晓景伯，所以尊孔子鄙武叔者，可谓至矣。

【原文】

叔孙武叔毁仲尼。子贡曰："无以为也！仲尼不可毁也。他人之贤者，丘陵也，犹可逾也；仲尼，日月也，无得而逾焉。人虽欲自绝，其何伤于日月乎？多见其不知量也。"

【张居正注评】

土坡高者叫做丘。冈阜大者叫做陵。逾是逾越。量是分量。叔孙武叔前说仲尼不及子贡，至是乃从而毁谤之，其诬圣之罪愈大矣。子贡晓之说："尔无用此谤毁为也。盖仲尼之圣非他人可比，不可得而毁也。何者？他人之贤者，虽异于人，然所造未至，就如丘陵一般，自平地下看着虽高，其高终是有限，犹可得而逾越也。若仲尼之道，冠绝群伦，高视千古，就如日月一般，悬象著明，与天地同运，无一物不在其照临之下，谁得而逾越之乎？纵有不肖的人，欲自弃于圣人之教横肆非毁，而圣人之道高德厚，岂彼浮言妄议所能污蔑？如日月之明，万古常新，非人所得而毁伤也。尔今之毁仲尼，正如要伤日月，只见其不揣自己的分量，于圣凡高下，懵然无辨，一天地间妄人而已，何足校哉？"按：子贡前以宫墙喻圣道，此又以日月为喻，所以尊孔子而晓武叔者，其词愈峻，而意愈切矣。

尧曰第二十

凡三章。

【原文】

尧曰："咨！尔舜！天之历数在尔躬，允执其中。四海困穷，天禄永终。"舜亦以命禹。

【张居正注评】

咨是嗟叹声。历数是帝王相承的次序，如岁节气先后一般，故谓之历数。允是信，天禄即天位。这是记者历叙帝王之道，以见孔子授受都只是这个道理，首举帝尧将禅位于舜而戒命之说："咨！尔舜，自古帝王代兴，莫非天之所命。如今天命在汝，将帝王相传的历数付托于汝舜之身矣。夫天以天下授汝，汝必能安天下之民，然后可以克享天心。而其道无他也，天下之事虽日有万机，莫不各有个自然恰好的道理，这叫做中。必是此心廓然大公，无为守正，事至物来，皆因其本然之理，顺而应之，各当其可。兢兢持守，不使一有偏倚，而或流于过与不及之差，则民心悦，而天位可常保矣。苟或不能执中，则政乖民乱，将使四海之人危困穷苦，心生怨叛，而人君所受于天之禄位，亦永绝而不可复享矣，可不戒哉？"其后帝舜禅位于禹，也就把帝尧这几句说话丁宁而告语之。凡执中之训，永终之戒，一如尧之所命，无异词也。夫尧、舜、禹相授受，独举中之一字为言，盖即《洪范》所谓建用皇极者也。自非好恶不作，偏党反侧不形，鲜有能允执此道者。唐虞夏后致治之盛，皆由此一言基之。岂非万世之标准哉？

尧

【原文】

曰："予小子履敢用玄牡，敢昭告于皇皇后帝：有罪不敢赦，帝臣不蔽，简在帝心。朕躬有罪，无以万方；万方有罪，罪在朕躬。"

【张居正注评】

履是汤之名。玄牡是黑色的牛。皇是大，皇皇后帝即皇天后土。蔽是隐蔽，简字解作阅字，是一一监察的意思。这一节是记成汤受命之事。汤既放桀，作书以告诸侯，因述其初时请命于天说："我小子履，敢用玄牡之牲，敢昭告于皇天后土之神：今夏王无道，得罪于天，乃天讨必加，我当明正其罪而不敢赦。其贤人君子为上天所眷命者，这都是帝臣，我当显扬于朝而不敢隐。盖凡此有罪有德的人，都一一简在上帝之心，或诛或赏，我惟奉顺天意而已。岂得容私于其间乎？使我受天之托，所为或有不公不正，不能替天行道，这是我自家的罪过，于万方小民有何干涉？我当甘受上天之罚。若万方小民有罪犯法，却是我统御乖方，表率无状所致，其罪实在于朕之一身，不可逭也。"盖人君以奉天子民为责，故汤于命讨之典，则听命于天；于下民之罪，则引咎于己，乃真知为君之难者。其视三圣之允执厥中，殆异代同符矣。

【原文】

周有大赉，善人是富。"虽有周亲，不如仁人。百姓有过，在予一人。"

【张居正注评】

大赉是大施恩惠。周亲是至亲。这是记武王受命之事。武王初克商而有天下，他务未遑，首先散财发粟，以赈穷恤困，而大施恩泽于四方，又于其中拣那为善的人，特加优赉，不但补助其不足，尤使之丰给而有余也。其赏善之公如此！始初誓师说："商纣至亲虽多，忠良者少，不如我周家臣子，个个是仁厚有德之人，贤而可恃也。我今既获仁人之助，若不往正商罪，则百姓每嗟怨日甚，把罪过都归于我之一身矣。"其责己之厚如此。夫利则公之于下，过则引之于己，则武王伐纣之举，无非为除暴安民计耳，岂有一毫自私自利之心哉？

【原文】

谨权量，审法度，修废官，四方之政行焉。兴灭国，继绝世，举逸民，天下之民归心焉。所重民：食、丧、祭。

【张居正注评】

权是量秤，是斗斛。武王既定天下，见得商家旧政都坏乱了，乃扫除其积弊，从新整顿之。于权量，则谨定其规则，而轻重大小，无复参差，于法度，则审酌于时宜，而礼乐刑政无复混淆。于官制，则修举其废坠，而百司庶府无复旷闲。由是法纪所颁，在在遵守，而四方之政无有壅遏而不行者矣。至于前代帝王之后，国土已灭者，则兴之，使复有其国；世系已绝者，则续之，使不失其祀；贤人废弃在下者，则举用之，使野无遗贤。由是德意所感，人人欣戴，而天下之民，无不倾心而归服者矣。至其加意民事所最慎重者，则有三件，曰食，曰丧，曰祭。盖食以养生，丧以送死，祭以追远，乃人道之大经。故制为田里，以厚民生；定为丧葬、祭祀之礼，以教民孝，所以重王业之本，风化之原者，又如此。由武王所行之政而观，其德泽周遍，既有以团结一代之人心，政教修明，又有以恢张一代之治体。所以能建中于民，而副上天宠绥之命，有由然矣，谓非上接尧、舜、禹、汤之统者哉！

【原文】

宽则得众，信则民任焉，敏则有功，公则说。

【张居正注评】

任是依靠的意思。记者历叙尧、舜、禹、汤、武之事，因总结之说：帝王御世，虽因时立政，各有不同，而保民致治之大端，总之只有四件，曰宽、信、敏、公而已。盖人君以天下为度，若专尚严急，则人无所容，而下有怨叛之心。若能宽以御众，而胸襟广大，如天地之量一般，则包涵遍覆，众庶皆仰其恩泽而莫不尊亲矣。君道以至诚为本，若虚文无实，则人无适从，而下有疑贰之心。惟能信以布令，而始终惟一，如四时之运一般，则实政实心，下民皆有所倚仗，而莫不归附矣。人君总理万机，一或急缓，则易以废事，惟能励精图治，而孜孜汲汲，宵旰常若不遑，则纪纲法度件件修举，而事功于是乎有成矣。人君宰治万国，一或偏私，则无以服人，惟能大公顺应，而荡荡平平，好恶有所不作，则赏罚举措事事合宜，而人心于是乎悦服矣。凡此四者皆人君治天下之要术。自尧舜禹汤文武，交修而并用之，所以成唐虞三代之盛也。然要其致治之本，则皆不外乎一中之传。盖道具于心则为中，措诸政事则为宽信敏公，亦如《洪范》皇极以立本，三德以致用，故刚柔正直，而建极之化始全，宽信敏公，而执中之道斯备，其义一也。有志于帝王之治者，宜究心焉。

【原文】

子张问于孔子曰："何如，斯可以从政矣？"子曰："尊五美，屏四恶，斯可以从政矣。"子张曰："何谓五美？"子曰："君子惠而不费，劳而不怨，欲而不贪，泰而不骄，威而不猛。"

【张居正注评】

尊是崇尚。屏是屏绝。泰是安舒。猛是刚厉的意思。子张问于孔子曰："君子出而用世，当何作为，斯可以居位而为政乎？"孔子告之说："治道不止一端，惟在审所取舍而已。凡政之美而有益于治者，有五件，汝必尊敬而奉行之；政之恶而有害于治者，有四件，汝必惩艾而屏绝之。夫善政行则百姓蒙其福，恶政去则百姓远于害。取舍当而治道可举矣，于从政何有哉？"子张因问说："何谓五美？"孔子举其目而告之说："凡施惠于人者未免有所费，君子则不必捐己之所有，而人自然蒙其利于无穷。夫于下既有所益，而于上又无所损，此所以为美者一也。劳民之力者多致民之怨，君子虽有役以劳民，而人皆乐于趋事，未尝见其怨焉。夫既以劳民之力而又能得民之心，此所以为美者二也。常人心有所欲易至于贪，君子虽亦有所欲，然于己有所得，于人无所求，欲而不贪，此所以为美者三也。常人志意舒泰易至于骄，君子虽若泰然自得，却无一毫矜肆之意，泰而不骄，此所以为美者四也。常人以威临民易至于猛，君子虽若有威可畏，却不至于暴厉而使人难堪，威而不猛，此所以为美者五也。"

【原文】

子张曰："何谓惠而不费？"子曰："因民之所利而利之，斯不亦惠而不费乎？择可劳而劳之，又谁怨？欲仁而得仁，又焉贪？君子无众寡，无小大，无敢慢，斯不亦泰而不骄乎？君子正其衣冠，尊其瞻视，俨然人望而畏之，斯不亦威而不猛乎？"

【张居正注评】

子张闻五美之目，而未知其实。因问说："惠则必费，如何叫做惠而不费？"孔子乃备举其事而告之说："凡施惠而捐己之财，这便费了。君子因天下之利，利天下之民。如田里树畜，但就百姓本等的生理与之区划而已，本非分我所有以与民，岂非惠而不费乎？劳民而不量其力，民就怨了。君子用民之力，不夺民之时，如城池、仓库，但择国家紧要的工程，间一驱使而已，固不肯泛兴工役以劳民，其谁得而怨之乎？欲其所不当欲，斯谓之贪。君子心之所欲，惟在于仁，而仁本固有，欲之即至，自然合乎天理之正，即乎人心之安，这是近取诸身，无慕乎外者，谁得而议其贪乎？安舒的人，其志意多疏放，故失之骄。君子不论人之众寡，事之小大，一惟兢兢业业，临之以敬慎，而不敢有慢易之心，这是宽裕之中，常自检束，非有心于简傲也。此岂非泰而不骄乎？威严的人，其气象多粗厉，故失之猛。君子衣冠整肃，瞻视端庄。俨然恭己于上，而人之望其容色者莫不敬畏。这是临御之体，自然尊重，非有意于作威也，此岂非威而不猛乎？"这五件施之于民，则为善政；修之于身，则为令德。所谓五美之当尊者如此！

【原文】

孔子曰："不知命，无以为君子也；不知礼，无以立也；不知言，无以知人也。"

【张居正注评】

孔子说："君子修身处世，其道固不止一端，然其要只在于天人物我之理，见得分明而已。盖人之有生，吉凶祸福，皆有一定之命。必知命，乃能安分循理而为君子也。若不知命，则见害必避，见利必趋，行险侥幸，将无所不为，而陷于小人之归矣，其何以为君子乎？此命之不可不知也。礼为持身之具，故必知礼，乃能检摄威仪而有以自立。若不知礼，则进退周旋，茫无准则，耳目手足惶惑失措，欲德性坚定，而卓然自立难矣。此礼之不可不知也。人心之动，因言以宣。故必知其言之美恶，斯人品之高下，可概而知也。若不知言，则众言淆乱，漫无折衷，得失无由而分，邪正无由而辨，人不可得而知之矣。此言之不可不知也。知此三者，则天人物我之理洞察无遗，而君子修身之道备矣。"按：《大学》一书，首先致知，《中庸》一书，要在明善，而《论语》一书，则以三知终焉。诚以天下之理必知之明，而后能行之至，尧、舜、禹相授受，其大指亦不过曰惟精惟一而已。有志于圣道者，可不以讲学明理为急务哉？

孟子

梁惠王章句上

凡七章。

【原文】

孟子见梁惠王。

【张居正注评】

梁惠王名䓨，本魏侯，都大梁，僭称王，谥曰惠。孟子在当时，以道自重，不见诸侯。适梁惠王卑礼厚币以招贤者，乃是一个行道的机会，因往见之。

【原文】

王曰："叟不远千里而来，亦将有以利吾国乎？"

【张居正注评】

"叟"是长老之称，如今称老先生一般。惠王一见孟子，尊称之说："叟，你自邹至梁，不惮千里之远而来，有何计策，可以利益寡人之国乎？"

吴王夫差鉴

【原文】

孟子对曰："王！何必曰利？亦有仁义而已矣。"

【张居正注评】

孟子对说："王欲图国事，何必开口就说个利字？治国之道，亦有仁义而已矣。仁者，心之德，爱之理；义者，心之制，事之宜。这是人君君国子民，立纲陈纪的大道理。舍此不言而言利，岂予千里见王之心哉！"

【原文】

"王曰：'何以利吾国？'大夫曰：'何以利吾家？'士庶人曰：'何以利吾身？'上下交征利而国危矣。万乘之国，弑其君者，必千乘之家；千乘之国，弑其君者，必百乘之家。万取千焉，千取百焉，不为不多矣。苟为后义而先利，不夺不餍。"

【张居正注评】

这一节是说求利之害。征，是取。乘是车数。万乘，是天子之国，千乘是诸侯之国。千乘之家，是天子的公卿。百乘之家，是诸侯的大夫。餍，是满足的意思。孟子说："我所以谓王不当言利者，盖以王乃一国之主，人之表率。王若惟利是求，说何以利吾国，则此端一倡，人皆效尤。为大夫的，便计算说何以利吾家；为士庶人的，便计算说何以利吾身。上取利于下，下取利于上，上下交相征利，而弑夺之祸起，国从此危矣。将见万乘之国，弑其君者，必是千乘之家；千乘之国，弑其君者，必是百乘之家。盖地位相近，则凌夺易生，必然之势也。夫公卿于天子，万乘之中，十取其一，而得千乘焉。大夫于诸侯，千乘之中，十取其一，而得百乘焉。所得不为不多矣。若以义为后，而以利为先，则纵欲贪饕，何有止极！不弑其君而尽夺之，其心固未肯自以为餍足也，国岂有不危者哉！夫求利之端一开于上，而弑夺之祸遂成于下，则利之为害，甚可畏矣，王岂可以此为言乎？"

【原文】

"王亦曰仁义而已矣，何必曰利？"

【张居正注评】

孟子重言以结上文两节之意。说道："求利有莫大之害，行仁义有莫大之利。则天理人欲之间，关系治乱安危，非细故矣。王欲为国，亦惟曰仁义而已矣，何必言利以启危亡之祸哉！"按：当时王道不明，人心陷溺，列国游士，争以功利之说，阿顺时君，干进苟合。而孟子独举仁义为言，所以遏人欲之横流，存天理于既灭，其有功于世道大矣。七篇之中，无非此意，读者宜详味焉。

【原文】

孟子见梁惠王。王立于沼上，顾鸿雁麋鹿，曰："贤者亦乐此乎？"孟子对曰："贤者而后乐此，不贤者虽有此，不乐也。"

【张居正注评】

沼是池。鸿是雁之大者。麋是鹿之大者。孟子见梁惠王，正遇惠王在范围中游赏，立于池沼之上。忽见孟子，有惭愧的意思，因看着那鸿雁麋鹿，问孟子说："吾闻贤德之君，修身勤政，不事佚游，岂亦以此台池鸟兽为乐乎？"孟子对说："遇景赏玩，人之常情，虽贤德之君，亦曷尝不以此为乐。但惟贤者而后能乐此。盖君有贤德，则民心欢感，和气流通，故能享此台池鸟兽之乐。若夫不贤之君，民心离而国势蹙，虽有此台池鸟兽，不能享其乐也。是好乐虽同，而有能享不能享之异，惟视民心之得失何如耳。"孟子此言，既以释惠王之惭，亦欲因其机而引之于当道也。

【原文】

"《诗》云：'经始灵台，经之营之。庶民攻之，不日成之。经始勿亟，庶民子来。王在灵囿，麀鹿攸伏。麀鹿濯濯，白鸟鹤鹤。王在灵沼，于牣鱼跃。'文王以民力为台为沼，而民欢乐之，谓其台曰'灵台'，谓其沼曰'灵沼'，乐其有麋鹿鱼鳖。古之人与民偕乐，故能乐也。"

【张居正注评】

诗是《大雅·灵台》之篇。经是量度。营是谋为。攻是治。亟是速。麀鹿是牝鹿。伏是驯伏。濯濯是肥泽。鹤鹤是洁白的模样。牣是充满。古之人，指文王说。偕乐是同乐。孟子承上文说："我谓贤者而后乐此，惟周文王为然。《诗·大雅·灵台》之篇说。文王始作灵台，方经度营谋，众百姓每，已都来攻治，不数日之间，就完成了。在文王之心，惟恐劳民，每戒令不要急速。而民心自然乐于供役，竭力争先，如子趋父事一般。其台既成，台下有囿。文王在于灵囿，则见麀鹿驯伏而不惊，濯濯而肥泽，白鸟鹤鹤而鲜洁，若是其可爱焉。囿中有沼，文王在于灵沼，则但见鱼之跳跃者，充满于池中，若是其众多焉。诗之所言如此。夫文王用民之力，为台为沼，宜乎百姓劳而生怨矣。今乃不惟不以为劳，而反欢乐之，称其台叫做灵台，称其沼叫做灵沼。言其成就之速，恰似神灵之所为一般。又乐其囿中有麋鹿，沼中有鱼鳖，而叹美之无已。夫民乐文王之乐如此，其故何哉？盖由文王平日能施行仁政，爱养下民，使百姓每都饱食暖衣，安居乐业。所以百姓每都欢欣爱戴，亦乐其有此台池鸟兽，而文王得以享其乐也。此非贤者而，后乐此之明徵哉！"

【原文】

"《汤誓》曰：'时日害丧？予及女偕亡。'民欲与之偕亡，虽有台池鸟兽，岂能独乐哉？"

【张居正注评】

《汤誓》是《商书》篇名。时字，解做是字。害字，解做何字。孟子：又说："我所谓不贤者虽有此不乐，观于夏桀之事可见。昔桀尝自言：吾有天下，如天之有日，日亡吾乃亡耳。民怨其虐，因就其言而指日说：此日何时亡乎？若亡，则我宁与之俱亡。盖欲其亡之速也。夫为君者独乐而不恤其民，致使下民违怨诅咒，欲与之俱亡。

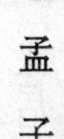

当此之时，一身且不能保，虽有台池鸟兽，安能晏然于上而独享其乐哉？此我所以说，不贤者虽有此不乐也。"抑游观之乐，圣王不废。然至于游于佚，则又切切戒之。故台沼虽设，而文王方且视民如伤，不遑暇食，则其忧勤之心可想矣。夏桀荒于宴乐，遂至琼宫瑶台，竭天下之财力以自奉，丛民之怨，不亦宜乎？明主所宜深念也。"

【原文】

梁惠王曰："寡人之于国也，尽心焉耳矣。河内凶，则移其民于河东，移其粟于河内。河东凶亦然。察邻国之政，无如寡人之用心者。邻国之民不加少，寡人之民不加多，何也？"

【张居正注评】

河内、河东都是魏地。凶是年岁饥荒。昔梁惠王自负其恤民之政，因夸示于孟子说："人君治国，以恤民为先，而恤民以救荒为急。若寡人之治国也，其于恤民之事，可谓竭尽其心而无以加矣。有时河内饥荒，河东收成，则使河内之民，少壮者都移居河东地方就食。却将河东的粮食，转运于河内，以养赡那老幼之不能迁移者。或遇河东饥荒，河内收成，则移民于河内，移粟于河东，也依照前法而行。我遍察邻国之政，非无岁凶的时节，然皆漫无料理，未有如寡人这样用心者，宜乎民之去邻国而归寡人也。乃今邻国之民，较之于我不见其加少；寡人之民，较之于彼不见其加多。其故何哉？"夫移民移粟，虽荒政之所不废，然不过一时权宜之术而已。惠王遽以是为尽心，欲求胜于邻国，其所见者小矣。

【原文】

"不违农时，谷不可胜食也；数罟不入洿池，鱼鳖不可胜食也；斧斤以时入山林，材木不可胜用也。谷与鱼鳖不可胜食，材木不可胜用，是使民养生丧死无憾也。养生丧死无憾，王道之始也。"

【张居正注评】

农时，是耕耘收获之时。罟，是鱼网。数罟，是密网。洿池，是洼下聚水的去处。憾字，解做恨字。孟子又说："治国莫要于王政，而王政必先于养民。为治之初，法制未备，且因天地自然之利，而尽撙节爱养之宜。如农时乃五谷所自出，必爱惜民力，勿妨其务农之时，则民得尽力于南亩，而五谷不可胜食矣。洿池乃鱼鳖所聚，必禁绝密网，勿使入于洿池之中，则川泽不竭于渔，而鱼鳖不可胜食矣。山林乃材木所生，必限制斧斤，直侍草林零落之时，方许其入，则萌蘖得有所养，而材木不可胜用矣。谷与鱼鳖不可胜食，材木不可胜用，则饮食宫室有所资，而民之养生者，得遂其愿。祭祀棺椁有所备，而民之丧死者，得尽其情。是使民养生丧死，两无所憾也。养生丧死无憾，则民心得而邦本固，法制自此而可立。教化自此而可兴矣。王道之始事如此。"

【原文】

"狗彘食人食而不知检，途有饿莩而不知发，人死，则曰：'非我也，岁也。'是何异于刺人而杀之，曰：'非我也，兵也。'王无罪岁，斯天下之民至焉。"

【张居正注评】

检，是节制。莩，是饿死的人。发，是发仓廪以赈济。孟子又说："王不举行王道，既无常产与民，又使狗彘得以食人之食，而不知爱惜减省；至于途有饿莩，又不知急发仓廪，以行赈贷。如是而民饥以死者，乃王之罪，非关岁凶也。王乃曰：'非我也，岁也。'是何异以兵器刺人而杀之，乃曰：'非我也，兵也。'夫操兵在人，杀人乃操兵者之罪；养民在君，民不加多，乃君失政之罪也。王诚不归罪于岁凶而勉行王道，则天下之民，皆将闻风而来归矣，岂但加多于邻国而已哉？夫天灾流行，国家代有。惟平时有三年九年之蓄，临时有议赈蠲租之政，则水旱不能为灾，而移民移粟，可无用矣。"此孟子告惠王之意也。

【原文】

梁惠王曰："寡人愿安承教。"

【张居正注评】

梁惠王因孟子说行小惠不如行王道，宜罪己不宜罪岁凶，有感于心，遂虚己以请，说："寡人愿安心以受教。"盖望其尽言而无隐也。

【原文】

孟子对曰："杀人以梃与刃，有以异乎？"曰："无以异也。"

【张居正注评】

梃，是杖。孟子因梁惠王有求教之诚，遂因其机而先问之说："杀人者，或用梃杖，或用兵刃，这两件有以异乎？"王说："梃之与刃，其器虽不同，而同一致人于死，无以异也。"

【原文】

"以刃与政，有以异乎？"曰："无以异也。"

【张居正注评】

孟子又问说："杀人者，或以虐政，或以兵刃，这两件有以异乎？"王又说："政之与刃,其事虽不同,而同一致人于死,无以异也。"

【原文】

曰:"庖有肥肉,厩有肥马,民有饥色,野有饿莩,此率兽而食人也。"

【张居正注评】

孟子因梁惠王说,虐政之杀人,同于兵刃,遂直言以匡正之说:"今王厚敛于民,以养禽兽,只见得庖厨中有肥肉,厩房中有肥马,而穷民有饥馁之色,野外有饿死之人,此何以异于驱禽兽而食人乎?然则王以虐政杀人,真与兵刃无异矣,何不反求而亟图之乎?"

【原文】

"兽相食,且人恶之,为民父母行政,不免于率兽而食人,恶在其为民父母也?"

【原文】

孟子又承上文说:"率兽食人,乃虐政之大者,其失人心而促国脉,皆在于此,不可不急改也。且如兽本异类,其自相吞噬,与人无预,人之见者,尤且恶之。况人君乃民之父母,民皆赖以为生者。乃今恣行虐政,至于率兽而食人,其视赤子之躯命,反兽类之不如矣。残忍如此,何在其为民之父母也哉?"

【原文】

"仲尼曰:'始作俑者,其无后乎!'为其象人而用之也。如之何其使斯民饥而死也?"

【张居正注评】

俑,是从葬的木偶人。古之葬者,束草为人为从卫,叫做刍灵,略似人形而已。中古更易以俑,则有面目机发,能转动跳跃,如活人一般。故孔子恶之说:"始初作俑以从葬者,此人不仁甚矣,其无后乎?"夫仲尼所以深恶作俑之人者为何?盖因其用生人之形,为送死之具,意涉于残忍故也。夫像人以从葬,非真致人于死也,而仲尼犹且恶之如此。况实以虐政残民,使民饥饿而死,其为不仁,尤甚于作俑者矣。如之何其可哉?孟子之意,盖欲启发惠王不忍人之心,而引之以志于仁,故其言之激切如此。然由此章而观,人君之所自奉者,不过庖肉厩马而已。而其弊遂至于率兽食人,使厚敛之虐,同于操刃,不仁之祸,浮于作俑;则奢欲之为害,岂不大哉!明主能以此言而体察民情,必且恻然动念,凡所以约己裕民者,当无所不至矣。

【原文】

梁惠王曰:"晋国,天下莫强焉,叟之所知也。及寡人之身,东败于齐,长子死焉；西丧地于秦七百里；南辱于楚。寡人耻之，愿比死者一洒之，如之何则可？"

【张居正注评】

梁惠王问孟子说："吾晋国在先世时，地广兵众。论其强盛，天下诸侯之国，无过之者，这是叟所明知也。及传至寡人之身，则东与齐战，兵败而长子被杀。西为秦人所侵，丧失河内外之地，凡七百里。南又为楚人所辱，不能与抗。是寡人贻辱于晋国之先君也，寡人耻之。今欲为先人一洗此辱，不知作何样经画乃可，愿明以告我也。"

【原文】

孟子对曰："地方百里而可以王。"

【张居正注评】

孟子对说："王莫说丧败之后，国势弱小，不足有为。若还有志自强，就是地方百里的小国，亦可以王于天下，岂但雪耻而已哉。"

【原文】

"王如施仁政于民，省刑罚，薄税敛，深耕易耨；壮者以暇日修其孝悌忠信，入以事其父兄，出以事其长上，可使制梃以挞秦、楚之坚甲利兵矣。"

【张居正注评】

易，是用功到。耨，是锄草。孟子又说："所谓百里可王者如何？王若施行仁政以及于民，于刑罚则省之，而用法以宽；于税敛则薄之，而取民有制。使百姓每得安其生业，尽力于农亩，春而深耕，布种得好；夏而易耨，锄治得到。那少壮的百姓，又以闲暇的时候，讲明孝悌忠信的道理，入以此事其父兄，出以此事其长上。衣食既足，礼让自兴。那百姓每戴上恩德，人人都有个亲上死长的义气，遇着敌国外患，必能出力报效，敢勇当先。虽以秦楚之强国，坚甲利兵，天下莫能当者，可使斩木为梃以挞之，而取胜于万全矣，况其他乎？臣所谓百里可王者以此。王能勉行仁政，又何以弱小为患哉？"

【原文】

"彼夺其民时，使不得耕耨以养其父。父母冻饿，兄弟妻子离散。"

【张居正注评】

彼，指敌国而言。孟子又说："我谓制梃可以挞秦楚之坚甲利兵者，非恃我能胜彼，彼固有可乘之衅也。彼国烦刑重敛，行政不仁，把百姓每务农的时候，都被他妨误了，使不得深耕易耨，尽力农事，以养其父母。致使其父母冻饿，而衣食无所仰给；

兄弟妻子离散，而室家不能相保。此惟救死而恐不赡，何暇修孝悌忠信之行哉？"

【原文】

"彼陷溺其民，王往而征之，夫谁与王敌？"

【张居正注评】

承上文说："彼国暴虐其民，使之冻饿离散，就如陷之于阱，溺之于水的一般，其结怨于民也深矣。吾王趁着此时，率吾尊君亲上之民，往正其罪。彼民方怨恨其上，一闻王师，都欣然乐归于我，谁肯为他出力用命而与王拒敌者哉？此我所以说，可使制梃以挞秦楚之坚甲利兵也。"

【原文】

"故曰：'仁者无敌。'王请勿疑。"

【张居正注评】

孟子又总结上文说："王能发政施仁，则天下之人莫不归心。不仁者陷溺其民，则虽本国之民，不为用命。是以古语有云：'仁者无敌。'盖言民心所归，则强弱大小非所校也。我所谓百里可王，制梃可挞秦楚之甲兵者，亦有见于此耳。王请勿以予言为疑，而断然以发政施仁为务，虽以梁，王可也。尚何先人之耻不可雪哉？"按，此章惠王之志，在于报怨，而孟子之论，在于救民。盖能救民，则不必报怨，而自足以克敌；不能救民，而徒志于报怨，将兵连祸结，而丧败滋多矣。是以帝王之道，贵在自治，不以小忿而忘远图，正此意也。

【原文】

孟子见梁襄王，出，语人曰："望之不似人君，就之而不见所畏焉。卒然问曰：'天下恶乎定？'吾对曰：'定于一。'"

【张居正注评】

梁襄王，是梁惠王之子。卒然，是急遽的模样。孟子见梁襄王，知其不足与有为，乃出而告人说道："容貌词气，乃德之符。我今见王，远而望之，不似为人君的气象；近而就之，不见可畏之威。且卒然而问我说：'当今天下诸侯，纷纷战争，何时平定？'我对说：'必待天下一统，则自然平定，无有战争矣。'"

【原文】

"'孰能一之？'对曰：'不嗜杀人者能一之。'"

【张居正注评】

嗜，是心所好尚。孟子又述其问答之言说道："王问我说：'今之诸侯，各君其国，各子其民，谁能统一天下？'我对说：'今天下惟争地争城，日以战斗为事，所以四分五裂，不能相一。惟是仁德之君，不好杀人者，则四方之民归之，而天下可一矣。'"夫天以好生为德，人君奉天子民，惟在常存好生之心而已。创业之君，常存此心，则可以结人心而成混一之功。守成之君，常存此心，则可以寿国脉而保无疆之祚。孟子此言，真万世人君之要道也。

【原文】

"孰能与之？"对曰："天下莫不与也。王知夫苗乎？七八月之间旱，则苗槁矣。天油然作云，沛然下雨，则苗浡然兴之矣。其如是，孰能御之？今夫天下之人牧，未有不嗜杀人者也。如有不嗜杀人者，则天下之民皆引领而望之矣。诚如是也，民归之，由水之就下，沛然谁能御之？"

【张居正注评】

与，是归往。周时七八月，即今五六月。槁，是枯槁。油然，是云盛的模样。沛然，是雨盛的模样。浡然，是忽然兴起。御字，解做止字。牧，是牧养。君以养民为职，故叫做人牧。领，是颈。梁襄王又问孟子说："当今列国，分土而治，民各有主，谁肯舍其主而来归乎？"孟子说："当今天下的百姓，无不愿得所依赖而归往之也。王知夫禾苗乎？当夫七八月之间天气亢旱，禾苗枯槁，正是望雨之时，天忽油然作云，沛然下雨，将见苗之枯槁者，随即浡然兴起，发生甚速，谁得而御止之乎？方今天下之君，以牧民为职者，都只以争地争城为事，驱民战斗，忍视其肝脑涂地，略无顾惜，未见有不嗜杀人者也。如有不嗜杀人之主，出于其间，则天下之民，欣然向慕，就如旱苗之望雨一般，莫不延颈举首，都愿戴之以为君矣。望之如此其切，则其相率归附，不远千里而至，其势殆如流水之就下，沛然奔赴，谁得而拦阻之哉？此所以说天下莫不与也。"夫好生恶死，人心所同。战国之君，虽至不道，岂有嗜杀人者。特以甘心战斗，视民之死而不恤，故孟子以嗜杀人警之。盖凡淫威虐政，可以戕民生者，皆嗜杀人者也。君人者能省刑薄敛，务以厚民之生，则民心归而治平可常保矣。

【原文】

齐宣王问曰："齐桓、晋文之事，可得闻乎？"孟子对曰："仲尼之徒无道桓、文之事者，是以后世无传焉，臣未之闻也。无以，则王乎？"

【张居正注评】

齐桓公、晋文公，皆春秋时伯诸侯者，能尊周室，攘夷狄，后世称其功。然先诈力而后仁义，圣贤所不道也。齐宣王有志于伯功，乃问孟子说："在先五伯，惟齐桓、晋文为盛，二君所行之事，可使寡人得闻其概乎？"孟子对曰："臣所受学，传自仲尼。仲尼之徒，羞称五伯，无有言及桓、文之事者。所以后世之人不传其事，臣无从而闻之。既无所闻，则无可言矣。王若必欲臣言不已，其惟王天下之道乎？盖王道乃圣门常言，而臣得之传闻者也。王若能取法王道，则伯不足道矣。"

【原文】

曰："德何如，则可以王矣？"曰："保民而王，莫之能御也。"

【张居正注评】

齐宣王又问说："人君之德如何，则可以王天下？"孟子对说："天之立君，惟欲其保养斯民而已。若能修德行仁以保安百姓，使之得所，则天下之民，皆爱之如父母，而戴之为君师，其王天下也，孰得而御之哉？"

【原文】

曰："若寡人者，可以保民乎哉？"曰："可。"曰："何由知吾可也？"曰："臣闻之胡龁曰，王坐于堂上，有牵牛而过堂下者，王见之，曰：'牛何之？'对曰：'将以衅钟。'王曰：'舍之！吾不忍其觳觫，若无罪而就死地。'对曰：'然则废衅钟与？'曰：'何可废也？以羊易之！'不识有诸？"

【张居正注评】

胡龁，是齐臣。新钟铸成，杀牲取血以涂其衅郄叫做衅钟。觳觫，是恐惧的模样。齐宣王因孟子说保民可以致王，遂将自己问说："若寡人者，也可以保安百姓否乎？"孟子对说："可。"齐宣王问说："你何由知道我可以保民？"孟子对说："臣曾闻王之臣胡龁说，王一日坐于堂上，有人牵牛行过于堂下。王看见问说：'牵这牛将欲何往？'牵牛者对说：'新铸钟成，将杀此牛，取血以涂其衅郄也。'王说：'舍之，我不忍见此牛这样战惧觳觫，其状恰似无罪而往就死地一般，诚可怜也。'牵牛者说：'王既不忍杀这牛，则将废衅钟之事乎？'王说：'衅钟也是国之大事，何可废也？但取个羊来换他，则钟得以衅而牛亦可全矣。'臣所闻胡龁之言如此，不知果有此事否也？"

【原文】

曰："有之。"曰："是心足以王矣！百姓皆以王为爱也，臣固知王之不忍也。"

【张居正注评】

爱，是吝惜的意思。齐宣王因孟子述胡龁之言，乃承认说："以羊易牛，诚有此事。"孟子遂就善念而开导之说："王天下之道，不必他求，即王这一点不忍杀牛之心，便可怀保万民，兼济四海，而成兴王之业矣。但百姓每识见短浅，只见王爱此一牛，都道是吝惜财费而然。臣却知王之心，乃由觳觫之状，触目有感，一念恻怛之发，全出于不忍也。能由此一念而遂充之，于致王何有哉？"夫宣王爱牛之心，偶发于一时之感，而孟子遂许其可以保民而王者，盖此一念骤发之仁，最为真切。若推之于民，则凡以利用厚生，拯灾恤患者，将无所不至，而四海皆其度内矣。有保民之责者，能识此不忍之端而扩充之，则仁不可胜用已。

【原文】

王曰："然。诚有百姓者。齐国虽褊小，吾何爱一牛？即不忍其觳觫，若无罪而就死地，故以羊易之也。"

【张居正注评】

褊，是狭。齐宣王以羊易牛，其心出于不忍，而其迹有似于吝惜。闻孟子之言，乃遂应以为然，说道："以羊易牛，其迹似吝，诚有如百姓之所讥者，但我之心实不如是。齐国虽褊小，一牛之费能有几何，吾何爱焉？只为见其觳觫之状，若无罪而就死地，心中不忍，故以羊易之耳。此心惟夫子知之，而百姓不知也。"

【原文】

曰："王无异于百姓之以王为爱也。以小易大，彼恶知之？王若隐其无罪而就死地，则牛羊何择焉？"王笑曰："是诚何心哉？我非爱其财而易之以羊也，宜乎百姓之谓我爱也！"

【张居正注评】

异，是怪。隐，是痛。择，是分别。孟子欲宣王察识其不忍之心，乃反复诘问之，说："百姓以王为爱，王亦无怪其然也。盖羊小而牛大，以小易大，迹本可疑，百姓何足以知之？王若果是不忍牛之觳觫，若无罪而就死地，则牛羊一般有生，一般无罪，何所分别，而以羊易牛乎？诚有难于自解者矣。"孟子设此难王，正欲使其反求诸己而得其本心也。宣王亦无以自明，乃笑而应之，说道："是诚何心哉？我非爱惜一牛之费，而胡为易之以羊也。不忍于牛而独忍于羊，即我亦有不能自知者。百姓之以我为爱，不亦宜乎！"

【原文】

曰："无伤也。是乃仁术也，见牛未见羊也。君子之于禽兽也，见其生，不忍见其死；闻其声，不忍食其肉，是以君子远庖厨也。"

【张居正注评】

孟子因宣王不能自得其本心，又为之分解说道："以小易大，虽难解于百姓之疑，然亦无伤也。盖仁虽无所不爱,而见闻感触之时,亦自有斟酌变通之术。今王既能全觳觫之生,而又不废衅钟之礼,于难处之中,得善处之法,是乃仁之术也,何也?盖时当见牛,则此已发而不可遏;时未见羊,则其理未形而无所妨。故以羊易牛,得以两全而无害,所谓仁术者如此。大凡君子为仁,莫不有术。其于禽兽也,见其生,则不忍见其死;闻其声,则不忍食其肉。此固其恻隐之真心。然祭祀燕飨,礼亦不可废者,则身远庖厨,使其死不接于目,声不闻于耳,固所以预养不忍之心,而广其为仁之术也。吾王以羊易牛,正合于君子之道。若能察识此心而扩充之,何不可保民之有哉?"

【原文】

王说,曰:"《诗》云:'他人有心,予忖度之。'夫子之谓也。夫我乃行之,反而求之,不得吾心;夫子言之,于我心有戚戚焉。此心之所以合于王者,何也?"

【张居正注评】

诗,是《小雅·巧言》之篇。夫子,指孟子说。戚戚,是心中感动的意思。齐宣王因孟子之言,有感于心,乃欢喜说道:"人藏其心,难可测度。我闻《诗经》有云:'他人有心,予忖度之。'这两句说话,正夫子之谓也。夫以羊易牛,乃我所行的事;及反之吾心,求以小易大的缘故,自家茫然也,不知是何念头。夫子乃能推究来由,说是见牛未见羊之故。将我前日不忍的初心,不觉打动,戚戚然宛如堂下觳觫的形状,复在目前一般。此非夫子能忖度之,则我亦何自而得其本心哉?然这一点心,自我看来,极是微小,能济甚事?夫子却说足以致王,不知其所以合于王道者,果何在乎?"

【原文】

曰:"有复于王者曰:'吾力足以举百钧,而不足以举一羽;明足以察秋毫之末,而不见舆薪。'则王许之乎?"曰:"否。""今恩足以及禽兽,而功不至于百姓者,独何与?然则一羽之不举,为不用力焉;舆薪之不见,为不用明焉;百姓之不见保,为不用恩焉。故王之不王,不为也,非不能也。"

【张居正注评】

复,是禀白。秋毫,是毛之冗细而难见者。舆薪,是以车载着薪木。"今恩"以下,是孟子之言。孟子因宣王未知爱牛之心可以保民,乃设辩以提省之说道:"今人有禀白于王者说:'我有力能举三千斤之重,而于一羽之轻却不能举;明能察见秋毫之末,而于舆薪之大却不能见。'王亦将信其言而许之乎?"齐宣王答说:"不然。人未有举重而不能举轻,见小而不能见大者也。"孟子遂晓之说:"王既知此,则知保民而王无难事矣。盖物与人异类,用爱颇难;民则与我相亲,加恩甚易。今王不忍一牛之死,是恩足以及禽兽,就如能举百钧,察秋毫一般。而德泽乃不加于百姓,是一羽之不举,舆薪之不见也。恩能及于所难,而独不能及于所易,其故何欤?然则一羽之不举,只是不曾去用力,一用力,则举之何难?舆薪之不见,只是不曾去用明,一用明,则视之何难?百姓之不见保,只是不曾去用恩,一用恩,则保之何难?夫既不用恩保民,何由能成王业?故王可以王而不王者,乃能为而不为,非欲为而不能也。若肯为之,则取诸爱牛之心,推广之有余矣。保民而王何难哉?"孟子于宣王,既发其爱物之心而使之察识,又示以仁民之术而望扩充,所以引之于王道者,意独至矣。

【原文】

"老吾老,以及人之老,幼吾幼,以及人之幼,天下可运于掌。《诗》云:'刑于寡妻,至于兄弟,以御于家邦。'言举斯心加诸彼而已。故推恩足以保四海,不推恩无以保妻子。古之人所以大过人者,无他焉,善推其所为而已矣。今恩足以及禽兽,而功不至于百姓者,独何与?"

【张居正注评】

老,是尊事的意思。吾老、人之老,都指父兄说。幼,是抚育的意思。吾幼、人之幼,都指子弟说。运于掌,是说近而易行,如运动手掌一般。《诗》,是《大雅·思齐》之篇。刑,是法。寡妻,是谦称寡德之妻。御字,解做治字。孟子又告齐宣王说:"我谓王不难于致王者无他,亦有见于推恩之甚易耳。且如我有父兄,我能尊事之,即推这老老之心,以及于民,使百姓每都得以尊事其父兄。我有子弟,我能慈爱之,即推这幼幼之心,以及于民,使百姓每都得以慈爱其子弟。如此,则举天下之老者幼者,无一人不被我之恩泽。以之措置一世,就如运动手掌一般,何难之有?《诗·大雅·思齐》之篇说:'文王之德,为法于寡妻,施及于兄弟,又能统御乎家邦。'盖言文王能

兽面纹龙流盉

以仁心,施之于家而家齐,施之于国而国治,总不外于此心之运用而已。故为人君者,诚能推此心以施恩,则包含遍覆,虽四海之大,可以保之而无难。不能推此心以施恩,则众叛亲离,虽妻子至近,亦不可得而保矣,况四海乎?考之上古帝王,其功业隆盛所以大过于人而非后世所能及者,别无他道,只是善推此心。由亲亲推之以及于仁民,由仁民推之以及于爱物,施为先后之间,能不失其当然之序而已矣。今王恩足以及禽兽,而功乃不至于百姓,则是倒行而逆施,与古人之善推所为者,大相反矣。是果何为也哉?王其反求诸心可也。"

【原文】

"权，然后知轻重；度，然后知长短。物皆然，心为甚。王请度之！"

【张居正注评】

权，是秤锤，所以称物之轻重者。度，是丈尺。度，是称量的意思。孟子因宣王昧于推恩，要他心里自家裁度，复晓之说道："物有轻重，必须用秤称之而后可知；物有长短，必须用丈尺量之而后可知。凡物皆是如此，未有舍权度而能知轻重长短者也。若人之一心，万理毕具，于凡应事接物之际，尤不可无权度以称量之，更有甚于物者。盖物无权度，不过一物之差而已。设使心无权度，则事到面前，茫然不知是非利害之所在，其颠倒错乱，有不可胜言者，岂但一物之失而已哉！今王不忍一牛而忍于百姓，是其爱物之心，反重且长，仁民之心，反轻且短，差谬甚矣。王请自家称量民与物，孰重而孰轻；爱民与爱物，当孰长而孰短。庶吾心之权度不差，而施恩必自有其序矣，尚何百姓之不可保哉？"此可见人君一心，万化之源，必权度不差，而后能推行有序。凡斟酌治道，鉴别人才，以至于赏罚举错，皆当以此心之权度为准，而审察之也。

【原文】

"抑王兴甲兵，危士臣，构怨于诸侯，然后快于心与？"王曰："否，吾何快于是！将以求吾所大欲也。"

【张居正注评】

士，是战士。构，是两相构结。孟子诘问齐宣王说："吾王爱物之心重且长，而爱民之心反轻且短，则此心之权度，必有所由敝而失其准者。岂是要兴动甲兵，驱战士武臣于危亡之地，而构结仇怨于诸侯，然后快足于心与？不忍一牛之死，而忍万民之命，王试度之，则其长短轻重，较然可知矣。"齐王对说："不然。这三件都不是好事，吾何为求快于此？所以不得已而为之者，将用以战胜攻取，求得吾心中所大欲也。"

【原文】

曰："王之所大欲，可得闻与？"王笑而不言。曰："为肥甘不足于口与？轻暖不足于体与？抑为采色不足视于目与？声音不足听于耳与？便嬖不足使令于前与？王之诸臣皆足以供之，而王岂为是哉？"曰："否，吾不为是也。"曰："然则王之所大欲可知已，欲辟土地：朝秦、楚，莅中国，而抚四夷也。以若所为，求若所欲，犹缘木而求鱼也。"

【张居正注评】

便嬖，是近习嬖幸之人。居上临下叫做莅。缘，是攀缘。孟子闻宣王求大欲之言，因探问之说："王之所大欲如何，可使臣得闻之与？"齐王有难于自言者，但笑而不言。孟子又设问说："王所大欲，岂为肥甘之味不足于口与？轻暖之衣不足于体与？抑或为华采之色不足观视于目与？声音之美不足听闻于耳与？近习嬖幸之人不足备使令于前与？凡此数者，王之诸臣皆足以供应之而不缺，王岂为是而汲汲以求之耶？"齐王应之说："不然，这几件都是小事，吾不为是而求之也。"孟子说："王所欲既不在是，则王之所大欲可知已。王必是要开广土地，朝服秦楚，临御中国，安抚四夷，使天下一统，然后王之大欲始遂耳。然求是大欲，必有大道。乃兴兵结怨以求之，以如是之所为，求如是之所欲，譬如攀缘树木而求水中之鱼，岂有可得之理哉？"

【原文】

"今王发政施仁，使天下仕者皆欲立于王之朝，耕者皆欲耕于王之野，商贾皆欲藏于王之市，行旅皆欲出于王之途，天下之欲疾其君者，皆欲赴愬于王。其若是，孰能御之？"

【张居正注评】

商、贾，都是做买卖的人，居则为商，行则为贾。愬，是告诉。孟子告齐宣王说："我所谓反本者，不可他求，在行仁政而已。今王诚能推爱物之心，以行保民之政，为之兴利远害，为之厚生正德，凡法制品节之施，皆根之至诚恻怛之意，则不但本国之民，被其泽而心悦，将见风声所达，无远弗届。使天下做官的，皆欲立于王之朝以行其道。务农的，皆欲耕于王之野以安其业。商贾知关市之不征，皆欲藏于王之市。行旅知道途之无滞，皆欲出于王之途。天下有苦其君之暴虐，而求解倒悬之苦者，皆欲来告诉于王。民之归仁，其不约而同如此，其势殆犹水之就下，沛然孰能御之。由是而土地可辟，秦楚可朝，莅中国而抚四夷，无不遂王所欲矣。何必兴兵结怨为哉？"

【原文】

王曰："吾惛，不能进于是矣。愿夫子辅吾志，明以教我，我虽不敏，请尝试之。"曰："无恒产而有恒心者，惟士为能。若民，则无恒产，因无恒心。苟无恒心，放辟邪侈，无不为已。及陷于罪，然后从而刑之，是罔民也。焉有仁人在位，罔民而可为也？"

【张居正注评】

惛，是昏昧。恒产，是百姓每常久的产业。恒心，是人所常有的善心。不知而误堕其中，叫做陷。罔，是欺罔。齐宣王闻孟子发政施仁之言，有感于心，遂诚心以求教说："王天下之大道，诚不外于仁政。但我资质昏昧，无所知识，不能遽进于此道。愿夫子辅导我之志意，凡政如何而发，仁如何而施，明白教我。我虽不敏，请尝试而为之，一一见之于施行，以求不负夫子之教焉。"孟子对说："仁政莫先于养民，养民莫先于制产。盖礼义生于富足，故人须有衣食之常产，斯有礼义之常心。若不假于常产，而自然能有常心者，惟是那从事学问，习知礼义的士人，方能如此。若寻常小民，没有常产，便无所资藉，为饥寒所陷溺，因就没有礼义之常心矣。苟无礼义之心，则将恣情纵欲，荡然于礼法之外。凡放纵淫僻，欹邪侈肆，一切不善之事，无所不为，而犯罪者众矣。为人君者，平时不能制常产以养民，及至陷民于有罪之地，然后从而加之以刑，是则欺愚民无知而陷害之，非罔民而何？若此者不仁甚矣，安有仁人在位，以爱养百姓为心者，而肯为此罔民之事乎？吾王欲行仁政，其于制民之产，诚有不容缓者矣。"

【原文】

"是故明君制民之产，必使仰足以事父母，俯足以畜妻子，乐岁终身饱，凶年免于死亡。然后驱而之善，故民之从之也轻。"

【张居正注评】

畜，是养。驱，是驱使向前。孟子告齐宣王说："民无恒产，因无恒心，以至于无所不为，盖恒产所系之重如此。故明君之为治，必度地居民，计口授田，使一岁所出，上面足以奉事父母，下面足以畜养妻子。丰年收成好，用度有余，可饱食终身。或遇年岁凶荒，也有积蓄糊口，可以免于死亡。盖民之相生相养如此，然后驱使他去为善，他心无所累，从上教化，自然省力。此所谓民有恒产，因有恒心者也。"

【原文】

"今也制民之产，仰不足以事父母，俯不足以畜妻子，乐岁终身苦，凶年不免于死亡。此惟救死而恐不赡，奚暇治礼义哉？"

【张居正注评】

承上文说："明君之治民如此。如今制民之产，不尊古法，使民不得尽力于农亩，而徒困于征求。上不足以奉事父母，下不足以畜养妻子。虽当丰乐之岁，尚且迫于饥寒，终身受苦；一遇凶年，便转于沟壑而不免于死亡。百姓当这等时候，皇皇然救死犹恐不足，那有闲工夫去讲习礼义哉！此所谓无恒产因无恒心也。"

【原文】

"王欲行之，则盍反其本矣。"

【张居正注评】

夫观恒心之有无，系于恒产如此，王若欲发政施仁，而行保民之道，则何不反求其本，以制民常产为先务哉？夫民生之苦乐系于君，而君身之安危系于民。民乐生则爱戴归向而君安，民疾苦则忧愁思乱而君危。是明君治天下，必使家给人足，人人有乐生之心，然后祸乱不作，而治安可永保也。

【原文】

"五亩之宅，树之以桑，五十者可以衣帛矣。鸡豚狗彘之畜，无失其时，七十者可以食肉矣。百亩之田，勿夺其时，八口之家可以无饥矣。谨庠序之教，申之以孝悌之义，颁白者不负戴于道路矣。老者衣帛食肉，黎民不饥不寒，然而不王者，未之有也。"

【张居正注评】

这一节是制民常产之法。孟子又说："制民常产之法无他，只是将小民田里树畜之利，与他定个经制而已。如一夫既受田百亩，外又有五亩宅舍。其宅舍周围墙下，叫他种植桑树以供蚕事，则丝帛有出，而五十非帛不暖者，可以衣帛矣。鸡豚狗彘之畜，不要误了他孕子之时，则孳育繁息，而七十非肉不饱者，可以食肉矣。百亩之田，不要妨误他耕耘收获的时候，则民得尽力于农亩，而八口之家都有养赡，可无饥馁之患矣。恒产既制，则恒心可生。由是设为庠序，而慎重教化之事。又就其中，把孝悌两端，申重反复，极其告谕之详，则民知爱亲敬长，乐为代劳，那年高颁白之人，无有负戴于道路者矣。人君定制立法，至使老者得以衣帛食肉，而又无负戴之劳；黎民不饥不寒，而又知孝悌之义，则教养兼举，治化大行。由是而土地可辟，秦楚可朝，莅中国而抚四夷，不难矣。谓不能王于天下者，理之所未有也。我所谓保民而王，莫之能御者，正以此耳，区区霸功，何足道哉？"按：此章齐王所问者霸功，而孟子则告以王道。至论王道之要，则不过推不忍之心，以行保民之政而已。故即齐王不忍一牛之心，反复发明其可以致王之理，而以制民常产终焉。有志于三代之治者，宜深念也。

梁惠王章句下

凡十六章。

【原文】

庄暴见孟子，曰："暴见于王，王语暴以好乐，暴未有以对也。"曰："好乐何如？"孟子曰："王之好乐甚，则齐国其庶几乎！"

【张居正注评】

庄暴，是齐臣。庶几，是可近于治的意思。齐臣庄暴一日来见孟子说道："暴昔者进见于王，王自以其情直告于暴，道他喜好音乐。暴于此时，既不敢谓其所好为是，又不敢谓其所好为非，固未有以对也。不知好乐何如？果有害于治乎？抑无害于治乎？"孟子对说："好乐无伤，特患王好之未甚耳。使王知音乐之理可通于治，能以一念欣喜之情，推而广之，直至于一国和平而后已焉，则齐国骎骎然有兴起之势，而庶几可望于治矣。'汝何不以此而对王乎？"

【原文】

他日，见于王，曰："王尝语庄子以好乐，有诸？"王变乎色，曰："寡人非能好先王之乐也，直好世俗之乐耳。"曰："王之好乐甚，则齐其庶几乎！今之乐由古之乐也。"

【张居正注评】

孟子以好乐之甚启发庄暴，因暴不能复问以达其意，他日乃入见于王而问之说："王曾语庄子以好乐，有是言乎？"齐王自知其所好之不正，不觉惭愧，乃勃然变色而应之说："乐固不同，有先王之乐，有世俗之乐。寡人之所好者，非能好那咸、英、韶、濩，古先圣王所作之乐也，但好世俗之乐，新声俚曲，取适一时之听闻而已，何足为夫子道哉？"孟子遂迎其机而导之说："王无谓世俗之乐为不足好，特患王之好乐未甚耳！诚使好之之甚，不徒嗜其音而深会其意，务使欢欣交畅，和气充周，则平心宣化之治，皆由此出，而齐国庶几其可望于治矣。何独古乐之可好乎？盖先王之乐，固此声音，此和理也；世俗之乐，亦此声音，此和理也。今乐与古乐，一而已矣。吾王欲审其所好，惟在甚不甚之间耳。何至以今乐为惭乎？"然而今乐古乐其实不同，孟子之言，特欲开导齐王之善心，而劝之使与民同乐，故其言如此。

【原文】

曰："可得闻与？"曰："独乐乐，与人乐乐，孰乐？"曰："不若与人。"曰："与少乐乐，与众乐乐，孰乐？"曰："不若与众。"

【张居正注评】

齐王因问孟子说："好乐之所以通于治道者，其说可得闻乎？"孟子欲引之与民同乐，乃先以常情提醒之说："作乐为乐，一也。有独自为乐者，有与人共乐者，王以为孰乐乎？"齐王说："独自为乐，其乐止于一己而已，若要彼此交欢，情意舒畅，固不若与人之为乐也。"孟子又问说："与人共乐一也，有与少为乐者，有与众为乐者，王以为孰乐乎？"齐王说："与少为乐，其乐止于数人而已，若要人人欢洽，和气流通，固不若与众之为乐也。"夫独乐不若与人，与少乐不若与众，此事理之至明者。人惟蔽于己私，是以惟知独乐，而不能推以与人同耳。使齐王能推好乐之心，以及一国之众，则可谓好之甚矣，而齐安有不治者哉？此孟子委曲诱导之深意也。

【原文】

"今王鼓乐于此,百姓闻王钟鼓之声,管籥之音,举欣欣然有喜色而相告曰:'吾王庶几无疾病与,何以能鼓乐也?'今王田猎于此,百姓闻王车马之音,见羽旄之美,举欣欣然有喜色而相告曰:'吾王庶几无疾病与,何以能田猎也?'此无他,与民同乐也。"

【张居正注评】

这一节是与民同乐之事。孟子又告齐宣王说:"吾王独乐而不恤其民,固宜有以致民之怨矣。今王鼓乐于此,百姓每闻王钟鼓之声,管籥之音,举皆欣欣然有欢喜之色而相告说,吾王庶几其康强而无疾病与,不然,何以能为此鼓乐之乐也?今王田猎于此,百姓每闻王车马之音,见羽旄之美,举皆欣欣然有欢喜之色而相告说,吾王庶几身其康强而无疾病与,不然,何以能为此田猎之乐也?夫一般的鼓乐,一般的田猎,百姓每见了却这等欣幸者,岂有他故,良由王能推好乐之心以与民同乐,使之各得其所,故其爱戴亲附,自不觉其欣幸之若此耳。"

【原文】

"今王与百姓同乐,则王矣。"

【张居正注评】

"夫观民情之忧喜,惟系于好乐之公私如此。今王诚能推好乐之心以及于民,使之各安其生,各乐其业,则天下之民皆将引领望之,闻风而来归矣。有不可以统一海内而成王业哉?我所谓好乐甚则齐其庶几者盖如此。今乐古乐又何择焉?"由此章而观,民情得所则喜,失所则悲。喜则欣欣相告,有盛世熙皞气象;悲则疾首蹙频,为衰世离乱光景。一念之公私少异,而民情之苦乐,国家之治乱因之。是古圣王之于民,务生养安全,不使有一夫之不获,诚知所重也。愿治者宜深省于斯。

【原文】

齐宣王问曰:"文王之囿方七十里,有诸?"孟子对曰:"于传有之。"曰:"若是其大乎?"曰:"民犹以为小也。"曰:"寡人之囿方四十里,民犹以为大,何也?"曰:"文王之囿,方七十里,刍荛者往焉,雉兔者往焉。与民同之,民以为小,不亦宜乎?"

【张居正注评】

囿,是繁育鸟兽之所。刍,是草。荛,是薪。战国之君,习于骄侈,多以宫室苑囿为乐,故齐宣王问孟子说:"我闻文王之囿,其周围凡七十里之广,果有之乎?"孟子对说:"古书所载,诚有此说。"齐王又问:"文王之囿,乃如此其大乎?"孟子说:

"自王视之，若以为大，当时之民，犹嫌其为小也。"齐王说："寡人有囿，周围仅四十里，比于文王之囿，固甚狭矣。乃百姓们犹嫌其为大，何也？"孟子对说："文王之囿，虽有七十里之广，而未尝以为己私，囿中之草木，不禁民樵采，凡取草的、取薪的都往于其中焉。囿中之鸟兽，不禁民射猎，凡逐雉的、逐兔的都往于其中焉。举凡囿中所有，无一物不与百姓同之，是以一国之民，而此七十里之囿，物之所产有限，民之取用无穷，其以为小，不亦宜乎？"按：《书》称"文王不敢盘于游畋"，其囿必不如是之大，孟子不辨其规制之广狭，而但言其利民之公心。盖能与民公其利，则必不以苑囿为己私，而纵游畋之乐，可知矣。

【原文】

"臣始至于境，问国之大禁，然后敢入。臣闻郊关之内，有囿方四十里，杀其麋鹿者，如杀人之罪。则是方四十里为阱于国中，民以为大，不亦宜乎？"

【张居正注评】

国外百里为郊，郊外为关。阱，是掘地为坑，以掩取禽兽者。孟子又告齐宣王说："文王之囿，惟其公之于民，故民以为小。若王之囿，民以为大者，岂无其故哉？臣始初来到王之境上，不敢遽入，先问了国之大禁，知所避忌，然后敢入。臣闻说国门之外，郊关之内，有囿方四十里，不许百姓每出入。若有人擅入其中，杀伤麋鹿者，就与杀人同罪。夫人之所畏，莫甚于死。今杀一麋鹿，就以杀人之罪加之，则是以方四十里之地，为坑阱于国中，而故陷民于死地也，其为民害如此。民之视此苑囿，就如陷阱一般，其以为大，不亦宜乎？"夫囿一而已，在文王以为民利，而齐王遂以为民害。盖古人之囿，但用为讲武之地，而志不在于从禽，故其利常归之民。后世则专供游猎之娱，故其利擅之于上，而麋鹿为重，民命为轻矣。明主好尚，可不谨哉。

【原文】

齐宣王问曰："交邻国有道乎？"孟子对曰："有。惟仁者为能以大事小，是故汤事葛，文王事昆夷。惟智者为能以小事大，故大王事獯鬻，勾践事吴。"

【张居正注评】

葛，是成汤时国名。昆夷，是西方之夷。獯鬻，即今北虏。勾践，是越王名。齐宣王问孟子说："邻国壤地相接，容有以强凌弱，以小谋大者。兹欲交好于邻国，果有道乎？"孟子对说："讲信修睦，国之大事，诚有这个道理。大凡为大国的，多恃其强盛，侵凌小国。惟是那仁者，度量宽洪，诚意恻怛，全无计较尔我之私，他为能以大事小，而尽其抚字之道。求之古人，若成汤是大国，反事葛伯；文王是大国，反事昆夷。虽是他犯上无礼，也都包容，不与计较。这便是以大事小。成汤、文王之所以为仁也。为小国的。多不审己量力，挑衅大国。惟是那智者，通晓义理，酌量时势，有知彼知己之明，他为能以小事大，而尽其恭顺之道。求之古人，太王为獯鬻所迫而至于迁都。勾践为吴所败而请为臣妾，虽被他侵凌役属，也只含忍，不敢抗拒。这便是以小事大，太王、勾践之所以为智也。吾王欲交邻国，能自处以仁智之道，则事大恤小，无一之不善矣，邻国安有不睦者哉。"

【原文】

"以大事小者，乐天者也；以小事大者，畏天者也。乐天者保天下，畏天者保其国。《诗》云：'畏天之威，于时保之。'"

【张居正注评】

天，指"理"说。诗是《周颂·我将》之篇。孟子又告齐宣王说："交邻之道，固在于事大而恤小矣。然大之当事，小之当恤，莫非天理之所当然，在仁智亦惟各尽其道而已。故自以大事小者而言，忘其势之在己，而诚心爱人，这是有优容之大度，而自然合理，能乐天者也；自以小事大者而言，顺其势之在人，而安分自守，这是有敬慎之小心，而不敢违理，能畏天者也。仁者惟其乐天，故其心与天为一，而包涵遍覆，无一物之不容，四海虽大，皆在吾怙冒之中矣，有不足以保天下乎？智者惟其畏天，故能听天所命，而制节谨度，无一时之敢忽，敌国虽强，而在我无可乘之衅矣，有不足以保其国乎？《诗经》有云：人能畏上天之威严，不敢违逆，于是可保守天命而不失。这两句说话，正畏天者保其国之谓也。而乐天者保天下，从可知矣。夫以心之所存，不外于一理，而国与天下，由此而可保焉。则交邻之道，诚莫善于此矣。王可不思所以自尽哉。"

【原文】

王曰："大哉言矣！寡人有疾，寡人好勇。"对曰："王请无好小勇。夫抚剑疾视曰：'彼恶敢当我哉！'此匹夫之勇，敌一人者也。王请大之！"

【张居正注评】

气禀有偏，叫做疾。抚剑，是用手按剑。齐宣王闻孟子之言，有感于心，因叹美之说："夫子论仁智交邻之道，能事大恤小，便可以保国保天下，可谓大哉言矣。寡人也有心向慕，但生来有一件病痛，性气粗暴，偏好刚勇，遇小国不恭，常不能包容，遇大国侵凌，常不能忍耐，如何做得这仁智之事。"孟子对说："好勇无伤，但要知所决择耳。盖勇有小有大，王请勿好那小勇，激于一时之怒，便按剑在手，张目疾视，说何人敢与我为敌哉。这是匹夫之勇，凭恃其血气，仅可以敌一人者也，何足为好？王如好勇，请于帝王之大勇好之。振其天德之刚，发于义理之正，务使气慑万人，威加一世，而不徒恃区区之小忿焉，则仁智皆所优为矣，何至以好勇为病乎？"当是时，列国纷争，率以勇力相尚，未有能除暴救民，倡大义于天下者，故孟子于齐王因其机

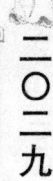

而导之如此。昔商纣力能格兽，天下咸苦其残；项王举鼎拔山，卒为汉高所蹙。然则匹夫之勇，诚非帝王之所宜尚也。

【原文】

"《诗》云：'王赫斯怒，爰整其旅，以遏徂莒，以笃周祜，以对于天下。'此文王之勇也。文王一怒，而安天下之民。"

【张居正注评】

这一节，是引诗而言文王之大勇。赫，是赫然盛怒的模样。爰字，解做于字。旅，是众。遏，是止。徂，是往。莒字，《诗经》作旅字。文王时，密国之人，恃强侵凌阮国，直至共地，文王因举兵往伐其众，所以说以遏徂旅。笃，是厚。祜，是福。对，是答。孟子又告齐宣王说："臣谓大王当以大勇为好，盖尝观于文王之事矣。《诗·大雅·皇矣》之篇有云，密人违拒王命，侵阮而往至于共，王乃赫然奋怒，于是整顿师旅，以止遏密人徂共之众，使不得侵扰邻国。于以抑强扶弱，而笃厚周家之福；于以慰抚天下百姓，而答其仰望之心。诗之所言如此。这是兴兵伐密，文王之所以为勇也。文王赫然一怒，除了密人之乱，由是四方诸侯，强不敢凌弱，众不敢暴寡，而天下之民，都赖之以为安，其勇何如其大哉！"

【原文】

"《书》曰：'天降下民，作之君，作之师，惟曰其助上帝，宠之，四方有罪无罪惟我在，天下曷敢有越厥志？'一人衡行于天下，武王耻之。此武王之勇也。而武王亦一怒而安天下之民。"

【张居正注评】

这一节是引《书》而言武王之大勇。宠，是宠任。越字，解做过字。衡行，是不顺道理而行。耻，是愤怒的意思。孟子又告齐宣王说："臣所谓大勇不但征之于文王，又尝观于武王之事矣。《周书·泰誓》之篇有云：'天降下民，不能自理，于是立之君，使之主治；不能自教，于是立之师，使之教训。其意但要为君师者，替天行道，以辅助上帝之所不及，故授以至尊之位，而宠异之于四方也。今我既受天之命，作民君师，则凡天下有罪者，惟我得诛之，无罪者，亦惟我得安之。天下何敢有过越其心志，而作乱以虐民者乎。'《书》之所言如此。当时商纣以一人而肆于民上，凶暴淫泆，横行天下，武王辄引以为己罪，不胜愤耻，因举兵以讨之，这是武王之所以为勇也。武王亦惟一奋其怒，除了商纣之暴，遂能绥定四方，而天下之民，都赖之以为安，其勇又何如其大哉！"

【原文】

"今王亦一怒而安天下之民，民惟恐王之不好勇也。"

【张居正注评】

"夫观文武之大勇，惟在于除暴安民如此。当今之世，暴虐无道者多矣。吾王诚能法文武之所为，亦奋然一怒，予以除残去暴，而救安天下之民，则天威所加，民皆欣然望救，就如拯己于水火一般，惟恐王之不好勇耳。此正臣所谓帝王之大勇，异于匹夫者也。何可以好勇为病乎？"按：此章前论仁智，主于事大恤小；后论大勇，主于除暴安民，其意若相反者。然究而论之，仁者虽能恤小，必不肯养乱以残民；智者虽能事大，而必思自强以立国。所谓大勇，岂有出于仁智之外哉？宋臣司马光以仁、明、武为人君三大德，盖有见也。

【原文】

齐宣王见孟子于雪宫。王曰："贤者亦有此乐乎？"孟子对曰："有。人不得，则非其上矣。不得而非其上者，非也；为民上而不与民同乐者，亦非也。"

【张居正注评】

雪宫，是齐国离宫名。齐宣王馆孟子于雪宫而就见之。因夸其礼遇之盛，问孟子说道："宫室之乐，在人君则宜有之，贤者亦有此乐乎？"孟子对说："王既以此处臣，是贤者亦宜有之矣。然好乐人心所同，不问贤者与庶民，皆欲得之。盖庶民自有庶民之乐，若使庶民不得其所乐，皆将以为人君独享其乐，而不恤民穷，皆将非怨其上矣。夫不得其乐而非其君上者，是不安为下的本分，固不是。为民上而独享其乐以致民怨望者，是失其为君的道理，也不是。所以人君当推己之乐，以公之于民，不但当与贤者共之而已。"

【原文】

"乐民之乐者，民亦乐其乐；忧民之忧者，民亦忧其忧。乐以天下，忧以天下，然而不王者，未之有也。"

【张居正注评】

孟子又说："不与民同乐则民怨，能与民同乐者，民岂有不感乎？且如安居粒食，民之乐也，人君能看得如自己的乐事一般，务为之经营区处，使遂其有生之愿，则民之得有其乐者，莫不怀感，一见君可乐之事，便欣欣然喜色相告而为君乐之，亦如乐在于己也；饥寒困穷，民之忧也，人君能看得如自己的苦事一般，务为之设法救护，使无有失所之虞，则民之得去其忧者，亦莫不怀感，一见君可忧之事，便戚戚然中心不宁，而为君忧之，亦如痛切其身也。夫乐民之乐，民亦乐其乐，是乐不以一人，而乐以天下；忧民之忧，民亦忧其忧，是忧不以一人，而忧以天下。忧乐相通，上下无间，天下之人，莫不倾心归附于我，其有不成王业而王天下者，有是理乎？"可见人君

之于民，语其势，则尊卑悬绝；论其情，则休戚相关。人君欲常享其乐，而不致有可忧之事者，其必加意于民而已。三代而后，若汉文帝议赈民之诏曰："方春和时，草木群生之物，皆有以自乐。而吾民鳏寡孤独穷困之人，或阽于危亡而莫之省忧，为民父母其何如？斯庶几与民同忧乐者矣。

【原文】

"昔者齐景公问于晏子曰：'吾欲观于转附、朝儛，遵海而南，放于琅琊，吾何修而可以比于先王观也？'"

【张居正注评】

景公，是齐之先君。晏子，是景公之臣，名婴。转附、朝儛，都是山名。遵，是循。放，是至。琅琊，是齐东南境上邑名。孟子劝齐宣王与民同乐，因举其先世行事以告之说："臣谓公乐可以致王，不敢远征诸古，即齐之先君，亦有行之者。昔日齐景公问于其臣晏子说：'省方观民，先王所重。我今欲观于转附、朝儛二山，遵海滨而南行，直至琅琊境上，思昔先王游观，当时以为盛典，后世以为美谈，吾当何修何为，而可以比于先王之行事也。'"

【原文】

"晏子对曰：'善哉问也！天子适诸侯曰巡狩。巡狩者，巡所守也。诸侯朝于天子曰述职。述职者，述所职也。无非事者。春省耕而补不足，秋省敛而助不给。夏谚曰：'吾王不游，吾何以休？吾王不豫，吾何以助？一游一豫，为诸侯度。'"

【张居正注评】

适，是往。省，是巡视。敛，是收获。夏谚，是夏时俗语。豫，是行乐的意思。度，是法则。晏子因景公之问，遂赞美之说道："游观之典，不行久矣。吾君独有志于复古，欲法先王之所为，善哉问也。试以先王之法言之。天子十二年一适诸侯之国，叫做巡狩。谓之巡狩者，是巡察诸侯所守之境土，而考其政事之修废也。诸侯六年一朝于天子之国，叫做述职。谓之述职者，是陈述自己所受之职业，以待天子之黜陟也。天子诸侯，一往一来，都有事干，未有无事而空行者。而又春秋循行郊野。春焉省民之耕，察其中牛种有不足的，则发仓廪以补之；秋焉省民之敛，察其中收获有不及的，则发仓廪以助之。天子行此于畿内，诸侯行此于国中。其悃悃为民之心又如此。故夏时谚语有云：吾王有游豫之乐，然后吾民得蒙休助之泽。若吾王不来郊野一游，则补助之政不行，吾民那得蒙上之休；吾王不来郊野一豫，则吾民之不足不给者，那得蒙上之助。吾王一游一豫，皆有恩惠以及民，而四方诸侯，都来取法，莫敢无事慢游以病其民者。斯世斯民，何其幸乎！观夏谚所云，则知王者补助之政，为不虚矣。先王游观之善，若此。乃吾君今日所当法也。"

【原文】

"'今也不然。师行而粮食，饥者弗食，劳者弗息。睊睊胥谗，民乃作慝。方命虐民，饮食若流，流连荒亡，为诸侯忧。'"

【张居正注评】

睊睊，是侧目而视的模样。胥字，解做相字。慝，是怨恶。方命，是违逆上命。诸侯，是附庸之国，县邑之长。晏子告齐景公说："先王之一游一豫，都是为民，固足以为诸侯之法矣。乃今时之国君则不然，但是游观，则军旅随行，既有军旅，便有粮食。是以供给烦难，骚动百姓。百姓们饥者不得食，劳者不得息，皆怒目相视而口出谤言，愁苦不胜而心怀怨忿。夫天子之命诸侯，本欲其上宣德意，下安民生也。今乃上违天子之命，下虐无罪之民。靡费饮食，如水之流，无有穷极。是乃纵于逸乐，流连荒亡，徒为所属诸侯之忧而已。岂若先王之省方观民，可为法则者乎！"

【原文】

"'从流下而忘返谓之流，从流上而忘返谓之连。从兽无厌谓之荒，乐酒无厌谓之亡。先王无流连之乐，荒亡之行，惟君所行也。'"

【张居正注评】

从流下，是放舟随水而下。从流上，是挽舟逆水而上。无厌，是不知止足。晏子承上文说："所谓流连荒亡者，其义何如？盖人君之为乐，有恣情快意，流荡而无节者，就如放舟随水，顺流而忘返的一般，这叫做流。有拂人从欲，留恋而不舍者，就如挽舟上水，逆流而忘返的一般，这叫做连。以从兽为乐，而不知止足，把几务都荒废了，这叫做荒。以饮酒为乐，而不知止足，把政事都失误了，这叫做亡。此今时之弊也。若先王之游观，非巡狩则述职，非省耕则省敛，何尝有流连之乐，荒亡之行乎！夫游观一也，在先王如彼，在今时如此。这两件，一善一恶，分明易见，惟在君所行何如耳。若能戒今时之弊，而不至慢游以病民，则何先王之不可及哉？王能绎思晏子之言，则必能公其乐以得民矣。"

【原文】

齐宣王问曰："人皆谓我毁明堂，毁诸？已乎？"孟子对曰："夫明堂者，王者之堂也。王欲行王政，则勿毁之矣。"

【张居正注评】

明堂，是天子所居，以朝见诸侯之所。昔周天子建明堂于泰山下，在今山东泰安州地方。周室既衰，地为齐有。时人以天子既不复巡狩，而齐为侯国，非所宜居，理

当拆毁。故齐宣王问孟子说："人皆谓我毁明堂，果当毁乎？抑且止而不毁乎？"孟子对说："明堂乃王者所居以出政令之所，是则王者之堂，而非诸侯之堂也。王若有心要行王政，便可王天下。可王天下，便可以居此堂，亦不必毁矣。"此孟子歆动齐王，使行王道也。

【原文】

王曰："王政可得闻与？"对曰："昔者文王之治岐也，耕者九一，仕者世禄，关市讥而不征，泽梁无禁，罪人不孥。老而无妻曰鳏，老而无夫曰寡，老而无子曰独，幼而无父曰孤。此四者，天下之穷民而无告者。文王发政施仁，必先斯四者。《诗》云：'哿矣富人，哀此茕独。'"

【张居正注评】

岐，是周之旧国，在今陕西凤翔府岐山县地方。九一，是周时井田之制，九分中只取百姓一分。讥，是察问。征，是起税。泽梁，是水泽中取鱼之处。孥，是妻子。鳏，是鱼名，鱼目不闭，故以比人之忧愁不寐者。告，是告诉。哿，是可。茕独，是穷困孤苦之人。齐宣王问孟子说："夫子说寡人能行王政，则明堂可以不毁，不识王政如何，可使寡人得与闻乎？"孟子对说："王政莫善于文王。在先文王之治岐邑，于耕田的百姓，则行九一之法，而敛从其薄。于仕者的子孙，则有世禄之赏，而报从其厚。于关市但盘察奸细，而不征商贾之私货。于泽梁则任民取利，而不为禁令以自专。于犯罪之人，刑法止及其本身，而不连累其妻子。文王之发政施仁如此，乃其中则尤有加意者。盖人之老年无妻的叫做鳏夫，老年无夫的叫做寡妇，老年无子的叫做独夫，少年无父的叫做孤子。这四样人，艰难困苦，乃天下之穷民而无所告诉者。文王发政施仁，虽于人无所不济，遇此等尤加爱惜，务使之各得其所焉。《诗经》上《小雅·正月》之篇有云：'富人还可，惟茕独之人，情有可哀。'夫惟可哀，此文王所以必先之也。文王之治岐如此。此王政之善，所以开周家之基业者。王欲行王政，可不以文王为法乎？"

【原文】

王曰："善哉言乎！"曰："王如善之，则何为不行？"王曰："寡人有疾，寡人好货。"对曰："昔者公刘好货，《诗》云：'乃积乃仓，乃裹糇粮，于橐于囊。思戢用光。弓矢斯张，干戈戚扬，爰方启行。'故居者有积仓，行者有裹粮也，然后可以爰方启行。王如好货，与百姓同之，于王何有？"

【张居正注评】

公刘，是后稷之曾孙。积，是堆积。糇，是干粮。橐、囊，俱布袋之类，无底为橐，有底为囊。戢，是安集。戚扬，是斧钺。爰，是于。何有，是不难的意思。孟子述文王治岐之政以告齐王，王遂叹美之说："善哉夫子此言，真可谓治国之良图也。"孟子说："闻善贵于能行，王既以为善，则何为不见之行事乎？"齐王说："寡人非不欲行，但天性有一种病痛，好积财货。惟好货，故取民无制，而不能行此王政耳。"孟子对说："好货与王政无妨，昔者公刘也曾好货。观《诗经·大雅·笃公刘》篇有云：公刘处西戎之间，国势微弱，后来能力行富民之政，其民田有露积，家有仓廪，既富且强。于是裹糇粮于橐囊，而为迁都之计，思以集和其人民，光大其国家。乃张我弓矢与干戈戚扬，启行而往迁于豳焉。由诗之言观之，可见公刘能推好货之心以及于民，能使民之居者有积仓，行者有糇粮，然后可以爰方启行，而保民立国如此也。王如好货，亦能仿公刘之遗意，而导利以厚下，约己以裕民，与百姓同之，使亦有积仓裹粮之富，则天下之民，皆归向之，其于王天下，何难之有？夫好货一也，私之于一己，则为专利；公之于百姓，则为施仁。然则王之于货，惟审其所好之公私，而不当以之为病矣。"

【原文】

王曰："寡人有疾，寡人好色。"对曰："昔者太王好色，爱厥妃。《诗》云：'古公亶父，来朝走马，率西水浒，至于岐下，爰及姜女，聿来胥宇。'当是时也，内无怨女，外无旷夫。王如好色，与百姓同之，于王何有？"

【张居正注评】

太王，是公刘九世孙，周武王曾祖，名亶父，号古公，至武王即帝位，始追上尊号为太王。率，是循。浒，是水之涯岸。姜女，是太王之妃。聿，是语词。胥，是相。宇，是居。旷，是孤单的意思。齐王自揣不能行王道，又对孟子说："寡人不但好货，更有一件病痛，喜好女色。惟其好色，故心志蛊惑，用度奢侈，不能行此王政耳。"孟子对说："好色亦无妨于王政。昔者太王也曾好色，爱其妃姜女。观《诗经·大雅·绵》之篇有云：古公亶父，为狄人所侵，不得已欲迁国避难，乃于明朝策马而走，顺着西河的边岸，径到岐山之下，爰及其妃姜女同来，与之相择地方，建造城邑，以为居止之所。由诗之言观之，可见太王也喜爱那姜女，而以配匹为重也。但太王不独自有配匹而已，当这时节，举国之中，女子都得嫁其夫而内无怨女，男子都得娶其妇而外无旷夫。盖太王能推好色之心以及于民，故能男女各遂其愿，婚姻各及其时如此也。王如好色，诚能仿太王遗意，而与百姓同之，保全其家室，完聚其夫妇，使无怨女旷夫之叹，则天下之民，皆将乐归于我，于王天下，何难之有？夫能推好色之心，便可以王天下，则好色又何足为病乎？"按：此章孟子于齐王，因其毁明堂，而劝之以行王政。因其好货色，而劝之以体民情。盖货财妻子之念，人心所同。但在上者，知有己而不知有民，于是有府库充盈，而闾阎不免于空竭。嫔嫱众盛，而妇子不免于流离者矣。诚体民情，则必能行王政。能行王政，则自可以朝诸侯而王天下矣，此明堂之所以不必毁也。

【原文】

孟子谓齐宣王曰:"王之臣有托其妻子于其友,而之楚游者,比其反也,则冻馁其妻子,则如之何?"王曰:"弃之。"

【张居正注评】

馁,是饿。齐宣王怠于政事,孟子欲劝王有为,先引起他事以发问说道:"朋友有相周之义,设使王之臣,有以其妻子寄托于所厚之友,而自往游于楚国者。及至回还之日,始知其妻子一向冻馁,衣食不足,王之臣当所何如以处其友耶?"齐王说:"受人之托而负义如是,非可交之友也,当弃绝之。盖朋友以义合,不义则当绝也。"

【原文】

曰:"士师不能治士,则如之何?"王曰:"已之。"

【张居正注评】

士师,是掌刑之宫。士,是士师的属官。孟子又问说:"士师以明刑为职。设使为士师者,不能统理其所属之士,使刑狱不当,职业不修,王当何如以处之耶?"齐王说:"立人之朝,而癏旷如是,非可用之臣也,宜罢去之。盖人臣各有职任,失职则当去也。"

【原文】

曰:"四境之内不治,则如之何?"王顾左右而言他。

【张居正注评】

孟子又问说:"如今四境以内,皆王之所统理,乃政教不修,人民不宁,是谁之任,又当何如以处之耶?"孟子此言,盖欲齐宣王反己自责,虚心下问,以讲求治国之道,其望之者深矣。王乃耻于闻过,而顾视左右以释其愧,更言他事以乱其词,其不足与有为可知矣。此齐之所以止于齐,而不能成一统之业也。

【原文】

孟子见齐宣王曰:"所谓故国者,非谓有乔木之谓也,有世臣之谓也。王无亲臣矣,昔者所进,今日不知其亡也。"

【张居正注评】

乔木,是高大之木。世臣,是累世勋旧之臣。亲臣,是君所亲信之臣。昔者,是昨日。亡,是走失。孟子因齐宣王待下疏薄,一日进见而讽之说:"大凡人君继世而有国，其基业相承，历年久远，如高大的树木，累世的旧臣，都是有的。但故国所以见称，却不是为着有这乔木，便叫做故国，正以有累世旧臣之谓耳。盖乔木有无，何足轻重，惟是那老成故旧之臣，世受国恩，义同休戚，国运赖之以匡扶，人心赖之以系属，这才是故国之所重，而人主不可一日无者也。然他日之世臣，本是今日之亲臣，以今观之，王已无亲臣矣。盖亲臣日在左右，视如腹心，时刻少他不得。王昨日所进用的人，今日有走去而尚不知者，则无亲信之臣可知。既无亲臣，安望他日有世臣乎？然则齐何以保其故国也？"

【原文】

王曰："吾何以识其不才而舍之？"曰："国君进贤，如不得已，将使卑逾尊，疏逾戚，可不慎与？"

【张居正注评】

舍，是舍置。不得已，是势不能已的意思。逾，是逾越。戚字，解做亲字。齐王因孟子讥己无亲臣，自家解说："此等亡去的都是不才之人，我始初不知而误用之，故不以其去为意耳。我今当何如可以预知其不才，遂舍之而不用，使所用皆贤乎？"孟子对说："人君用人，与其悔之于后，莫若谨之于始。是以国君进贤，当那将用未用之际，其难其慎，审之又审，恰似势之所迫，不得不用他一般，其谨如此。所以然者，盖以尊尊亲亲，乃国家体统之常，设使今日所尊者未必贤，日后必别求那卑而贤者用之。是使卑者得以挽越尊者，失尊卑之序矣。今日所亲者未必贤，日后必别求那疏而贤者用之。是使疏者得以挽越亲者，失亲疏之等矣。一举措之间，而所关于国体者甚大，是安可以不慎乎？始进能慎，则所进皆贤，而不才者不得以幸进，自可以无后日之悔矣。王何以不知人为患哉。"

【原文】

"左右皆曰贤，未可也；诸大夫皆曰贤，未可也；国人皆曰贤，然后察之，见贤焉，然后用之。左右皆曰不可，勿听；诸大夫皆曰不可，勿听；国人皆曰不可，然后察之，见不可焉，然后去之。"

【张居正注评】

孟子告齐宣王说："国君进贤，固所当慎，而慎之何如？盖人才之用舍，不可徇一己之私情，当付之众人之公论。且如有人于此，左右近侍，俱道其贤，吾未敢遽以为然也。举朝大夫，俱道其贤，吾未敢遽以为然也。何也？诚恐其有私誉也。至于通国之人，俱以为贤，宜若可信矣，但世间有一等的，同流合污，为众所悦，以致虚誉者，原来不是好人，安知国人之所谓贤，非此之类欤。于是又从而察之，或听其言，或观其行，必看得真真实实，是有才德的人，然后进而用之，其不肯轻用如此。又或有在

我左右的人，都说道此人不贤，不遽信也。众大夫每也都说此人不贤，不遽信也。何也？诚恐其有私毁也。至于通国之人俱谓不贤，宜若可信矣。但世间又有一等的，特立独行，与世不合，以招谤毁者，终不失为好人，安知国人之所不可，非此之类欤。于是又从而察之，或探其心术，或考其行事，必看得的的确确，是不贤的人，然后从而去之。其不肯轻去如此。夫其一用舍之间，既遍访于人，又精察于己，虽或跻之尊亲之列，而其从容详审筹处迟疑，真若有万不得已者。如此乎慎之至也，又安有不才而误用之者耶？王欲知用人之当慎，则宜以是为法矣。"

【原文】

"左右皆曰可杀，勿听；诸大夫皆曰可杀，勿听；国人皆曰可杀，然后察之，见可杀焉，然后杀之。故曰国人杀之也。"

【张居正注评】

孟子又告齐宣王说："人君进退人才，固当审察公论以求至当矣，至于用刑，也不可不谨。有人于此，左右都说他可杀，不要遽然听信；众大夫们都说他可杀，也不要遽然听信。何也？诚恐其有私怨也。至于通国之人俱以为可杀，其言宜可信矣。但世间也有一等的人，无罪无辜，而虚被恶名者，安知国人之所谓可杀者，非此之类欤。于是又从而察之，或验其罪状，或审其情实，必看得情真罪当，是可杀的人，然后从而杀之。决断虽在于君，而公论实出于国人，所以说是国人杀之。"明其犯众人之公恶，而非一己之私也。以此用刑，也就如不得已而然者，又何其慎之至乎。

【原文】

"如此，然后可以为民父母。"

【张居正注评】

承上文说："人君用舍刑杀，一惟决于众论之公如此。则是民之所好好之，民之所恶恶之，就如父母之于赤子，求中其欲，而惟恐拂其情的一般。不可以为民之父母乎？民心得，则邦本固，而宗社其永安矣。尚何故国之不可保哉？"此可见人君用人行政，当以公论为准。内不专任一己之独见，外不偏徇一人之私情。至虚至公，无意无必，然后好恶之私不作，而爱憎之说不行，贤者必用，而政无不举矣。明主宜致审于斯焉。

【原文】

齐宣王问曰："汤放桀，武王伐纣，有诸？"孟子对曰："于传有之。"曰："臣弑其君，可乎？"曰："贼仁者谓之'贼'，贼义者谓之'残'。残贼之人，谓之'一夫'。闻诛一夫纣矣，未闻弑君也。"

【张居正注评】

贼，是害。残，是伤。齐宣王问孟子说："世传汤放桀于南巢，武王伐纣于牧野，果有此事否乎？"孟子对说："南巢之放，载在《汤誓》，牧野之战，纪于《武成》，传记盖有此说矣。"齐宣王又问说："桀、纣，君也，汤、武，臣也，以臣弑君，于理可乎？"孟子对说："君臣大分，岂可逾越，但汤武乃奉天伐暴，与称兵犯顺之事不同。盖天生民而立之君者，为其能尽仁义之道，以为斯民共主也。惟害仁之人，其存心凶暴淫虐，灭绝天理，故谓之贼；害义之人，其行事颠倒错乱，伤败彝伦，故谓之残。残贼之人，天命已去，人心已离，只是一个独夫，不得为天下之共主矣。所以《书经》上说独夫纣。盖纣自绝于天，故天命武王诛之，为天下除残贼。吾闻诛一夫纣矣，未闻其为弑君也。观于武王，则汤之伐桀，亦犹是耳。"《易》曰："汤武革命，应乎天而顺乎人。"正谓此也。

【原文】

孟子见齐宣王曰："为巨室，则必使工师求大木。工师得大木，则王喜，以为能胜其任也。匠人斫而小之，则王怒，以为不胜其任矣。夫人幼而学之，壮而欲行之，王曰：'姑舍汝所学而从我'，则何如？"

【张居正注评】

巨室，是高大的宫室。工师，是匠作之长。胜，是担当得的意思。斫，是斫削。夫人，指贤人说。孟子因齐宣王不能任贤图治，一日进见而讽之说："人君任贤以治国，就如用木以治室一般。王欲建造高大的宫室，谓非大木不可，则必遣命工师，多方采取以充其用。假如工师采得大木，则王欣然而喜，说道可以做梁做柱，能胜巨室之任了。倘或匠人误加斧斤，斫削短小，则王艴然大怒，怪他损坏了这美材，不能胜巨室之任矣，是王之用木，惟欲其大，不欲其小如此。至于贤人为国家之桢干，当其幼时，诵读讲明，都是圣贤的道理，帝王的事功，正欲待其壮年，遭时遇主，——见之施行，以期不负其所学也。吾王不思大用以尽其材，却乃教他说：'你且舍置汝之所学，而从我所好。'夫贤人所学者，乃修齐治平之具，而王之所好者，不过权谋功利之私而已。今要他舍所学以从王，则是贤人之学甚大，而王顾欲其小之也。夫不忍斫小一木之材，而乃欲贬损大贤之用，则何其任贤不如任木也哉。王诚比类而观之，则知任贤图治之要矣。"

【原文】

"今有璞玉于此，虽万镒，必使玉人雕琢之。至于治国家，则曰：'姑舍汝所学而从我。'则何以异于教玉人雕琢玉哉？"

【张居正注评】

玉在石中叫做璞。镒，是二十两。孟子讽齐宣王说道："王任贤而欲小用之，使贤者不得行其志，岂是治国家的道理。且如今有璞玉于此，虽价值万镒，十分爱重的，也不能自以己意为之雕琢，必求惯能治玉之人使雕琢之。盖玉必雕琢而后能成器，亦必良工而后能雕琢，故治玉者，未有不付之人者也。至于国家之当治，就如万镒之玉。贤者之能治国家，能如玉人之能治玉一般。王如得贤而用之，则必举国而听之可也。今乃说姑舍汝之所学，而从我之所好，则何王之治国家，乃异于教玉人雕琢玉哉。盖国家机务繁多，责任重大，一切要整顿料理，兴起治功，非是涵养有素，抱负不凡的贤人，岂能胜任。既得其人，尤须推心委任，一一付托于他，使得展布发虑，乃能致理。今以玉则一听于玉人，以国家则不肯专听于贤者，是爱国家不如爱玉也，王亦未之思乎？"大抵用贤之道，惟在纯心。必人君专心求治，念念在于国家，然后能虚心任贤，事事付之能者。成汤昧爽丕显，旁求俊彦。高宗恭默思道，梦赉良弼。此所以登于至治，而逸于得人也，人君欲用贤以治国家者，宜三复于斯。

【原文】

齐人伐燕，胜之。宣王问曰："或谓寡人勿取，或谓寡人取之。以万乘之国伐万乘之国，五旬而举之，人力不至于此。不取，必有天殃。取之，何如？"

【张居正注评】

昔燕王哙让国于其相子之，国人大乱，齐人因乘其衅而伐之。燕士卒不战，城门不闭，遂大胜燕。宣王乃问计于孟子说："燕国既破，其土地人民，尽当为我所有矣。或言利不可贪，劝寡人说莫取；或言机不可失，劝寡人说取之。众论不一，莫知适从。自寡人论之，齐与燕同一万乘之国也。以万乘之国伐万乘之国，势均力敌。乃不待旷日持久，只五十日内，就收战胜之功。纵使将勇兵强，人力众盛，未必成功之速，遽至于此。殆天意有在，阴助而默相之耳。天既以燕予我，我反弃而不取，必受其殃。兹欲从而取之，可与不可，夫子以为何如？"齐王本意在于取燕，特欲借孟子一言以自决耳。

【原文】

孟子对曰："取之而燕民悦，则取之。古之人有行之者，武王是也。取之而燕民不悦，则勿取。古人有行之者，文王是也。"

【张居正注评】

孟子对说："天意之予夺难知，民心之从违易见。王欲取燕，亦惟决诸民心而已。诚使取燕而燕民喜悦，都欣然归附，则是天之所废，不可兴也。王其顺民心取之，亦可。古之人有行此事的，是周武王。盖武王当纣恶贯满盈之后，人心皆已归周，所以有牧野之师，可取而取，武王无容心也。王能如是，是亦武王而已矣。使或取燕而燕民不悦，犹思恋故主，则是天命未改，未可图也。王其顺民心而勿取，乃可。古之人有行此事的是周文王。盖周文王当纣恶未稔之初，人心犹不忘商，所以执事殷之节。不可取而不取，文王亦无容心也。王能如是，是亦文王而已矣。然则燕之可取与否，吾王当视民心之向背何如耳。众论纷纷，何足据乎？"

【原文】

"以万乘之国伐万乘之国，箪食壶浆以迎王师，岂有他哉？避水火也。如水益深，如火益热，亦运而已矣。"

【张居正注评】

箪，是竹器。食，是饭。汤酒之类都叫做浆。运，是转动的意思。孟子告齐宣王说："民心可以仁感，而不可以威劫。今齐与燕俱万乘之国也。以万乘之国，伐万乘之国，若使并力固守，其势足以相抗。乃燕之百姓，一闻齐师之来，便不战而服，都盛着箪食壶浆迎犒王师，这岂有他意，特以燕政暴虐，民被其害，如在水火中一般，忍受不过，故避之而望救于齐耳。王如发政施仁以慰其望，则燕人之心始安矣。若恃其强力，更为暴虐，如水之深者益深，火之热者益热，则燕民愈不能堪，今之望救于齐者，将转而望救于他人矣。齐岂得而强取之哉？可见得国有道，惟在得民，而民罔常怀，怀于有德。王欲取燕，亦求其所以安民者而已。"

【原文】

齐人伐燕，取之。诸侯将谋救燕。宣王曰："诸侯多谋伐寡人者，何以待之？"孟子对曰："臣闻七十里为政于天下者，汤是也。未闻以千里畏人者也。"

【张居正注评】

齐人前欲取燕，孟子告以当顺民心，齐人不听，竟乘燕国破败，利其有而取之。于是列国诸侯，皆有不平之心，相约起兵，将谋伐齐以救燕。宣王闻而恐惧。乃问计于孟子说："自寡人取燕之后，诸侯多谋举兵来伐寡人者，事势至此，有何计策，可以设备而预待之乎？"孟子对说："臣曾闻古之帝王，有以七十里之小国，遂能伐暴救民，行政于天下，而万邦无不归服者，商王成汤是也。今齐国地方千里，堂堂一大国，乃惧怕诸侯伐己，则是以千里而畏人，怯亦甚矣，臣实未之闻也。王何不以之自反乎？"

【原文】

"《书》曰：'汤一征，自葛始。'天下信之，东面而征西夷怨，南面而征北狄怨，曰：'奚为后我？'民望之，若大旱之望云霓也。归市者不止，耕者不变，诛其君而吊其民，若时雨降，民大悦。《书》曰：'徯我后，后来其苏。'"

【张居正注评】

　　这一节正是成汤为政于天下的事。葛，是国名。奚字解做何字。霓，是虹霓，云合则雨，虹见则止，以比民望王师之切的意思。吊，是抚恤。徯，是等待。苏，是复生。孟子说："臣谓汤以七十里为政于天下，观于《书》之所言可见矣。《书经·仲虺之诰》有云：汤初与葛为邻，葛伯无道，汤乃举兵伐之，是汤之征伐，自葛国始。那时天下之人，都信其志在救民，不是为暴。汤若往东面征讨，则西夷之人怨望；若往南面征讨，则北狄之人怨望。都说道：我等受害一般，王何为不先来征我之国乎？这时节，百姓每冀望王师之来，又恐其不来，就如大旱之时，望着云合而雨，又恐虹见而止也。其望之之切如此。及王师既至，商贾各安于市，而交易

镶嵌狩猎画像豆

者不止；农夫各安于野，而耕耨者不变。但诛戮其有罪之君，抚安其无罪之民，就如大旱之后，甘雨应时而降，民皆喜色相庆，欣然大悦。《书经》上载着百姓之言说：我等困苦无聊，专等我君来救，我君一来，我等方得苏息，真是死而复生一般。观《书》所言，则知成汤能以七十里而王于天下者，惟其行仁政以救民，而有以慰斯民之望耳。王今伐燕，未能行仁政以慰民心，则所以致诸侯之兵者，岂无自哉？"

【原文】

　　"今燕虐其民，王往而征之，民以为将拯己于水火之中也，箪食壶浆以迎王师。若杀其父兄，系累其子弟，毁其宗庙，迁其重器，如之何其可也？天下固畏齐之强也，今又倍地而不行仁政，是动天下之兵也。"

【张居正注评】

　　拯，是救。系累，是执缚的意思。重器，是宝器。畏，是忌。孟子告齐宣王说："汤以七十里为政于天下，而齐乃以千里畏人者，何耶？盖燕国无道，暴虐其民，如在水火中一般。王兴师往伐，以正其罪，燕之百姓，以为将救我于水火之中，欣然以箪食壶浆，迎犒王师，亦不异大旱之望云霓矣。王必如汤之伐罪吊民，发政施仁乃可。今乃残杀其父兄，系缚其子弟，拆毁他祖先的宗庙，搬取他珍宝的重器，如水益深，如火益热，使燕民大失所望，如之何而可以如此也？夫天下诸侯固已忌齐之强，而欲并力以图之，特未有可乘之衅耳。今并取燕国，增了一倍之地，又不能举行仁政，以

慰燕民之望，而服诸侯之心，故诸侯之忌愈深，伐齐之谋遂合。是天下之兵，王实有以鼓动之也，能不以千里而畏人乎？"

【原文】

"王速出令，反其旄倪，止其重器，谋于燕众，置君而后去之，则犹可及止也。"

【张居正注评】

旄，是老人。倪，是小儿。置，是立。孟子说："王既已动诸侯之兵矣，为今之计，将如之何？王须是急发号令，晓谕国人，将掳掠的老小，尽数遣还，将欲迁的重器，即便停止。子哙已死，燕国无君，则谋于燕之群臣百姓，择一贤者以为君，而后引兵而去之。如是，则燕乱已定，诸侯不得以救燕为名。齐不为暴，诸侯不得以伐暴为名。虽已兴师，尚可以及其未发而使之中止也。王欲求何以待诸侯者，亦惟如是而已。"夫当战国之时，皆急功利，尚权谋，而孟子之所为齐王言者，一出于正，可以观圣贤之学术，与王政之大端矣。

【原文】

邹与鲁哄。穆公问曰："吾有司死者三十三人，而民莫之死也。诛之，则不可胜诛；不诛，则疾视其长上之死而不救。如之何则可也？"孟子对曰："凶年饥岁，君之民老弱转乎沟壑，壮者散而之四方者，几千人矣。而君之仓廪实，府库充，有司莫以告，是上慢而残下也。曾子曰：'戒之，戒之！出乎尔者，反乎尔者也。'夫民今而后得反之也，君无尤焉。"

【张居正注评】

哄，是战斗之声。穆公，是邹君。转，是饥饿展转而死。残，是残虐。尤，是责怪的意思。昔邹国与鲁国交兵战斗，为鲁所败。穆公因问于孟子说："民以用命为顺，不用命者，国有常刑。今我国与鲁接战，众有司对敌而死者三十三人，乃百姓们曾无一人赴救有司而死者。此等顽民，将要杀之，则人众不可尽诛；将要不杀，似这等怨恨长上，疾视其死而不救，法令何由而行乎？或诛或宥，当何如处之而为当也？"孟子对说："民不用命，不当责之于民，惟当反之于己。盖凶年饥岁，君之百姓，老弱不能动移的，则饥饿展转倒死于沟壑。其少壮的就食他邦，散走于四方者，不知其几千人矣。这时节，人人都望救于君上，如死中求生一般。而君之仓廪有余粟，府库有余钱，有司曾不肯告之于君，散财发粟以赈救之。是君与有司暴慢不仁，而残虐下民也。上既虐下，下有不疾怨其上者乎？曾子有言，为民上者，当戒之戒之，施恩得恩，施怨得怨，出自尔身者，即还报尔身者也。由此言观之，君与有司，视民之死而不救，民怨久矣，到如今才得还报，所以视有司之死而不救也。一施一报，乃理之常，君何可归咎于民，亦反求诸己而已。"

【原文】

"君行仁政，斯民亲其上，死其长矣。"

【张居正注评】

承上文说："民心疾怨，虽有司不恤其民，亦由君之不行仁政也。若君能以爱民为心，而举行仁政，务恤其饥寒，救其疾苦，则有司皆体君之心为心，而无有不爱其民者矣。有司既爱其民，则为之民者，自然情义相关。居常则亲其上，爱戴而不忘，遇难则死其长，捐躯而不悔矣。何至疾视其死而不救哉？此君所以当反己，而不可过责于民也。"大抵君民之情，本同一体。民有财，则当供之于君；君有财，则当散之于民。丰凶敛散，上下相通，故虽水旱灾荒，不能为害，而国与民常相保也。后世人主，以府库为私藏，有司以聚敛为能事，民心一散，不可复收，虽使积藏如丘山，何救于败亡之祸乎？明主不可不鉴也。

【原文】

滕文公问曰："滕，小国也，间于齐、楚。事齐乎？事楚乎？"孟子对曰："是谋非吾所能及也。无已，则有一焉：凿斯池也，筑斯城也，与民守之，效死而民弗去，则是可为也。"

【张居正注评】

滕，是国名，在今山东兖州府地方。文公，是滕国之君。滕文公问于孟子说道："小国势孤力弱，必须依托大国，乃能自安。今滕国方五十里，乃至小之国也。又夹在齐楚两大国之间，分当事之，而力不能以兼事，欲就中抉择，则将事齐乎？抑事楚乎？不知孰可依托以安吾国也。夫子其为我谋之。"孟子对说："凡事倚靠他人的，不可取必，而惟主张在我的，乃可自尽。齐楚皆大国也，事齐则见怒于楚，事楚则见怒于齐，必不能两全而无害，这计策非吾所能及也。若必欲言之而不已，则别有一说，惟是自守而已。夫高城深池，所以卫国。必凿斯池也，筑斯城也，与民守之。而为之民者，亦感君平日之恩，出力报效，虽至危亡困迫，亦舍死而不肯去。上下相依，患难相保，庶几可以自全，此则事理之可为者耳。若事齐事楚，岂吾所能必哉？盖保国资乎地险，守险在于人和；而固结人心之道，则又在于施仁之有素。若平时不知恤民，则人心离散，一遇患难，皆委而去之矣。欲知有国之长计者，宜致审于斯焉。"

【原文】

滕文公问曰："齐人将筑薛，吾甚恐，如之何则可？"孟子对曰："昔者太王居邠，狄人侵之，去之岐山之下居焉。非择而取之，不得已也。"

【张居正注评】

薛，是国名，与滕相近。邠，即今陕西邠州。岐山，在今陕西凤翔府地方。时齐欲取薛，滕文公恐其逼己，因问计于孟子说："滕与薛同处于齐之西境，势相依倚，就如唇齿一般。今齐人恃其强大，将要取薛之地，筑以为城。薛亡，则滕之势益孤，而齐之侵陵益迫，此诚危急存亡之秋，寡人深以为惧，不知当如之何而可免于吞并之患也？"孟子对说："敌国外患，从古有之。昔者太王居邠，与北狄为邻，狄人时来侵扰，太王力不能御，遂弃了邠地，去到岐山之下，重建都邑而居之。这时候，仓皇迁徙，非谓邠地不如岐山之美，有所拣择而取之也，盖由迫于狄人之难，无可奈何，只得迁徙以图存耳。今滕迫近齐患，诚不得已而图自全之策，则法太王之所为可也。"

【原文】

"苟为善，后世子孙必有王者矣。君子创业垂统，为可继也。若夫成功，则天也。君如彼何哉？强为善而已矣。"

【张居正注评】

创，是造。统，是统绪。继，是继续。彼，指齐说。强，是勉强。承上文说："太王迁国于岐，虽出一时避难之权，而周家兴王之业，实由此起。使为君者，果能修德行仁，如太王之所为，则虽暂时失国，后来子孙，必有应运而兴，如周之文武，为王于天下者，此天理之必然者也。然人君创基业于前，垂统绪于后，但能为所当为，而不失其正，使后世子孙，可继续而行耳。若夫兴起王业，而成一统之功，则上天自有主张，岂人力之可必乎？今齐强滕弱，势固不敌，君将奈彼何哉？为君计者，只宜勉强为善，尽其在我，听其在天而已矣，此外则非意虑之所能及也。"夫滕文之意，在免祸于目前，而孟子却教以为善，使之积德于身后。盖目前之计，止可侥幸于一时，而善以诒子孙，乃所以为国家长远之虑也。小国尚然，而况处全盛之世者，可不务增修其德，以绵宗祀于无穷也哉。

【原文】

滕文公问曰："滕，小国也；竭力以事大国，则不得免焉，如之何则可？"孟子对曰："昔太王居邠，狄人侵之。事之以皮币，不得免焉；事之以犬马，不得免焉；事之以珠玉，不得免焉。乃属其耆老而告之曰：'狄人之所欲者，吾土地也。吾闻之也：君子不以其所以养人者害人。二三子何患乎无君？我将去之。'去邠，逾梁山，邑于岐山之下居焉。邠人曰：'仁人也，不可失也。'从之者如归市。或曰：'世守也，非身之所能为也，效死勿去。'君请择于斯二者。"

【张居正注评】

属，是会集。逾，是过。梁山，在今陕西西安府乾州地方。滕文公问孟子说："滕乃小国，间于齐楚之中，虽致敬尽礼，竭力以奉事之，犹不免于侵陵之患，不知何以为计，而后可免乎？"孟子对说："寡不敢众，弱不胜强，为今之计，惟当避难以图存耳。昔周太王住在邠国，与狄为邻，狄人时来侵犯。初奉之以皮币，不得免焉。再奉之以犬马，亦不得免焉。又奉之以珠玉，亦不得免焉，必欲攻取其国而后已。太王乃会集邠民中的耆老而谕之说：'吾今奉事狄人，亦已至矣，犹不得免其侵陵之患，是狄人所欲者，不在吾皮币犬马珠玉，而在吾土地也。夫土地本生物以养人，今为争地以战，杀人盈野，是反以养人的害人矣。我闻说君子以爱人为心，不以所养人者害人，吾故不忍与之争地，害及尔等。尔二三子莫谓我去之后，便无君长，以为忧患，但使有人抚安尔等，是即尔之君长也。我今要舍去此地，迁于他方，以图免患矣。'乃离了邠地，经过梁山，至岐山之下，作邑而居，以避狄难焉。此时邠民感太王平日之恩，相与说道：'吾君乃仁人也，我辈赖以为安，何忍舍之。'于是相率从之，迁于岐下，就如赶集做市的一般。土地虽失，人民如故，此乃迁国以图存者，固一计也。或又说，国家土地，原是先代传来，贻与子孙世守的，非我一身所得专主。纵遭患难，只宜尽力守死，不可舍而他去，使先人基业，自我不传。此谓守正以徇国者，又一计也。夫此二者，在太王所处，是一时的权宜；在或人所言，是正经的道理。为君今日之计，只是看自己力量，做得那一件，便于此二者之间，拣择而取之。尽其在我，而听天所命，事理可为，不过如此。若夫侥幸苟免之计，岂吾所能及哉？"

【原文】

鲁平公将出，嬖人臧仓者请曰："他日君出，则必命有司所之。今乘舆已驾矣，有司未知所之，敢请。"公曰："将见孟子。"曰："何哉，君所为轻身以先于匹夫者？以为贤乎？礼义由贤者出，而孟子之后丧逾前丧。君无见焉！"公曰："诺。"

【张居正注评】

平公，是鲁君。嬖人，是亲幸之臣。臧仓，是入姓名。国君所乘的车辇，叫做乘舆。驾，是驾马。之，是往。逾，是过。诺，是应词。当时乐正子仕于鲁国，曾在平公面前，称道其师孟子之贤。一日孟子至鲁，平公将要出朝而往见之。时有嬖幸之臣臧仓，请问平公说："人君举动，关系非轻，往常吾君驾出，则必传命有司，示以所往之地，使知响导。今乘舆已驾马将行，有司未知何往，敢此请命。"平公说："我将往见孟子。"臧仓遂拦阻说道："吾君乃千乘之尊，孟子一匹夫而已，何故吾君不自尊重，而轻身以先加礼于匹夫，岂道他是有德之贤人乎？夫贤者举动必循乎礼，作事必合乎义，这礼义宜从贤者身上做将出来。我闻孟子前时丧父，其礼甚简，后来葬母，却极其丰厚，过于前丧，则是厚母薄父，不知有礼义之大道，何得为贤？君勿轻身而往见也。"于是平公惑于其言，应之曰："诺。"遂止而不往见焉。夫往见孟子者，乃平公一念好贤之心，只因臧仓阻之，遂以不果。可见谗说易行，君心易惑，此明主任贤不可不专，听言不可不审也。

公孙丑章句上

凡九章。

【原文】

公孙丑问曰:"夫子当路于齐,管仲、晏子之功,可复许乎?"孟子曰:"子诚齐人也,知管仲、晏子而已矣。"

【张居正注评】

公孙丑,是孟子的弟子。当路,是官居要地。公孙丑问孟子说:"先年齐国贤相,桓公时有管仲,景公时有晏子,都能致君泽民,功业显著,后来无有能继之者。设使夫子今日得居要路,而秉齐国之政,似他这等功业,还可复自期许,克继前人否乎?"盖战国之世,崇尚伯功,多推尊管、晏,故公孙丑之言如此。孟子答说:"自古豪杰之士,以道德功业,显闻当世者,岂止是管仲、晏子二人。惟二人相齐有功,故齐国之人,习于闻见,多有称道之者。今子亦以管仲、晏子为言,子真齐人也,但知有管仲、晏子而已。岂知圣贤经纶康济之业,光明俊伟,有高出于管、晏之上者乎?然则子之期待我者亦浅矣。"夫伯者之佐,非不有高世之才,特其志于功利,而不纯乎道德,是以见小欲速,规模狭隘,而为圣门之所羞称如此。故论治者,宜以唐虞三代为法。

【原文】

"或问乎曾西曰:'吾子与子路孰贤?'曾西蹴然曰:'吾先子之所畏也。'曰:'然则吾子与管仲孰贤?'曾西艴然不悦,曰:'尔何曾比予于管仲?管仲得君如彼其专也,行乎国政如彼其久也,功烈如彼其卑也。尔何曾比予于是?'"

【张居正注评】

曾西,是曾参之孙。蹴然,是不安的模样。先子指曾参说。畏,是敬畏。艴,是怒色。孟子又辟公孙丑说:"汝但知齐有管仲、晏子,不知管、晏事功,固圣门弟子所羞称者也。昔者或人问曾西说:'圣门有子路者,吾子自度与他孰为高下?'曾西蹴然不安说:'子路在圣门,闻过则喜,见义必行,学已造乎正大高明之域,乃吾先祖所敬畏而推让者也,我何敢与之比方乎?'或人又问说:'汝既不敢比子路,然则自度比管仲孰为高下?'曾西艴然不悦说:'你何乃比我于管仲?凡人出而用世,有做不成功业的,多因得君不专,行政不久。管仲辅相桓公,桓公委心信任,君臣之间,志同意合,其得君那等样专;独操国柄四十余年,大小政务,都出其手,其行政那等样久。若是大有抱负的,乘此机会,便须有大功业做将出来。今考其功业,不过九合诸侯,假仁

义以成霸功而已。其功烈则那等卑陋，而无足观也。管仲之为人如此，固我之所深鄙者，尔何乃比我于此人乎？'"盖有圣贤之学术，斯有帝王之事功，管仲识量褊浅，不知有圣贤大学之道，故其功业所就，止于如此，所以曾西鄙之而不为也。

【原文】

曰："管仲，曾西之所不为也，而子为我愿之乎？"曰："管仲以其君霸，晏子以其君显。管仲、晏子犹不足为与？"曰："以齐王，由反手也。"

【张居正注评】

以，是赞成的意思。霸，是诸侯之长。反手，是转手。孟子又答公孙丑说："观曾西与或人问答之言，则管仲之功烈，乃曾西之所不屑为者也。曾西既所不为，而子乃为我愿之，岂以我为不及曾西乎？其待我亦浅矣。"公孙丑犹未之达也，复辩之说："管仲相桓公，尊周攘夷，以为盟主，而诸侯皆奉其命，是能致其主以为霸于天下也。晏子相景公，布德缓刑，以修内治，而一时盛称其贤，是能致其主以显名于当世也。二子之功烈，卓然如是，而夫子犹以为不足为，不知更何以加于此乎？"孟子答说："管仲辅君以霸，晏子辅君以显，虽亦有功于齐，然未能致主于王道也。如使我当路于齐，而得君行道，则将使天下之民举安，而以齐王于天下，如转手之无难矣。岂特以其君霸，以其君显而已哉。此吾之所以卑管、晏而不为也。"

【原文】

曰："若是，则弟子之惑滋甚。且以文王之德，百年而后崩，犹未洽于天下；武王、周公继之，然后大行。今言王若易然，则文王不足法与？"曰："文王何可当也？由汤至于武丁，贤圣之君六七作，天下归殷久矣，久则难变也。武丁朝诸侯，有天下，犹运之掌也。纣之去武丁未久也，其故家遗俗，流风善政，犹有存者；又有微子、微仲、王子比干、箕子、胶鬲，皆贤人也，相与辅相之，故久而后失之也。尺地，莫非其有也；一民，莫非其臣也。然而文王犹方百里起，是以难也。"

【张居正注评】

滋，是加益。洽，是溥遍。武丁，即高宗。微子、微仲，是纣之庶兄。比干、箕子，是纣之叔父。胶鬲，是纣之贤臣。公孙丑因孟子说齐王犹反手，疑其自许太过。遂辩说："夫子说管、晏不足为，弟子已不能无疑，乃又说齐王犹反手之易，信如此言，弟子之惑转益甚了。且以周文王有大圣之德，又在位寿考百年而后崩，其施泽于民，不为不久，然三分天下，才得其二，其德泽尚未遍及于天下也。直待武王伐暴救民，周公制礼作乐，克继其后，然后九州一统，教化大行。则王业成就，固若此之难矣。今乃说齐王如反手之易一般，则虽圣如文王，也不足法与？"孟子挠之说："文王是有周基命之主，其德至盛，何可当也。但古今时势，难易不同，文王适遭其难耳。

盖商家之天下，自成汤开创以至于武丁中兴，中间如太甲、太戊、祖乙、盘庚，贤圣之君凡六七作，其累世德泽，深入于人，天下之归殷久矣。久则人心固结，难以遽变。故当武丁之时，国运虽衰，王业未改，一加振作，遂能朝诸侯而有天下，如运掌一般。及纣之时，去武丁年代未久，其世臣故家，礼义遗俗，与夫前哲之流风，保民之善政，尚有存者。又有微子、微仲、王子比干、箕子、胶鬲，这都是有才德的贤人，相与同心戮力，匡救其缺失而辅相之，故纣虽无道，国不遽亡，必待日久而后失之也。是文王所遇之时，其难如此。况当时天下大势，尚然一统，无尺地不是商家之土，无一民不是商家之臣。然而文王谨守侯邦，由方百里之地而起，安能与商为敌。是文王所处之势，其难又如此。惟其时势皆难，故虽以文王之德，而终身不能成一统之功者，以此故耳。若今之时势，则异乎是矣。岂可谓文王不足法哉？"

【原文】

"齐人有言曰：'虽有智慧，不如乘势；虽有镃基，不如待时。'今时则易然也。"

【张居正注评】

慧，是聪明。镃基，是锄田的器具。时，是耕种的时候。孟子又答公孙丑说："吾谓以齐王犹反手者，岂真以文王为不足法哉？盖以时势而论，则文王处其难，而齐处其易耳。齐人尝有言说道：'人虽有才智聪明，足以办事，然势有未便，则智慧亦无所施，不如乘着可为之势，因而展布，可以建立功业。人虽有镃基，可以治田，然时有未至，则镃基亦无所用，不如待到耕种之时，因而力作，可以成就稼穑。'观齐人之言，则知王天下者，必有资于时势矣。兹以齐之势当今之时，与文王之所处不同，欲图兴王之业，真有至易而无难者，所以说以齐王犹反手也。"

【原文】

"夏后、殷、周之盛，地未有过千里者也，而齐有其地矣；鸡鸣狗吠相闻，而达乎四境，而齐有其民矣。地不改辟矣，民不改聚矣，行仁政而王，莫之能御也。"

【张居正注评】

孟子指齐国之势，以明其易王。说道："昔夏后、殷、周之盛时，王畿之地，不过千里，今齐地亦方千里，则固已有其地矣。且民居稠密，鸡鸣犬吠之声，自国都以至四境，处处相闻，则齐已有其民矣。夫土地不广，须更开拓，今地方千里，则不待改辟而地已广矣。人民不众，须更招集，今民居稠密，则不待改聚而民已众矣。地辟民聚，泽可远施，以之鼓舞人心，兴起事功，最为容易。若乘此而行仁政，则人民之归附益众，土地之开辟益广，其一统而王天下，谁得而禁止之哉？"盖齐有可乘之势，故易于致王如此也。

【原文】

"且王者之不作，未有疏于此时者也；民之憔悴于虐政，未有甚于此时者也。饥者易为食，渴者易为饮。"

【张居正注评】

疏，是稀。憔悴，是困苦的模样。孟子又告公孙丑说："我谓齐之易王者，不但以其有可乘之势，而且幸其当可为之时。盖自文武造周以来，至今七百余年，没有个圣君出而抚世，是王者之不作，未有稀阔于此时者也。今之诸侯，恣行残虐，流毒百姓。百姓每财尽力竭，不得安生，其憔悴于虐政，未有甚于此时者也。当此之时，若能举行仁政，以收拾人心，则民之感戴，就如那饥饿的人，但得食，便以为美，而易为食；枯渴的人，但得饮，便以为甘，而易为饮。其于致王，何难之有哉？"是时之易为又如此。

【原文】

"孔子曰：'德之流行，速于置邮而传命。'"

【张居正注评】

马递叫做置，步递叫做邮，即如今驿递铺兵一般。孟子又说："得时乘势，固易于行仁，而况仁政之行，本自速者。孔子有云：人君之德政，出乎身而加乎民，其流行之机，速于置邮而传命。盖置邮传命，虽是甚速，尚须论其道里，责以程期而后可至；若德之流行，则沛然旁达，一日而遍乎四海，比之置邮传命，岂不更速矣乎？观于此言，则德之感人，有不赖时势而裕如者，而况时势之可乘乎？此我所以决齐之易王也。"

【原文】

"当今之时，万乘之国行仁政，民之悦之，犹解倒悬也。故事半古之人，功必倍之，惟此时为然。"

【张居正注评】

倒悬，是形容困苦至极的模样。古人，指文王。孟子又答公孙丑说："德之流行固为甚速，然未有背时违势而能成功者。乃当今之时，乱极思治，时则易矣。齐国万乘，地广民稠，势又易矣。于此而一行仁政，以慰民心，则民心欢悦，就如替他解救下倒悬的一般，其感人之速，入人之深，又不但如饥食渴饮而已。夫古人如文王积德百年，而犹未洽于天下，只为处时势之难故也。其在今日所行之事，不须全学古人，但行得他的一半，即可以长驾远驭，其成功加倍于古人矣。此惟在今时为然。盖其时势既易，而德行自速，是以用力少而成功多也。吾谓以齐王犹反手者以此。而子以管、晏之功为我愿，岂为知我者哉？"

【原文】

公孙丑问曰："夫子加齐之卿相，得行道焉，虽由此霸王，不异矣。如此，则动心否乎？"孟子曰："否，我四十不动心。"

【张居正注评】

异，是怪异。公孙丑因孟子说霸王事业太容易了，恐其力不能任，又设问说："论天下之事易，当天下之事难。以夫子之道德，诚使遇合于齐，加以卿相之位，得志行道焉，虽从此而建功立业，小则以霸，大则以王，皆所优为而无足怪矣。但这等地位，其任至大，其责至重，夫子处此，也容有所疑惑恐惧而动其心否乎？"孟子答说："否，我从四十岁的时节，道明而无所疑，德立而无所惧，此心久已不动了。若今日加我以大任，固将从容运量而有余，夫何动心之有？"这"不动心"三字，是孟子生平学问得力处，而其大本大原，却从知言养气中来，盖善学孔子而有得者也。

【原文】

曰："若是，则夫子过孟贲远矣。"曰："是不难，告子先我不动心。"

【张居正注评】

孟贲，是齐之勇士，力能生拔牛角者。告子，名不害，是当时辩士。公孙丑说："人心难制而易动，夫子当大任而能不动心如此，则其气力足以负荷一世，比之孟贲之勇，仅能举一器一物之重者，相去远矣。"孟子说："心能不动，这也不足为难。即如告子为人，虽其见道未真，他未及四十岁，已能先我不动心了。则此果何足为难哉？"大凡人心有所管摄，则不动甚易，无所管摄，则不动甚难。告子未为知道，而能强制其心，倘能使之不动，况以道义管摄之乎？此事心者所当知也。

【原文】

曰："不动心有道乎？"曰："有。"

【张居正注评】

公孙丑又问孟子说："夫子之不动心与告子之不动心，则既闻之矣。敢问心之不动，亦有道乎？"孟子答说："人以一心而应天下之事，若心中没个主张，则卒然临之，未有不惊，纷然而来，未有不扰者。惟其中有定主，然后能无所恐惧疑惑而动其心，此可见不动心之有道也。"

【原文】

"北宫黝之养勇也：不肤挠，不目逃，思以一豪挫于人，若挞之于市朝；不受于褐宽博，亦不受于万乘之君；视刺万乘之君，若刺褐夫；无严诸侯，恶声至，必反之。"

【张居正注评】

北宫黝，是个勇士。肤挠、目逃，都是退缩恐惧的模样。挫，是挫辱。挞，是捶挞。褐，是毛布。宽博，是宽大之衣。严，是畏惮。反，是还。孟子又说："所谓不动心之有道者，且不论当大任的，只观那勇士每亦自可见。勇士中有北宫黝者，其养勇也，挺身而斗，其肌肤不畏刺而挠屈；怒目而视，其目睛不畏刺而逃避。盖自恃其勇而不肯示怯于人也。推其心，不必大有挫辱，才不肯受，纵使一毫之微受挫于人，看来就似挞之于市朝一般，有不胜其愧耻之甚者。不论事之大小，人之贵贱，一味要求胜，不惟不肯受辱于褐宽博之夫，亦不肯受辱于万乘之诸侯。视刺万乘之诸侯，便与刺褐夫的一样容易，殊不见有诸侯之可畏惮者。如以恶声加之，则必以恶声报之。身可杀而志不可挫，盖以必胜人为主也。惟其主于必胜，此其心之所不动耳，吾所谓不动心有道者，此其一也。"

【原文】

"孟施舍之所养勇也，曰：'视不胜犹胜也；量敌而后进，虑胜而后会，是畏三军者也。舍岂能为必胜哉？能无惧而已矣。'"

【张居正注评】

孟施舍，是古人姓名。会，是合战。孟子又告公孙丑说："我谓不动心有道，不但于北宫黝见之，又闻古之勇士有孟施舍者。其人之养勇也，尝自负说：战胜非难，敢战为难。我之于敌，莫说既胜了他才能不惧，便遇着劲敌在前，战不能胜，自我看来，也如胜了他的一般，更不计较强弱胜败而有惧心也。设使度量敌人之强弱而后敢进兵，计虑在己之能胜而后敢合战，这是逡巡退缩，畏怕三军之众者也。一有畏心，虽胜不足以为武矣。观舍此言，岂是他有百战百克之勇，能保得自家必胜哉？只是他胸中胆气素定，不见得三军为众，一身为寡，而勇往直前，能无恐惧而已矣。惟其无惧，则生死利害皆不足以挠其中。此以无惧为主，而能不动心者也。"

【原文】

"孟施舍似曾子，北宫黝似子夏。夫二子之勇，未知其孰贤，然而孟施舍守约也。"

【张居正注评】

贤，是胜。约，是简要。孟子说："北宫黝、孟施舍之养勇，固皆能不动其心矣，若论其所守，则亦有不同。盖孟施舍以无惧为主，是专务守己者，看他气象却似曾子，平日凡事反求诸己的一般。北宫黝以必胜为主，是专务敌人者，看他气象却似子夏，平日凡事笃信圣人的一般。然此特其气象之相似耳。若论二子之勇，都是血气用事的，他两人不相上下，也定不得谁胜，但就中较量，则孟施舍之所守，为得其要焉。盖黝务敌人，是求在人者也，求在人则有时而不可必；舍专守己，是求在己者也，求在己则无往而不自由。此舍之所守为得其要，而非黝之所能及也。若进而求诸义理之勇，则舍与黝又何足道哉？"

【原文】

"昔者曾子谓子襄曰：'子好勇乎？吾尝闻大勇于夫子矣：自反而不缩，虽褐宽博，吾不惴焉；自反而缩，虽千万人，吾往矣。'"

【张居正注评】

子襄，是曾子弟子。夫子，指孔子说。缩字，解做直字。惴，是恐惧的意思。孟子又告公孙丑说："孟施舍之勇，虽似曾子，然但以气胜，非以理胜也。昔者曾子因子襄好勇，教他说道：'子好勇乎？勇有大小，那血气之小勇，何足为好？我尝闻义理之大勇于夫子矣。夫子有言，人之所恃以常申而不屈者，莫过于理。设使自家反己，理有不直，就是衣褐宽博至微之人，也敌他不过，岂得不惴然恐惧乎？使或自家反己，其理本直，纵有千万人之众，我也理直气壮，当奋然而往，与之相抗而不惧矣。这乃所谓大勇，而为子之所当好者也。'观于此言，则曾子之勇，比之于孟施舍，又自不同矣。"

【原文】

"孟施舍之守气，又不如曾子之守约也。"

【张居正注评】

承上文说，孟施舍之勇，所以能无惧者，只是守得自家一身之气，比于北宫黝为差胜耳。却又不如曾子之反身循理，所守尤得其要也。盖气有时而或屈，理则无往而不申。此曾子之勇，所以不可及耳。孟子之不动心，其原盖出于此。

【原文】

曰："敢问夫子之不动心与告子之不动心，可得闻与？""告子曰：'不得于言，勿求于心；不得于心，勿求于气。'不得于心，勿求于气，可；不得于言，勿求于心，不可。夫志，气之帅也；气，体之充也。夫志至焉，气次焉。故曰：'持其志，无暴其气。'"

【张居正注评】

帅，是主将。充，是充满。无暴，是善养的意思。公孙丑又问孟子说："北宫黝、孟施舍与曾子之所以不动心者，则既闻之矣，敢问夫子之不动心与告子之不动心，其道亦可得闻与？"孟子答说："欲知告子之不动心，只观其所言，便见他主意所在。他尝说：'人于言语间，理有不达，却要用心思索以求通解，是心以言而动也，必舍置其言，而不必反求其理于心。人于处事时，心有不安，却要用力修为，以求妥当，是心又以气而动也，必制住此心，而不必更求其助于气。'观告子之言，则其所以先我不动心者可知矣。然自我言之，心为本，气为末；彼谓不得于心，勿求于气者，是专以根本为急，而末在所缓，犹之可也。至如理寓于言，而言发于心，不得于言，正宜反求于心也。他却说勿求于心，则不惟所言之理，终有不通，而吾之本心，亦如槁木死灰，自丧其虚明之体，内外胥失之矣，夫岂可乎？何也？盖志以主宰乎一身，而役使乎气，是气的将帅。气以充满乎一身，而听命于志，是志的卒徒。虽有本末缓急，而其实不可偏废。是志固第一紧要，而气即次之矣。所以说，人固当持守其志，使卓然于内，以为一身之主宰，亦当善养其气，使充满于身，以为吾志之运用。此内外本末，交相培养之道也。彼谓不得于心，勿求于气者，但知强持其志，岂能无暴其气乎？其为不可则一而已。然则告子先我不动心，亦岂知制心之要者哉？"

子襄

【原文】

"既曰：'志至焉，气次焉。'又曰：'持其志，无暴其气者。'何也？"曰："志壹则动气，气壹则动志也。今夫蹶者趋者，是气也，而反动其心。"

【张居正注评】

蹶，是跌倒。趋，是快走。公孙丑未达志至、气次之义，又问说："天下之理，分数有轻重，则工夫有缓急。夫子既说志为至极，气为次之，则志重于气，人但当持守其志可矣，却又说无暴其气，而气亦在所当养者，何也？"孟子说："志气本是相须，持养不可偏废。如志之所在专一，则四肢百骸，皆随其运用，固足以动乎气。然使气之所在专一，则心思意念，或不及管摄，而志亦反为其所动矣。何以见得气能动志？今夫人之步履至于倾跌，奔走至于急遽，这蹶者趋者，都是仓卒之间，气失其平所致，若与心无干,而反能震动其心,使之惊惕而不宁,这岂非气一动志之验乎?夫志壹动气,可见志方至极,而气壹亦能动志,可见气印次之矣。此所以既持其志,又无暴其气也。子何以此为疑哉?大抵志动气者理之常,气动志者事之变。志固难持,而气亦未易养也。且如溺声色,则耳目易荒;嗜盘游,则精力易耗;喜怒过当,则和平之理易伤;起居不时,则专一之度或爽。诸如此类,皆谓之暴其气,不但一蹶一趋,足以摇动其心而已。"养气者不可不知。

【原文】

"敢问夫子恶乎长?"曰:"我知言,我善养吾浩然之气。""敢问何为浩然之气?"曰:"难言也。"

【张居正注评】

长,是高过乎人的意思。浩然,是盛大流行的模样。公孙丑又问孟子说:"夫子之不动心,所以异于告子者,有何所长而能然乎?"孟子答说:"我之所以异于告子者,只是两件学问。告子说不得于言,勿求于心,是不能知言也。我能穷究天下之言,而于是非得失之指归,能悉知其一定之理。告子说不得于心,勿求于气,是不能养气也。我能善养吾身之气,而于盛大流行之体用,能复全其本然之初。惟知言,则遇事有真见,而心无所疑。惟养气,则临事有担当,而心无所惧。吾之所以异于告子而能不动心者,如此。"公孙丑又问说:"气便是气,如何叫做浩然之气?夫子既善养之,必有可得而名言者,请试言之。"孟子说:"凡物之有形有声者,便可指其形声而言之。惟这浩然之气,充满于身,而听命于志,无形可见,无声可闻,有难以言语形容者。我虽能善养之,不能为子言之也。"观此,则孟子之实有是气可知矣。不然,亦何其体验之真切如此哉。

【原文】

"其为气也,至大至刚,以直养而无害,则塞于天地之间。"

【张居正注评】

大,是宏大。刚,是坚劲。直,是顺其自然。塞,是充满的意思。孟子说:"浩然之气,虽是难言,然求之赋予之初,验之扩充之后,则其体段亦有可见者。盖这气在人,不是狭小柔弱的。自其舍弘而言,则浑浑融融,太和之内,无物不容,而非形骸所能限量,何如其至大乎。自其强毅而言,则凛凛烈烈,奋激之下,百折不回,而非物欲所能屈挠,何如其至刚乎。这等样刚大,乃人有生之初,所得于天地之正气,其体段本自如此,但人不能善养之耳。诚能顺其自然以直养之,而不使有一毫作为之害,则刚大之本体无亏,而磅礴之真机自运。上际乎天,下蟠乎地,盈天地之间,无非此气之充塞矣。"夫以天地之大,而此气充满于其间,其浩然为何如哉?盖吾身之气,本与天地之气相为流通，故养而无害，则塞乎天地。若一为私意所累，便觉得狭小柔弱，充拓不去了。《书》称"帝德广运"，其功业至于格上下，光四表，何莫而非此气之运用乎？

【原文】

"其为气也，配义与道，无是，馁也。"

【张居正注评】

配，是合。义，是人心之裁制。道，是天理之自然。馁，是气不充体，如饥饿的模样。孟子又告公孙丑说："人能善养刚大之气，而塞于天地之间，则是气也，岂空虚污漫，无所附着者哉？乃与道义相辅而行者也。盖道义虽具于人心，而不能自行。惟养成此气，则见义所当为的，便奋然必为，而吾心之裁制，因之以果决；见道所当行的，便挺然必行，而天理之自然，得之以深造。气因道义而发愤，道义得气而赞成。两相配合，无所疑惮，而凡利害祸福，出于道义之外者，皆不足以动其心矣。若无是气，则体有不充，索然自馁，纵欲行夫道义，也都逡巡退缩，且疑且惧，而不足以有为矣，其何以配之哉？"夫天地间莫大于道义，而此气有以配之，则其所谓浩然者可见矣。功用之大如此，人可无善养之功哉？

【原文】

"是集义所生者，非义袭而取之也。行有不慊于心，则馁矣。我故曰，告子未尝知义，以其外之也。"

【张居正注评】

集，是积聚。袭，是不由正道，掩袭于外的意思。慊，是快足。孟子说："浩然之气养之固足以配道义矣，然方其养之之始，这气何由而生？必由平日工夫，事事合义，日复一日，积聚既多，则心无愧怍，而此气自然发生于中。是乃集义所生者，不是一事偶然合义，便可感激奋励，掩袭于外而取之也。若平时无集义之功，只是一事偶合，则行出来的，必有亏欠，心中岂能快足。心既不慊，则气亦从此不振，而索然馁矣。是岂可掩袭而取乎？夫心之慊与不慊，由于义之集与不集，则是义本心中自有之理，而不在于外明矣。我故说告子不曾识义，正为他说义在于外而不在于心故也。既以义为外，则必不能集义以生气，其先我不动心者，不过悍然不顾，以袭取之而已，岂真不动心者哉？"按：孟子所谓集义以生气，正曾子所谓自反而缩，则千万人吾往。盖人能事事合义，自反常直，则此气自然充拓得去，而浩然塞于天地之间。古之圣贤，以大勇称者，其工夫正在于此。

【原文】

"必有事焉，而勿正，心勿忘，勿助长也。无若宋人然：宋人有闵其苗之不长而揠之者，芒芒然归，谓其人曰：'今日病矣！予助苗长矣！'其子趋而往视之，苗则槁矣。天下之不助苗长者寡矣。以为无益而舍之者，不耘苗者也；助之长者，揠苗者也。非徒无益，而又害之。"

【张居正注评】

事，是用功。正，是预期其效。助长，是作为以助气之长。闵，是忧。揠，是拔。芒芒，是昏昧无知的模样。病，是疲倦。孟子说："气由集义而生，非由义袭而取。则欲气之充者，其用功当何如？必须从事于集义，孜孜汲汲，专一在义上做工夫，庶几功深力到，自然充足。切不可预先期必，一面用功，一面便欲取效，使进修之志，或杂于谋利之私也。如或未充，亦是集义之功未至。但当勿忘其所有事，心心念念，到底在义上做工夫，庶几优游厌饫，自然生长。切不可躁进欲速，作为以助其长，使正大之体，反害于矫揉之力也。夫有事勿忘，则气得所养。勿正而勿助长，则气又无所害。集义养气之节度如此。善学者当循此而行，慎无若宋人的模样乃可耳。盖宋人有忧其苗之不长而拔起其根，使之骤长者。却乃芒芒然归，对家人说，今日我疲倦矣，苗之不长者，我助之长矣。其子信以为然，趋向田间视之，则见苗已枯槁矣。是宋人自谓助苗以长，而为苗害也。今天下之养气者，类先有个期必的心，都去做助长的工夫，其不若宋人之助苗长者少矣。不知助之为害，有甚于忘。彼以气为无益而舍之不养者，就如不耘苗的一般，虽无所益，未甚为害。惟是助气之长，正如揠苗的一般，非惟无益于气，又从而害之矣。盖其忽然而长，既勇猛粗暴，而不能以自制，忽然而馁，则又消沮退怯，而不复能以有为，其害可胜言哉？此可见义可集而不可袭，气可养而不可助。"孟子一生学问，皆从集义中来，其源固出于曾子之大勇；而告子强制其心，正蹈宋人之害者也。养气者其慎辨之。

【原文】

"何谓知言？"曰："诐辞知其所蔽，淫辞知其所陷，邪辞知其所离，遁辞知其所穷。生于其心，害于其政；发于其政，害于其事。圣人复起，必从吾言矣。"

【张居正注评】

诐，是偏曲。淫，是放荡。邪，是邪僻。遁，是逃躲。这四件都是言语之病。蔽，是遮隔。陷，是沉溺。离，是叛去。穷，是困屈。这四件都是人心之病。公孙丑问说："夫子之不动心，由于知言养气，养气之说，既闻命矣，如何谓之知言？"孟子答说："人之言语，皆本于心，其心明乎正理而无蔽，然后其言平正通达而无病。若是任其偏曲之见，说着一边，遗了一边的，叫做诐辞。必其心中见理不透，为私欲之所障蔽故也。我则因其诐辞，而知其心之所蔽焉。又有高谈阔论，放荡而无所归宿的，叫做淫辞。此其心中蔽锢已深，为私欲之所迷陷故也。我则因其淫辞，而知其心之所陷焉。又有好为异说，新奇诡怪，与正论相背的，叫做邪辞。此必其心中惑于他歧，与正理

判然离异故也。我则因其邪辞，而知其心之所离焉。又有说得不当，却支吾躲避，屡变以求胜的，叫做遁辞。此必其心屈于正理，自觉其穷极而难通故也。我则因其遁辞，而知其心之所穷焉。这四者之病，不但有害于人心而已。既生于其心，则施之礼乐刑政，俱失其中，而有害于政。既发于其政，则凡一举一动，皆不当理，而有害于事。其机相因，断断乎决然而不可易。虽圣人复起，他见得道理分明，不过如此，我知其必从吾言矣。夫既知其发言之所自，而又知其贻害之无穷，吾所谓知言者如此。若告子不得于言，勿求于心，则是冥然罔觉而已，何足以语此哉？此我不动心，所以异于告子也。"此可言出心，其发于是非邪正之端甚微，而关于理乱安危之机甚大。古之圣王，惟虚心以观理，据理以察言，是以权度不差而聪明不眩也。然则知言之学，图治者岂可忽哉？

【原文】

"伯夷、伊尹于孔子，若是其班乎？"曰："否。自有生民以来，未有孔子也。"曰："然则有同与？"曰："有。得百里之地而君之，皆能以朝诸侯，有天下；行一不义，杀一不辜而得天下，皆不为也。是则同。"

【张居正注评】

班，是齐等。公孙丑又问孟子说："伯夷、伊尹于孔子，既皆古之圣人，则其人品，果是齐等而无高下否乎？"孟子答说："伯夷、伊尹，岂可比于孔子。盖凡行造其极，皆谓之圣，而分量大小不同。若孔子之道德事功，就是从古到今，许多圣人，都未有如此之盛者，非伯夷、伊尹所得而班也。"公孙丑又问说："孔子虽称独盛，然与夷、尹皆谓之圣人，不知也有同处否？"孟子说；"也有同处，盖谓之圣人，则其根本节目之大，自异于人。假如得百里之地而君临之，这三圣人都有经天纬地之才，济世安民之略，能朝服诸侯，而一统天下。盖其德既盛，则天与人归，自能得众而得国也。然虽有君天下之德，而初无利天下之心，若使他行一不义之事，杀一无罪之人，而可以得天下，这三圣人必不肯为。盖其心既正，则内重外轻，必不苟取而贪得也。此则根本节目之大，三圣人无有弗同者。于此不同，则乌在其为圣人哉。"然观孟子以辅世长民自任，以仁义劝时君而岩岩气象，虽万钟千驷不可夺，非其所造几于圣人，安能言之亲切如此？

【原文】

曰："敢问其所以异？"曰："宰我、子贡、有若，智足以知圣人，汙不至阿其所好。"

【张居正注评】

汙，是卑下。阿，是私曲。公孙丑又问说："夷、尹之与孔子，其根本节目之同，则既闻之矣,敢问孔子之所以异于夷、尹者何如?"孟子答说:"孔子异于群圣,非我一人之私言,比先孔门弟子已有言之者矣。昔宰我、子贡、有若,这三人识见高明,学力至到,其智足以深知圣人,凡所称扬,一一都有的据。假使他自处卑下,故欲推尊其师,亦必实有所见,不至阿私所好而空誉之也。吾谓孔子之尤异,盖亦取信于三子之言耳。"

【原文】

"宰我曰:'以予观夫子,贤于尧舜远矣。'"

【张居正注评】

予,是宰我的名。贤,是胜过的意思。孟子引宰我之言说:"'自古圣人,必以尧舜为称首,以予观于夫子,胜于尧舜远矣。盖尧舜以道治天下,其功业在一时。夫子又推其道以删述六经,垂教万世,则其功业在万世。以一时之功,较诸万世之功,夫子其不贤于尧舜乎?'宰我之推尊孔子如此。"

【原文】

"子贡曰:'见其礼而知其政,闻其乐而知其德,由百世之后,等百世之王,莫之能违也。自生民以来,未有夫子也。'"

【张居正注评】

孟子又引子贡之言说:"'自古圣王,世代久远,其所行之政,与其所存之德,固不得见而知之,然亦有可知者。盖礼所以饰政,观其所制之礼,则其所行之政可知。如礼之尚质者,其政亦简;礼之尚文者,其政亦详,是也。乐所以彰德,听其所作之乐,则其所存之德可知。如乐之尽善者,必性之之德;乐之未尽善者,必反之之德,是也。我持此以论前代,由今百世之后,而差等以前百世之王,其政其德,宛在目前,莫能逃吾之见者。然自生民以来,作者虽多,未有如吾夫子之盛者也。盖吾夫子虽生于百世之后,而能集群圣之大成。其政则绥来动和,与天地而同流;其德则祖述宪章,与天地而同大。此所以远过百王,而莫之能及也。'子贡之推尊孔子又如此。"

【原文】

"有若曰:'岂惟民哉?麒麟之于走兽,凤凰之于飞鸟,太山之于丘垤,河海之于行潦,类也。圣人之于民,亦类也。出于其类,拔乎其萃,自生民以来,未有盛于孔子也。'"

【张居正注评】

垤,是蚁穴上土堆。行潦,是路上无源之水。萃,是聚。孟子引有若推尊孔子之言说道："'天地间其惟民有同类哉？凡物亦皆有之。如麒麟与走兽，一般是走；凤凰与飞鸟，一般是飞；太山与丘垤，一般是山；河海与行潦，一般是水，其类未尝不同也。至若圣人之与凡民，一般有形有性，亦同类而已。但圣人能践其形，能尽其性，虽与人同类，而卓然高出于人类之上，虽与众聚处，而挺然超拔于群聚之中，此圣人所以异于凡民耳。然圣人固异于凡民，而孔子尤异于群圣。自生民以来，非无出类拔萃的圣人，而孔子道冠百王，德超千古，实未有如其盛者，岂非出类拔萃之尤者哉？'由宰我、子贡、有若之言观之，则孔子之圣，虽自古帝王皆莫能及，而况于伯夷、伊尹乎？此吾所以愿学之也。"按：《孟子》此章，始言知言、养气，以明不动心之原，末复推尊孔子，以申愿学之意。盖当时霸功甚盛，圣学不明，管、晏之术大行，孔子之道不著，故孟子直以其学于孔子者告公孙丑，所以辨王霸之大端，而扩前圣所未发也。有志于圣学者，宜潜心焉。

【原文】

孟子曰："以力假仁者霸，霸必有大国；以德行仁者王，王不待大：汤以七十里，文王以百里。"

【张居正注评】

霸，是诸侯之长，言其势力强大，足以把持天下，如齐桓公、晋文公是也。孟子说："古今论治道有二端：一是霸道，一是王道。欲知王霸之异道，亦观其心术而已。若恃其土地甲兵之力，而假托于救世安民之事，其事虽公，其心实私，这等的叫做霸。霸者必据有大国，然后威势足以制人，名号足以鼓众，天下皆畏而服之，此所以能合诸侯而成霸业也。苟非大国，则无所凭借以立功名，何以成其霸乎？若以大公至正之德，而行其救世安民之仁，心皆实心，政皆实政，这等的叫做王。王者则至诚自足以感动，善政又足以招徕，不待土地之广，甲兵之强，而人心自然悦服，可以朝诸侯而王天下。如成汤起于亳都，地不过七十里而已；文王起于岐周，地不过百里而已。惟以德行仁，遂建有商周之王业，何待于大国乎？夫王霸之所为皆仁也，顾出于假即为霸，出于诚即为王。心术之诚伪甚微，而治道之纯驳顿异，如此。"

【原文】

"以力服人者，非心服也，力不赡也；以德服人者，中心悦而诚服也，如七十子之服孔子也。《诗》云：'自西自东，自南自北，无思不服。'此之谓也。"

【张居正注评】

赡，是足。《诗》，是《大雅·文王有声》之篇。孟子承上文说："王霸之心术不同，故人之服之者亦异。霸者以力假仁而人服之，虽外面顺从，却不是真心爱戴；特屈于力之不足，寡不敌众，弱不敌强，故不得已而服之耳。若王者以德行仁而人服之，非是勉强顺从，乃其中心爱慕喜悦，有发于至诚而无所强者，就如七十子之于孔子一般。非有名位势力以联属之，而流离困苦，相从不二，其服之诚如此。《诗·大雅·文王有声》之篇说道：'王者之化，自西自东，自南自北，无所思而不服。'夫服尽于东西南北，则德之所被者广，服出于心思，则诚之所结者深。此正王者以德服人，而心悦诚服之谓也。彼霸者何足以语此哉？"按：此章论王霸之辨，只在诚伪之间，同一施仁也，而以力假之则霸，以德行之则王。同一服人也，而以力服之则霸，以德服之则王。其事功纯驳，感人之浅深，不可同日而语。此论王道者，所以必本之诚意也。图治者其审所尚哉！

【原文】

孟子曰："仁则荣，不仁则辱。今恶辱而居不仁，是犹恶湿而居下也。如恶之，莫如贵德而尊士，贤者在位，能者在职；国家闲暇，及是时，明其政刑。虽大国，必畏之矣。"

【张居正注评】

孟子说："人情孰不好荣而恶辱，然荣辱无常，惟人所召，在仁与不仁而已。诚使为人君的修德行善，事事皆出于仁，则身尊名显，不期荣而自荣矣。若是骄奢淫逸，事事皆出于不仁，则身危国乱，不期辱而自辱矣。今之人君皆有恶辱之心，而所为的都是不仁之事，虽欲去辱，势必不能。就如恶湿之人不能移居高敞，而仍处卑下之地，岂能免于湿乎？故人君惟不恶辱则已，如诚恶辱，则莫如去不仁而为仁。不自挟其贵也，而贵重道德；不自恃其尊也，而尊礼贤士。士之贤而有德的，则使之布列有位，以正君而善俗；士之能而有才的，则使之分任众职，以修政而立事，斯则有治人而可与图治道矣。如幸而国家闲暇，无敌国外患之忧，可以从容有为，次第整理，则趁这时节，务与贤能之臣，修明其政事，而使大纲小纪秩然不乱，修明其刑法，而使五刑五用，咸适其宜。似这等用人行政，孳孳汲汲，惟务修德以自强，则可谓仁矣。由是人心悦而邦本安宁，国势张而天下无敌，虽强大之国，亦翕然畏服而听命之不暇矣。何荣如之？吾所谓仁则荣者如此。"

【原文】

"《诗》云：'迨天之未阴雨，彻彼桑土，绸缪牖户。今此下民，或敢侮予？'孔子曰：'为此诗者，其知道乎！能治其国家，谁敢侮之？'"

【张居正注评】

诗，是《豳风·鸱鸮》篇。迨，是及。彻，是取。桑土，是桑根之皮。绸缪，是缠绵补葺的意思。孟子说："人君欲强仁以求荣，则当及时以图治。昔周公作《鸱鸮》之诗，托为鸟言说道：我之为巢，将以蔽风雨而御患害。然使既雨之后为之，则无及矣。必趁此天未阴雨之时，先取那桑根来，补葺巢之牖户，使坚好完固，则他日虽遇阴雨，亦不动摇，在下之民，宁或有侮我而击射之者乎？诗人托为鸟言如此。孔子读而赞之说：为此诗者，其知治国之道乎！盖凡有国家者，其平居无事，正如天未阴雨之时，若能乘其闲暇，汲汲然简任贤才，励精治理。纪纲紊乱的，及时整顿；法度废弛的，及时修补。使事事周密，无一些罅漏，亦如鸟之绸缪牖户一般。则内政修明，根本牢固，那敌国自将畏服不暇，谁敢有肆其侵侮者乎？此诗之言所以为知道也。由诗及孔子之言观之，我所谓仁则荣者，益可信矣。"

【原文】

"今国家闲暇，及是时，般乐怠敖，是自求祸也。"

【张居正注评】

般乐，是乐而忘返，盘旋不已的意思。怠，是惰慢。敖，是恣肆。孟子又说："人君图治，不在于扰攘多故之日，而在于安宁无事之时，时固难得而易失也。但今之诸侯，都没有忧深虑远未雨绸缪之意，见得国家闲暇，无敌国外患之忧，便谓可以久安长治。乃及是时，般乐以纵欲，怠敖以偷安，把政事刑法，全不整理，致使国本动摇，人心离散，内忧外患，纷然并起，而败亡随之矣。这祸患却是自己求来的，又将谁咎哉？我所谓不仁则辱者如此。"

【原文】

"祸福无不自己求之者。《诗》云：'永言配命，自求多福。'太甲曰：'天作孽，犹可违；自作孽，不可活。'此之谓也。"

【张居正注评】

永言，是常常思念的意思。孟子承上文说："人君当国家闲暇之时，而修德自强，则必受兴隆之福；苟盘乐怠敖，则必受败亡之祸。是祸与福，无不自己求之者。求祸得祸，求福得福，皆所自取，岂可诿于偶然之数哉！《诗·大雅·文王》之篇说：为人君者，若知天命至重，不可以易承，或修德行仁，克反身克己，长思与之配合，而不敢违背，则天心降鉴，福祚无疆，多福之来，乃其所自求者矣。《商书·太甲》篇说：凡祸孽之来，若是天之所作，如水旱灾眚之类，出于气数者，犹可以人力挽回而去之。若自作不善而致祸孽，则为恶得祸，乃理之常，必至于死亡而不可救矣。夫福曰自求，则非无因而得福；孽曰自作，则非无因而致祸。《诗》、《书》之言如此，正祸福无不自己求之谓也。吾所谓仁则荣，不仁则辱，岂不信哉！"按：孟子此章论祸福之说甚明，而其大旨以及时修德为要。盖天命无常，惟德是辅，未有修德而反受祸者，亦未有丧德而反获福者。祸福之机，天人之际，明主宜致思焉。

【原文】

孟子曰："尊贤使能，俊杰在位，则天下之士皆悦，而愿立于其朝矣；市，廛而不征，法而不廛，则天下之商皆悦，而愿藏于其市矣。"

【张居正注评】

俊杰，是才德出众之人。廛，是市上的房税。法，是市官的法禁。孟子说："王政之要，在得人心。而人心之向背，亦视其行政之得失何如耳。且如贤能之士，乃国家所赖以辅治者，使弃而不用，则豪杰解体，而人心失矣。必于贤而有德者，隆礼以尊敬之；能而有才者，分任而器使之，使才德出众之俊杰，皆济济在位，而不肖者不得参与其间。则野无遗贤，朝无幸位，天下之士，凡以俊杰自待的，皆自庆其遭逢之不偶，中心喜悦，而愿立于其朝矣。至于日中为市，亦国家所资以通财用者，使征求太过，则商贾不行，而人心失矣。必于逐末者多，则量取其市地之廛而不征其货。若逐末者少，则但治以市官之法，而不税其廛。则上不废法，下不病商。天下之商，凡以有无相易者，皆不苦于征求之害，中心喜悦，而愿藏于其市矣。天下之士归之，则上不劳而政自理；天下之商归之，则赋不加而用自足。此用人理财之大端，王政之首务也。"

【原文】

孟子曰："人皆有不忍人之心。先王有不忍人之心，斯有不忍人之政矣。以不忍人之心，行不忍人之政，治天下可运之掌上。"

【张居正注评】

孟子说："天地以生物为心，人各得天地之心以为心，故可矜可怜之事，一触于外，而恻怛好生之意，遂动于中，这叫做不忍人之心。是心也，人皆有之。但众人每为物欲所蔽，故不能察识此心，而推之政事之间耳。惟古先圣王，私欲净尽，天理流行，满腔子都是不忍人之心，所以随感而发，行出来的，无非不忍人之政。如不忍人失养也，便为之制田里，教树畜，以厚其生；不忍人之失教也，便为之设学校，明礼义，以复其性。皆真心自然，不由矫强。夫有是心而继之以政，则非徒善；行是政而本之于心，则非徒法。由是老吾老以及人之老，幼吾幼以及人之幼。天下虽大，以此心治之而有余矣。岂不如运之掌上而无难哉！夫不忍人之心一也，众人徇欲，则此心愈削而愈微；圣人无欲，则此心愈推而愈大。愈微，则违禽兽不远；愈大，则与天地同流。故能察识而扩充之，则可以复天地之初，而与先王同治矣。"

【原文】

"所以谓人皆有不忍人之心者，今人乍见孺子将入于井，皆有怵惕恻隐之心。非所以内交于孺子之父母也，非所以要誉于乡党朋友也，非恶其声而然也。"

【张居正注评】

乍见，是骤然看见。孺子，是孩子。怵惕，是惊动的模样。恻，是伤之切。隐，是痛之深。声，是名声。孟子又说："天下之人，各一其心，我却谓人皆有不忍人之心者，从何处验之？盖人情于从容闲暇之时，容可安排矫饰；惟是卒然感触，着不得一毫思虑的去处，才是真心。今有人骤然见一无知孺子将入于井，无论亲疏厚薄，智愚贤不肖，皆必为之怵惕而惊动不宁，恻隐而痛伤甚切。盖触于目，激于衷，其真心自然呈露，有不容已者。这不是要交结那孺子的父母，使之感戴而为之；也不是要乡党朋友，称誉他的仁德而为之；也不是怕人非议，恶此不仁之名而为之。乃卒然感遇，良心自形，发之骤而无暇思维，动以天而不待勉强，一无所为而为之者也。即此验之，可见不忍人之心，果是人人同具，不独先王有之矣。盖人得天地生生之理，满腔子都是此心，故其发见真切如此。推之则舜矜不辜，禹泣无罪，亦不过即此乍见孺子之心，充之以保四海耳。"孟子尝以见牛觳觫之心启齐王，盖与见孺子之意互发，人主能扩充是心，以行如保赤子之政，则仁不可胜用矣，何有于先王之治哉？

【原文】

"由是观之：无恻隐之心，非人也；无羞恶之心，非人也；无辞让之心，非人也；无是非之心，非人也。恻隐之心，仁之端也；羞恶之心，义之端也；辞让之心，礼之端也；是非之心，智之端也。"

【张居正注评】

端，是头绪。孟子承上文说："人见孺子入井，即有怵惕恻隐之心，又皆发于自然，不待勉强。这等看来，可见好生恤死，人之同情，未有可伤可痛之事交于前，而悲伤哀痛之意不动于中者。若无恻隐之心，则非人类也。观恻隐之心，则羞恶、辞让、是非之心可知。如己有不善，未有不羞耻者；人有不善，未有不憎恶者，此心人人皆有。若无羞恶之心，则非人类也。理所当辞，则必辞使去己；理所当让，则必让以与人，此心亦人人皆有。若无辞让之心，则非人类也。知其为善，则必以为是；知其为恶，则必以为非，此心亦人人皆有。若无是非之心，则非人类也。是人之所以为心，只此四者而已。然此四者之心，所以感而遂通，触而即应者，为何？是皆吾性之所固有，而发之为情者耳。盖性中有仁，其慈爱之真，有蔼然而不容已者。故遇有可伤可痛之事，而恻隐之心自形，此乃仁之端绪也。性中有义，其裁制之宜，有截然而不可紊者。故遇有可耻可憎之事，而羞恶之心自发，此乃义之端绪也。性中有礼，其斋庄恭敬，有自然之品节。故出之即为辞让之心，此乃礼之端绪也。性中有智，其灵虚洞彻，有本然之衡鉴。故出之即为是非之心，此乃智之端绪也。性虽观见，而呈露必有端倪，就如丝虽难理，而寻绎皆有端绪的一般。有是性，则有是情，因其情，可以知其性矣。然则扩充之功，岂可诿哉！"

【原文】

"人之有是四端也，犹其有四体也。有是四端而自谓不能者，自贼者也；谓其君不能者，贼其君者也。凡有四端于我者，知皆扩而充之矣，若火之始燃，泉之始达。苟能充之，足以保四海；苟不充之，不足以事父母。"

【张居正注评】

四体，是手足。贼，是害。扩，是推广。充，是满。孟子承上文说："恻隐、羞恶、辞让、是非之心，固为仁义礼智之端矣，然这四端，非本无而暂有者。人有这心，决然有这四端，就如人有这身，决然有这四体。天下无四体不备之人，则亦岂有四端不具之人乎？既是人皆有之，则扩充之功，人皆能之矣。故有是四端，而自谓不能扩充者，是置其身于不善之地，而自害者也；或谓其君不能，而不勉之以扩充之功者，是引其君于不善之地，而害其君者也。为人臣者，固不忍薄待其君，而爱其身者，又岂可自处其薄哉？但人多为私欲所蔽，不能察识而扩充之耳。若使凡有四端于我者，皆能察识此心，知得扩充的道理。如有恻隐之心，则知以其所不忍，达之于其所忍，以扩充之以求仁；有羞恶之心，则知以其所不为，达之于其所为，而扩充之以行义；至于辞让、是非之心，亦莫不然。则本体昭融，真机活泼，引之而即起，触之而即通，其日新月盛之机，就如火之方炽，而不可扑灭，泉之方出，而不可壅遏矣。苟能由此方动之机，而遂充满以极其量，则仁无所不爱，义无所不宜，礼无所不敬，智无所不知，举四海之大，皆囿吾一心之中，自足以保之而无难矣。苟为不充，则仁义礼智，终非己有。性分日亏，彝伦攸斁，虽至亲若父母，且不足以事之，而况于四海乎！"夫此一心也，充之，则可以横乎海宇；不充，则不能行于家庭。古之先王，所以始于家邦，终于四海者，惟善推其所为而已。齐宣王知爱一牛，而功不加于百姓；梁惠王以土地之故，糜烂其民而战之。皆不能以不忍人之心，行不忍人之政者也，何足以语先王之治哉！

【原文】

孟子曰："矢人岂不仁于函人哉？矢人惟恐不伤人，函人惟恐伤人。巫、匠亦然。故术不可不慎也。孔子曰：'里仁为美。择不处仁，焉得智？'夫仁，天之尊爵也，人之安宅也。莫之御而不仁，是不智也。"

【张居正注评】

矢人，是造箭之人。函人，是造甲之人。巫，是祈禳的。匠，是造棺椁的。御，是止。孟子说："恻隐之心，人皆有之。那矢人之心，岂不仁于函人哉？其初一而已矣。但矢人造箭，惟恐箭之不利而不伤人；函人造甲，惟恐甲之不坚而至于伤人。术

业既殊，故其存心自不能不异耳。不但这两样人，那巫者以祈禳为事，常利人之生；匠者以造棺为业，常利人之死。是匠者之心，岂不仁于巫者之心，乃其术业使之然也。故术之在人，关系甚大。习于仁，则有仁人之心，而善端日长；习于不仁，则亦有不仁之心，而恶念日增。人之择术，岂可以不慎哉？孔子曾说：'习俗移人，贤者不免。里有仁厚之俗，择居者尚以为美。若人之择术而不处于仁，则本心之明已失，安得为智乎？'观孔子之言，则可以见仁之当处矣。夫仁之为道，论其贵，则为天之尊爵，论其安，则为人之安宅。盖凡天所赋予之善，皆为天爵。而仁乃天地生物之心，居五常百行之上，得之最先，而所统最广，就如爵位尊贵，无所不统的一般，所以说天之尊爵也。凡人所居止之处，皆谓之宅。而仁则有天理自然之安，无人欲陷溺之危，人当常在其中，而不可须臾离者，就如高堂大厦，住得安稳的一般，所以说人之安宅也。这尊爵安宅，是己所自有，人皆可居，本非他之所能止者。而乃不知择而处之，则取舍之分不明，而是非之心已失矣。故孔子谓之不智也。观孔子之言，则慎于择术者，可不务于求仁哉？"

【原文】

"不仁、不智、无礼、无义，人役也。人役而耻为役，由弓人而耻为弓，矢人而耻为矢也。如耻之，莫如为仁。仁者如射：射者正己而后发，发而不中，不怨胜己者，反求诸己而已矣。"

【张居正注评】

人役，是为人所役使。孟子承上文说："仁义礼智，乃人之四德，本自相因者也。若择术而不处于仁，则物欲日蔽，本心日昏，固谓之不智矣。夫既不智，则不复知礼义为何物，而动必越礼，行必乖义，又将无礼无义矣。四者尽无，则人道已丧，自置其身于卑贱之地，而天下之有德有力者，皆得而役使之，岂不为人役乎？既为人役，则虽有愧耻之心，而终不可免，就如业弓之人而耻为弓，业矢之人而耻为矢，虽欲不为弓矢，不可得也。如知人役之可耻，而必求所以免之，岂有他术哉？亦惟反其不仁而为仁耳。所尊者天爵，始可去卑而为尊；所居者安宅，始可易危而为安，自强之计，无出于此。然仁亦岂待于外求哉？求在我而已矣。盖仁者之于仁，就如射者之于射一般。射者必内正其志，外直其体，然后发矢。若发而不中，不怨那胜己的，惟反求诸身，以为吾志容有不正，吾体容有不直，求所以正之直之而已。为仁由己而不由人，何以异此。盖仁本固有，一反求而仁无不在。仁统四端，一为仁而智与礼义无不该矣，何患为人役哉？此择术者，所以必处于仁也。"按：战国之君，不务行仁，而以力相尚，往往小役大，弱役强，至于辱身亡国而不悟，故孟子谆谆言之。一则曰，不仁则辱，如恶之莫如贵德而尊士；一则曰，不仁则为人役，如耻之莫如为仁。皆启其羞恶之良，而进之以强仁之事，其旨最为深切。人生所宜深省也。

【原文】

孟子曰："伯夷，非其君不事，非其友不友。不立于恶人之朝，不与恶人言。立于恶人之朝，与恶人言，如以朝衣朝冠坐于涂炭。推恶恶之心，思与乡人立，其冠不正，望望然去之，若将浼焉。是故诸侯虽有善其辞命而至者，不受也。不受也者，是亦不屑就已。"

【张居正注评】

涂，是泥。乡人，是乡里间的常人。望望，是去而不顾的意思。浼，是污。屑，是洁。孟子说："古之人有伯夷者，其平生只是一个'清'字做到极处。上则择君而事，非可事之君，则弗事焉；下则择友而交，非可交之友，则弗友焉。当是时，国君有不善的，必不肯立于其朝。国人有不善的，必不肯与之言。使其立于恶人之朝，与恶人言，则此心跼蹐不宁，就如着了朝衣朝冠坐于涂炭的一般，有不能一息安者，其恶恶之严如此。推他这恶恶之心，莫说真是恶人不肯近他，就是与乡里常人并立，其冠不正，亦失礼之小耳，他也看做不好的人，必望望然去之，若将污累及己，而远之惟恐不速也。莫说是恶人之朝，不肯就他，虽是诸侯有善其辞命，卑礼屈节来征聘他，他也必不肯受。所以不受者，盖其心视天下无可事之君，亦无可立之朝，故不以就之为洁，而切切于就也。此其立己甚峻，不肯降志而辱身；待人甚严，不肯和光而同俗。伯夷所以为圣之清者如此。"

【原文】

"柳下惠不羞污君，不卑小官；进不隐贤，必以其道；遗佚而不怨，阨穷而不悯。故曰：'尔为尔，我为我，虽袒裼裸裎于我侧，尔焉能浼我哉？'故由由然与之偕而不自失焉，援而止之而止。援而止之而止者，是亦不屑去已。"

【张居正注评】

遗佚，是放弃。阨穷，是困穷。悯，是忧。露臂的叫做袒裼，露身的叫做裸裎，都是无礼的模样。由由，是自得的意思。援，是留。孟子说："昔鲁大夫有柳下惠者，其为人只是一个'和'字做到极处。与伯夷相反，故有君可事，便委身事之，虽污君而不以为羞；有官可居，便安心居之，虽小官而不以为卑。其进而事君居官也，推贤让善，未尝隐人之贤，且直道事人，不肯枉己之道。虽是为人所放弃而身处困穷，其心亦无入不得。遗弃而无所怨尤，困穷而无所忧患，盖其坦夷平易有超然于进退荣辱之外者如此。其平日尝说：'人生世间，形骸既分，善恶自别。尔自尔，我自我，原不相关。虽袒裼裸裎无礼于我侧，亦尔之自失耳，能污浼及我哉？'所以不择交游，不立崖岸，由由然与众人并处，而不自失其正焉。虽当欲去之时，有留住他的，他便住了。这等援而止之而止，则是视天下无不可事之君，无不可居之官，而亦无不可处之众。

故不以去为洁，而切切于去也。此其进退绰然，虽降志辱身而不以为屈。人已有辨，虽和光同俗而不以为非。柳下惠所以为圣之和者如此。"

【原文】

孟子曰："伯夷隘，柳下惠不恭。隘与不恭，君子不由也。"

【张居正注评】

隘，是窄狭。不恭，是不整肃的意思。由，是行。孟子既述伯夷柳下惠之为人，遂从而断之说："君子处世待人，自有个大中至正的道理。才偏着一边，便少了一边，非中道也。如伯夷之清，固是高洁，然却少了和这一边，其弊至于圭角太露，界限太严，看得天下没一个好人，就是衣冠不正这样小节，也便包容不得了，其度量何等窄狭，是失之隘也。柳下惠之和，固是平易，然却少了清这一边，其弊至于不修廉隅，不循礼度，看得世上没有一个不好的人，就是袒裼裸裎这样无礼，也都不计较了。其威仪全不整肃，是失之不恭也。夫伯夷、柳下惠都是圣人，就他身上来看，不至如此。但学了伯夷，其流必至于隘。隘则可以洁身，不可以容众接物。君子但取其清，弗由其隘也。学了柳下惠，其流必至于不恭。不恭则可以谐众，不可以砥行立节。君子但取其和，弗由其不恭也。盖必清而能通，不至于违世而绝俗；和而能介，不至于同流而合污，乃为中正之道，而君子所当由者耳。学者可不慎哉？"观此言而孟子愿学孔子之意，隐然在言外矣。

公孙丑章句下

凡十四章。

【原文】

孟子曰："天时不如地利，地利不如人和。三里之城，七里之郭，环而攻之而不胜。夫环而攻之，必有得天时者矣，然而不胜者，是天时不如地利也。城非不高也，池非不深也，兵革非不坚利也，米粟非不多也，委而去之，是地利不如人和也。"

【张居正注评】

环，是围。革，是甲。委字解做弃字。孟子说："守国用兵之要有三：时日干支，吉凶占候，叫做天时；山川城郭，险隘可守，叫做地利；民心归附，上下相亲，叫做人和。三者本不可缺一，然以轻重论之，天时虽足取胜，然其理难测，不如地利之可恃。地利虽足自守，然其险有形，又不如人和之可恃也。如何见得天时不如地利？假如三里之城，七里之郭，乃城郭之至小者，若不足以守国矣。然以其少有凭依，故敌人四面环攻，亦不能克。夫环而攻之，旷日持久，其间岂无干支旺相，遇着天时之善的。然而终不能克，此可见天时不如地利也。如何见得地利不如人和？且如敌人来攻，我之城非不高也，池非不深也，兵甲足以御敌非不坚利也，米粟足以养兵非不饶裕也。然必上下同心，方可固守。假使民心怨叛，不肯效死，将这城池兵粮委弃而去，君亦安得而保有之。此可见地利不如人和也。"要之人和既得，则天时地利，交相为用；人和既失，则天时地利，皆无足赖矣。信乎有国家者，以得人心为本也。

【原文】

王使人问疾，医来。孟仲子对曰："昔者有王命，有采薪之忧，不能造朝。今病小愈，趋造于朝，我不识能至否乎？"使数人要于路，曰："请必无归，而造于朝。"

【张居正注评】

采薪，譬如说打草，采薪之忧，是言疾不能采薪，盖谦词也。要，是拦阻。孟子既出吊于东郭氏，齐王不知，以为真疾，乃使人问之，又遣医来诊视。是徒谓殷勤仪节之间，可以虚縻贤者，而不知尊德乐道之诚，正不在此也。乃孟仲子不以实告，而又权辞以对之说："昔者以王命来召，适吾夫子有采薪之忧，不能造朝；今病小愈，恐违王命，乃趋造于朝，不识此时能至朝否？"孟仲子既饰辞以对使者，恐孟子不知，乃使数人要之于路，说："请必无归而造于朝。"欲以实己之言也。夫孟子辞疾出吊之意，本欲使齐王知之，有所感悟。乃公孙丑既疑其不可，而孟仲子又从而为之辞，则孟子以道自重之意，虽其门弟子亦不能知，而况齐王乎！此孟子所以不得不曲明其意也。

【原文】

不得已而之景丑氏宿焉。景子曰："内则父子，外则君臣，人之大伦也。父子主恩，君臣主敬。丑见王之敬子也，未见所以敬王也。"曰："恶！是何言也！齐人无以仁义与王言者，岂以仁义为不美也？其心曰'是何足与言仁义也'云尔，则不敬莫大乎是。我非尧舜之道，不敢以陈于王前，故齐人莫如我敬王也。"

【张居正注评】

景丑，是齐大夫。恶，是叹辞。孟子辞疾出吊，本欲警悟齐王。乃孟仲子不以实对，而要其必朝，则尽失孟子之本心矣。孟子既不能显言其意，又不欲趋造于朝，乃不得已而之景丑氏宿焉。盖欲示意于景丑，而使转闻于齐王耳。景丑乃责备孟子说道："人之处世，内而家庭，则有父子；外而朝廷，则有君臣。此是天下之大伦，自有生民以来，不可废也。父子以情相爱，故主于恩；君臣以礼相接，故主于敬。人人各有当尽的道理。今丑见王之待子，可谓致敬尽礼矣，乃未见子之所以敬王，其如君臣大伦何哉？"孟子因晓告之，叹息说道："子以我为不敬王，是何言也？大凡人臣敬君，不在仪节上周旋，只在大道理上明白。如今齐人都无以仁义告王的，岂是以仁义为不美的事，其心以为，王但知有功利，志趣卑陋，不足与言仁义云尔。这是以常人待其君，轻忽侮慢，不敬莫大乎此。若我则以尧舜望于王，平日所言，都是仁义，都是尧舜治天下的道理。若权谋功利，与尧舜之道不相似的，即不敢陈说于王前，是欲吾王扩充仁义，以致唐虞之盛治也。我不以庸君待王，而以大圣人望于王，则齐臣之中，岂有如我之敬王者哉？子乃以我为不敬王，是不知事君之大道矣。"

【原文】

景子曰："否，非此之谓也。《礼》曰：'父召无诺；君命召，不俟驾。'固将朝也，闻王命而遂不果，宜与夫礼若不相似然。"曰："岂谓是与？曾子曰：'晋楚之富，不可及也。彼以其富，我以吾仁；彼以其爵，我以吾义。吾何慊乎哉？'夫岂不义而曾子言之？是或一道也。天下有达尊三：爵一，齿一，德一。朝廷莫如爵，乡党莫如齿，辅世长民莫如德。恶得有其一，以慢其二哉？"

【张居正注评】

慊，是心有所不足的意思。孟子以陈善责难为敬，而不以趋走承命为礼，正是以宾师自处之意也。景丑不达，终是以臣礼责备孟子，乃应说："不然，我以子不敬王者，非此之谓也，谓于礼有未尽耳。《礼经》上说，人子闻父有召命，则唯而无诺；人臣闻君有召命，则不俟驾而行，是急趋君命者，乃礼之当然也。今子本将朝王，既闻王命，乃称疾不往，此与不俟驾之礼，若有不相似者。我以子为不敬王，盖以此也。"孟子晓之说："闻命则趋，固人臣事君之常礼，而以道自重，乃君子立身之大节。吾今所言，岂谓是与？昔曾子尝说，晋楚大国，其富诚不可及矣。然彼以其富，我以吾仁当之，不禄而富，是天下之至富者在我也。彼以其爵，我以吾义当之，不爵而贵，是天下之至贵者在我也。在晋楚非有余，在我非不足，吾又何慊乎哉？曾子之言如此，这岂不合于义而言之乎？是别有一种道理，超乎势分之外者。这道理为何？盖通天下之所尊的，凡有三样。爵位尊贵的，是一样；年齿高大的，是一样；道德完备的，是一样。在朝廷之上，以贵临贱，以卑承尊，那时只以爵为重，名分一定，莫敢僭逾，此爵所以为达尊也。在乡党之间，长者居上，少者居下，那时以齿为重，先后次序，莫敢违越，此齿所以为达尊也。至如辅佐一世，而成治安之功；长率万民，而致雍熙之化。此惟有仁义之德者能之，那时只以德为重，在朝廷不敢与之论爵，在乡党不敢与之论齿，此德所以为达尊也。今王虽富有齐国，南面称孤，其爵诚尊，然不过达尊之一耳。若论齿论德，则我有其二，安得以彼之一，而慢我之二哉！然则王之不当召我也明矣。"

【原文】

"故将大有为之君，必有所不召之臣，欲有谋焉，则就之。其尊德乐道不如是，不足与有为也。"

【张居正注评】

孟子承上文说："我谓王不当召我者，非故自为尊大也。亦以人君图治之要，只在尊德乐道而已。故自古帝王，将欲兴建太平，而大有为于天下，则必屈己下贤，隆礼待士，而有所不敢召之臣。如于君德治道，欲有所咨询；于民情政体，欲有所商确，则必枉驾就见，而亲访其谋猷，此所谓不召之礼也。夫以王公之尊，岂故屈身于匹夫之贱哉？只为尊敬其德，爱乐其道，欲使仁贤效用，治化有成耳。苟尊德乐道不如是，则任贤之心怠，望治之志荒，乌足与有为哉！此大有为之君，所以有不召之臣也。王乃欲召我，岂未欲大有为于天下耶？"

【原文】

"故汤之于伊尹，学焉而后臣之，故不劳而王；桓公之于管仲，学焉而后臣之，故不劳而霸。今天下地丑德齐，莫能相尚，无他，好臣其所教，而不好臣其所受教。"

【张居正注评】

丑，是类。尚，是过。孟子承上文说："自古大有为之君，行王道而王者，莫如成汤，行霸道而霸者，莫如齐桓公。这二君都有所不召之臣，伊尹、管仲是也。成汤三聘伊尹，知其志在于觉民，即从而受学焉，然后任之为相，号曰阿衡。故伐夏救民之事，伊尹皆以身任之，七十里而为政于天下，汤遂不劳而王矣。桓公一见管仲，知其才可以托国，即从而受学焉，然后任之为相，称曰仲父。故尊王攘夷之事，管仲皆以身任之，九合诸侯而不以兵车，桓公亦不劳而霸矣。一王一霸，功虽不同，要之尊德乐道，可与大有为则一也。今天下诸侯，以地则相类，以德则相等，莫有能建立王霸之业，而超过当时之君者。此无他故，只为列国之君，都以富贵骄人，不肯屈己下士。有一等趋走承顺，为我所教诲的，便喜欢用他，过为亲厚；有一等抱道怀德，我所从受其教诲的，便不喜欢用他，反致疏远。求如汤之于伊尹，桓公之于管仲者，不可复见矣。既无不召之臣，又安能成大有为之业，所以地丑德齐，终莫能相尚也。然则齐王欲大有为，岂可复蹈时君之习，而不以汤、桓为法哉！"

【原文】

"汤之于伊尹，桓公之管仲，则不敢召。管仲且犹不可召，而况不为管仲者乎？"

【张居正注评】

孟子直以不召之臣自任，说道："汤之于伊尹，桓公之于管仲，都是学而后臣，欲有谋焉则就之，未尝敢召之来见也。夫伊尹为元圣，其不可召，固不待言。至如管仲一霸者之佐耳，尚且不可召，而况不屑为管仲者，顾可召而见之乎？盖我所志者，伊尹之志所学者；曾子之学。辅世长民之德，无慊于晋楚；尧舜仁义之道，独陈于王前。

方将卑管仲于不足为，而顾托疾以召之，是待我不如管仲也，我岂可轻于往见哉？"孟子此言，非故自为高亢，盖有见于人君治天下之道，当如是耳。盖人君与贤者共治，若恃其富贵爵禄，可以奔走天下，则其待士轻。待士轻，则其任之必不重，任何由行其道乎？故君能降志于其臣，而后士重；士能亢志于其君，而后道行。上可为成汤、伊尹，下不失为桓公、管仲。此《易》之泰卦所以取于上下之交也。

【原文】

陈臻问曰："前日于齐，王馈兼金一百而不受；于宋，馈七十镒而受；于薛，馈五十镒而受。前日之不受是，则今日之受非也；今日之受是，则前日之不受非也。夫子必居一于此矣。"孟子曰："皆是也。"

【张居正注评】

陈臻，是孟子的门人。兼金，是好金。镒，是二十四两。陈臻见孟子周流列国，辞受不同，遂疑而问说："前日夫子在齐，齐王馈以兼金百镒，乃固辞之而不受；及在宋有七十镒之馈，则受之而不辞；在薛有五十镒之馈，则又受之而不辞。三国之馈同，而夫子之辞受则异。若以前日之不受齐馈为是，则今日受宋薛之馈，不免为伤廉；若以今日受宋薛之馈为是，则前日之不受齐馈，不免为矫激。此是彼非，不能两立，夫子必有一件不是的去处，臻不能以无疑也。"孟子晓之说："辞受乃君子立身之大节，应辞应受，只看道理上如何，不可苟也。我今辞齐之馈，不是矫激，乃辞所当辞；受宋薛之馈，不是伤廉，乃受所当受。要之皆当于理而已，子乃以异同为疑，是岂知我者哉？"

【张居正注评】

"当在宋也，予将有远行，行者必以赆，辞曰：'馈赆。'予何为不受？当在薛也，予有戒心，辞曰：'闻戒，故为兵馈之。'予何为不受？"

【张居正注评】

赆，是送行之礼。戒心，是警备的意思。孟子晓陈臻说："我谓辞受皆当于理，何以明之？盖君子之居人国，若交以道，接以礼，而峻然拒之，则是绝人于已甚，亦不可也。我当在宋时，将去之他国，有远方之行。夫人有远行，则交游之间，每有馈送之仪，以资道途之费，是礼之当然也。宋君致馈之辞，说是为我远行故来馈赆，则馈我为有名矣。彼以礼来，何为却之而不受乎？是我受宋之馈，未为不是也。我当在薛之时，偶遇着军旅之事，方有警戒之心。夫贤人在其境内，则国君当周给之，保护之，使无忧患，是亦礼之当然也。薛君致馈之辞说，是闻我方有戒心，故为兵事来馈，则馈我亦有名矣。彼以礼处我，又何为却之而不受乎？此我受薛之馈，亦未为不是也。夫赐人者，礼得则无愧辞，受人赐者，义得则无愧心，君子盖权之审矣。"

【原文】

"若于齐，则未有处也。无处而馈之，是货之也。焉有君子而可以货取乎？"

【张居正注评】

取字解做致字。孟子答陈臻说："我受宋、薛之馈，皆有所为故耳。若前日在齐，则既无远行之役，可以馈赆为辞，又无不虞之警，可以闻戒为辞，是于交际之礼，未有所据也。无所据而馈之，则是不问其义之当否，惟以财货交之而已。众人见利而动，可以货致者有之。至于守义之君子，立身行己，自有法度，岂可以货结其心，而收致之乎？知君子不可以货取，则齐王百镒之馈，乃义不当受者，此我之不受，亦所以为是也。臻又何疑焉？"盖君子辞受取予，惟义所在，义所当受，固未尝立异以为高。至于义所不可，则虽一介之微，有不轻于取者，而况于百镒乎？孟子处三国之馈，可以为世法矣。

【原文】

他日，见于王曰："王之为都者，臣知五人焉。知其罪者，惟孔距心。"为王诵之。王曰："此则寡人之罪也。"

【张居正注评】

邑中有先君之庙的叫做都。为都，是治邑。孟子既以臣之失职，责备距心，使之服罪矣，又欲因此警悟齐王。故他日自平陆之齐，来见齐王，就对他说："今之居官食禄，为君牧民者未尝乏人，然能尽忠补过者亦少矣。即如王之群臣，为治于都邑者，臣知得五人，五人之中，能自知其罪者，独平陆孔距心一人而已。"于是将前日所以切责距心，与距心所以自责的言语，一一为王诵说。盖欲使王知得外边百姓，这等流离困苦，做有司的，这等掣肘难行，庶几王心有所感悟耳。王果自任其咎说："人君职在养民，为臣者不过行君之令而致之民耳。使寡人能行仁政，那有司自然奉行，何至失职。今百姓不得其所，有司不得其职，皆缘寡人不能兴发补助以至于此，非寡人之罪而谁乎？我今知罪矣。"夫孟子一言，而齐之君臣各任其罪如此。使齐王能扩充此心，务损上以益下；齐之大夫能仰体君心，各修职以养民，则齐国庶几于大治矣。惜乎其悦而不绎，从而不改也。

【原文】

孟子谓蚳纸鼃曰："子之辞灵丘而请士师，似也，为其可以言也。今既数月矣，未可以言与？"蚳鼃谏于王而不用，致为臣而去。齐人曰："所以为蚳鼃则善矣，所以自为，则吾不知也。"

【张居正注评】

　　蚳鼃，是齐大夫。灵丘，是邑名。士师，是理刑的官。致字解做还字。齐臣有蚳鼃者，尝辞灵丘大夫之命，而请为士师，盖职掌刑罚而有谏诤之责者也。孟子以职事讽之说道："人臣之义，内外远近，惟君所使。子乃辞灵丘而愿为士师，是岂择官而仕乎？其于道理，亦有近似者。盖人臣在疏远之地，则下情多壅于上闻；为亲近之官，则忠言或易于乘间。子今职专理刑，在王左右，则凡刑罚有失中的，可以随时救正，因事纳忠，当言而言，无所忌讳，子之请为士师，殆为此也。今在位已数月矣，王之用刑，岂能事事皆当，无一可言，子尚未可以进言与？居得言之地，有当言之事，而犹默默无所建明，此吾所未解也。"孟子责望蚳鼃深切如此。蚳鼃因此感动，乃进谏齐王，王不能用，遂致其职事而去，可谓得进退之义者。然蚳鼃之去，实孟子激之，故齐人遂讥孟子说："蚳鼃因孟子之言而进谏，其谏为忠说，谏不行而遂去，其去为明决。孟子为蚳鼃曲成其美，则诚善矣。然孟子道既不行，去又不果，其自为身计，乃不若鼃。明于为人，而暗于自为，吾不知其何说也。"盖孟子以臣道处鼃，而以宾师之道自处，其进退之义，自是不同。齐人何足以知此。

【原文】

　　公都子以告。曰："吾闻之也：有官守者，不得其职则去；有言责者，不得其言则去。我无官守，我无言责也，则吾进退，岂不绰绰然有余裕哉？"

【张居正注评】

　　公都子，是孟子门人。绰绰，是宽裕的模样。公都子闻齐人非议孟子之言，遂述以告孟子。孟子晓之说："君子出处进退，各自有一种道理，齐人岂足以知我哉？吾闻古人有言：人臣分理政事，如礼乐刑罚，各有职掌的，这是以官为守，修其职，乃可以居其官耳。若君不信任，事多掣肘而难行，于职业当尽的都不得尽，这等不去，是贪位慕禄而已，所以说不得其职则去。人臣专司谏诤，凡利病得失，皆许直言的，这是以言为责，尽其言乃可以任其责耳。若君不听从，言虽苦口而不入，于议论当行的，都不得行，这等不去，是偷合取容而已。所以说，不得其言则去。蚳鼃为士师，得以进谏，正是有官守言责者，不合则去，乃人臣进退之义当然也。若我于齐，虽在三卿之中，而不受万钟之禄，既不是分理政事，以官为守的，又不是专司谏诤，以言为责的。人固不得以臣下之职事，责望于我，我亦不肯以一身之去就受制于人。道合则留，可以进而进；不合则去，可以退而退，都由得自己主张，岂不绰然宽舒而有余裕哉？齐人安得以蚳鼃之去而议我也。"盖孟子在齐居宾师之位，与为人臣者不同，故其自处之重如此。至于官守言责不得则去，与周任、陈力就列不能者止之说相合，则万世人臣不可易之常道也。

【原文】

孟子为卿于齐，出吊于滕，王使盖大夫王驩为辅行。王驩朝暮见，反齐滕之路，未尝与之言行事也。

【张居正注评】

盖，是齐邑。行事，是出使的事体。孟子在齐，曾受客卿之职，遇滕国有丧，齐王以孟子为使，往行吊礼。又使盖邑大夫王驩为副使，辅佐其行。这王驩是一个佞幸之臣，孟子平日所不取者，如何可与共事。以故同行在途，王驩虽朝夕进见，往返齐滕之路，相接甚久，孟子竟不肯少假辞色，与之亲昵，就是出使的仪文礼节，也不曾与他计议，其待之之严如此。盖惟恐比之匪人，将至于失己，故宁疏之而不敢亲也。

【原文】

公孙丑曰："齐卿之位，不为小矣，齐滕之路，不为近矣，反之而未尝与言行事，何也？"曰："夫既或治之，予何言哉？"

【张居正注评】

公孙丑不知孟子待王驩之意，乃疑而问说："凡人之相与，若势分悬绝，或周旋不久，则言有不能尽者。今王驩仕为大夫，摄使事以佐夫子，其位不为小矣。自齐至滕，历二国之境，其路不为近矣。名位相次，既非悬隔而不得言；同行日久，又非仓卒而不及言。乃自往至反，终不与之言及行事，此何意也？"孟子于此，有难于明言者，乃托辞答说："我与彼奉命而出，若事有不治，与之共议可也。今出使仪文礼节，既有从行官属，各司其事，治办已停当了，我惟将命而行，自足成礼，何用更与之言哉？"观孟子之言，盖既不肯妄与之交，以流于苟合，又不肯直斥其故，以伤于已甚，可谓不恶而严者矣。

【原文】

孟子自齐葬于鲁，反于齐，止于嬴。充虞请曰："前日不知虞之不肖，使虞敦匠事。严，虞不敢请。今愿窃有请也：木若以美然。"曰："古者棺椁无度，中古棺七寸，椁称之。自天子达于庶人，非直为观美也，然后尽于人心。"

【张居正注评】

嬴，是县名，在齐南境上。充虞，是孟子弟子。敦，是督理的意思。严，是急迫。称，是相等。昔孟子为卿于齐，有母之丧，自齐归葬于鲁。既葬，又自鲁而返于齐，到嬴县地方止宿。充虞问说："前日夫子有母之丧，不知虞之不肖，把匠作事务，使虞督率办理。那时夫子方在哀痛迫切之中，虞虽有疑，不敢请问。今事毕从容，愿窃有

请焉。向者所用的棺木，却似过于华美，恐用不可太侈，礼不可太过，在夫子必自有说，虞不能无惑也。"孟子答说："丧葬之从厚，其来久矣。夏商以前，礼制未备，其棺椁的尺寸，随人制造，原无一定之式。至中古时，周公定为丧葬之礼，才有个制度。棺木许厚七寸，椁亦与之相等。自天子至于庶人，都是一般，不以尊卑为厚薄。这岂是外面装饰，要人看见华美，相与称夸而已哉？盖人子亲爱之心，本是无穷，而送终之礼，尤为大事。于此不厚，则必贻悔于后日，抱恨于终天，此心如何尽得？故欲其坚厚久远，乃可以尽人子之心耳。然则前日之木，稽之古制而合，及之吾心而安，又何嫌于过美哉？"

【原文】

"不得，不可以为悦；无财，不可以为悦。得之为有财，古之人皆用之，吾何为独不然？"

【张居正注评】

不得，是限于法制。悦，是心里快足的意思。孟子告充虞说："丧葬之礼，人子孰不欲厚于其亲，使其心快足，无所悔恨。然也有不得自尽的，或是限于法制，分有所不得为，只得安守职分，不敢过厚，此不可以为悦也。或是缺于财用，力有所不能为，只得称家有无，不能从厚，亦不可以为悦也。这都是势之所处，不得不然，而原其本心，则有大不能安者矣。若使国家法制，既在得为，自己财力，又足有为，此正人子可以为悦之时，于此不用其情，乌乎用其情？从古以来，皆用厚葬，人人都是如此。我亦有三年之爱于其父母，何为独不如此，而忍于薄待其亲哉？是棺椁之美，非独自尽其心，亦犹行古之道也。虞也何疑之有。"

【原文】

齐人伐燕。或问曰："劝齐伐燕，有诸？"曰："未也。沈同问：'燕可伐与？'吾应之曰：'可。'彼然而伐之也。彼如曰：'孰可以伐之？'则将应之曰：'为天吏，则可以伐之。'今有杀人者，或问之曰：'人可杀与？'则将应之曰：'可。'彼如曰：'孰可以杀之？'则将应之曰：'为士师，则可以杀之。'今以燕伐燕，何为劝之哉？"

【张居正注评】

天吏，是奉行天讨之君。孟子答沈同之问，只谓燕国君臣有可伐之罪，而非谓齐之可以伐燕也。及齐人兴师伐燕，或人疑其计出于孟子，乃问说："伐国之事，人所难言。今闻夫子劝齐伐燕，果有是事否？"孟子答说："我实未曾劝齐伐燕。但谓我为劝者，却有个缘故。前日齐大夫沈同，尝来私问我说，燕之无道，可伐与？当时我应他说可伐。盖燕之君臣，把天子付与、祖宗传下的土地，私相授受，这等逆乱纲常，违犯法纪，如何不可伐。彼就以我之言为然，不复再问，而遽伐之也。彼如再问那个可伐之，则我必将应之说，除非是奉行天命，诛讨有罪的天吏，才可以伐之。苟非天吏，是以暴而易暴，亦不可也。譬如今有杀人的，或问说这杀人之人可杀与，则将应之说可。盖杀人者抵罪，如何不可杀。彼如再问，那个可以杀之。则必将应之说，除非是奉行君命、专理刑狱的士师，才可杀之。苟非士师，是以下而专戮，亦不可也。今燕之君臣，不告于天子而私相授受，其悖乱之罪，诚为可伐。然齐非天吏，亦不请于天子而兴兵讨伐，其专擅之罪，也与燕国一般。以齐伐燕，是即以燕伐燕也。我何为而劝之哉？"夫兵以义动，师贵有名。向使齐王能以燕国之乱，告之天子，声罪致讨，无一毫自利之心，庶几称天吏矣。惟其欲乘人之乱，取以自利，全是战国阴谋，此孟子所以甚言其不可也。

【原文】

燕人畔。王曰："吾甚惭于孟子。"陈贾曰："王无患焉。王自以为与周公孰仁且智？"王曰："恶！是何言也？"曰："周公使管叔监殷，管叔以殷叛。知而使之，是不仁也；不知而使之，是不智也。仁智，周公未之尽也，而况于王乎？贾请见而解之。"

【张居正注评】

畔，是背叛。陈贾，是齐大夫。管叔，是周公的兄，名鲜。监，是管理国事。齐人既伐燕而取之，后来燕人不服，共立燕太子平为王，叛了齐国。齐王乃与群臣说："向年我欲取燕，孟子劝我当顺民心。及诸侯将谋救燕，孟子又劝我置君而去。我不曾听他的言语。今燕人背叛，是我不用忠言之过，心甚惭愧，无颜面见得孟子，将如之何？"这是齐王悔悟的良心，群臣若能将顺而诱掖之，亦为善之机也。齐臣有个陈贾，是阿谀小人，乃对齐王说："何必以此为患，臣且问王，王自家忖度，与古之周公孰仁孰智？"齐王惊叹说："这是何言？周公乃古之圣人，我何敢比他。"陈贾便举周公的事来说："王以周公为仁且智，非后世可及，不知周公于仁智，也有不能完全的去处。当时武王克商，立纣子武庚，周公使其兄管叔去监守武庚之国。及成王初年，管叔遂与武庚同谋，以殷叛周。假使周公预知管叔之必叛，故意教他去监国，是驱之使陷于罪，忍心害兄，这便是不仁；假使不知管叔之将叛，误教他去监国，是亲兄之恶，尚然不知，这便是不智。这等看来，仁智二字，以周公之圣，尚且不能兼尽，而况于王乎？燕人之叛，正不必以此为歉也。贾请往见孟子，以周公为辞以解之，王无患矣。"夫齐王之惭，尚有迁善之机，而陈贾之解，反导之以文过之失。小人逢君之恶，其情状类如此。

【原文】

见孟子，问曰："周公何人也？"曰："古圣人也。"曰："使管叔监殷，管叔以殷叛也，有诸？"曰："然。"曰："周公知其将叛而使之与？"曰："不知也。""然则圣人且有过与？"曰："周公，弟也；管叔，兄也。周公之过，不亦宜乎？"

【张居正注评】

陈贾欲借周公以释齐王之惭，因往见孟子问说："周公何如人也？"孟子答说："德如周公，乃古之圣人也。"陈贾问说："闻周公封武庚于殷，使管叔往监其国，管叔反与武庚同谋，以殷叛周，不知果有此事否？"孟子答说："史书所载，诚有此事。"陈贾乃故意问说："周公用管叔之时，亦预先知道他将叛而使之与？"孟子答说："周公若知管叔将叛岂肯使之，以理度之，必是不曾先知耳。"陈贾因借此发问说："不知而使之，是不智也。夫子既以周公为圣人，宜乎尽善尽美，无有过失，乃不免用差了人，则圣人且有过与？"陈贾之言及此，自谓可以为齐王解矣，然不知圣人之所处，与常人不同。孟子答说："圣人岂可轻议，但遇着天理人情照管不到的去处，其迹或涉于过差，而不知其有不得不然者，当亮其身之所处何如耳。周公于管叔为弟，管叔于周公为兄，当初使之监殷，只道他是王室懿亲，故以爱兄之念，诚信而任之，实不料其至于此也。然则周公之过，岂非天理人情之所不能免者乎？若逆料其兄之

孟子

恶，而以疑贰之心待之，则不宜有此过矣，然岂圣人之所忍哉？"孟子之言，正与孔子观过知仁之意相合。惟其过于爱，过于厚，此所以为圣人也。若世之自陷于有过者，安可借之以自文耶？陈贾乃欲以此释齐王之惭，不惟巧于逢君，抑亦敢于诬圣矣。

【张居正注评】

"且古之君子，过则改之；今之君子，过则顺之。古之君子，其过也，如日月之食，民皆见之，及其更也，民皆仰之。今之君子，岂徒顺之，又从而为之辞。"

【张居正注评】

孟子知陈贾为齐王文过，乃直折之说："凡人不能无过，但所以处过者不同。古之君子应事接物，也有一时意虑不及，偶然差错了的，却能自认其过，改从那好的一边去，不肯护短。如今的人或偶有差误，本出无心，却惮于更改，就顺着那差的一边去，不肯认错。古之君子，当其有过，明白示人，无一毫遮饰，就如那日月方食的一般，天下之人，谁不望见。及其汲汲改图，复于无过，就日月复明的一般，天下之人，谁不瞻仰。这样，心事何等明白正大，即有一时之过，亦安足以病之。至于今之君子，岂徒顺从其过，不肯改图，又要假借一段说话，弥缝掩饰，以欺人之耳目。此古之君子能立于无过，今之君子所以卒归于有过也，自爱其身者，固当以古人自处，爱人以

德者，又岂可以今人待之哉？"陈贾之意，本欲借周公之过，以解齐王之惭，是乃为君文过，而不知其陷君于有过也。故孟子正言以斥之如此。夫圣如成汤，而称其改过之不吝；圣如孔子，而幸其有过之必知。圣人亦何尝自谓其无过哉！惟过而能改，不惮舍己从人，以迁于至善，则非常人之所能及耳。齐之君臣，专以文过饰非为事，此国事所以日非，而终至于乱亡也。

【原文】

孟子致为臣而归。王就见孟子，曰："前日愿见而不可得，得侍同朝，甚喜。今又弃寡人而归，不识可以继此而得见乎？"对曰："不敢请耳，固所愿也。"

【张居正注评】

孟子为卿于齐，本欲行道，乃久于齐而道不行，无虚受其职之理，故致还卿位而归焉。齐王见孟子要去，乃亲自来见说："前日夫子未至吾国，寡人仰慕道德，愿一见而不可得。及夫子不弃寡人，千里而来，使寡人得侍贤者之侧，莫说寡人喜悦，即同朝士大夫，莫不甚喜。今又以寡人不足有为，弃之而去，虽夫子高尚之志，已不可回，而寡人愿见之心，自不容已。不识此别之后，尚可再来使寡人得见否乎？"夫齐王虽不能用，孟子于在国之时，而犹欲见孟子于既去之后，其一念好德之诚，尚有未泯者。孟子乃婉辞以对之，说："我虽去国，私心惓惓，常在王之左右，继见之期，但不敢预以为请耳，然此心固所愿也。"盖孟子严于守己，而又不欲轻于绝人，其汲汲行道之本心，固已见于言外矣。

【原文】

他日，王谓时子曰："我欲中国而授孟子室，养弟子以万钟，使诸大夫国人皆有所矜式。子盍为我言之。"

【张居正注评】

时子，是齐臣。六斛四斗叫做一钟。矜，是敬。式，是法。孟子虽决于去齐，犹未出境，齐王以为尚可复留。一日，谓时子说："我待孟子以卿相之位，他不肯留，必谓我尊敬之未至耳。我今欲当国之中，于士民凑集的去处，建造一所房屋，与孟子居住。那从游的弟子众多，特与万钟之禄以赡养之，既有居止之安，又有廪给之富，或者可以复留。使我诸大夫及国中之人，都得以亲炙其光辉，瞻仰其仪范，人人得以尊敬而取法，此我之所大愿也。子何不为我告于孟子，备道所以勉留之意，庶几可以援而止之乎。"夫齐王不能尊德乐道，尽用贤之实，而徒欲以宫室廪禄为虚拘之文，宜孟子之终不留也。

【原文】

时子因陈子而以告孟子，陈子以时子之言告孟子。孟子曰："然，夫时子恶知其不可也?如使予欲富,辞十万而受万,是为欲富乎?"

【张居正注评】

齐王欲留孟子,命时子致意。时子难于径达,乃因孟子弟子陈臻转道齐王之语。陈臻亦不知孟子欲去之心,即述时子之言以告之。孟子以道既不行,义在必去,却又难于显言,乃姑答陈臻说:"齐王有意留我,其意诚然。然我之当去而不可复留,固自有为,时子岂知之乎?且王以万钟留我,不过以富诱之而已。设使我有欲富之心,则前日位在客卿,常禄十万尚辞之而不受,今乃受此万钟之养,是辞多而受少也,欲富者固如此乎?况我本非欲富,而以是留之,亦非所以待我矣。"盖孟子以道为去就,齐王以禄为优礼,宜其不肯复留也。

【原文】

"季孙曰:'异哉子叔疑!使己为政,不用,则亦已矣,又使其子弟为卿。人亦孰不欲富贵?而独于富贵之中,有私龙断焉。'"

【张居正注评】

季孙、子叔疑,都是战国以前的人。异,是怪。龙断,是冈垄之高处。孟子又答陈臻说:"我今既辞卿位,若复以万钟留齐,是不得于彼,而求得于此也,与子叔疑何异?当时季孙曾说:'怪哉子叔疑之为人。使自己居位为政,不见用于其君,也只是奉身而退便了,却又使其子弟为卿,代之秉政,不过志在富贵而已。世人之情,亦孰不欲富贵,但一得一失,自有义命,何可尽取。乃子叔疑失之于身,复欲得之于子弟,是独于富贵之中,展转营谋,不肯割舍,如登在冈垄高处,左右顾望,惟图专利的一般,不亦怪哉!'今我道既不行,而复受万钟之养,则何以异于此?"盖君子仕止去就,惟视道之行否。其君用之,则忘身殉国,不敢辞难,否则洁己全身,不肯枉己,此圣贤出处之大节也。若乃于富贵利达之中,存患得患失之念,如所谓私垄断者,则乡党自好者不为,岂君子自处之道哉?齐之君臣,不知去就之义,而徒欲以厚禄羁縻贤者,其不知孟子亦甚矣。

【原文】

"古之为市者,以其所有易其所无者,有司者治之耳。有贱丈夫焉,必求龙断而登之,以左右望,而罔市利。人皆以为贱,故从而征之。征商自此贱丈夫始矣。"

【张居正注评】

有司,是监市的官。罔是网罗括取的意思。征,是税。这一节是解上文龙断二字之义。孟子说:"季孙以龙断比子叔疑,如何叫做龙断?盖古时设立市场,聚集民间的货物,使彼此更换,以其所有,易其所无,两平交易,各得其所。那有司之官,不过替他平物价，理争讼，以法治之而已，初未征其税也。后来有一等贱丈夫，贪得无厌，必求那冈垄最高的去处，登而望之，左顾右盼，看那一项可以居积，那一处可以兴贩，既欲得此，又欲取彼，把市中财利，一网括尽，不肯放过些须。这等专利的小人，个个都贱恶他，乃征取其税，以示裁抑。后世缘此，遂有商税。是征取商人之法，实自此贱丈夫始矣。季孙所谓龙断之说如此。其意盖讥子叔疑自己不用，又为子弟求官，罔利无厌，与龙断无异也。今我既辞十万之禄，复受万钟之养，不得于此，而求得于彼，是亦一龙断矣，如之何其可哉？"此孟子所以决于去齐，而时子或未之知也。

【原文】

孟子去齐，宿于昼。有欲为王留行者，坐而言，不应，隐几而卧。

【张居正注评】

昼，是齐邑名。古人席地而坐，年长者为之设几。隐几，是凭着几案。齐王不能用孟子，孟子以道不得行，辞之而去。行到西南境上昼邑地方，暂且止宿。盖去国不忘君之意也。当时有个齐臣，见孟子行得迟缓，意其可以复留。乃不奉王命，而自以其意来见孟子，欲为王留行，是不知留贤之道矣。及既坐而言，孟子由他自说，竟不答应，且凭着几案而卧，若不曾听闻者，以示绝之之意焉。盖为国留贤，虽是美意。然平时不能左右齐王，成就他用贤之美；临时又不知遵奉王命，道达他留贤之诚。徒欲以一人之口舌，挽回贤者之去志，多见其不知量己。此孟子所以重绝之也。

【原文】

"子为长者虑，而不及子思。子绝长者乎？长者绝子乎？"

【张居正注评】

长者，是孟子自称。虑，是谋。孟子承上文说："观子思与泄柳、申详之事，则留贤之道可知矣。子之留我，诚出自王之诚意，如穆公之于子思，则待我以礼，安敢不答。乃今观子之来，未尝出于君上之命，而欲以一人之私意，决贤者之去留，是子为长者谋画，视穆公之待子思，不及远矣。我之自处，未尝敢轻于子思，而不以子思待我，这是子绝我乎？却是我绝子乎？夫敬人者，人恒敬之，子之留我不以其道，是先绝我矣。我之卧而不应，岂为先绝子乎？"盖孟子于齐，道虽不合，未忍遽去。使留行者能以尊贤之义开导齐王，因以齐王之诚勉留孟子，未必不可挽回也。齐人乃欲以己意留之，其见绝于孟子，宜哉！尝即子思、泄柳、申详之事而论之，古之贤士，皆知以道自重，而上亦重之，非其君忘势而下交，则其左右之贤者，秉公而推荐，如三者是已。战国以后，士习日卑，乃有阿时好以结主知，因君侧以求先容者，则泄柳、申详犹耻为之，而况子思乎？观孟子之言，亦足以维士习之变矣。

【原文】

孟子去齐。尹士语人曰："不识王之不可以为汤、武，则是不明也；识其不可，然且至，则是干泽也。千里而见王，不遇故去，三宿而后出昼，是何濡滞也？士则兹不悦。"

【张居正注评】

干泽，是干求恩泽。濡滞，是迟留的意思。孟子去齐，止于昼邑地方，三宿而后出境。齐人尹士，见孟子去不果决，乃私与人讥议说："出处乃士人之大节，甚不可苟。故进必择君而仕，不为利禄，退必见几而作，不俟终日，这才是难进易退的道理。今齐王之不可为汤、武，人皆知之，使孟子不知而来见，是智不足以知人，是不明也。使知其不可，犹且来见，则志惟在于利禄，是干泽也。且千里而来见王，本欲行道。今不遇而去，便当洁身，却乃迟迟其行，三宿而后出昼，是何其依违于进退之间，若是其濡滞也。以孟子平日的抱负，吾甚敬之，今所为若此，吾甚不悦，不意孟子而有此举动也。"夫尹士之言，似亦知守身之常法者，而圣贤委曲行道之心，则岂硁硁者所能识哉？

【原文】

高子以告。曰："夫尹士恶知予哉？千里而见王，是予所欲也；不遇故去，岂予所欲哉？予不得已也。"

【张居正注评】

高子，是孟子弟子。高子闻尹士讥切孟子之言，乃述以告孟子。孟子晓之说："君子之出处去就，若只顾自己高洁，这也不难。惟是爱君忧国，委曲从容，尚有出于常情之外者，尹士之言，乌能知我之心哉？我当初千里而见王，非是逆料王之不可为汤、武，而姑就之也。以为道在于我，可以辅世长民，若一见之后，有所遇合，或可佐王以成汤、武之业，而吾道庶几可行，是我之所愿欲也。至于不遇故去，岂是我之本心？只为言不见用，吾既不能舍所学以从人，道不得行，吾又不可居其位而食禄，展转思惟，实不得已而后去耳。夫向日之来，本欲求伸其素志，故今日之去，犹未忍遽替其初心。始终只要行道济时，使天下被汤、武之泽而已，何害其为濡滞哉？尹士恶足以知此。"

【原文】

"予三宿而出昼，于予心犹以为速。王庶几改之，王如改诸，则必反予。"

【张居正注评】

孟子答高子说："我之去齐，实非本心，盖有甚不得已者。即三宿而后出昼，于我之心，犹以为过于急速，而有不能恝然者焉。何也？盖人情或暂蔽而复明，或始过而终改。王之不能用我，虽是一时迷惑，然犹望其从容悔悟，庶几能改，不至于终迷而不悟也。若使王能知既往之失，痛加省改，则能以王道为必可行，以吾言为必可信，必将追我而返之矣。吾何为而速于去哉？所以三宿出昼而不嫌于濡滞也。"

【原文】

"夫出昼而王不予追也，予然后浩然有归志。予虽然，岂舍王哉？王由足用为善。王如用予，则岂徒齐民安，天下之民举安。王庶几改之！予日望之！"

【张居正注评】

孟子承上文说："我三宿而去昼，犹冀王之追我也。至于出昼之日，已越齐境，而王不见追，则王之心终于不悟，而义不容于不去矣。我到这时节，方才有必归之志，浩然长往而不可复止耳。然我虽决去，亦岂忍恝然而舍王哉？盖王之天资朴实，虽有好勇、好货、好色这三件病痛，然其不忍之心，充之可以保民，好乐之心，公之可以治国，犹足引而为善，以建有为之业者。王如用我，使我之道得以大行，则岂徒齐国之民得安，即天下之民，皆可使被治安之泽，而汤、武之功，亦不难致矣。王诚反而思之，庶几改过迁善，使王为贤君，齐为善国，岂不美乎！故我虽既去，犹日夜望之也。岂忍终舍王哉？尹士乃以濡滞讥我，亦不知我之心者矣。"

【原文】

"予岂若是小丈夫然哉？谏于其君而不受则怒，悻悻然见于面，去则穷日之力而后宿哉？"尹士闻之，曰："士诚小人也。"

【张居正注评】

悻悻，是不平的意思。穷字解做尽字。孟子承上文说："我之从容去国，而犹有望于王，盖为世道民生计也，岂似那一等规模促狭、不识大体的小丈夫。一有所匡谏于君，不见听从，即心怀愤恨悻悻不平之气，见于面目。去则驰驱道路，尽一日之力，方肯止宿，惟恐其行之不速，涉于濡滞，而无复有所顾恋。这样的人，只管得自家的去就，全无爱君忧国之心，君子忠厚之道，不如是也。我宁受濡滞之名，其忍以小丈夫自处耶！"尹士闻此言，乃自悟其失，说道："我之所言，但见得去就之际，不可不明，岂知贤者行道济时之心，忠君爱国之念，有如此者。我诚小丈夫也。"然则君子之所为，岂常人所能识哉！盖孟子初至齐国，只望齐王能行其道，及不遇而去，又只望齐王能改其失。其忠爱之心与明哲之见，有并行而不悖者，与孔子迟迟去鲁之意正同，视硁硁一节之士，以去就为名者，分量相悬矣。惜乎，齐王竟不能留，而齐终不能治也。

【原文】

孟子去齐，充虞路问曰："夫子若有不豫色然。前日虞闻诸夫子曰：'君子不怨天，不尤人。'"曰："彼一时，此一时也。"

【张居正注评】

不豫，是不喜欢的意思。孟子至齐，不遇而去，其忧世之心，有不觉见于颜面者。门人充虞在途间问说："夫子自去齐以来，忧形于色，似有郁郁不乐的模样，虞窃有疑焉。前日虞曾闻夫子说：君子之心，无入而不自得，就是不得于天，也不怨天，不合于人，也不尤人。今夫子不遇于齐，便似有怨尤的意思，与前日之言不合，此则弟子所不识也。"孟子晓之说："不怨不尤这两句，是我平时诵法孔子的言语，我何尝有怨天尤人之心。但我今日之不豫，所以异于前日者，亦自有说。盖君子守身之常法，与用世之微权，各自有一种道理，我前日不见诸侯，不曾想着用世，只是居仁由义，不愧于天，不怍于人，便欣然有以自乐，彼固一时也。其在今日，却要得君行道，辅世长民，然而遭际不偶，则上畏天命，下悲人穷，于心自有不能恝然者，此又一时也。时之所值不齐，而心之忧乐亦异，岂可以一律论哉！"

【原文】

孟子去齐，居休。公孙丑问曰："仕而不受禄，古之道乎？"曰："非也。于崇，吾得见王，退而有去志，不欲变，故不受也。"

【张居正注评】

休、崇都是地名。孟子虽为齐卿，未尝受禄，以明其志在行道，不为利禄所縻，而公孙丑未之知也。及孟子去齐居休，乃乘间问说："君子居其位，则食其禄，宜无可辞之理。向者夫子仕于齐国，而不受其禄，是岂古人之道当如是耶？"孟子答说："仕不受禄，本非古道，但我之辞禄，盖自有说。当初我来见齐王，本欲行其志也，使王能用我而可以久居于齐，则虽受其禄，亦无不可。顾吾初至齐国，在崇邑地方得见齐王，谈论之间，已知其不能用我，退而有去志矣。后虽曾有爵位，不过假此暂住，以观王之意向如何，其实欲去之志，不欲变改。若遂受其禄，则为职分所羁，而行止久速，不得自由，故虽仕而不受其禄也。盖禄既不受，则脱然于官守之外，而一进一退，绰然有余裕矣。岂可以古道例之耶？"

【原文】

"继而有师命，不可以请。久于齐，非我志也。"

【张居正注评】

孟子承上文说："我于齐既有去志，则义不可以复留矣，乃犹迟迟而行，这是为何？盖我自见王之后，适遇着国内被兵，有兴师之命，此时干戈扰攘，上下戒严，若于危急存亡之秋，而但为洁身自便之计，非惟义所不可，抑亦心所未安，故隐忍而不敢请也。然则我之淹留于齐，乃势有所阻，岂我志之所欲哉？"身在齐卿之位，而心怀去国之图，此所以不受其禄也。盖孟子之志，欲行仁义之道，以比隆汤武；而齐王之志，欲窃富强之略，以效法桓文，此如方圆之不相入矣。道既不合，而乃欲以万钟之禄縻之，岂所以待孟子哉？可见君子之遭时遇主，惟精神志意之感孚，为足以尽其用，而爵禄名宠之制御，不足以系其心。此又用人者所当知也。

滕文公章句上

凡五章。

【原文】

滕文公为世子，将之楚，过宋而见孟子。孟子道性善，言必称尧舜。

【张居正注评】

滕文公，是滕国的诸侯。之字，解做往字。道，是言。昔滕文公为世子时，将往楚国，修交邻之礼。因平日仰慕孟子，闻得孟子在宋国，乃先过宋而见之。观世子之急于见贤，正是他天性之善，可与入圣的机括。孟子欲从本性上启发他，开口便说个性善。盖人生下来便有个性，乃天所命于人的正理，本有善而无恶。自圣人以至途人，性中个个有仁，个个有义，其不仁不义者，必是物欲害之，而非其本然之性也。当时性学不明，故孟子特举以告世子，欲其先认得本来真性，然后可励其必为之志，而又恐言之无征，必称尧舜以实之。盖尧舜之德，虽荡荡巍巍，万世莫及，然其所以为圣者，岂是于人之外更有所加，不过由其本善无恶者充之以造其极耳。称尧舜之仁，便见得性中同有是仁。称尧舜之义，便见得性中同有是义。仁义不假外求，则尧舜可学而至也。世之以不善言性，以圣人为绝德，而自弃者，甚亦弗思甚矣。此孟子所以惓惓于世子也。

【原文】

世子自楚反，复见孟子。孟子曰："世子疑吾言乎？夫道一而已矣！成覵谓齐景公曰：'彼，丈夫也，我，丈夫也，吾何畏彼哉。'颜渊曰：'舜，人也，予，人也，有为者亦若是。'公明仪曰：'文王，师也，周公岂欺我哉？'"

【张居正注评】

成覵，是古人姓名。彼，指圣贤说。公明仪，是鲁之贤人。战国之时，性学不明久矣，世子骤闻孟子性善之说，未能了然，且望以尧舜之圣，益加疑畏。故自楚国回还，复来见孟子，意以前日之言高远难行，或别有卑近易行之说也。孟子乃告之说："世子此来，得非闻吾之言，而有所疑惑乎？吾言固无可疑也。夫性即是道，道之在人，同出于天，同具于心，无古今，无圣愚，一而已矣。若说人性不皆善，尧舜不易为，则是尧舜一道，众人又一道，道为有二矣。天下岂有二道哉！试以古人的言语一一验之：昔成𫗪对齐景公说：'今之人见说个圣贤，便怵然畏之，不知他也是个丈夫，我也是个丈夫，其性一也。我若自家奋发，也做得到他的地位，我何畏彼哉！'颜渊尝说：'古今称圣人必曰虞舜，然舜是何等人，我是何等人，看来性非有二也。我能立志有为，也就和舜是一般，何难之有！'公明仪亦尝说：'周公是文王之子，事事取法文王，曾说文王是我师也。以今观之，人患不为文王耳。吾性中自有文王，人人可以师法，这是明白简易的道理，周公岂故为大言，以欺我哉！'夫此三子之言，正以古今圣贤本无二道，非有高远难行之事。故其说之吻合如此。世子试以三子之言，证吾前日之言，则必有恍然觉悟，慨然奋发者矣，而又何疑哉！"

【原文】

"今滕，绝长补短，将五十里也，犹可以为善国。《书》曰：'若药不瞑眩，厥疾不瘳。'"

【张居正注评】

绝字，解作截字。瞑眩，是烦乱的意思。瘳，是病瘥。孟子勉世子说："即成𫗪、颜渊、公明仪之言观之，可见道之无二，而圣贤之必可师矣。世子勿以滕国为小，而惮于有为，今若将滕之地界截长补短，几有五十里之大，建国之规模固尚在也。苟能奋发自强，修身立政，以帝王为法，犹可以拨乱兴衰，为治安之国。但恐安于卑近，不能自克以从善耳。《书经》上说：'若药不瞑眩，厥疾不瘳。'比喻人君为治，如人有疾病，以苦口之药攻之，必是腹中烦乱一番，方才除得病根。若药不瞑眩，这病如何得好。为人君者若非克己厉精，忍人所不能忍，虚心受谏，容人所不能容，则治无由成，而国亦终于不振矣。世子诚有志于圣贤之道，亦在自勉而已，岂以国小为患哉？"夫滕在战国极称褊小，孟子犹以尧舜之道期之，况于君临万国继帝王之统，而能勉强行道，何治之不可成乎？若所引《书经》二语，于治道尤为亲切。盖王者以天下为一身，凡四方水旱兵荒即是人身的病痛；远近内外许多弊端蠹政，即是人身经络脏腑中致病的根源。若能听逆耳之言，怀恻身之惧，将那蠹弊的去处，一一扫除，使阴阳和顺，灾沴不作，就如用苦口之药攻去病根，使气血调畅，身体康宁一般。即此推之，尧舜之道，亦不外此。图治者可不勉哉。

【原文】

滕定公薨，世子谓然友曰："昔者孟子尝与我言于宋，于心终不忘。今也不幸至于大故，吾欲使子问于孟子，然后行事。"然友之邹问于孟子。孟子曰："不亦善乎！亲丧，固所自尽也。曾子曰：'生，事之以礼；死，葬之以礼，祭之以礼，可谓孝矣。'诸侯之礼，吾未之学也。虽然，吾尝闻之矣。三年之丧，齐疏之服，飦粥之食，自天子达于庶人，三代共之。"

【张居正注评】

滕定公，是文公之父。世子，即文公。然友是世子之傅。齐，是齐衰。疏，是粗布。稀粥，叫做飦。滕文公为世子，既得闻孟子之教，有所感悟。已而遭其父定公之丧，因谓送终大事，不当安于世俗之礼，遂与其傅然友说："昔时我因过宋得见孟子，他曾与我论尧舜性善之道，大有启发，我常记念在心，终不能忘。今也不幸有此大变，不知丧葬之礼如何举行，方合于圣人之道。我欲使子往问孟子，求其一一指教，然后行事，庶免于悖礼之失也。"此时孟子在邹，然友即自滕至邹，以世子之言问于孟子。孟子答说："方今王教陵夷，丧礼废坏，世子此问独有慨然复古之心，不亦善乎！然人子居父母之丧，其哀痛迫切至情，根于天性。于凡送终之礼，只要自己竭尽其心，而不忍一毫亏欠，原非人所能强，亦非人所能沮者，宜乎世子于此有不能自已也。曾子尝说：'父母在生之时，左右就养，当事之以礼；既殁之后，衣衾棺椁当葬之以礼；祭享之时，禴祀蒸尝，当祭之以礼。自始至终，礼无不尽，则心亦无不尽，而可以谓之孝矣！'这是曾子泛论人子之礼，我尝学之。若夫诸侯的丧礼，则我未之学也。然我虽未学此礼，而礼之大经有一定而不可易者，吾亦尝闻之矣。彼子生三年，然后免于父母之怀，故父母之丧，必以三年为定。所服的必定是齐疏之服，所食的必是飦粥之食，此乃居丧之礼。出于天理人心，不容已的。上自天子，下至庶人，无贵无贱，都是这等。从夏、商、周三代以来，未之有改也。我之所闻大略如此。世子欲尽其心，亦惟遵行此礼而已。"

【原文】

谓然友曰："吾他日未尝学问，好驰马试剑。今也父兄百官不我足也，恐其不能尽于大事，子为我问孟子。"然友复之邹问孟子。孟子曰："然，不可以他求者也。孔子曰：'君薨，听于冢宰，歠粥，面深墨，即位而哭，百官有司，莫敢不哀，先之也。''上有好者，下必有甚焉者矣。''君子之德，风也；小人之德，草也。草上之风，必偃。'是在世子。"

【张居正注评】

冢宰，是六卿之长。歠，是饮。深墨，是颜色深黑，乃哀戚之容。君子，指在上的人说。小人，指在下的人说。尚，是加。偃字，解作仆字。世子欲行三年之丧，见群臣不从，乃反躬自责，谓然友说："凡人平日所行，人都敬服，然后有所举动无不信从。若我往日所为，原未尝勤学好问，在道理上究心，只好走马试剑，游戏驰骋，因此不见信于群臣。故今日欲行大礼，内而父兄，外而百官，心里都不满足，说我行不得古礼。这等众志未孚，恐不能尽送终之大事，子为我再问孟子，如何可以压服人心，勉成此礼。"然友乃又至邹，问于孟子。孟子答说："世子谓群臣不从，由素行之不孚，其言是矣。然送终之礼，实起于哀痛迫切之至情，凡人皆有此心，皆可感动，是不可以他求者，只在世子自尽而已。孔子曾举古礼说：'君薨之日，为嗣子的，以百官之事听于大臣之长，自己居次守丧，歠饮粥汤，面容毁悴，至有深黑之色，即丧次之位，朝夕哭临，于是百官有司莫敢不哀。所以然者，以在上之哀痛，有以先之也。''盖在上之人意有所好，则在下者观感而效法之，必有甚于上者。可见在上的君子，其德能感乎人，譬如风一般；在下的小人，其德应上所感，譬如草一般，草上加之以风，无不偃仆。小人被君子之化，无不顺从，此理之必然也。'孔子之言如此。今世子乃在上之君子，若能自尽其哀，则父兄百官莫敢不哀矣。是丧礼之行，只在世子而已，岂可以他求哉！"

【原文】

然友反命。世子曰："然，是诚在我。"五月居庐，未有命戒。百官族人可，谓曰知。及至葬，四方来观之，颜色之戚，哭泣之哀，吊者大悦。

【张居正注评】

庐，是居丧之舍。知，是知礼。然友闻孟子之言，遂复命于世子。世子悟，说："孟子此言极是。送终之礼在我，诚当自尽以倡率群臣，不必他求也。"于是断然行三年之丧，凡五个月居庐守丧，不发号令。盖古时诸侯五月而葬，谅暗不言，故世子遵照古礼而行。此时百官族人皆已感悟，称其知礼。及至葬期，四方之人皆来聚观，见世子颜色惨戚，哭泣哀痛，凡诸侯宾客来吊于滕者，亦无不喜其尽礼，而相与悦服焉。盖天性至亲，人所同具，故丧礼一行，而远近人情翕然称服如此。可见人性之善，无间于古今，而良心之触莫切于父子。孟子道性善，以启发文公。文公触善念而遵修古礼，遂使先王久湮之典，一旦行于小国，而足以感动人心。孰谓尧舜之道为高远，而不可行哉？

【原文】

滕文公问为国。孟子曰："民事不可缓也。《诗》云：'昼尔于茅，宵尔索绹，亟其乘屋，其始播百谷。'"

【张居正注评】

民事，是农事。于，是往取。绹，是绳索。亟字，就是紧急的急字。乘，是升。播，是布种。滕文公嗣位之初，以礼聘孟子至滕，一见孟子便问治国的道理。这是他锐意求治，可与有为之机也。孟子欲以行王政劝之，乃先告之说："国之所重在民，民之所重在食，那农家耕种之事，不要看得轻了，乃国家命脉所关。第一件要紧的事务，当汲汲然为之经画区处，不可缓图也。《诗经·豳风·七月》之篇述农家相劝的言语说道：'当此农隙之时，日间则取茅草，夜间则绞绳索，急忙升屋修盖，趁早完工，到了来春又要从新播种百谷，无暇为治屋之事矣。'夫时方冬月，而预为来春之计。可见农家终岁之间，无一日不勤于畎亩，无一念不在于稼穑，其艰难辛苦，一至于此。人君想着这等情状，可不以民之心为心，而重其事乎！"

【原文】

"是故贤君必恭俭礼下，取于民有制。阳虎曰：'为富不仁矣，为仁不富矣。'"

【张居正注评】

阳虎，即阳货，是鲁大夫季氏家臣。孟子承上文说："恒产有无所系之重如此。可见民事之当急，而取民不可以无制矣。所以古之贤君其持己谦恭，不敢以贵而骄；其自奉节俭，不敢以富而侈。惟其谦恭，故能以礼接下，托之以腹心，视之如手足，惟恐一有侮慢，至于失臣下之心也；惟其节俭，故取于民有制，赋税无额外之征，供输无不时之索，惟恐有一烦扰，至于伤小民之生也。此惟贤君乃能如此。若不恭不俭，则侮人夺人，无所不至，岂复能爱惜小民，取之必以其制乎？昔阳虎有言：'天下之事理，欲公私不容并立，若欲为富，必至罔利害民，就行不得仁了；若欲为仁，只得损上益下，就致不得富了。'阳虎本是不仁之人，其意主于求富。然就这两句言语看来，有国家的，若罔民而取之无制，便是为富不仁；若能制民恒产，取之有法，便是为仁不富。为君者宜所择矣。要之为富固甘于不仁，然财聚而民必散，亦不可以为富。为仁固非以求富，然民足而君亦足，又岂至于独贫。此则不以利为利，而以仁为利，又孟子未发之指也。

【原文】

"夏后氏五十而贡，殷人七十而助，周人百亩而彻，其实皆什一也。彻者，彻也；助者，藉也。"

【张居正注评】

彻，是通融均一的意思。藉字，解做借字。孟子举三代制产取民之法，以告文公说道："夏家之制，每人一丁受田五十亩，征其五亩之租，叫做贡法。殷家始为井田，其法以田六百三十亩画为九区，每区七十亩，中为公田，其外八家各分一区，使之同治公田，以给国用，而不复税其私田，叫做助法。周家之制，每人一丁受田百亩，近郊乡遂用夏之贡法。十夫共为一沟，远乡都鄙用殷之助法。八家同为一井，耕种则通八家十家之力在一处合作，收获则计一井一沟之入，算亩数平分，叫做彻法。"这三样田制，名虽不同，然究其取民之实，则贡者，取五亩之入于五十亩之中。助者，取七亩之收于七十亩之外。彻则兼之，都是十分之中取其一分，未尝过重也。然谓之贡者，自下贡上，其义固易明矣。至于彻与助之义，却是为何？盖彻者，始而通力合作，有通融之义，继而计亩均分，有均一之义，故谓之彻也；助者，借八家之力以助耕公田，故谓之助也。其义不同，而总之则皆取民有制，三代之仁政如此。"夫什一之制，轻重适均，公私两便，乃三代之良法，而万世不可更易者。自阡陌既开，列国之赋始不止于什一。而后世暴征横敛，使小民终岁勤动，止足以办公家之税，而无一饱之余，视古法又甚远矣。何怪乎民生日困，而国用益诎也。重邦本者尚念之。"

【原文】

"龙子曰：'治地莫善于助，莫不善于贡。'贡者，挍数岁之中以为常。乐岁，粒米狼戾，多取之而不为虐，则寡取之；凶年，粪其田而不足，则必取盈焉。为民父母，使民盻盻然，将终岁勤动，不得以养其父母，又称贷而益之，使老稚转乎沟壑，恶在其为民父母也？"

【张居正注评】

龙子，是古之贤人。狼戾，譬如说狼籍，是多余的意思。培壅田禾，叫做粪。盻盻，是恨视的模样。称贷，是借贷起利。孟子承上文说："贡与助，虽皆什一取民，然贡法不能无弊，又不如助法之善也。龙子尝说：'古来治地之法，莫善于殷人之助，莫不善于夏后氏之贡。'何以见贡之不善？盖年岁有丰歉，则收成有多寡，此天时地利，难以预定者也。今夏之贡法，计算数岁之中多少收获，不管他极丰极歉的时候，只就中定下规则，年年征收这些。所以法格于难行，民苦于不便。且如遇着丰年，粒米狼籍，百姓每充然有余，便多取些不为虐害，乃寡取之，只够这些常数。遇着荒年收获不多，以此为粪田之费尚且不足，却也要这些常数，必满足而后已。是乐岁之寡取，民不为恩，而凶岁之取盈，民实不堪命矣。夫人君为民父母，当勤恤民隐，如保赤子可也。今以取盈之故，使民盻盻然怨咨愁恨，把一年辛苦中所得的，尽数输之于官，不得养其父母。又借贷起利，以足取盈之数，致使官粮私债，上下逼迫，仰事俯畜，一无所资，那老稚之民，皆转死于沟壑而莫之救矣。百姓每遇这等困苦，上面的人全不爱惜，又恶在其为民父母也？"夫贡法不善，一至于此。若助法，则随公田所得之多寡而取之，安有此弊哉？即龙子之言观之，可见助法之当行矣。

【原文】

"有王者兴，必来取法，是为王者师也。《诗》云：'周虽旧邦，其命维新。'文王之谓也。子力行之，亦以新子之国。"

【张居正注评】

孟子承上文说："助法，监于商、周；学校，法乎三代，此皆王者之政也。以滕之褊小，一旦能举行之，虽未必即兴王业，然良法美意足以垂范后来。如有兴王之君受命而起，欲举三代之政，必来考子之所已试者，率而行之，以教养其民。是子之所行，乃王者之师也，况兴王之业未必不基于此乎！《诗经·文王》篇有云：'周虽旧邦，其命维新。'言周家自后稷公刘以来，旧为诸侯之国，至于文王始受天命，而兴王业以新其国。可见修德行仁，不论国之大小，但恐不能行耳。诚能锐然以三代之治为必可复，奋发而力行之，则人心咸悦，天命自归，亦可以建兴王之业，而新子之国矣。岂但为王者师而已哉！子亦何惮而不为也。"按：三代教养之法，乃王政之首务，战国诸侯皆不能行，使其民日苦于兵戈赋敛之中，而不得被安养渐摩之化，故孟子惓惓为文公告如此。

【原文】

"请野九一而助，国中什一使自赋。"

【张居正注评】

野，是远乡地土。九一，是九分中取其一分。国中，是近城地土。什一，是十分中取其一分。赋，是上纳。孟子承上文说："观君子、野人之相须，则分田、制禄信不可废矣。然其法当如何而后可以通行，且如郊野之外，土地广阔可为井田，则请行九一之法。以一里之地画为九区，中一区为公田，使八家助耕，收其所入，此即殷之助法也。郊关之内，比闾相属，难行井田，则请行什一之法。以百亩之田为一夫之业，使输其十亩之入于公家，此即夏之贡法也。能行此二者，则野人之业，取给于所分之田，而豪强者不得兼并；君子之禄，取足于贡赋之入，而贪暴者不得多取。此分田制禄之常制，而周家之所谓彻者，正此法也。"

【原文】

"卿以下必有圭田，圭田五十亩，余夫二十五亩。"

【张居正注评】

圭字，解做洁字。余夫，是余丁。孟子承上文说："田禄之法，固有定分。然又有出于常制之外者，盖因田制禄，固所以厚君子。然卿以下其禄渐薄，不有以优之将祭享不备，而不足以养廉矣。于是有圭洁之田，使供祭祀，皆以五十亩为额焉，是又以济世禄之所不及也。计丁授田固所以厚野人，然一夫之外，有未成丁之余夫，尚未受田，不有以给之，则恒产有限，而不足以相赡矣。于是有余夫之田二十五亩，以待其壮而更授之百亩，是又以济分田之所不及者也。夫有一定之数以制田禄，又有额外之给以示仁恩，于是君子、野人各得其分，而仁政无不行矣。"

【原文】

"死徙无出乡，乡田同井，出入相友，守望相助，疾病相扶持，则百姓亲睦。"

【张居正注评】

徙，是迁居。守望，是防御寇贼。这是详言井田之善，以见助法当行的意思。孟子说："分田制禄，固惟助法为善矣。诚使助法既行，则一乡之民，各有世业，安土重迁。死而葬者与迁居者，皆不肯出其乡矣。盖远乡之田，八家同井，居止既相联属而不可离，情义自相维系而不能已，故出入往来，则道路之中相为伴侣，而无行旅之虞。昼夜防守，则闾里之间相为应援，而无寇盗之忧。遇有疾病，则视其医药，通其有无以相扶助，而无窘乏之虑。如此，则乡井之民，蔼然相与，苦乐患难无往不同，而亲睦之风成矣。井田之制，有以兴民俗如此，不可以见助法之善哉。"按：此一段即《周礼·比闾族党》之法，后世保甲乡约，其意多出于此。但古人以分田为务，使其情义相联，自无涣散。后世不均田制产，使有乐生之具，而欲以一切之法束离散之民，宜其徒为文具而不可行也。

【原文】

"方里而井，井九百亩，其中为公田。八家皆私百亩，同养公田，公事毕，然后敢治私事，所以别野人也。"

【张居正注评】

孟子又告毕战说："井田之法，固所当行矣。然其形体之制何如？盖古者分田制里，先相度地势，每方一里画为九区，其田如井字的模样。每田百亩为一区，九区共九百亩，中间一区百亩，是供给国家的，叫做公田；外面八区分与八家百姓，各得田一百亩，是养赡家口的，叫做私田。这公田，就教那八家百姓同出力以治其事。凡耕耘收获之时，必先治公田，公事已毕，才敢去治私田之事。虽通力合作，而实有公私之分；虽彼此均劳，而实有先后之辨。这是为何？盖以分别君子、野人之分，使在上者食人之食而不为泰，在下者事上之事而不为劳耳。此井田形体之制，殷之所谓助，周之所谓彻，不出于此。主井地之事者，不可不仿而为之也。"

【原文】

"此其大略也。若夫润泽之，则在君与子矣。"

【张居正注评】

润泽，是变通圆活的意思。孟子承上文说："井田之法，自诸侯去其旧籍，其详已不可得闻矣。我所言定中外之区，辨公私之等，别君子、野人之分，特其大略如此耳。顾时势之变迁不同，地力之肥硗不一，或宜于古而不宜于今，或利于此而不利于彼，又有不可以拘泥者。若夫交而通之，化而裁之，使合于人情，宜于土俗，不泥先王之法，而亦不失先王之意。这等圆活流通，无所胶滞，则在滕君主持于上，吾子协赞于下，同心共济，各尽其责而已，岂吾言所能悉哉？"按：井田之制，最为良法，成周所以体国经野，厚下安民，皆本于此。时至春秋战国，如李悝之尽地力，商鞅之开阡陌，尽取先王之法而更张之。后虽有明君贤相，慨然欲行古法，亦无自而考其详矣。惟是什一而赋，使百姓足而君亦足，则井田之遗意在焉。善用法者，不师其迹，而师其意可也。

【原文】

有为神农之言者许行，自楚之滕，踵门而告文公曰："远方之人闻君行仁政，愿受一廛而为氓。"文公与之处。其徒数十人，皆衣褐，捆屦织席以为食。

【张居正注评】

为神农之言，是战国时农家者流。因炎帝神农氏始为耕稼，遂造作一段言语，托为神农遗教，以惑人心，乃异端之学也。踵门，是足及于门。廛，是民居。氓，是田野之民。捆字，解作扣字，是造屦之法。昔文公闻孟子之言，即欲分田制禄，以复三代之法，风声传播，远近皆知。那时楚国之人，有习学耕稼，托为神农之说的，叫做许行，要乘此机会，以售其学术。即自楚至滕，叩文公之门告说："吾远方之人，闻君分田制禄，举行仁者之政，心窃慕之，故不惮遥远，特来归附，愿分与一廛之居，为滕国的百姓，庶几得沾仁政之泽也。"文公以其慕化而来，不忍拒绝，即与之一廛，以为居止。但见许行之徒数十人，皆以褐为衣，以明自处于贱；不用尊贵之章服，且捆屦织席，卖之以供食，以明自食其力，不费公家之廪饩也。此不惟言称神农，即一衣一食，已别是一种习尚，实欲以并耕之说，沮坏良法耳。

【原文】

陈良之徒陈相与其弟辛，负耒耜而自宋之滕，曰："闻君行圣人之政，是亦圣人也，愿为圣人氓。"

【张居正注评】

陈良，是楚国儒者。耒耜，是耕田的器具。文公既行仁政，归者益多，此时楚儒陈良，有弟子陈相与其弟陈辛，负着耕田的耒耜，自宋至滕，来告文公说："分田制禄之法，乃三代圣人经理天下之善政，闻君有志复古，慨然举行之，是即三代圣人复见于今日矣。吾等生于今时，得遇圣君，何胜庆幸，故移家来附，愿受田而耕，为圣人之民，以沾仁政之泽焉。"陈相兄弟是儒家之徒，其闻风归附，本是仁政所感，非若许行欲售其说也。夫井田之法，一行于小国，而远方之民，翕然向化如此，足以见王政之可行矣。惜乎为邪说所惑，而使孟子之言，终于不用也。

【原文】

孟子曰："许子必种粟而后食乎？"曰："然。"曰："许子必织布而后衣乎？"曰：

"否，许子衣褐。""许子冠乎？"曰："冠。"曰："奚冠？"曰："冠素。"曰："自织之与？"曰："否，以粟易之。"曰："许子奚为不自织？"曰："害于耕。"曰："许子以釜甑爨，以铁耕乎？"曰："然。""自为之与？"曰："否，以粟易之。"

【张居正注评】

釜，是煮饭的。甑，是炊食的。爨，是燃火。铁，是田器，如锄犁之类。许行之说，欲使人君身亲稼穑，而兼治民事，此理势之所必不能者。孟子将折其非，先就把他服食器用不能兼为者以诘之，因问陈相说："许子必种粟而后食乎？"陈相答以为然。盖许子农家，固必耕而食也。孟子再问："许子必织布而后衣乎？"陈相答以为否。盖许子穿的是褐，不必织而衣也。孟子又问："许子戴冠乎？"陈相答说："戴冠。"又问："许子所戴何冠？"陈相答说："是素冠。"孟子就问："这冠是许子自织之与？"陈相说："否，许子不能自织，以所种之粟易之耳。"孟子问："许子何故不自织？"陈相说："农工各有专务，既要种粟，又要制冠，却不妨了农事，所以不自织也。"孟子又问："熟食必用釜甑，耕田必用铁器，许子也以釜甑爨，以铁耕乎？"陈相说："然。"孟子问："这器物，也是许子自为之与？"陈相说："否，许子恐害于耕，也以所种之粟易之，犹夫冠也。"此可见许子服食器用，多与人同，有无相须，不能独异。一身日用之事，且不可以兼为，况治天下而可以兼农夫之事哉？

【原文】

"以粟易械器者，不为厉陶冶；陶冶亦以其械器易粟者，岂为厉农夫哉？且许子何不为陶冶，舍皆取诸其宫中而用之？何为纷纷然与百工交易？何许子之不惮烦？"曰："百工之事，固不可耕且为也。"

【张居正注评】

械器，即上文釜甑耒耜之属。陶，是治瓦器的。冶，是治铁器的。舍字，解作止字。宫中，譬如说是家里一般。孟子因陈相之对，复诘之说："许子以滕有仓廪府库，为厉民以自养矣，今就子之言观之，粟乃农夫之所种，釜甑耒耜乃陶冶之所为，各治一事而各适于用者也。农夫以粟易械器，正以济陶冶之所无，非有害于陶冶。陶冶亦以其器械易粟，正以济农夫之所无，岂有害于农夫哉？盖有无相通，则彼此俱利，从古以来都是如此。若必以相易为厉，则许子何不自为陶冶。举凡百工之事，如釜甑耒耜之具，止皆取诸家中而用之，岂不省便，何为纷纷然日以其粟与百工之人交相贸易？何许子之不惮烦如此？"陈相乃答说："天下之事专为则易，兼为则难。许子既种粟而食，则百工之事，固不可以耕兼之也。"陈相至此，固已情见辞穷，而不能自解矣。

【原文】

"然则治天下独可耕且为与？有大人之事，有小人之事。且一人之身而百工之所为备，如必自为而后用之，是率天下而路也。故曰：或劳心，或劳力。劳心者治人，劳力者治于人；治于人者食人，治人者食于人。天下之通义也。"

【张居正注评】

大人，是在上的人。小人，是在下的人。陈相既知农工之不可兼，故孟子即从而折之说："尔谓百工之事不可耕且为是矣，然则人君之治天下，视百工之制器，烦简劳逸，相去何如？独可耕且为与？盖心无二用，业有专攻，在上的大人，自有大人之事，在下的小人，自有小人之事。固不可得而兼也。且就一人之身计之，服食器用百工之所为，无不具备，如皆出于自为而后用之，则既乎此，又兼乎彼，是率天下之人，奔走道路，无时休息，势亦有所不能矣，况以大人而兼小人之事乎？所以古语有云：均是人也，或为君子而劳心于上，或为小人而劳力于下。劳心于上者，颁政布教，以治在下之人；若劳力之小人，则唯听君上之治而已。听治于人者，输租纳税，以供在上之食；若治人之君子，则唯受在下之养而已。然则以劳心而易小人之养，本是大人之事；以劳力而易君子之治，本是小人之事，正犹农夫陶冶，以粟与械器相济，而非所以相病也，此乃天下古今通行的道理。自神农、尧舜以来，所不能易者，安有所谓并耕之说乎？"盖许行之术，本欲阴坏孟子分田制禄之法，故此一段指陈君子、野人之分，深切著明，彼之邪说，将不攻而自破矣。

【原文】

"尧以不得舜为己忧，舜以不得禹、皋陶为己忧。夫以百亩之不易为己忧者，农夫也。"

【张居正注评】

易字，解作治字。孟子承上文说："尧舜之忧民，固不暇于耕矣。然其所以为民者，亦非事事而忧之也。在尧则以百揆未叙，四门未辟，思举舜而任之，彼时惟以不得舜为忧耳。得舜，则尧之忧民者皆付之于舜矣，尧又何忧之有！在舜则以水土未平，五刑未饬，思得禹、皋陶而任之，彼时惟以不得禹、皋陶为忧耳。得禹、皋陶，则舜之忧民者皆付之禹、皋陶矣，舜又何忧之有！圣人之劳于求贤如此，则其所忧，乃知人安民之要务，实皆治乱安危所关，而未尝屑屑于其小也。若乃躬耕百亩之田，闵闵然忧其不治，乃农夫之所有事耳，岂圣人之忧哉？然则圣人之治天下，不惟不暇耕，而亦不必耕矣。"

【原文】

"分人以财谓之惠，教人以善谓之忠，为天下得人者谓之仁。是故以天下与人易，为天下得人难。"

【张居正注评】

孟子承上文说:"尧舜之忧惟在于得人,诚以得人之所系为甚大也。且如忧人之匮乏,而以财物分之,于人亦有所济,这叫做惠;忧人之愚昧,而以善道教之,于人非不尽心,这叫做忠。然天下至广,百姓至众,安得人人而分之?又安得人人而教之?这所及犹有限也。惟是忧天下之不治,而求得贤才以代理,如尧之得舜,舜之得禹、皋陶,则不必分人以财,而牧养有人,惠之所推者自广。不必教人以善,而敷教有人,忠之所被者无穷,这等才叫做仁。仁则不止于小惠小忠而已。夫仁覆天下而惟系于得人,则得人岂易言哉?是故天下大器而推以与人,诚若至难,然以圣人之心视之,犹以为易。惟是为天下得人,则必择之至当,选之至公,而后可托以天下,乃为难耳。惟得人之难,此尧舜所以用心于是,而以不得为忧也。"

【原文】

"孔子曰:'大哉,尧之为君!惟天为大,惟尧则之。荡荡乎,民无能名焉。''君哉!舜也!巍巍乎有天下而不与焉!'尧舜之治天下,岂无所用其心哉?亦不用于耕耳。"

【张居正注评】

孟子承上文说:"欲知尧舜用心之大,观诸孔子之所称,则可见矣。孔子尝称帝尧说:'大哉尧之为君!以天道之大,而能与之准则。其德荡荡乎广远,民无得而名焉,真是与天为一者也。'又称帝舜说:'君哉舜也!其德巍巍乎高大,虽富有天下,若与己不相关涉,而惟以治天下为忧,真是克尽君道者也。'夫尧称荡荡,舜称巍巍,自古帝王无有如其盛者。则尧舜之治天下,岂诚漠然于兆民之上,而一无所用其心哉?当其时,民害未除,思得人以除之;民生未遂,思得人以遂之;民行未兴,思得人以兴之,此皆其用心之所在也。但不以百亩为忧而用之于耕耳,使尧舜用心于耕,则是以小人之事为事矣,何以成此巍巍荡荡之功哉?然则并耕之说,可谓无稽之甚矣。"

【原文】

吾闻用夏变夷者,未闻变于夷者也。陈良,楚产也,悦周公、仲尼之道,北学于中国。北方之学者未能或之先也,彼所谓豪杰之士也。子之兄弟事之数十年,师死而遂倍之。

【张居正注评】

孟子既辟许行并耕之非,至此乃直责陈相说:"许行之学,诞妄如此,子乃悦而从之,可乎?夫中国所以异于蛮夷者,为其有圣人礼义之教耳。据吾所闻,盖有用中国之教以变蛮夷之俗,而自归于正者;未闻有学于中国,而反为蛮夷所变者也。子之师陈良，生长于楚，本是南夷之人，一旦闻周公、仲尼之道行于中国，悦而慕之，遂来游北方以求周、孔之学。于凡二圣之制作删述，皆心领而身受之，即北方之士素学周、孔者，其所造诣亦未能或出其上也。彼能用夏变夷，而自拔于流俗如此，可谓才德出众之豪杰也。子之兄弟事之数十年，亦与闻周、孔之道者，乃于师死之日，遂尽弃其学而学于异端之许行，非所谓变于夷者耶？吾未见受变于夷，而可与论先王之道者也。"

【原文】

"昔者孔子没，三年之外，门人治任将归，入揖于子贡，相向而哭，皆失声，然后归。子贡反，筑室于场，独居三年，然后归。他日，子夏、子张、子游以有若似圣人，欲以所事孔子事之，强曾子。曾子曰：'不可。江、汉以濯之，秋阳以暴之，皜皜乎不可尚也。'"

【张居正注评】

任，是担负的行李。场，是冢傍之地。秋阳，是秋日。暴，是晒。皜皜，是洁白的意思。孟子责陈相说："子之忍于倍师，亦未闻孔门弟子之尊师者乎？昔者，孔子既没，其门人在鲁，皆服心丧三年，三年之外，各治行装将欲散归乡里，入揖子贡为别，相向而哭，莫不极其哀痛，至于失声，然后归去。门人之追慕其师如此。子贡犹未忍遽去，又反归墓傍，筑室于坛场之上，独居三年，然后归去。子贡之追慕其师又如此。他日子夏、子张、子游思慕孔子。想见其音容，以有若言行气象有似孔子，欲以所事孔子之礼事之，以慰其思慕之意，因曾子不往，勉强要他。曾子说：'不可。我辈尊师，当论其道德，不当求其形似。吾夫子之道德极其纯粹，而无一尘之杂，就如江、汉之水洗濯出来的一般，又极其明莹而无一毫之累，就如秋天日色暴晒出来的一般，皜皜乎举天之言洁白者，无以加于其上矣，岂有若所能仿佛哉？今乃欲以此尊之，则拟非其伦，而反以卑夫子矣，如之何其可乎？'夫曾子之尊信其师如此，而子之兄弟独忍倍其师，真圣门之罪人也。"

【原文】

"今也，南蛮鴂舌之人，非先王之道，子倍子之师而学之，亦异于曾子矣！"

【张居正注评】

鴂，是鸟名，南蛮之声与之相似，所以说南蛮鴂舌。孟子责陈相，又说："有若虽非圣人，犹与圣人相似，曾子尚不肯以事孔子者事之。今许行乃南蛮鴂舌之人，其所称述皆惑世诬民之术，本非中国圣人相传之道，与子之师陈良正大相反，子乃倍子之师而从其所学，亦异乎曾子之尊其师者也！"盖圣人之道本不以地而有间，顾人之所从何如。陈良用夏变夷则进而为中国，陈相去正从邪则沦而为夷狄，所谓在门墙则挥之，

在夷狄则进之者也。司世教者不可不知。

【原文】

"吾闻'出于幽谷，迁于乔木'者，未闻下乔木而入于幽谷者。《鲁颂》曰：'戎狄是膺，荆舒是惩。'周公方且膺之，子是之学，亦为不善变矣！"

【张居正注评】

幽谷，是深涧。乔木，是高树。膺，是击搏的意思。荆，是楚国本号。舒，是楚旁小国。惩，是创。孟子责陈相，又说："子倍陈良之道，而学于蛮夷之人，其于取舍之间，可谓不知所择矣。《诗经·伐木篇》中有云：'鸟鸣嘤嘤，出自幽谷，迁于乔木。'可见鸟虽微物，犹知出于幽暗之中，而迁于高明之处，吾之所闻如此。未闻有自乔木而下，反入于幽谷者也。今陈良诵法先王，如乔木之高明，许行溺于异端，如幽谷之卑暗，子乃倍陈良而学许行，是下乔木而入于幽谷矣，不亦异乎吾之所闻耶？又观《鲁颂》篇中说：'周公辅佐王室，于戎狄则击而逐之，于荆、舒则伐而惩之，其正夷夏之防如此。'今许行蛮夷之人，畔于圣道，乃周公之所击也。子乃舍中国之教而从其学，真所谓变于夷者矣，何其变之不善如此耶？"即孟子之言观之，许行并耕之说必不可从，而陈相倍师之罪诚有不容逭者矣。盖战国之时，邪说横行，故孟子极力辟之，至斥为夷狄，其严如此。后世佛氏之学，自西域流入中国，世之愚民莫不惑于其教，乃至贤智之士亦阴入其说，而不可解。视陈相之变于夷，抑又甚矣，岂非周公之所膺耶？

【原文】

墨者夷之因徐辟而求见孟子。孟子曰："吾固愿见，今吾尚病，病愈，我且往见，夷子不来。"

【张居正注评】

墨者，是治墨翟之道者。夷之，是人姓名。徐辟，是孟子弟子。战国之时，杨朱、墨翟之言，布满天下，这两家学术都是异端，与儒者之道相悖，故孟子辞而避之。彼时有治墨翟之道的，叫做夷之，虽是异端之徒，然平时仰慕孟子，欲来求见，乃因徐辟以自通，此其慕道而来，或亦反正之一机也。然未知他的意思诚否何如，故孟子对徐辟说："夷子之来我固愿见，只为我尚有疾病，未可以见也，子为我辞夷子，俟吾病愈，吾且往见，夷子不必再来。"这是孟子托辞欲坚其求见之心，以为施教之地也。

【原文】

他日，又求见孟子，孟子曰："吾今则可以见矣。不直，则道不见，我且直之。吾闻夷子墨者，墨之治丧也，以薄为其道也。夷子思以易天下，岂以为非是而不贵也？

然而夷子葬其亲厚，则是所贱事亲也。"

【张居正注评】

直，是尽言以相正的意思。易天下，是移易天下的风俗。夷之初因孟子托疾，不得相见。他日，又因徐辟求见孟子，孟子谓徐子说："夷子再来求见，其意甚诚，吾今则可以见矣。但吾儒之道与异端不同，苟不尽言以相正，则吾道不明，何以开其蔽锢，救其差失？吾且尽言以规正之。吾闻夷子乃学于墨氏之道者，墨氏之治丧，生不歌，死无服，桐棺三寸而无椁，其为道贵薄，而不贵厚者也。夷子思以墨氏之道移易天下之风俗，岂以其薄葬为非是而不贵尚之哉？夫以薄为贵，则以厚为贱，必无两是之理。然而夷子之执亲丧，于葬埋之礼独厚，则是不以墨氏之所贵者事亲，而以墨氏之所贱者事亲也。学其术而不遵用其教，是诚何心哉？"盖人子无不欲厚其亲者，而墨氏以兼爱之故，反薄于亲，此所以为异端之学也。夷子学于墨氏固其心之所蔽，而不忍从薄，乃其心之所明，故孟子因而诘之，欲其反之本心，而自悟其所学之非耳。

郑义伯

【原文】

徐子以告夷子。夷子曰："儒者之道，古之人若保赤子，此言何谓也？之则以为爱无差等，施由亲始。"徐子以告孟子。孟子曰："夫夷子信以为人之亲其兄之子，为若亲其邻之赤子乎？彼有取尔也：赤子匍匐将入井，非赤子之罪也。且天之生物也，使之一本，而夷子二本故也。"

【张居正注评】

差等，是分别等第。匍匐，是伏地而行的模样。徐子以孟子之言告夷子，夷子犹未悟其非，乃对徐子说告："墨子之道主于兼爱，只是看得父母和他人一般，不分厚薄，学者善师其意而行也，与儒道不相悖戾，且儒者之道亦未尝不以兼爱为言。《周书》上说'若保赤子'，是古之人视百姓与赤子也是一般，斯言果何谓也？由此而观，墨子兼爱之说何尝不是。之则以为天下之人皆所当爱，原无厚薄隆杀之等，特其所施有次序，必由亲始耳。故我厚葬其亲，亦欲推之以厚天下之人，乃施由亲始之说也，岂以所贱事亲哉？"夷子既援儒入墨，以拒孟子之非己，又推墨附儒，以释己厚葬之意，其辞亦遁矣。徐子以其言告孟子，孟子晓之说道："夷子据'若保赤子'之言，而自信其爱无差等之说，岂以为人之爱其兄子就如爱那邻家之赤子乎？不知兄子甚亲，邻家之子甚疏，用爱岂无分别？《周书》所谓'若保赤子'者，彼自有取义云尔。以为小民无知而犯法，非小民之罪，犹赤子无知，匍匐将入于井，非赤子之罪，欲保民者当如保赤子，不使无辜受戮耳，岂爱无差等之谓乎？且天之生物受气成形，各本于父母，都使他从这一个根本上发生出来。故爱亲之心根于天性，非他人所可同耳。如夷子之言，则视其亲与路人略无分别，特其施由亲始，把这根本去处分而为二，此所以溺于兼爱之说，而不自知其非也。若能反求之心，而深知一本之义，则墨子兼爱之非，不攻而自破矣。"

【原文】

"盖上世尝有不葬其亲者，其亲死，则举而委之于壑。他日过之，狐狸食之，蝇蚋姑嘬之，其颡有泚，睨而不视。夫泚也，非为人泚，中心达于面目。盖归反虆梩而掩之。掩之诚是也，则孝子仁人之掩其亲，亦必有道矣。"

【张居正注评】

上世，是太古之时。委，是弃。壑，是山水所聚处。嘬，是攒食。泚，是汗出。睨，是邪视。虆，是土笼。梩，是土擧。孟子晓夷之说："夷子知厚葬之为是，而不知二本之为非，岂亦未之深思耶？殊不知人惟一本，所以无不爱亲，惟爱亲所以有此葬礼。试以往古之事验之：盖上世丧礼未制之先，尝有不葬其亲者，其亲死则举而弃之于壑。他日经过其处，见狐狸食亲之肉，蝇蚋嘬亲之肤，于是头额之间泚然汗出，但邪视不忍正视，有不能为情之甚者。是丑比也，岂为他人见之有所掩饰而然，乃其哀痛迫切之情，本诸中心而发，见于面目，其良心感触，有不能自已者耳。当此之时，既悔其前日委弃之非，而又思为后日保全之计，于是归取虆梩反土，以掩其亲之尸，使不至为物所残，为人所见，此后世葬埋之礼所由起也。夫此掩其亲者，若在所当然，则孝子仁人之所以掩覆其亲者，必有厚葬的道理，而不以薄葬为贵矣。夫葬礼之所自起，皆由不忍其亲之一念发之，非以其一本而然乎？使人非一本，则弃亲不葬者胡为有泚？又胡为而掩之以虆梩？夷子试反而求之，则知以薄为道之非，而墨氏之说，有不可从者矣。"

【原文】

徐子以告夷子。夷子怃然，为间，曰："命之矣。"

【张居正注评】

怃然，是茫然自失的模样。为间，是少顷。命，是教。夷子学于墨氏，而厚葬其亲，其心必有不安于墨者，但溺于其说，不能自拔耳。孟子乃从他良心真切处提醒发明，所以感悟而诱掖之者至矣。徐子以孟子之言，一一告语夷子，夷子遂茫然自失，少顷间说道："始，吾学于墨氏而不知其非也。今闻夫子之言，乃知天亲果无二本，葬

亲果当从厚。夫子固已教我矣。"夫夷子之闻言即悟如此，可见爱亲之良心人所同具，而异端之道未有不可反而归正者。故君子之于异端，拒之甚严，而待之亦未尝不恕也。

滕文公章句下

凡十章。

【原文】

陈代曰："不见诸侯，宜若小然。今一见之，大则以王，小则以霸，且《志》曰'枉尺而直寻'，宜若可为也。"孟子曰："昔齐景公田，招虞人以旌，不至，将杀之。志士不忘在沟壑，勇士不忘丧其元。孔子奚取焉？取非其招不往也。如不待其招而往，何哉？"

【张居正注评】

陈代，是孟子弟子。枉，是屈。直，是伸。八尺叫做寻。田，是田猎。虞人，是守苑囿之官。元字，解做首字。昔战国时，游说之士多于谒诸侯以取功名，惟孟子以道自重，不肯屈己往见。弟子陈代疑其过于自高，乃以己意问说："君子以行道济时为急，得君而事乃其本心。今夫子不肯往见诸侯，固为守身之常法，然以我观之，似是小节不必拘也。今若肯往见，诸侯必尊礼而信用之，大则佐其君拨乱反正，行汤武之王道；小则佐其君招携怀远，成桓文之霸功。似这等俊伟光明的事业，只在一见之间，夫子犹不肯委曲就之乎？且古书上说：'人之处世，若屈的止是一尺，伸的却有八尺，则所失者小，所得者大，在君子宜若可为也。'然则往见诸侯而成王霸之业，是舍小节以就大事，即枉尺直寻之谓也，何为而不可耶？"孟子答说："我非不欲得君行道，但揆于义，不当往见耳。不观虞人之于齐景公乎？昔景公出猎，以虞人当有职事，使人持旌节召之。古时人君召见臣下，各有所执以为信，召大夫方用旌节，若召虞人当用皮冠，那虞人见以旌召他，非其官守，不肯往见。景公怒其违命，将欲杀之。孔子见虞人能守其官，因称他说：'世间有一等志士，常思固守贫穷，就死无棺椁，弃在沟壑，也不怨恨；有一等勇士，常思捐躯殉国，就战斗而死，不保首领，也不顾避。正此虞人之谓也。'夫孔子何取于虞人而称美之若此？只为他招之不以其物，而守死不往故耳。夫招之不以其物，在虞人小吏尚且不往，况不待诸侯之招而往见，其如屈己何哉？"故不见诸侯，乃义不当往，非故自为尊大也。

【原文】

"且夫枉尺而直寻者，以利言也。如以利，则枉寻直尺而利，亦可为与？"

【张居正注评】

孟子承上文说："君子出处进退之间，不当计较功利，只论义之可否而已。彼谓枉尺直寻在所可为者，乃是在功利上计算，而以所得之多少言之也。一有计利之心，则不论可否，惟利是徇，岂但枉尺直寻甘心为之？虽使枉寻直尺，所屈者多，所伸者少，至于丧节败名可以邀一时之利，亦将不顾而为之欤？不知君子之心，不计其终之直与不直，只论其始之枉与不枉，故惟义之与比，而不肯徇利以忘义也。况利害得失不惟不当计，亦有不可得而趋避者。一有计利之心，则利未必得而害已随之矣，岂但枉寻直尺而已哉？"

【原文】

"昔者赵简子使王良与嬖奚乘，终日而不获一禽。嬖奚反命曰：'天下之贱工也。'或以告王良，良曰：'请复之。'强而后可，一朝而获十禽。嬖奚反命曰：'天下之良工也。'简子曰：'我使掌与女乘。'谓王良。良不可，曰：'吾为之范我驰驱，终日不获一；为之诡遇，一朝而获十。《诗》云：不失其驰，舍矢如破。我不贯与小人乘。请辞。'"

【张居正注评】

赵简子，是晋国大夫，名鞅。王良，是善御的人。嬖奚，是简子幸臣。乘，是御车。范，是法。诡遇，是随迎射，不循正道的意思。舍，是发。贯，惯习。孟子承上文说："计利忘义岂特士君子所不当为，即一艺之士亦有不肯为者。昔赵简子使其幸臣嬖奚田猎，命王良与他御车，自朝至暮不能射得一禽。嬖奚复命说：'王良乃天下贱工，不善御车，所以不获。'或以此言告王良，王良恐损了他善御之名，乃请再与之御，以试其能。那嬖奚不肯，强之而后往。自晨至食时，就射得十禽。嬖奚乃复命说：'王良乃天下良工，善于御车，所以多获。'简子说：'我使王良专与汝乘。'遂以此命王良。王良却又不肯，对说：'这获禽之多，非射御之正，乃废法曲徇之所致也。盖御者自有法度，射者自有巧力，原不相谋。前者我以御车之法驰驱正路，嬖奚不能左右迎射，故终日不获一禽。今我不由正道，只看禽所从来，迎而遇之，他才会迎着射去，一朝而获十禽。是嬖奚之射，必使御者废法而后可中也。《诗经·车攻篇》有云：不失其驰，舍矢如破。是说御车之人不曾失了驰驱之常度，而车中射者发矢必中，就如破物一般，此君子射御之正法也。今必为之诡遇而后获禽，乃小人之所为耳。我不惯与小人乘。请辞。'由此观之，则王良之所以称为善御者，在能循正道，不在诡遇以求获也。射御且然，而况出处大节，其可苟且以就功名之会乎？"

【原文】

"御者且羞与射者比，比而得禽兽，虽若丘陵，弗为也。如枉道而从彼，何也？且子过矣：枉己者，未有能直人者也。"

【张居正注评】

比，是阿党。孟子承上文说："王良以御得名，嬖奚以射为事，皆不过一艺之微耳。今使御者与射者私相比合，废其驰驱之法而求获禽之利，犹以为小人之事而羞之。推其心，即使一时阿比，而所得禽兽积如丘陵之多，亦所不为也，其守法而不肯徇利如此。况君子以道自守，乃欲计较得失之多寡，而枉道以见诸侯，反御者之不若矣。何为其然哉？且子以利害计算，亦已过矣。君子一身乃天下之表率，必自处以正方能正人。夫苟枉己以从人，则轨范不端，本原不正，欲行道济时，以成霸王之功，无是理也。夫使枉尺而可以直寻，君子犹且不为，况枉己必不能以直人乎？"然则君子不见诸侯乃君子自守之大义，不可以小节视之也。时至战国，士风大坏，纵横游说之徒，惟利是图，不顾礼义，故虽从游于孟子者，亦有枉尺直寻之言，岂知圣贤之道，以出处进退为大节，故宁终身不遇，而不肯一屈其身以求用于世。盖必如是而后可以正天下也。后之用人者，诚以进退出处之际，观其大节，则枉直不淆，而举措无不当矣。

【原文】

景春曰："公孙衍、张仪岂不诚大丈夫哉？一怒而诸侯惧，安居而天下熄。"孟子曰："是焉得为大丈夫乎？子未学礼乎？丈夫之冠也，父命之；女子之嫁也，母命之。往送之门，戒之曰：'往之女家，必敬必戒，无违夫子！'以顺为正者，妾妇之道也。"

【张居正注评】

景春、公孙衍、张仪，都是战国时人。熄，是宁息。顺，是阿谀、苟容的意思。夫子，指女子之夫说。当时列国纷争，游说之士往往以纵横之术，窃取权势，震耀一时，公孙衍、张仪尤其著者。故景春美慕之，问于孟子说道："我观当时之士，如公孙衍、张仪二子，岂不诚然为大丈夫哉？如何见得？盖方今诸侯力争，天下多事，他若有所愤怒，即能动大国之兵，使诸侯恐惧；他若安居无事，即能解列国之难，使天下宁息。以一人之喜怒，系一世之安危，是何等气焰，非大丈夫而何？"盖景春但见二子权力可畏，遂以大丈夫目之，不知圣贤之所谓大，有出于权力之上者。故孟子晓之说："仪、衍所为如此，安得为大丈夫哉？夫大丈夫之道与妾妇不同，子岂未曾学礼乎？《礼经》上说：'丈夫行冠礼，其父醮而训之；女子出嫁，其母亦醮而训之。'嫁时送之于门，戒之说：'女今归于夫家，必要敬谨，必要戒慎，惟夫子之命是从，无得违悖。'母命若此。可见以顺从为正者，乃是为妾妇的道理。今二子，虽是声势权力炫耀一时，其实有所喜怒，都是揣摩诸侯之好恶而顺从其意，乃妾妇者流耳，岂大丈夫之所为哉？"

【原文】

"居天下之广居，立天下之正位，行天下之大道。得志，与民由之；不得志，独行其道。富贵不能淫，贫贱不能移，威武不能屈，此之谓大丈夫。"

【张居正注评】

广居，指仁说。正位，指礼说。大道，指义说。淫，是放荡。移，是变易。屈，是折挫。孟子承上文说："吾所谓大丈夫者何如？盖仁，统天下之善，乃广居也，彼则存心以仁，兼容并包，而无一毫之狭隘，是居天下之广居矣。礼，嘉天下之会，乃正位也，彼则持身以礼，大中至正，而无一毫之偏党，是立天下之正位矣。义，公天下之利，乃大道也，彼则制事以义，明白洞达，而无一毫之邪曲，是行天下之大道矣。由是得志而见用于时，则推仁义礼之道，而公之于民；如不得志，而隐居在下，则守仁义礼之道，而行之于己。时而处富贵，虽丰华荣宠，不能荡其心；时而处贫贱，虽穷困厄约，不能变其节；时而遇威武，虽存亡死生在前，不能挫抑其志。这等的人，论学术则精纯粹美，而无权谋功利之私；论设施则正大光明，而无阿顺依违之态，这才是大丈夫之所为也。二子何人，可以此称之哉？"要之孟子之所谓大者，是在道理上说，其大在己；景春之所谓大者，是在势力上说，其大在人，正君子小人之分也。然所谓大丈夫者，惟孟子足以当之。乃战国之君，溺于功利而不能用，至使仪、衍之流得以逞其喜怒，而操纵诸侯之权，岂非世道之一厄哉？后之用人者，可以鉴矣。

【原文】

周霄问曰："古之君子仕乎？"孟子曰："仕。《传》曰：'孔子三月无君，则皇皇如也，出疆必载质。'公明仪曰：'古之人三月无君，则吊。'"

【张居正注评】

周霄，是魏国人。无君，是不得仕而事君。皇皇，是有所求而不得的模样。疆，是本国的疆界。质，是执贽以见君，如大夫执雁，士执雉之类。吊，是悯恤的意思。昔孟子以道自重，不见诸侯，周霄欲讽其出仕，先设问说："古时君子亦欲得位事君否乎？"孟子答说："君子抱道负德，本欲出而辅世长民，为何不仕？《传记》有云：'孔子若三个月不得君而仕，即傍徨不宁，如有所求而不得，及其失位去国，则必载贽以往。'盖贽是见君的礼仪，若所适之国君有用我者，则执此以见而事之耳。公明仪曾说：'古之人若三月无君，则人皆悯恤而来吊。'以其志不得伸，而慰安之也。"即此而观，可见君臣之义等于天地，虽圣如孔子，贤如公明仪，皆不能忘情于仕如此，则君子之欲仕可知矣。

【原文】

"三月无君则吊，不以急乎？"曰："士之失位也，犹诸侯之失国家也。《礼》曰：'诸侯耕助，以共粢盛；夫人蚕缫，以为衣服。牺牲不成，粢盛不洁，衣服不备，不敢以祭。惟士无田，则亦不祭。'牲杀、器皿、衣服不备，不敢以祭，则不敢以宴，亦不足吊乎？"

【张居正注评】

以，是已甚的意思。黍稷，叫做粢。在器，叫做盛。缫，是治丝。衣服，是祭服。田，是祭田。牲杀，是特杀之牲。宴字，解做安字。周霄闻孟子之言，遂问说："三月无君，其时未久，遂至于相吊，古人欲仕之心，不亦太急乎？"孟子答说："三月无君则吊，非是急于功名，只为情礼所在，关系甚切耳。夫士之有位，犹诸侯之有国家，士若失位，就如诸侯失了国家的一般。何也？盖古人最重祭祀，必有田禄之入，方能举祭。《礼经·祭义》上说：'诸侯亲耕籍田，率庶人终亩，待其收获，藏之于御廪，以奉祭祀之粢盛。夫人亲蚕受茧，缫丝，以颁之世妇，使为黼黻文章，以供祭祀之衣服。'是诸侯能备祭祀，以其有国也。假如诸侯失了国家，则牺牲不能成，粢盛不能洁，衣服不能备，就不敢举祭了。虽有尊祖敬宗之心，何以自尽乎？为士的也是如此。《礼记·王制》上说：'士有田则祭，无田则荐。'假如士失去官位，即无祭田。无田，则牲杀之具，器皿之资，祭祀之服，皆不能全备，也不敢举祭了，既不敢祭，则人子之心，必有戚然悚惧，而不能一息自安者。故三月无君，即废一时之饷，而有亏于奉先之孝矣。这等样情事不堪，亦不足吊乎？是知三月而吊者，非吊其不仕，乃吊其失祭也。子何以谓之太急耶？"

【原文】

"出疆必载质，何也？"曰："士之仕也，犹农夫之耕也，农夫岂为出疆舍其耒耜哉？"

【张居正注评】

周霄闻孟子之言，又问说："三月无君，不得尽奉先之孝，是诚可吊也。乃若一去其国，必载赘以往，这等急于得君，又是为何？"孟子晓之说："士之欲仕，本以行道，犹农夫之耕本以谋食。见君不可无赘，耕田不可无耒耜，其义一也。农夫虽至他处亦不能不耕，既欲耕则必用耒耜，岂为离了本土，遂舍其耒耜而不用哉？士虽至他国，未尝不欲仕，既欲仕，则必用赘以见君，亦岂以出疆而不载赘乎？"盖上下之交，固自有道，而进退之际尤必有礼，士岂有无羔雁之赘，而可以见君者哉？然则君子之欲仕而不轻仕，周霄可以自悟矣。

【原文】

曰："晋国亦仕国也，未尝闻仕如此其急。仕如此其急也，君子之难仕，何也？"曰："丈夫生而愿为之有室，女子生而愿为之有家，父母之心，人皆有之。不待父母之命、媒妁之言，钻穴隙相窥，逾墙相从，则父母国人皆贱之。古之人未尝不欲仕也，又恶不由其道，不由其道而往者，与钻穴隙之类也。"

【张居正注评】

晋国，即是魏国，韩赵魏分晋，谓之三晋，所以都称晋国。仕国，是游宦之国。媒妁，是议婚之人。穴隙，是壁间空隙。周霄设辞探问，既得君子欲仕之情，至此乃讽之说："据夫子之言，君子之欲仕，可谓急矣。然晋国亦士君子游宦之国，未尝闻有无君则吊，出疆载贽这样急的。仕果如此其急，则君子亦当易于仕矣，乃又不见诸侯而难于出仕，却是何故？"孟子答说："君子之心，岂不欲仕而得位？但出处进退自有正道，不可苟且。且如男女居室，人之大伦，故丈夫生而愿为之有室，女子生而愿为之有家，这是父母之心，人所同有。然在男女必待父母有命，媒妁之言，才好婚配而成室家。若不待父母之命，媒妁之言，甚至钻穴隙以相窥，逾墙垣以相从，这等污辱苟合，不惟为父母者贱而恶之，举国之人皆贱而恶之矣。是以古之君子未尝不欲仕，亦如为人父母之心，未尝不愿男女之有室家，但必审去就之义，明进退之礼。又以不由其道为耻，若不得诸侯之招而屈己往见，这便是不由其道，与钻穴隙相窥的一般，人之贱恶又当何如？然则士之不见诸侯，正恶不由其道也，岂以欲仕之急而遂轻于仕哉？盖君子之大义虽一时不容少缓，而出处之大节，则一毫不可或逾。苟以欲仕之急，而贻可贱之名，即终身不仕，君子有甘心自守者矣，况三月无君耶？"世之为君者，知士之欲仕，而遂其致君泽民之心，又知仕之有礼，而全其直己守道之志，斯上下交而德业成矣。

【原文】

彭更问曰："后车数十乘，从者数百人，以传食于诸侯，不亦泰乎？"孟子曰："非其道，则一箪食不可受于人；如其道，则舜受尧之天下，不以为泰，子以为泰乎？"

【张居正注评】

彭更，是孟子弟子。后车，是随从之车。传，是乘传，即今驰驿便是。泰字，解作侈字，是过分的意思。孟子在当时应聘列国，车徒甚众，诸侯之廪饩甚丰。弟子彭更疑其过分，乃问说："今有一介之士，周流列国，后车数十乘，从者数百人，乘传而食于诸侯，岂不过于侈泰乎？"孟子晓他说："君子之处世，其辞受取舍，只看道理上如何。如道所不当得，则虽一箪之食，极其微细亦不可受之于人，况传食乎？如道所当得，则虽虞舜以匹夫受尧之禅而有天下，亦不可以为泰，子岂以舜之受尧为泰耶？如不以舜为泰，则士之传食犹其小者，亦不可以泰视之矣。"夫尧舜之授受，与士人之辞受不同，孟子特举其最大者，以明义之当否耳。

【原文】

曰："否。士无事而食，不可也。"曰："子不通功易事，以羡补不足，则农有余粟，女有余布；子如通之，则梓、匠、轮、舆皆得食于子。于此有人焉，入则孝，出则悌，守先王之道，以待后之学者，而不得食于子。子何尊梓、匠、轮、舆，而轻为仁义者哉？"

【张居正注评】

事，是事功。美，是有余。梓匠，是木工。轮舆，是车工。彭更对孟子说："舜受天下于尧，此是他功德隆盛，天与人归，所以有此。吾所谓泰者非谓是也。盖以一介之士，未事诸侯，上无功于国家，下无功于民庶，而偃然食人之食，略不辞让，则非道之所宜，故疑其泰而以为不可耳。"孟子晓之说："子以士为无功而食，不知士之功固甚大也。试以农工之事观之，且如农夫种粟，女子织布，各有所为之功，与所司之事不能相兼。若使子不肯通融交易，以此之有余，补彼之不足，则农夫必有余粟，而不足于布；女子必有余布，而不足于粟，此势之所必不能行也。子如不免于通融，则我之所不能为者，必待人为之。如造室的梓人、匠人，造车的轮人、舆人，虽一艺之微，皆得以其所有事，而易子之食矣。今有士人于此，以先王之道莫大于仁义，而仁义之实不外于孝悌，二者独能入而孝亲，出而悌长，守先王仁义之道于当时，使异端不得淆乱，传先王仁义之道于后世，使后学有所师法，继往开来，有功于世道如此，不特一梓匠轮舆之事也。乃反以为无功，而不得食于子，是何尊重梓匠轮舆，而轻为仁义之士哉？知仁义之不可轻，则士之传食于诸侯，非无事而食者矣。"

【原文】

曰："梓、匠、轮、舆，其志将以求食也；君子之为道也，其志亦将以求食与？"曰："子何以其志为哉？其有功于子，可食而食之矣。"

【张居正注评】

彭更因孟子之诘，乃变其说以应之，说道："吾非敢尊梓、匠、轮、舆而轻仁义之士也。诚以梓、匠、轮、舆乃技艺之流，原其本心固将以艺求食耳，食之可也。若君子为仁义之道，其抱负甚重，其期待甚高，岂其志亦将以求食与？志非在食，而乃传食于诸侯，此吾所以谓之泰耳，岂可以梓、匠、轮、舆例论乎？"孟子折之说："人之所志固自不同，然子以食与人，何必问其志为哉？惟当计其功之多寡，以为廪饩之厚薄。其人果有功于子，于理当食，即当称其事以食之耳。然则君子之志，固不在食，而其功则可食也。如以其志而食之，是率天下而为利矣，岂尚贤论功之道哉？"

【原文】

"且子食志乎？食功乎？"曰："食志。"曰："有人于此，毁瓦画墁，其志将以求食也，则子食之乎？"曰："否。"曰："然则子非食志也，食功也。"

【张居正注评】

墁，是墙壁之饰。孟子承上文诘彭更说："劳力者食于人，用人之力者食人，此常理也。吾且问子平时以食与人，果以其志在求食，遂食之乎？抑因其有功于子乃食之乎？"彭更之辞已屈，又强应说："食志。盖梓、匠、轮、舆之人，皆有求食之志，吾故因而食之也。"彭更之言，与前所谓无事而食者，已自相背驰矣！故孟子又诘之说："子之食人固因其志矣，设使有人于此毁败子之屋瓦，画坏子墙壁之饰，不但无功，而且有损于子，乃其人之志，却将以此求食，则子亦肯食之乎？"彭更到此再说不得食志了，只得答说："毁瓦画墁无功有害，不可食也。"孟子遂折他说："毁瓦画墁以无功不食，则子之食人，原非为志，还是因其有功而后食之也。既曰食功，则有功于斯道者亦在所当食矣。乃谓其无事而食，岂非尊梓、匠、轮、舆而轻为仁义者乎？"夫孟子抱道德言仁义，使其见用，必可以致帝王之盛治，开万世之太平，其功甚大也。战国之君但知举尊贤之礼，而不能尽用贤之道，使其志不得行已，非孟子之初心矣。更也犹以素议之，何其待君子之薄耶？

【原文】

万章问曰："宋，小国也，今将行王政，齐、楚恶而伐之，则如之何？"

【张居正注评】

当时宋王偃尝灭滕，伐薛，败齐、楚、魏之兵，欲霸天下，诸侯忌而伐之。故万章问孟子说道："宋，小国也，今兴问罪之师，伸吊伐之举，欲行王道于天下，亦可谓有志于复古者，奈齐、楚之君皆恶而欲伐之，以无道而伐有道，曲直固有分矣。然寡不可以敌众，弱不可以敌强，不知何如而后可乎？"万章之意，若谓行仁无救于成败，而欲问强国之术耳。

【原文】

孟子曰："汤居亳，与葛为邻，葛伯放而不祀。汤使人问之曰：'何为不祀？'曰：'无以供牺牲也。'汤使遗之牛羊。葛伯食之，又不以祀。汤又使人问之曰：'何为不祀？'曰：'无以供粢盛也。'汤使亳众往为之耕，老弱馈食。葛伯率其民，要其有酒食黍稻者夺之，不授者杀之。有童子以黍肉饷，杀而夺之。《书》曰：'葛伯仇饷。'此之谓也。"

【张居正注评】

葛，是国名。伯，是爵。放，是放纵。遗饷，都是馈送。孟子答万章说："仁者无敌，王不待大，子岂以宋为小国不足以行王政乎？试观成汤之事可见矣。昔成汤为诸侯时，居于亳邑，与葛国为邻，葛伯放纵无道，不祀先祖。汤使人问之说：'国之大事在祀，尔为何不祀？'葛伯对说：'祀必备物，吾为无以供牺牲也。'汤乃使人送与牛羊，以供其牺牲之用。葛伯自己食之，又不以祀。汤又使人问之说：'牺牲既备，何为不祀？'葛伯对说：'祀宜黍稷，吾为无以供粢盛也。'汤乃使亳邑之民往为之耕，以供其粱盛，其老弱之不能耕者，往馈耕者之食，其厚于邻国如此。葛伯乃率其民，看有馈送酒食黍稻的要而夺之，其不肯与的从而杀之。有一童子以黍肉来饷，葛伯杀而夺取之。故《商书·仲虺之诰》曰：'葛伯与饷者为仇。'即此杀童子而夺其黍肉之谓也。是汤固施仁于葛，而葛乃自绝于汤，吊伐之师，诚有不容已者矣。"

【原文】

"为其杀是童子而征之，四海之内皆曰：'非富天下也，为匹夫匹妇复仇也。'"

【张居正注评】

富，是利。匹夫匹妇，是指童子的父母。孟子承上文说："葛伯杀是馈饷之童子，则不惟绝邻国之好，而且戮无辜之民，其罪大矣，汤为是举兵而征之。四海之内闻汤之征葛，都说道：'汤之心非有所利于天下，只为童子以无辜见杀，其父母含冤无所控诉，故往征之，实为匹夫匹妇复仇耳。'盖惟成汤以吊民伐罪为心，故能取信于天下如此。"

【原文】

"'汤始征，自葛载。'十一征而无敌于天下。东面而征，西夷怨；南面而征，北狄怨，曰：'奚为后我？'民之望之，若大旱之望雨也。归市者弗止，芸者不变，诛其君，吊其民，如时雨降，民大悦。《书》曰：'徯我后，后来其无罚。'"

【张居正注评】

载，是始。吊，是恤。徯，是待。孟子承上文说："当初成汤起兵，征伐无道之国，自葛伯始，从此讨罪伐暴，凡十一征，而皆无敌于天下。东面而征，则西夷怨之；南面而征，则北狄怨之，说道：'我等与彼国之民都困于虐政，何不先来征我之国？'民之望汤来征，真若大旱之望雨一般，惟恐其不速至也，其未至而望之切如此。夫军旅所至，未有不罢市而辍耕者，乃汤师之来，归市者不止，而商安于市，耕耘者弗变，而农安于野，只是诛戮那虐民之君，抚恤那受虐之民。所以王师一来就如时雨之降一般，民皆幸其复苏，欢然大悦焉。《商书·仲虺之诰》述当时之民说道：'我民向在水火之中，待我君来救久矣。我君既来，庶几其无罹暴虐之害乎！'观书中所言，则当时之民心可知，其已至而悦之深如此。夫成汤能行王政，大得民心，自能无敌于天下。岂尝闻大国有恶而伐之者哉？"

【原文】

"'有攸不惟臣，东征，绥厥士女。匪厥玄黄，绍我周王见休，惟臣附于大邑周。'其君子实玄黄于篚以迎其君子，其小人箪食壶浆以迎其小人。救民于水火之中，取其残而已矣。"

【张居正注评】

绥，是安。匪，是筐篚。玄黄，是玄色、黄色的币帛。绍，是继。休，是美。大邑周，是商氏尊周室之词。孟子说："行王政而王天下者，不独成汤，至于武王亦是如此。当纣之时，周家王室已盛，八百诸侯皆来归服，其中有助纣为恶，而不为周臣者，武王以其害及士女，而东征以安之。惟其士女，都用筐篚盛着玄黄币帛而来迎，说道：'我民苦商之虐政久矣，今继事我周王，庶得蒙其恩泽而见休美乎！'于是心悦诚服而归附于大邑周。其有位而为君子的，则以玄黄之币帛实于筐篚，以迎周之君子；其在野而为小人的，则盛着箪食壶浆以迎周之小人。这是为何？盖以商纣暴虐，民方陷于水火，武王兴兵征伐，以救民于水火之中，惟取其残民者诛之。除残之外，未尝妄有诛戮，故民怀其德，而以类相迎如此。其与成汤之时，民皆徯后来苏者，何以异哉？"

【原文】

"《太誓》曰：'我武惟扬，侵于之疆，则取于残，杀伐用张，于汤有光。'"

【张居正注评】

《太誓》，《周书》篇名。扬，是奋扬。凶残，指纣说。孟子引《周书·太誓》篇所载武王誓众之词，说道："我之威武奋扬，侵彼纣之疆界，声罪致讨，取彼凶残而戮之。虽罪止一人，而威加四海，杀伐之功，因以张大。昔成汤尝除暴救民，以安天下，今我亦能取彼凶残，以救民于水火之中，岂不于汤有光乎？是武王行王政而王天下，亦未闻当时之大国有恶而伐之者也。"

【原文】

"不行王政云尔，苟行王政，四海之内皆举首而望之，欲以为君。齐、楚虽大，何畏焉？"

【张居正注评】

孟子承上文说："成汤行王政而徯后之民，皆望汤以为之君；武王行王政而见休之众，皆望武王以为之君如此。今宋惟不行王政，而欲以伯术服人，故见恶于大国云耳。苟能以纯王之心，行纯王之政，若成汤吊民于大旱之后，武王救民于水火之中，则四海之内皆举首而望之，欲以为君，而有后我之怨，玄黄之迎矣。齐、楚虽大，必不能率戴我之民以攻我也，又何畏焉。"盖能行王政则民心悦服，而无敌于天下；不能行王政则民心不归，而受制于大国。然则人君欲自强者，亦在于行仁而已。

离娄章句上

凡二十八章。

【原文】

孟子曰:"离娄之明,公输子之巧,不以规矩,不能成方员;师旷之聪,不以六律,不能正五音;尧舜之道,不以仁政,不能平治天下。"

【张居正注评】

离娄,是古时明目的人。公输子,名班,是鲁国巧人。师旷,是晋国乐师。古时作乐,截竹为十二管以审五音。黄钟、大簇、姑洗、蕤宾、夷则、无射为阳,大吕、夹钟、仲吕、林钟、南吕、应钟为阴,阴阳各六,所以叫做六律。五音,是宫、商、角、徵、羽。孟子见后世之为治者,每以私智自用,而不遵先王之法,故发此论。说道:"治天下之道,皆本之于心,而运之以法。法之所在,虽圣人有不能废者。譬如制器,以离娄之明,公输子之巧,使之造作,心思目力何所不嘈,然必取诸规以为圆,取诸矩以为方,而后可以成器。设使不用规矩,则明巧亦无所据,而方圆不可成矣。譬如审乐,以师旷之聪,使之察音,巨细清浊何所不辨?然必以六律之长短,定五音之高下而后可以成乐。设使不用六律,则至聪亦无所施,而五音不可审矣。古称至圣莫如尧舜,如尧舜之治天下,以如天好生之仁运之,何治不成。然其精神心术,必寄之纪纲法度,立为养民之政以厚其生,立为教民之政以正其德,而后能使天下成被其仁也。设使尧舜之治天下,而不以仁政,则虽有教养斯民之心,而纲维未备,规制未周,欲天下之民皆遂生复性而归于平治,亦不能矣,况不及尧舜者乎?然则为治之不可无法,即器之不可无规矩,乐之不可无六律也。世之求治者,奈何欲废法乎?"

【原文】

"今有仁心仁闻,而民不被其泽,不可法于后世者,不行先王之道也。"

【张居正注评】

孟子承上文说:"尧舜惟行仁政,所以泽被于当时,法传于后世,至今称善治也。今之为君者亦有爱民之意念,发于由衷,与夫爱民之名声闻于远近者,似亦可以致治矣。然而德泽不究,治效不臻,当时之民不得沾其实惠,传之后世亦不可以为法则,岂其心不若尧舜哉?由其不能行先王之仁政,以为治天下之法故也。不行仁政,则虽有仁心仁闻,而无其具以施之,惠亦不及于民矣,欲治之成,岂可得乎?夫先王之道,本无难行,惟后之为君者累于多欲,不能推己及人,安于积习不能修废举坠,故有不忍人之心，无不忍人之政，而治平不可几耳。愿治者其慎思之。"

【原文】

"故曰：徒善，不足以为政；徒法，不能以自行。"

【张居正注评】

孟子承上文说："不行先王之道，即仁心仁闻，不足以成治如此。可见心为出治之本，政为致治之法。政根于心，则法有所主而不为徒法；心达于政，则本有所寄而不为徒善。所以古语有云：徒有仁心而无其政以继之，则慈祥、恺悌之蕴，何从运用不足以为政也；徒有仁政，而无其心以主之，则纪纲法度之施，只为文具不能以自行也。故治天下者，必有仁心以为治本，有仁政以为治法，而后尧舜之治可庶几矣。彼有仁心仁闻而不行先王之道，岂能泽当时而传后世邪？"

【原文】

"《诗》云：'不愆不忘，率由旧章。'遵先王之法而过者，未之有也。"

【张居正注评】

愆，是过差。率由，是遵守的意思。旧章，是先王之成法。孟子承上文说："徒善既不足以为政，则先王之法，信不可不遵矣。《诗经·假乐》篇中有云：'不愆不忘，率由旧章。'是说治天下者于政事之间，能无错误疏失，皆由遵用先王之旧典故也。可见先王之法中正不偏，纤悉具备，后人惟不能守，所以事有愆忘。若能于发号出令，立纲陈纪，皆以先王之法为准，自然有所持循，而不至于错误，有所考据，而不至于疏失矣，乃犹有愆过遗忘，而民不被其泽者无是理也。然则尧舜所行之仁政，宁非后世之所当遵者哉？《书经》上说：'监于先王成宪，其永无愆，正是此意。'盖先王创业垂统，立为法制科条，传之万世，经了多少区画才得明备周悉，为后世治安之具。后人不能遵守，或参以私意，废坠典章，或妄有纷更，轻变成法，天下之乱往往由是而作，岂但不能平治而已哉？"守成业者所当知也。

【原文】

"圣人既竭目力焉，继之以规矩准绳，以为方圆平直，不可胜用也；既竭耳力焉，继之以六律，正五音，不可胜用也；既竭心思焉，继之以不忍人之政，而仁覆天下矣。"

【张居正注评】

准，所以取平；绳，所以取直，都是制器的式样。孟子承上文说："吾谓先王之法，后世当遵者何也？盖古之圣人，继天立极，开物成务，欲制器以利天下之用，既尝竭其目力，以辨方圆平直之则矣。然一人之目，有所见，有所不及见，使无法以继之，则目力有时而穷，故制之规矩以为方圆，制之准绳以为平直，使天下后世凡有造作的，皆据之以为式，而成器之利，世世赖之，是圣人制器之法不可胜用也。圣人欲作乐以宣天下之和，固尝用其耳力，以察清浊高下之理矣。然一人之耳，有所闻，有所不及闻，使无法以继之，则耳力亦有时而穷，故制之以为律。阴阳各六，以正宫、商、角、徵、羽之五音，使天下后世欲审音乐的，皆据之以考验，而声音节奏世世传之，是圣人作乐之法不可胜用也。圣人不忍生民之无主，而欲为之造命，固已竭尽心思，图维区画，而无所不用其极矣。然使无法以继之，则能施于心思之所及，而不能施于所不及，即尧舜之仁亦有时而穷，故必以不忍人之政继之。制田里，教树畜，以厚其生；设学校，明礼义，以正其德，使不忍之心有所寄以不匮，故政行于一时而垂之后世，天下万世无有不被其仁者矣，治之所由成如此。然则不以仁政，岂能平治天下乎？此先王之法所以当遵也。"

【原文】

"故曰：'为高必因丘陵，为下必因川泽。'为政不因先王之道，可谓智乎？"

【张居正注评】

下，是卑下。孟子承上文说："先王立法万世无弊，后之为治者诚能因而用之，则不假耳目心思之力，而治功可成矣。所以说欲为高者，必因丘陵，以丘陵之势本高，因而积累之则易成也；欲为下者，必因川泽，以川泽之势本下，因而疏浚之则易深也。可见天下之事，有所因而为之，则简而有功；无所据而施之，则劳而寡效。今先王之道著为成法，就是丘陵川泽一般，乃不知所以因之，而欲以一人之聪明，图目前之近效，则是舍丘陵以为高，舍川泽以为下，用力愈多，而功愈不能成矣，这便是不达事理的，岂可谓之智乎？"这一章书自首节至此，都反覆言为人君者，当以仁心仁闻行先王之道的意思。能行先王之道，则不怨不忘，而仁覆天下；不行先王之道，则虽有仁心仁闻，亦不足以为政矣。有志于尧舜之治者，其知所从事哉。

【原文】

"是以惟仁者宜在高位，不仁而在高位，是播其恶于众也。"

【张居正注评】

播恶，是贻患的意思。孟子承上文说："先王之道所以当因者，只是不忍人之政，足以泽当时而传万世耳。是以为人君者，必有仁心仁闻以行先王之政，则泽及生民，法垂后世，而代天理物之责乃为不亏，以是而居高位固其宜也。苟不仁而在人上，必且纵情肆欲，破坏先王之法而无所顾忌，是播其恶于众，而天下皆受其祸矣。"其视仁者为何如哉？然仁与不仁其几则微，一念顺理充之则为仁，一念从欲极之则为不仁，

而治乱安危之效自此分矣。为人上者可不慎哉。

【原文】

"上无道揆也，下无法守也，朝不信道，工不信度，君子犯义，小人犯刑，国之所存者幸也。"

【张居正注评】

揆，是量度。工，是百官。度，即是法。君子，是在上的人。小人，是在下的人。幸，是幸免的意思。孟子承上文说："不仁而在高位，则其祸有不可胜言者。盖人君一身，百官万民之统率也，苟上而为君者，施之政事惟任其私意，而不以道理量度，则下而为臣者务为阿顺，亦无所执持，而不以法度自守矣。夫朝廷之上，全凭着道理才能出令以布信，今上无道揆，则迁就纷更，政令不能画一，而道不信于朝廷矣。百官之众，全依着法度才能顺命以成信，今下无法守，则偷惰欺罔，职业不以实修，而度不信于百官矣。朝不信道，则在上之君子必至于肆志妄行，犯名义而不恤。工不信度，则在下之小人必至于放辟邪侈，犯刑法而不顾。一不仁在位，而臣民皆化于邪如此，非所谓播恶于众者乎？如此而国有不亡者，亦侥幸苟免而已。"不仁之祸，一至于此，不亦深可畏哉。

【原文】

"故曰：'城郭不完，兵甲不多，非国之灾也；田野不辟，货财不聚，非国之害也。上无礼，下无学，贼民兴，丧无日矣。'"

【张居正注评】

孟子承上文说："观于不仁之祸，乃知国之治乱，只在仁与不仁而已。所以古语说道：'凡为国者，若城郭不完，兵甲不多，虽是国势不竞，却于根本无伤，还不叫做灾；田野不辟，货财不聚，虽是国储不富，却于元气无损，还不叫做害。惟道揆不立于上，而不知有礼，则教化不行于下而不知有学，由是贼恶之民起于其间，肆为邪说暴行，败纪乱常，而国之丧亡无日矣。'其为灾与害，顾不大哉。然则为人君者，当鉴于不仁之祸，而思取法于先王之仁政矣。"

【原文】

"《诗》曰：'天之方蹶，无然泄泄！'泄泄犹沓沓也。事君无义，进退无礼，言则非先王之道者，犹沓沓也。"

【张居正注评】

诗是《大雅·板》之篇。蹶，是颠覆。泄泄、沓沓，都是急缓悦从的模样。孟子承上文说："仁政之行，人君固当任其责矣。然使为人臣者，不以此辅其君，治亦何由而成乎？观《诗经·大雅》篇中说道：'上天方降灾祸，颠覆周室，正上下交儆之时，为人臣者，当夙夜匪懈以救国家之急，不可泄泄然怠缓悦从，苟且旦夕而无所救正也。'这诗之所谓泄泄者，就如俗语所谓沓沓一般。如何是沓沓的意思？盖人臣事君有当尽之义也，今以逢迎为悦，而不以匡弼为忠，是无义矣。人臣进退有当守之礼也，今进不能正君，退不能洁已，是无礼矣。人臣告君，当以尧舜为法也，今则有所谋画，皆出于世俗功利之私。至于先王之法，则造言诋毁，以为难行，是先王之治终不可复矣。这等的臣只是因循岁月，顾虑身家，全无体国之诚，急君之念，即时俗之所谓沓沓者也。"诗人所言泄泄，何以异此，是岂人臣之道乎？

【原文】

"故曰：'责难于君，谓之恭；陈善闭邪，谓之敬；吾君不能，谓之贼。'"

【张居正注评】

责，是责望。闭，是禁遏的意思。贼字，解做害字。孟子说："人臣而至于泄泄沓沓，无救于倾覆，国家何赖焉？不知人臣事君自有个道理。古语有云：'人臣若只趋走承顺，外貌恭谨特小节耳。惟是尽心辅导，举高远难能之事，责其君以必行，使存心立政，必欲如尧舜而后已。这等的虽似强之以所不堪，然其心却是以圣帝明王的事业期望其君，而不敢以庸常待之，这才是尊君之至，所以谓之恭也。人臣只唯诺顺从，外面敬畏，亦虚文耳。惟是尽言规谏，敷陈先王之善道，以禁遏其邪僻之心，即犯颜苦口，或伤于直戆而不辞。这等的虽似投之以所甚忌，然其心却是以防微杜渐的道理，匡救其君，而不敢陷之于有过，这才是为国之诚，所以谓之敬也。若谓先王之道非吾君所能行，而不肯责难陈善，以尽开导之方，坐视其有过而不恤，这反是害其君了，不谓之贼而何？'夫不以恭敬事其君，而至于贼害其君，正泄泄沓沓之谓也。其何以共成化理，而行先王之道哉？为人臣者，信不可不任其责矣。"按：孟子责难陈善之言，不特明事君之法，即人君受言之道，亦在于此。《书经》上说："有言逆于汝心，必求诸道；有言逊于汝志，必求诸非道。"盖言而逆耳，本人所难受，惟是求之于道，方知其出于恭敬，而不可不从言而顺意。本人所乐闻，惟是求之于非道，方知其反为贼害，而不敢轻听，必如此，然后能听纳忠言，以成德业，而先王之治可几也。有志于尧舜者可不念哉。

【原文】

孟子曰："规矩，方圆之至也；圣人，人伦之至也。"

【张居正注评】

孟子论世之君臣当以圣人为法，先比方说道："古之圣人尚象制器，做下的法式，后世皆遵而用之。如欲为圆的必用规以运之，而后圆可成，欲为方的必用矩以度之，而后方可成，是天下之方圆至于规矩而无以加，所谓方圆之至也。若夫人之大伦，如父子有亲，君臣有义，夫妇有别，长幼有序，朋友有信，这五件都有个道理。但众人有之而不能由，贤人由之而不能尽，惟圣人则生知安行，察知极其精，行之极其当，于凡贵贱亲疏等级隆杀，都合乎天理人情之极，不可加，亦不可损，所谓人伦之至也。不法规矩成不得方圆，不法圣人尽不得人道。"三代而后所以世无善治者，惟以圣人之道不明，而彝伦攸斁也。然则为君者，其可以不以圣人为法哉！

【原文】

"欲为君，尽君道；欲为臣，尽臣道。二者皆法尧舜而已矣。不以舜之所以事尧事君，不敬其君者也；不以尧之所以治民治民，贼其民者也。"

【张居正注评】

孟子承上文说："人伦莫大于君臣，圣人莫过于尧舜。如欲为君而尽人君的道理，欲为臣而尽人臣的道理，二者将何所取法哉？皆法尧舜而已矣。盖自古非无明君，而惟尧之为君，则放勋格天，光被四表，致治之盛亘古独隆，是能尽君道之极者，故必法尧然后可以为君也。自古非无贤臣，而惟舜之为臣则玄德在位，历试诸艰，辅相之业，后世莫及，是能尽臣道之极者，故必法舜而后可以为臣也。若为臣的，不以舜之所以事尧事其君，则虽奔走为恭，不过承事之末节，皆为不敬其君者耳；为君的，不以尧之所以治民者治其民，则虽粉饰治具，终无爱民之实心，皆为贼其民者耳。臣而至于不敬其君，则臣道亏；君而至于贼其民，则君道失，其何以辅理一人君临百姓哉？此为君臣者，所以必法尧舜而后可也。"

【原文】

"孔子曰：'道二，仁与不仁而已矣。'"

【张居正注评】

孟子承上文说："世之君臣，所以不法尧舜，而至于慢君贼民者，无他，盖有畏难之心，则谓尧舜至圣不可几及，有苟且之心，则谓不法尧舜亦可小康。此皆暗于大道，而未闻孔子之言者也。孔子曾说：'天下之道有二，只有仁与不仁两端。'一念无私而当理，便是仁，便与不仁为异路；一念徇私而悖理，便是不仁，便与仁为异路。未有出于仁不仁之外，而判为两途者，亦未有介于仁不仁之间，而别为一道者。"可见此是则彼非，出此则入彼，能法尧舜则尽君臣之道而为仁，不法尧舜则慢君贼民而为不仁，其几在一念之微，而相去悬绝不啻天壤，可不审哉。

【原文】

"暴其民，甚则身弑国亡，不甚则身危国削，名之曰'幽'、'厉'，虽孝子慈孙，百世不能改也。《诗》云：'殷鉴不远，在夏后之世。'此之谓也。"

【张居正注评】

幽、厉，都是不好的谥号，动静乱常叫做幽，杀戮无辜叫做厉。孟子说："君道惟在于仁，仁则能以尧之所以治民者治民，而身安国宁万世称明矣。若不仁之君，暴虐其民，或横征厚敛以穷民之财，或严刑峻罚以残民之命，其为虐政多端，然人心既离，祸患立至。甚则身弑国亡，而不能以自存；不甚则身危国削，而不能以自振。盖恶有大小，则祸有重轻，未有不害于其身，凶于其国者也。然不但身受其祸而已，至于没身之后，考其行事，定其谥号，或以其昏昧不明，而名之曰'幽'，如周之幽王；或以其残贼无道，而名之曰'厉'，如周之厉王。这等恶谥，定之一时，传之百世，虽有孝子慈孙欲为祖宗掩覆前愆，亦有不能更改者矣。夫一不仁，而身前之惨祸，身后之恶名，至于如此。然则欲尽君道者，可不知所鉴哉。《大雅·荡》之诗有云：'殷之鉴戒不远，即在夏后之世。'盖欲纣之鉴戒于桀耳，纣当以桀为鉴，则今人亦当以幽厉为鉴，正此诗之所谓也。夫鉴幽厉之不仁，则能法尧舜之仁，不特荣显当年，而且流芳万世矣，可不谨哉。"

【原文】

孟子曰："三代之得天下也，以仁；其失天下也，以不仁。国之所以废兴存亡者亦然。"

【张居正注评】

孟子说："前代之得失乃后人之法戒，有天下者不可不知也。试以夏、商、周三代言之。其初创业之君奄有天下，如禹如汤如文武，皆能以不忍人之心，行不忍人之政，生之而弗伤，厚之而弗困，事事都以恻怛、慈爱行之，是以民心悦服，而天命自归，其所以得天下者，以其仁也。及其后王，如桀、纣、幽、厉，皆以凶残狠戾之心，行苛刻暴虐之事，民穷而弗恤，民怨而弗知，惟纵欲以肆于民上，是以民心携贰，而天命不保，其所以失天下者，以其不仁也。不特天下为然，至于有国之诸侯，若能行仁，则土地人民可以长保，而以兴以存。若流于不仁，则内忧外患相继并作，而以废以亡，其得失亦有然者。"盖与治同道罔不兴，与乱同事罔不亡。人君若一不仁，则土崩瓦解。虽有先世之基业，亦不足凭；虽有祖宗之德泽，亦不足恃。有天下者可不鉴哉。

【原文】

"天子不仁，不保四海；诸侯不仁，不保社稷；卿大夫不仁，不保宗庙；士、庶人不仁，不保四体。今恶死亡而乐不仁，是犹恶醉而强酒。"

【张居正注评】

孟子承上文说："仁与不仁，而天下之得失与国之兴废存亡，恒必由之。则可见天子所以保四海，诸侯所以保社稷，卿大夫所以保宗庙，士、庶人所以保四体者，皆以其仁也。若天子不仁，则亿兆离心，叛乱四起，四海不能保其有矣；诸侯不仁，则身危国削，众叛亲离，社稷不能保其有矣；卿大夫不仁，则坏法乱纪，必有覆宗绝祀之忧，宗庙不能保其有矣；士、庶人不仁，则悖理伤道，必有亏体杀身之祸，四体不能保其有矣。可见无贵无贱皆因不仁而致死亡，可惧之甚也。今人于死亡无有不知，恶而思逃者，顾于不仁之事，则甘心乐为，不知鉴戒。这样的人就似恶醉而强饮酒的一般，不知强酒而欲无醉不可得也。乐不仁而欲无死亡，又岂可得哉？欲保国家者，信不可不反而求之于仁矣。"

【原文】

孟子曰："爱人不亲，反其仁；治人不治，反其智；礼人不答，反其敬。"

【张居正注评】

孟子说："君子处世，但当反求诸己，而不必责备于人，若责人太过，而自治或疏，未有能服人者也。且如仁者切于爱人，人之被其恩泽者谁不亲而附之。其或爱人而人不我亲，则是吾仁有未至耳，便当自反其仁，务使立不独立，达必俱达可也。智者明于治人，人知受其约束者，谁不顺而从之。其或治人而人不我治，则是吾智有未及耳，便当自反其智，务使知无弗明，处无弗当可也。有礼者敬人，人之被其敬者，岂有施而不报之理？其或礼人而不我答，则是吾敬有未尽耳，便当自反其敬，退让以接之，积诚以动之可也。"若爱人不亲而谓不可以恩结，治人不治而谓不可以德化，礼人不答而谓之不可以诚感，徒以自足自用之心，薄待天下，而不以自责自修之学厚待其身，岂君子之道哉？"

【原文】

"行有不得者皆反求诸己，其身正而天下归之。《诗》云：'永言配命，自求多福。'"

【张居正注评】

配字，解做合字。天命，是天理。孟子承上文说："君子以一身而酬酢万事，不但爱人、治人、礼人而已。若能以自反之心推而广之，凡所行之事，有窒碍难通不能尽如其愿的，件件都反求诸己，只在身心上讲求，根本处着力，必欲每事尽善而后已。这等的修身克己，严密精详，则一生之中视听言动，好恶取舍，无一不当乎天理，合乎人心，天下皆敬信而归服之矣。岂有不亲不治不答者哉？《大雅》之诗云：'永言配命，自求多福。'是说人能常常思念，务合天理，则天心佑助，多福自臻，这福是自己求之，非幸致者。"其即身正而天下归之之谓也。如不能正己，而但知责人，徒以权力把持天下，则令之不从，威之不服，欲使天下归心，其可得哉？《大学》论平天下而推本于修身，亦此意也。

【原文】

孟子曰："人有恒言，皆曰'天下国家'。天下之本在国，国之本在家，家之本在身。"

【张居正注评】

恒言，是常言。孟子说："天下之言，有平易浅近而至理存焉者，不可不察也。如今人寻常言语，都说是'天下国家'，却不知这句言语有个次序。夫言天下而继之以国者，为何？盖天下至广，德化难以周遍，须是国都之内，治教修明，则由近及远，可以致万邦之平治，是天下之本乃在于国也。言国而继之以家者，为何？盖国人至众，情意难以感孚，须是一家之中恩义浃洽，则由内及外可以兴一国之仁让，是国之本乃在于家也。至于治家之本又在于身，盖一身之举动乃一家之所视效，必身无不正，而后闺门之内整齐严肃，家自无不齐矣。"身虽恒言之所未及，而根本切要之地乃在于此，能先修其身，则齐家、治国、平天下可以次第而举矣。若其身不正，则岂有本乱而末治者哉？有天下国家之责者，宜深省于斯。

【原文】

孟子曰："为政不难，不得罪于巨室。巨室之所慕，一国慕之；一国之所慕，天下慕之，故沛然德教溢于四海。"

【张居正注评】

巨室，是世臣大家。得罪，是自取怨怒的意思。慕，是向慕。溢，是充满。孟子说："今之为君者，不能反身修德联属人心，而徒以权力相尚，都只说为政甚难。自我言之，为政初无难事，只是要不得罪于巨室而已。盖一国之中，必有世臣大家兼政用事的，其位望隆重，固足以系众庶之观瞻，其势力盛强，亦足以梗君上之命令。若人君举动乖错，则巨室心怀怨怒，政教有壅而不行者。诚使言动循理处置得宜，绝无纤毫过失可以取怨而致怨的，则世臣大家皆心悦诚服，翕然而向慕之矣。夫巨室之所慕，则一国之人皆视以为趋向，其诚心爱戴也与巨室一般。一国之所慕，则天下之人皆视以为依归，其倾心悦服也与国人一般。这等的人心向慕，无众寡无远近而皆然，则德教大行，如水之沛然而莫能御，可以充溢于四海而无有滞碍矣。夫德教四溢是称极治，而惟自能服巨室之心，始之则为政又何难之有？"然提纲举要，固在巨室之心服，而端本澄源又在君之慎修。此为政者尤当反求诸身也。

【原文】

孟子曰："天下有道，小德役大德，小贤役大贤；天下无道，小役大，弱役强。斯二者，天也。顺天者存，逆天者亡。"

【张居正注评】

役，是为人役使。天，是理势之当然。孟子说："天下之大分有二：非出令以使人，则听命以役使于人，此相临之定体也，然有尚德、尚力之不同。若天下有道，人皆修德，其位之贵贱必称其德之大小。故大德的人则小德者为之役。大贤的人则小贤者为之役；役人者不恃势而自尊，役于人者不畏势而自服，此在尚德之时然也。若天下无道，人不修德，但以势力相为雄长，力小的则为大者所役，力弱的则为强者所役。小固不敢以敌大，弱固不敢以敌强，此在尚力之时然也。世道不同，故其所尚亦异，然合而言之都是理势之当然。度德以为贵贱，则体统正而分义明，是理当如此。量力以为重轻，则心志定而争夺息，是势不得不如此。人岂能悖理而妄行，违势而独立哉？所以说斯二者皆天也。若能度德量力，一听理势之当然，而不敢违悖，这便是顺天。顺天则可以保其社稷和其人民，而国以长存矣。不如此便是逆天，逆天则岂有不亡者乎？"观于存亡之机，而有国者当审所尚矣。

【原文】

"齐景公曰：'既不能令，又不受命，是绝物也。'涕出而女于吴。今也小国师大国而耻受命焉，是犹弟子而耻受命于先师也。"

【张居正注评】

令，是出令以使人。受命，是听命于人。物字，解做人字。以女与人叫做女。师，是效法。孟子说："有道之世，以德相役者，不可得而见矣。至于小役大，弱役强，而顺天以自存者，近时则惟齐景公能之。昔吴以蛮夷会盟上国，最称强大。此时齐国衰弱，不能与之力争，景公乃与群臣谋说：'有国家者，非取威定霸以令诸侯，则审己量力以事大国，只有这两件道理。若既不能出令以使人，又不能事人以听命，这便是与人断绝了的一般，此则挑衅致祸，自取灭亡而已。'于是涕出而以女出嫁于吴。盖情虽有所不忍，而势出于无奈也。齐景公之能顺天保国如此。若今之诸侯国，既弱小，不能修德以自强，其般乐怠敖，皆如效法大国之所为者，乃独以受命为耻，不肯屈己事人，这就似为弟子而耻受命于先师也。身为弟子岂得不受教于师？国既弱小，岂得不听命于大国？是在勉力自强，求所以免耻者而已矣。"

齐景公

【原文】

"如耻之，莫若师文王。师文王，大国五年，小国七年，必为政于天下矣。"

【张居正注评】

孟子承上文说："今之小国，徒耻受大国之命而终不能免者，以其师大国之所为，而不能师文王之德也。如使心诚愧耻，欲免于人役，则莫如反已自强，取法于文王。盖文王起于岐周，为方百里，而当商家全盛之日，其缔造甚是艰难，惟其能发政施仁，使人心悦诚服，故能三分有二，开创成周之王业耳。若能修德行仁，与文王一般，则人心咸服，天命必归。在大国因势乘便，不出五年，在小国积功累行，不出七年，必然混一四海，统理万民，而为政于天下矣。至是则大国反为吾役，而何有于受命之耻哉？"夫能法文王而王业可成，国耻可雪。有国家者亦何惮而不为，是可以深长思矣。

【原文】

"《诗》云：'商之孙子，其丽不亿。上帝既命，侯于周服。侯服于周，天命靡常。殷士肤敏，祼将于京。'孔子曰：'仁不可为众也。'夫国君好仁，天下无敌。"

【张居正注评】

诗，是《大雅·文王》篇。丽，是数。侯字，解做维字。肤，是大。敏，是达。灌酒以降神，叫做祼。将，是助祭。孟子承上文说："吾谓能师文王，则必为政于天下者，是岂无据而言之？在《大雅·文王》之诗说：'商之孙子众多，其数不止十万。上帝既命周以天下，则凡此商之孙子无不臣服于周。所以然者，天命靡常归于有德故也。天命既已归周，是以商士之肤大而敏达者，都执祼献之礼，助王祭事于京师，是商虽强大，而易姓之后皆服役于周如此。'孔子读此诗而叹之说：'商之子孙，其丽不亿，何其众也。文王能行仁政，而周命维新，商正遂革，则是仁人在位，虽有夫众不能当之，盖难乎其为众矣。'若使为国君者，皆能以怀保惠鲜之心，行除暴救民之事，念念都在于仁，则惠泽旁敷，风声远播，天下之民皆亲之如父母，戴之为元后，以战则胜，以攻则取，虽有强大之国，岂能与之为敌哉？"由《大雅》之诗与孔子之言观之，则文王我师，仁者无敌，于是为益信矣。有国者，徒耻受命，而不法文王，抑独何耶？

【原文】

"今也欲无敌于天下而以不仁，是犹执热而不以濯也。《诗》云：'谁能执热，逝不以濯？'"

【张居正注评】

执，是持。诗，是《大雅·桑柔》篇。逝，是语辞。孟子承上文说："观文王之事及孔子之言，则知国君之所以能无敌者，以其好仁也。今之诸侯耻于受命于大国，其心岂不欲长驾远驭，无敌于天下，然乃师大国之般乐怠傲，而不师文王之发政施仁，观其所为，都只是严刑重敛，兴兵结怨的事，未有能诚心爱民，力行仁政者。是徒知耻为人役，而不知所以免耻之方，就似手执热物，而不以水自濯的一般，其终不免于热也明矣。《大雅·桑柔》之篇有云：'谁能执热，逝不以濯。'是说持热者必以水自濯而后可以解热，犹立国者必以仁自强，而后可以服人。若不务行仁，而欲无敌于天下，万无是理也。为人君者可不勉哉！"盖战国诸侯，地丑德齐，莫能相尚。如齐宣王欲莅中国，抚四夷，而但知兴兵构怨；梁惠王欲雪先人之耻，而不免糜烂其民。孟子皆以仁政告之，而卒不能用。故设为此论，以警当时之君者如此。

【原文】

孟子曰："不仁者可与言哉？安其危而利其菑，乐其所以亡者。不仁而可与言，则何亡国败家之有？"

【张居正注评】

菑，是灾害。孟子说："有国家者孰不讳言危亡，而恶闻灾害。然祸福之来，皆由自取，惟通达事理者能言之，亦惟乐受忠言者能听之。若那不仁之人，私欲障蔽，将本心之明都丧失了，虽有忠谋谠论，亦必拒之而不从，岂可与之有言哉？且如修德行仁，则可以长久安宁；暴虐不仁，则不免于危亡灾害，此必然之理也。彼则茫然无知，悍然不顾，不以危险为可畏，而反据之以为安；不以灾害为可虞，而反趋之以为利；不以灭亡为可深忧，而反恬然处之以为乐。这等的颠倒错乱，终迷不反，岂不至于亡国败家？假使不仁者而可与言，则必能悔悟前非，改过迁善，虽危急存亡之际尚可挽回，又何亡国败家之有？"大抵天下之事，至险藏于至安，可患隐于可乐，如声色货利、驰骋田猎等事，人只见得目前安乐，未必便是不好，殊不知灾祸危亡之几皆伏于此，将来日积月累，驯至于不可为，虽悔何及哉？若平日常存此心，不敢肆意妄为，或少有过失闻言即悟，则治安之效可期，岂特能免于败亡而已！古称成汤之圣曰："从谏不咈，日改过不吝。"此万世为君者所当法也。

【原文】

"有孺子歌曰：'沧浪之水清兮，可以濯我缨；沧浪之水浊兮，可以濯我足。'孔子曰：'小子听之！清斯濯缨，浊斯濯足矣，自取之也。'"

【张居正注评】

沧浪，是水名。缨，是冠系。孟子说："不仁之人，迷而不悟，及至败亡，非诿命于天则归罪于人，而不知其皆由于自致也。不观孺子之歌与孔子之言乎？昔有孺子游于沧浪之上，口中歌说：'这沧浪之水，清的可以濯我之缨；这沧浪之水，浊的可以濯我之足。'其言虽若浅近，而其中实有至理。孔子闻之，乃呼门人小子而告之说：'这孺子之歌虽出于无心，然就中玩味，却有个感应自然之理，小子其审听之可也。夫缨之与足，一般是濯，何以有清浊之分？盖缨乃首服，人之所贵也，贵则惟水之清者乃可以致洁，故以之濯缨。足为下体，人之所贱也，贱则虽水之浊者亦可以去垢，故以之濯足。是缨之濯也，由沧浪之清致之；足之濯也，由沧浪之浊致之。有此体质，故有此感召，有非人之所能强者，所以说自取之也。'然则有国家者，仁则荣，不仁则辱，祸福皆自己求之，亦岂人之所能与哉？诵沧浪之歌，可以惕然省矣。"

【原文】

"夫人必自侮，然后人侮之；家必自毁，而后人毁之；国必自伐，而后人伐之。《太甲》曰：'天作孽，犹可违；自作孽，不可活。'此之谓也。"

【张居正注评】

侮，是慢。毁，是害。《太甲》是《商书》篇名。孽，是祸。违，是避。孟子承上文说："观孔子听沧浪之歌，而发自取之义，则凡天下之事，皆可类推，或祸或福，无不自己求之者。如人之一身，若能敬慎端庄，无一毫过失，则人心自生严惮，谁敢有侮之者。惟是平日不能检身，或举动轻佻，或言词放诞，自己先不尊重了，然后人以为可侮，而耻辱加焉。这不是人能侮我，乃吾自取其侮也。又如一家之中，若能整齐和睦，无一些乖争，则家道自然兴隆，谁敢有毁之者。惟是平日不能治家，或骨肉相戕，或闺门不肃，自家先败坏了，然后人见其可毁，而灾害及焉。这不是人能毁我，乃吾自取其毁也。又如一国之内，若使顺治威严，无一些衅隙，则大国亦将畏之，谁敢有侵伐者。惟是用人行政皆失其道，以致百姓不安，四邻不睦，自己先有可伐之衅了，然后动天下之兵，而身危国削之祸生焉。这不是人敢于伐我，乃吾自取其伐也。可见变不虚生，惟人所召。孔子所谓自取者盖如此。《商书·太甲》之篇说：'天降之孽，虽似难逃，然人能修德回天，犹有可避者；若孽自己作，灾殃立至，岂有存活之理乎！'此即自侮自毁自伐之谓也。"有国家者，如绎思自取之义，而深戒自作之孽，则必能听信忠言，而无亡国败家之祸矣。

【原文】

孟子曰："桀纣之失天下也，失其民也，失其民者，失其心也。得天下有道：得其民，斯得天下矣。得其民有道：得其心，斯得民也。得其心有道：所欲与之聚之，所恶勿施，尔也。"

【张居正注评】

孟子说："自古国家之兴亡，皆系于民心之向背。我观夏桀、商纣尝君临天下矣，如何便失了天下？以其人民离散，身为独夫无与保守故也。夫桀、纣之民也都是祖宗所遗,如何便失去了人民?以其暴虐不仁,众心怨怒,不肯归向故也。由此而观,可见得天下有个道理:只要百姓每归附,则有人有土,而天下皆其统驭矣。得民有个道理:只要他心里喜欢,则近悦远来,而万民皆其臣妾矣。至于欲得民之心又有个道理:不是智术可以愚之,威力可以劫之者,只看他所欲所恶何如?如饱暖安逸等项,乃民心之所甚欲而不能自遂者,须是在上的人替他多方抚恤,把好事件件都聚集与他,使得遂其生养安全之乐;如饥寒劳苦等项,民心之所甚恶而不能自去者,须是在上的人替他尽力区处,把不好的事,一些不害着他,使得免于怨恨愁叹之声。如此则君以民之心为心,而民亦以君之心为心,岂有不得其民者。既得其民,则保民而王,天下孰能御之。桀、纣惟不知此道,所以失民而失天下也。"有天下者,可不鉴哉。

【原文】

"民之归仁也,犹水之就下,兽之走圹也。"

【张居正注评】

圹,是野外空阔的去处。孟子说:"民罔常怀,怀于有仁。惟上无仁君,而民始有离心耳。今所欲与聚,所恶勿施,则是以不忍人之心,行不忍人之政,所谓仁也。由是天下之民,凡求遂其所欲,求免其所恶者,都翕然归向。不但被其泽者莫不欢欣鼓舞,依之如父母,就是闻其风者亦莫不弃走趋附,戴之为我君。譬如那水之就下,兽之走圹一般。盖水之性本自顺下,若导之下流,则沛然而往,莫之能御;兽之性本自放逸,若纵之旷野,则群然而趋,莫之能遏,其势然也。"今民之所欲固在于仁,焉有仁人在上而民心不归者乎?昔成汤救民于水火,则四方之民咸望其来;武王拯民于凶残,则八百诸侯不期而会;汤武惟仁,故能得民而得天下也。所以说三代之得天下以仁。为人君者,当知所取法矣。

【原文】

"故为渊驱鱼者,獭也;为丛驱爵者,鹯也;为汤、武驱民者,桀与纣也。"

【张居正注评】

渊,是深水。驱,是逼逐的意思。獭,是食鱼的兽。丛,是茂林。爵字,即是鸟雀的雀字。鹯,是食雀的鸟。孟子承上文说:"民之所欲在仁,其所畏在不仁,未有不趋其所欲而避其所畏者。譬如鱼在水中,只怕为獭所食,都往那深水去处躲藏,以避獭之害,是鱼之必趋于渊者,獭为之驱也。雀在林中,只怕为鹯所食,都拣那茂林去处栖止,以避鹯之害,是雀之必趋于丛者,鹯为之驱也。至于汤、武之仁,本是人心之所归向,而桀、纣之为君,又暴虐无道,百姓不得安生,把夏、商之民都逼逐将去,使之归于汤、武,就似鱼之归渊,雀之归丛一般,是汤、武之所以得民者,桀、纣为之驱也。"《书经》上说:"抚我则后,虐我则仇。"故汤、武行仁,则民皆戴之为君,若或招之而使来；桀纣不仁，则民疾之如仇，若或驱之而使去。仁、不仁之间，而民心向背，国家兴亡皆系于此，可不慎哉。

【原文】

"今天下之君有好仁者，则诸侯皆为之驱矣。虽欲无王，不可得已。"

【张居正注评】

孟子承上文说："汤、武好仁，而桀、纣为之驱民，则民心之归仁，益可见矣。方今天下特无好仁之君耳，设使诸侯之中有能省刑、薄敛，不嗜杀人，念念都只要爱养百姓，所欲则与之聚，所恶则勿之施也，如汤武之好仁，则天下诸侯暴虐如桀、纣者，皆为驱民以就之矣。民既来归，则亿兆皆我臣妾，土地皆我版图，而可混一天下，虽欲无王，亦有不可得而辞者矣。"夫君能好仁，而即可以王天下。有国家者，亦何惮而不为哉。

【原文】

"今之欲王者，犹七年之病求三年之艾也。苟为不畜，终身不得。苟不志于仁，终身忧辱，以陷于死亡。《诗》云：'其何能淑，载胥及溺。'此之谓也。"

【张居正注评】

艾，是草名，用以灸病的。诗，是《大雅·桑柔》篇。淑，是善。载字，解做则字。胥，是相。孟子承上文说："好仁之君，必能王天下，则欲王者，惟在强仁而已。但今之诸侯，都只以富国强兵，虐害生民为事，积患已深，一旦要起敝扶衰，统一天下，如何可得？须是及早悔悟，汲汲然举行仁政，以爱养生民，然后人心可收，王业可致，譬如以七年之病，求三年之艾的一般。盖病至七年，则已沉痼难愈，而艾必三年，然后干久可用，则治病的人须是从今日畜起，犹或可及。苟不以时畜之，日复一日，便至终身亦不得干久之艾，而病日益深，死日益迫矣。若今之诸侯不能及时努力，锐然有志于行仁，则与受病已深，而不能蓄艾者何异？将见国事日非，人心日去，因循至于终身，惟有忧辱相寻，以陷于死亡而已。岂复有能自振拔之理乎？《诗·大雅·桑柔》之篇说：'其何能淑，载胥及溺。'是说人不能为善，则相引以及于沉溺而已。是即不仁之君，终身忧辱，死亡之谓也。"有国家者，诚能鉴往日之愆，图将来之善，则可以转弱为强，得民而得天下矣，岂特免于忧辱而已哉！

【原文】

孟子曰："自暴者，不可与有言也；自弃者，不可与有为也。言非礼义，谓之自暴也；吾身不能居仁由义，谓之自弃也。"

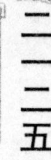

【张居正注评】

　　暴，是害。非，是毁。孟子说："人性本善，不待外求，须是自家涵养，自家勉励，方能尽得性分中的道理。如今有一种自暴的人，自以为是，不受善言，就把好言语教他，也拒之而不信，这等的卤莽昏庸，何可与之有言也。又有一种自弃的人，甘为人下不肯向上，就知道该做的事也绝之而不为，这等的怠惰委靡，何可与之有为也。如何叫做自暴？盖人性中有礼义，但有良心的，谁不知其为美而慕好之。彼则以偏诐之私，肆其谬妄之说，不知礼义为何物，反加诋毁，这是颠倒错乱，失其本心，分明把自家坑害了，所以谓之自暴也。自暴者，尚可与之有言乎？如何叫做自弃？盖人性中有仁义，但有志气的，谁不以为可居可由而勉图之。彼则以柔懦之资，狃于因循之习，只说道自己不能，不肯用力，这样逡巡畏缩画而不进，分明把自己丢弃了，所以谓之自弃也。自弃者，尚可与之有为乎？"然天下无不可为之善，亦无不可化之人，若能知自暴自弃之非，而以自责自修为务，则可以变化气质，而为贤为圣，亦不难矣。孔子不拒互乡之难与言，而深责冉求之自画，亦此意也。

【原文】

　　"仁，人之安宅也；义，人之正路也。旷安宅而弗居，舍正路而不由，哀哉！"

【张居正注评】

　　旷字，解做空字。孟子承上文说："自暴自弃之人，不能居仁由义者，岂未知仁义之切于人乎？盖凡人处心，一有私欲，便是危机，如何得安稳自在？惟仁乃天理之公，凝然常定，凡五常百行都由此植立，而无有一毫私欲摇撼其中，这是人身上安安稳稳一所的住宅，若能居之则身心泰然，自无从欲之危矣，所以说人之安宅也。凡人行事，一有私邪，便为曲径，如何得平正通达？惟义乃天理之宜，截然有制，凡千变万化都由此推行，而无有一毫私邪阻塞其间，这是人面前平平正正一条的道路，若能由之，则举动光明，自无冥行之咎矣，所以说人之正路也。这安宅正路，本吾所固有，不待外求，人当终身居之由之，而不可须臾离者。今乃自暴自弃，不能收其已放之心，奋其必为之志，虽有安宅，旷之而弗居，虽有正路舍之而不由。这等不仁不义的人，非私欲陷溺，丧其良心，何以颠倒错乱至此，岂不可哀之甚哉？"孟子此言，所以启人愧耻之心，而勉之以自强者，意独至矣。学者其尚深省于斯。

【原文】

　　孟子曰："道在尔而求诸远，事在易而求诸难。人人亲其亲、长其长，而天下平。"

【张居正注评】

　　尔，即是迩，古字通用。孟子说："凡人情之所趋，即世道之所系，同则公，异则私，公则治，私则乱，其几不可不察也。彼率性之谓道，一人由之，众人共由之，本至迩也。乃世间别有一种的学问，谓众所共由之道不足为高，务要求之于荒唐玄渺者，这是道在迩而求诸远。行道之谓事，一人能之，众人共能之，本至易也，乃世间别有一等的修为，谓众所共能之事不足为奇，务要求之于艰深怪异者，这是事在易而求诸难。夫求道于远，求事于难，其初本起于一念之胜心，卒之胜而不已则争，争而不已则乱，天下未有得平者也。以我观之，人无贵贱贤愚，一般有父母，一般有兄长，孩提之童无不知爱其亲者，及其稍长无不知敬其兄者，只有这良知良能所在，有何尔我可分？有何门户可立？若使人人为子的都亲其亲，人人为弟的都长其长，这等风俗便是极和气的风俗，这等世界便是极无事的世界。朝廷之上不必繁刑峻法，闾里之间不争我是人非，天下无不平者矣。然则道岂不在迩，事岂不在易，而求道与事者，又何必求之远且难哉？"孟子此章盖为当时惑世诬民之士——杨、墨、仪、秦、许行、告子诸人而发，要之三代而降，学术坏于门户之多，政体隳于聪明之乱。有维世觉民之责者，不可不三复此章之旨，识其渐而亟反之矣。

【原文】

孟子曰："居下位而不获于上，民不可得而治也。获于上有道，不信于友，弗获于上矣。信于友有道，事亲弗悦，弗信于友矣。悦亲有道，反身不诚，不悦于亲矣。诚身有道，不明乎善，不诚其身矣。"

【张居正注评】

孟子说："君子以一人之身，事上使下，交友奉亲，件件都有个道理，须在根本切要处讲求。且如居下位而治民，须是君上信任他，才得展布。若不得于君，则情意不通，事多掣肘，何以安其位而行其志？虽欲治民不可得矣。然得君有道：不在谀佞以取容，须是行成名立，朋友间个个称扬，而后能受知于君上。若朋友不信，则名誉不显，上何由知？欲得乎君，不能矣。然信友有道：不在结交以延誉，须是竭力尽孝，使父母常常喜悦，而后能取信于朋友。若事亲弗悦，则素行不孚，人何由信？欲信于友不能矣。然悦亲有道：又在于诚身，盖守身乃事亲之本，若反求诸身，一有亏欠，未能尽得真实无妄的道理，则服劳奉养都是虚文末节，何以能得亲之欢？故思事亲者不可不诚其身也。至于诚身有道：又在于明善，盖择善乃固执之基，若察识之功一有未至，不能真知天命人心之本然，则为善去恶不能实用其力，何以能复于无妄？故欲诚身者，又不可不明乎善也。"君子能明善以诚身，则事亲即为实孝，交友为实心，事君为实忠，治民为实政，一诚立而万善从之矣。

【原文】

"是故诚者，天之道也；思诚者，人之道也。"

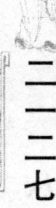

【张居正注评】

孟子说:"君子欲尽道于君、民、亲、友之间,而必以明善诚身为本,则可以见诚之为贵矣。然诚虽具于人,而其原出于天,盖天生斯民皆有恒性。性中所具之德,即是天以元亨利贞付畀与他的,这道理纯粹真实,无一毫虚假,无一些亏欠,乃天道之本然,所以说诚者,天之道也。但在天固无不实之理,在人容有不实之心,必须先明乎善,思以复其诚实之本体,把性中仁、义、礼、智件件都体验扩充,择之欲其精,守之欲其固,必求至于诚而后已,此乃人道之当然,所以说思诚者,人之道也。"夫诚曰天道,既为性分之所固有,思诚曰人道,又其职分之所当为。则明善以诚身,尽人以合天,君子不可不知所务矣。

【原文】

"至诚而不动者,未之有也;不诚,未有能动者也。"

【张居正注评】

孟子承上文说:"思诚,为人道之当然,固宜责成于己,而实理乃人心之同然,自足感通于人。人特患诚有未至耳,若能择善固执,由思诚之功而进之,至于念念皆诚,无一毫虚假,时时皆诚,无一息间断,到那至诚的地位,与天道合一了。将见诚立于此,几应于彼,事亲则亲悦其孝,事君则君谅其忠,交友则友服其信,治民则民怀其仁,有不言而自喻者矣。若谓至诚不能动物,天下岂有是理哉?使诚有未至,则方寸之中便有虚假、间断,何以使精神贯彻,志意交孚?欲求获上治民,悦亲信友,必不可得已。盖天地间只是一个实理,人与我都是这个实心,心相感触,则不戒而自孚,心有间隔则有求而莫应,此必然之理也,君子可不以思诚为先务哉?"按:此章论诚明之学,实渊源于孔子,乃子思所闻于曾子,而孟子所受于子思者。学者宜究心焉。

【原文】

孟子曰:"伯夷辟纣,居北海之滨,闻文王作,兴曰:'盍归乎来!吾闻西伯善养老者。'太公辟纣,居东海之滨,闻文王作,兴曰:'盍归乎来!吾闻西伯善养老者。'"

【张居正注评】

作字、兴字,都解做起字。盍,是何不。文王为西方诸侯之长,得专征伐,故称西伯。孟子说:"今之诸侯莫能定天下于一者,只为仁政不行故也。试以文王观之,昔商纣毒痛四海,播弃老成,此贤人隐伏之时也。那时伯夷避纣之乱,隐于北海之滨,盖非君不事矣。及闻文王起为西伯,奋然而兴说道:'吾何不归来!吾闻西伯发政施仁,善养老者,归之以就其养可也。'遂自北海而往焉。太公避纣之乱,隐于东海之滨,盖非时不出矣。及闻文王起为西伯,奋然而兴说道:'吾何不归来!吾闻西伯发政施仁，善养老者，归之以就其养可也。'遂自东海而往焉。夫仁政一行，而避世之贤，远自穷海相率来归，王道之得人如此。"

【原文】

"二老者，天下之大老也，而归之，是天下之父归之也。天下之父归之，其子焉往？"

【张居正注评】

二老，指伯夷、太公说。孟子说："伯夷、太公这二老不是寻常的人，但以年齿高天下而已。伯夷求仁无怨，得圣人之清。太公待时而兴为帝王之佐，齿德俱尊，乃天下之大老也。既曰大老，则其德望所在，人心系属，且将视其向背以为重轻，就如天下之父一般。今皆慕文王之政来自海滨，是天下之父归之矣。天下之父已归，为之子者宁有背其父而他往者乎？盖海内之心，方观望于贤者，而贤者之心已趋向于文王，虽欲过之不归，不可得矣。"自古有国家者，莫难于得贤士，尤莫难于得老成之士。《书》谓"询于黄发"，《诗》谓"尚有典刑"，正谓此也。故三仁播弃，而殷祚以灭；二老来归，而周道以隆，得失之效可睹矣。养贤以及民者尚知所务哉！

【原文】

"诸侯有行文王之政者，七年之内，必为政于天下矣。"

【张居正注评】

孟子说："文王所以开创成周之业，而为政于天下者，以其得民望而系人心也。今之诸侯惟患不能行文王之政耳，有能取文王之政，如所谓田里树畜之教，鳏寡孤独之养，一一举而行之，则仁心、仁闻达于四海，必有老成贤哲之士相率来归，如伯夷、太公者。那时天下之民，心诚悦服，岂能舍之而他往乎？夫人心戴之，则天命归之，不论国之强弱，大约七年之内，必能统一四海，制御诸侯，而为政于天下矣。有图王之志者，亦何惮而不师文王邪？"盖三代之得天下，皆以施德行仁，固结人心为本，而战国之君，徒欲恃其富强从衡之策兼制天下，故孟子举文王之政以示之如此。万世而后，欲以王道致治者，可不知所法哉。

【原文】

孟子曰："求也为季氏宰，无能改于其德，而赋粟倍他日。孔子曰：'求非我徒也，小子鸣鼓而攻之可也。'"

【张居正注评】

求，是冉求，孔子弟子。赋，是征税。鸣鼓而攻，是声其罪而责之。孟子见当时

列国之臣，皆以富国强兵为务，而不知其非，故引此以警之说："昔孔门弟子冉求，仕于鲁大夫季氏为家臣之长。季氏专鲁国之政，私家之守过于公室，冉求不能匡救，以改正其恶德，反为之聚敛于民，征收赋税较之往时更多一倍，这是剥下以媚上，所谓聚敛之臣也。孔子闻之，对诸弟子说：'求也，游于吾门，而不能以道事人如此，是有负于平日之教，而非吾之徒矣，尔小子于彼有朋友之义，当声其罪以责之，使之省改可也。'"夫国家财用，诚不可阙，然藏富于国，不如藏富于民，若言利之臣，朘民膏血以充公家之赋，始则损下益上，害及于民，其终至财聚民散，而祸亦归于上矣，岂国家之所宜有哉？冉求以从政见称，以足民为志，而所为若此，宜夫子之痛绝之也。

【原文】

"由此观之，君不行仁政而富之，皆弃于孔子者也，况于为之强战？争地以战，杀人盈野，争城以战，杀人盈城，此所谓率土地而食人肉，罪不容于死。"

【张居正注评】

孟子承上文说："由孔子责冉求之言观之，可见人臣事君，但当引之以志仁，不宜导之以求利。若其君不行仁政，而为之臣者，又厚敛于民以封殖之，乃名教之罪人，孔子所弃绝者也。夫富国犹且不可，而况于为君强战者乎？盖聚敛之臣，夺人之财，犹未伤人之命也。若强战者，只要开疆辟土，战胜攻取，而不顾生民之命，故争地而战，则杀人之多，至于盈野，争城而战，则杀人之多，至于盈城，而不自知其惨也。夫为土地之故，使人肝脑涂地，则是率土地而食人肉矣，其罪之大，虽至于死犹不足以容之，岂特夺民之财者可比乎？"

【原文】

"故善战者服上刑，连诸侯者次之，辟草莱、任土地者次之。"

【张居正注评】

辟，是开垦。任土地，是竭尽地力的意思。古时井田之法，其余荒闲地土皆以予民，后世废坏井田，开垦荒芜，竭尽地力，而利于上，这是开草莱、任土地，富国之术也。孟子承上文说："今列国之君所求于士，与士之效用于君者有三：一是善于用兵，战胜攻取；一是纵横游说，连结诸侯；一是垦田积谷，为国兴利。这三样人，如今都说他有功于国，然以王法论之，皆有必诛之罪。盖善战的人，虽应敌制胜，可以快人主之心，然伤残民命，荼毒生灵，即所谓率土地而食人肉者，有王者兴，必然加以诛戮，而服至重之刑，此罪当首论者也。纵横游说，连结诸侯的人，虽未身亲攻战之事，然挟智用术，把持世主，兴起争端，使天下兵连祸结，不得休息，其罪亦不可赦，比于善战之刑，即其次也。开辟草莱、竭尽地力的人，虽不过为生财富国之计，然掊克聚敛，兼并小民，不遗余利，使天下民穷财尽，不得生养，其罪亦不可逃，比于善战之刑,是又其次也。今之诸侯不以为罪,而反以为功,亦何怪乎祸乱之相寻而不已耶?"然就三者论之,从横之徒固不必言矣,至于行师理财,虽三代亦不能废,而概以为罪何也?盖王者之用兵主于定乱,而善战者以多杀为功;王者之制赋,主于惠民,而言利者以多取为富,此义利之辨,而治乱之所由分也。用人者可否审哉。

【原文】

孟子曰:"存乎人者,莫良于眸子。眸子不能掩其恶。胸中正,则眸子瞭焉;胸中不正,则眸子眊焉。"

【张居正注评】

良字,解作善字。眸子,是目中瞳子。瞭,是明。眊,是昏暗的意思。孟子说:"观人之法不必远求,即一身之中其最善而可观者,莫如眸子。盖人之善恶生于心,心之精神见于目,意念一起,即形于瞻视之间,故惟眸子之在人,不能掩其心之恶也。如其胸中所存光明正大,无所隐伏,则其神翕聚,而见之眸子者,必然清朗莹彻,瞭然而精明焉;若是胸中所存偏私邪曲,有所迷惑,则其神涣散,而见之眸子者,必然恍忽蒙昧,眊然而昏暗焉。"心之邪正不同,而目之昏明即异,是眸子不能掩其善,亦不能掩其恶也。即此一端,岂不足以观人耶!

【原文】

"听其言也,观其眸子,人焉廋哉?"

【张居正注评】

廋字,解做匿字。孟子承上文说:"世之观人,固有于言语之间,察人心术者,然言犹可以伪为,而惟眸子不能掩其恶,则观人者,岂可徒信其言而已乎?故必听其言语,以考其心之声,又观其眸子,以察其心之神。其言既善,而眸子又极其清明,则其为光明正大之人可知也。其言虽善,而眸子不免于昏眊,则其为回互隐伏之人,未可知也。合二者而观之,则不出乎容貌辞气之间,而君子小人之情状已可以得其概矣。人即欲掩匿真情,以逃吾之洞察,恐能掩于言,而不能掩于眸子,亦安得而终匿哉?"此一章当与《论语》"视其所以"一章参看。然孔子之观人,推及心曲之微,方定善恶,而孟子之观人,欲于辞色之间,即考其邪正,何详略之不同如此?盖人之制行,或能饰于一时,而不能掩于平日,故虚心而察品流乃定。人之存心,或能匿于所勉,而不能不露于所忽,故卒然而验,臧否自明。有观人之责者,兼而用之可也。

【张居正注评】

孟子曰:"恭者不侮人,俭者不夺人。侮夺人之君,惟恐不顺焉,恶得为恭俭?恭俭岂可以声音笑貌为哉?"

【张居正注评】

孟子说:"古今言人君之美德,莫如恭俭。然恭俭不可以伪为,盖谓之曰恭,则心存敬谨,必能下贤礼士,不肯慢视臣下而有所玩侮;谓之曰俭,则志在简约,必能制节谨度,不肯轻用民财而有所侵夺。是不侮不夺者,乃恭俭之实也。今之人君皆知恭俭之为美,但其平日所行都是侮人夺人之事。那侮人之君,自恃尊贵,其心必骄,只要人非礼奉承,顺着他倨傲的意思;夺人之君,惟务贪得,其心必侈,只要人曲意逢迎,顺着他兼并的意思,惟恐人不顺己,不能快其侮夺之心也。恶有侮人夺人而可谓之恭俭者乎?是可见实心谦让,然后谓之恭;实心撙节,然后谓之俭。若只在声音笑貌之间做出恭俭的模样,而不本于中心,则不过粉饰伪为而已。恭俭美德,岂可以声音笑貌伪为者哉?"盖当时之君,惟务虚名而不修实德,故孟子警之如此。《书经》上说:"位不期骄,禄不期侈,恭俭惟德,无载尔伪。"正是此意。盖侮生于骄,必克其骄心,方能虚己下人,而无所侮;夺生于侈,必克其侈心,方能约己裕人,而无所夺,此恭俭之所由成也。为人君者不可不知。

【原文】

淳于髡曰:"男女授受不亲,礼与?"孟子曰:"礼也。"曰:"嫂溺,则援之以手乎?"曰:"嫂溺不援,是豺狼也。男女授受不亲,礼也;嫂溺,援之以手者,权也。"

【张居正注评】

淳于髡,是齐之辩士。权,是秤锤,所以秤物之轻重者,故人之处事,秤量道理以合于中,也叫做权。昔淳于髡因孟子不见诸侯,故设辞以讽之说道:"吾闻男女有别,就是以物相取与,不得亲手交接,果是礼之当然欤?"孟子答说:"男不言内,女不言外,故授受不亲,正以别嫌、明征,乃礼之所重也。"淳于髡说:"男女授受不亲固为礼矣,即如嫂之与叔,礼不通问,亦不可亲相授受者。设或嫂溺于水,生死在仓卒之间,为之叔者亦将引手以救之乎?还是拘授受不亲之礼,而坐视其死也?"孟子答说:"嫂叔至亲,溺水大变,于此不救,则忍心害理,是豺狼之类耳。有人心者固如是乎?盖天下之事有常有变,君子处事有经有权,男女授受不亲是礼之常经,固不可越。至如嫂溺援之以手,是乃事势危迫之际,顾不得情义,便顾不得嫌疑,故揆度于轻重缓急之间,以求合乎天理人心之正,所谓权也。若但知有礼而不知有权,则所全者小,所失者大矣,岂识时通变者哉?要之经权二字原不相离,礼有常经,如秤之有星,铢两各别,权无定体,如秤锤之较物,轻重适平,二者交相为用也。"观孟子之言,则可以识权之义矣。

【原文】

曰:"今天下溺矣,夫子之不援,何也?"曰:"天下溺,援之以道;嫂溺,援之手。子欲手援天下乎？"

【张居正注评】

淳于髡闻孟子行权之论，因问说："信如夫子之言，嫂溺则当从权以援之，而不必拘于授受之礼矣。况圣贤出处为治乱所关，岂可执一？方今列国分争，生民憔悴，就如溺于水的一般，夫子视天下为一家，亦当从权以救之可也，却乃守不见诸侯之义，而不肯一出其身以援天下，这是为何？岂亦拘于常礼而不能通变乎？"孟子答说："援嫂之溺与援天下之溺事势原自不同，盖天下至广，陷溺之患至大，如欲拨乱反正，济世安民，必以先王仁义之道拯之，乃能有济，非如嫂之溺水，但援之以手即可救也。吾能以道自重，然后可以出而有为，今子欲援天下，而使我枉道以求合，则先失其援之之具矣，岂欲我以徒手援天下乎？天下之溺不可以手援，则亦不容轻身往见以枉其道矣。"此可见圣贤出处一本于道，固不欲洁身以为高，亦不容枉道以求合，经权之际，自当有辨也。后世以反经合道为权，遂至有违道以济其私者，不亦悖于孟子之训耶！

离娄章句下

凡三十三章。

【原文】

孟子曰："舜生于诸冯，迁于负夏，卒于鸣条，东夷之人也。文王生于岐周，卒于毕郢，西夷之人也。"

【张居正注评】

诸冯、负夏、鸣条、岐周、毕郢，都是地名。孟子说："天生圣人，以百王之道统，开万世之太平，非偶然也。试以虞舜、周文王论之，舜生产于诸冯，既而迁居于负夏，其后卒于鸣条，这都是东方夷服的去处，是即东夷之人也。文王生产于岐周，其后卒于毕郢，这都是近西夷的去处，是乃西夷之人也。"夫在常人则生于其地者，即囿于风气之中而不能振拔。若圣人则间气所钟，旷世而一见，有非地之所能限者。孟子欲明二圣之同道，故先发其端如此。

【原文】

"地之相去也，千有余里；世之相后也，千有余岁。得志乎中国，若合符节。先圣后圣，其揆一也。"

【张居正注评】

古时篆刻文字于玉左右两扇，有事则合之以为信验，叫做符节，就如今之金牌铁券一般。揆，是度。孟子承上文说："舜与文王，一生于东夷，一生于西夷，其地相距千有余里，可谓远矣。舜兴于虞，文王起于周，其世代之相后千有余岁，可谓久矣。然舜发于畎亩之中，得志而为天子；文王当有商之季，得志而为方伯。一则风动四方，一则修和有夏，都能行其道于中国，使仁、义、礼、乐灿然大明，彼此相较无毫发之差，就如合着符节的一样，何其同也。"由此而推，可见前乎千百世之既往，有圣人崛兴，后乎千百世之将来，有圣人复起。地之相去，世之相隔，虽其迹不能尽同，然以理度之，所存莫非纯王之心，所行莫非纯王之道，其致一而已矣，又岂有不同者哉？盖战国之时，正学不明，异说纷起，如杨、墨、许行之徒，皆托于圣人之道，以自为一家之言，是以师异道，人异学，而圣道为天下裂矣。孟子称圣人之同道，盖所以深辟当时之异说也。

【原文】

子产听郑国之政，以其乘舆济人于溱、洧。孟子曰："惠而不知为政。"

【张居正注评】

子产，是郑大夫公孙侨。溱洧，是二水名。春秋时，有子产者辅佐郑君，凡一国之政事都听他掌管，其位尊，其任重，则凡为百姓兴利除害，当自有经济之大者。乃一日偶过溱、洧之间，见人徒涉，其心不忍，便将所乘的车渡济他，一时小民亦皆感其恩泽，称为盛事。然而甚失政体矣，故孟子讥之说："君子之存心行事，非不欲使泽及于民，然其体统有尊卑，规模有大小，若子产乘舆济人之事，惠则惠矣，其于为政的道理则未之知也。"盖君子驭众临民，自有公平正大之体；修政立事，自有纲纪法度之施；在上的不必要誉于民，在下的亦忘其恩所自出，此乃所以为政也。今子产以煦煦为仁，所及有限，人非不感其恩，只是私恩，人非不被其利，只是小利，其不知其政体甚矣，何足道哉？夫惠者王政之所不废，但惠施于一人，则虽有所及，而亦有所不及，政行于一国，则能以所爱达之于所不爱，此大小公私之判也。若好行小惠，而不知大体，则违道干誉，有名无实，民何赖焉？盖孔子称管仲之仁，而讥其不知礼；孟子称子产之惠，而病其不知政。皆所以为后世训也。

【原文】

"岁十一月，徒杠成，十二月，舆梁成，民未病涉也。"

【张居正注评】

周时十一月即今九月，十二月即今十月。方桥可通人行的，叫做徒杠。大桥可通车行的，叫做舆梁。病，是患苦的意思。孟子承上文说："子产但知徒涉之人为可悯，而不知乘舆之济为有限，是亦不讲于先王之政耳。试以王政言之，每岁天气向寒的时节，凡道路之间有阻水难行的去处，即量起人夫修治桥梁。十一月农事才毕，民力稍暇，那徒杠可通人行的，其功易，就这时便早成了。十二月农事俱毕，工作可兴，那舆梁可通车行的，功虽难就，这时也都成了。是当未寒之时，而已念徒行者之苦，在初寒之候，而已忧车行之艰，无不先事预图及时为备，所以水潦无阻，道路通行，国中百姓未闻有病于徒涉者也。"即此一端，可见先王之政，不必人人问其疾苦，而为之捫摩，只须事事立有规模，而贻之于安逸，此所谓纲纪法度之施，而不失为公平、正大之体者也。使子产而知此道，则郑国之民，自无有病涉者矣，何用以乘舆济之哉？

【原文】

"君子平其政，行辟人可也，焉得人人而济之？故为政者，每人而悦之，日亦不足矣。"

【张居正注评】

辟，是避除行人。孟子承上文说："先王之政，上不求赫赫可喜之功，下不为煦煦悦人之术，惟施得其平而已。若君子之治人，能以仁心、仁闻，行先王之政，百姓每有饥寒的为之厚其生，有劳苦的为之节其力。一切兴利除害，补偏救弊的事次第施行，务要均平周遍，使人人各得其所，则所施者博，所济者众，不见其私恩小利，而百姓自然心悦诚服矣。如此，则虽出入之际，辟除行人，令他回避，亦是上下之礼宜然，何必以乘舆济人，自褻居尊之体也。况国中之水，当涉者众，举国之人望济者多，焉能以所乘之舆，人人而济之乎？若人人而济之，是欲人人而悦之也。为政者统御万民，总理庶务至为烦劳，必欲每人而求其悦，岂但曲意徇物，违道干誉，大非为政之体，且恐人多日少，不能以有限之力，应无已之求，其势必至于穷矣。善为政者固如是乎？"夫行小惠而伤大体，则理所不可；穷日力以徇物情，则势所不能。甚哉，子产之不知为政也。汉臣诸葛亮有言："治世以大德，不以小惠。"盖深得孟子之意。欲明治体者，宜究心焉。

【原文】

孟子告齐宣王曰："君之视臣如手足，则臣视君如腹心；君之视臣如犬马，则臣视君如国人；君之视臣如土芥，则臣视君如寇仇。"

【张居正注评】

孟子告齐宣王说："君臣相与之间，各有当尽的道理。然下之报上，亦视上之所以待下者如何？且如君之于臣能隆之以礼貌，推之以至诚，言听计从情投意合，看他就似手足一般，有相倚为用而不可一日少者，则君之待臣厚矣；由是为臣的莫不感恩图报，矢志竭忠，务要爱养君德，使益清明，保护君身，使益强固就似腹心一般，有相依为命而终身同其休戚者矣。这是上下一体恩义兼隆，明良相遇之盛如此。此道既衰，人君有轻贱其臣如犬马者，奔走之而已，豢养之而已，这等的傲慢无礼，则人人自疏，漠然不见其可亲，必将无怨无德，视之如路人一般，尚可望以腹心之报乎？至于衰薄之极，人君有贱恶其臣如土芥者，践踏之而已，斩艾之而已，这等的惨刻少恩，则人人自危，悚然惟恐其不保，至于离心离德，避之如寇仇一般，岂但如国人而已乎？"夫尊卑之名分虽殊，而报施之厚薄则常相称，王可以惕然省矣。盖宣王待士恩礼衰薄，至于昔者所进，今日有亡去而不知者，故孟子警之如此。若人臣自处之道则不然，夫臣之事君当如子之事父，其得君行道，固当有匪躬謇謇之心，虽去国洁身，亦当有爱君惓惓之意，岂得自处其薄乎？孔子曰："君使臣以礼，臣事君以忠。"此万世不易之常道也。

【原文】

王曰："礼，为旧君有服，何如斯可为服矣？"曰："谏行言听，膏泽下于民；有故而去，则君使人导之出疆，又先于其所往；去三年不反，然后收其田里。此谓之三有礼焉。如此，则为之服矣。"

【张居正注评】

齐宣王闻孟子之言，疑其太甚，乃问说："吾闻礼经有云：'大夫有故而去，仕于他国者，为其旧君服齐衰三月。果如礼之所言，则已去国者尚有服礼，而况见在其国者，可以国人、寇仇视之耶？不知旧君如何相待，乃为之制服如此？"孟子答说："人君欲责人尽礼，须先以礼处人，若其臣在国之时，有所规正，不以为拂逆，而谏则必行；有所陈说不以为迂阔，而言则必听；使他致君泽的谋略，一一展布，而膏泽下究于民，无有壅而不流者，君臣这等相得，真如手足腹心之一体，恩义何其笃也。如或议论不合，有故而去，其君犹眷恋不

铸子叔黑簠

舍，使人导之出境，以防其剽掠之虞，又先道达于所往之国，以开其仕进之路，至于田禄里居未忍遽夺，必待三年不返，然后收之，以示望其来归之意。只这三件，何等样尽礼！所以说是三有礼焉。盖其恩义惓惓，始终不替如此。君既以礼遇臣，臣未有不以礼报君者，其为旧君有服，不亦宜乎？"昔子思对鲁缪公曰："古之君子，进人以礼，退人以礼，故有旧君反服之礼。"其意正与此合。孟子之言，盖有所本也。

【原文】

"今也为臣，谏则不行，言则不听，膏泽不下于民；有故而去，则君搏执之，又极之于所往；去之日，遂收其田里。此之谓寇仇。寇仇，何服之有？"

【张居正注评】

搏执，是拘执。极字，解做穷字。孟子承上文说："古之人君待臣以礼，故有旧君之服。今之为臣者则不然，当其在国之时，情意不孚，议论不合，虽有规谏拒之而不行，虽有建言置之而不听，聪明日蔽于上，膏泽不究于民，盖已不能安其位而行其志矣。及有故而去，不但无人导之出境，且搏执拘禁他，似犯罪的一般，不但无人为之先容，且穷迫之于所往之国，似禁锢的一般。至于田禄里居，非惟不待三年，就于去国之日将他的都收了，是幸其去而绝其来也。夫进不能行其道，退不能容其身，则不特待之如犬马，而实视之如土芥，寡恩如此，所以谓之寇仇也。既曰寇仇，又何服之有哉？"孟子斯言，欲深警齐王之失，故不觉其过激如此。然战国之士，朝秦暮燕，势交利合，臣节之不明久矣，故孟子亦据当时之习尚言之。至于君臣义无所逃，安得以去就为厚薄？礼义由贤者出，岂可以用舍为恩怨？孔子迟迟去鲁，孟子不欲悻悻去齐，此圣贤处身之道也。

【原文】

孟子曰："无罪而杀士，则大夫可以去；无罪而戮民，则士可以徙。"

【张居正注评】

孟子说："君子之去就，惟视国家之治乱；国家之治乱，但观刑赏之当否。且如百官庶职皆君之所任用，即陷于罪犹有当宥者。若士本无罪，而在上者乘一时之怒，妄有诛杀，此淫刑之渐也。其渐一长，则将视臣如土芥，非惟士不保其首领，而且驯寻及于大夫矣。为大夫者，度不能救，则宜奉身而去之，盖不可则止，义当然也。如待其祸及于大夫，则欲去而不能矣，岂保身之哲哉？群黎百姓皆君之所子育，即罹于罪，犹有当恤者。若民本无罪，而在上者用一时之法，轻有刑戮，此滥杀之端也。其端一开，则将杀人如草菅，不但民无所措手足，而且蔓延及于士矣。为士者知不可留，则远徙以避之。盖乱邦不居道当然也，如待其祸及于士，则欲徙而不得矣，岂洁身之智哉？此君子所以见几而作，不俟终日也。"夫有国家者，使其大小臣工皆惧祸不安，而至于去且徙，岂不殆哉？昔赵杀二臣，孔子至河西而返，正是此意。故明君慎于行法，以系士大夫之心，亦所以为国家计也。

【原文】

孟子曰："君仁，莫不仁；君义，莫不义。"

【张居正注评】

孟子说："人君一身万化之原，不正其身未有能正人者。诚于法度号令之颁，一出于慈祥爱利，而无少刻薄，是自处以仁也。由是百官万民奉行德意，莫敢不兴于仁。盖有不令而行者矣，于用舍举措之间，皆归于正大公平，而无少偏陂，是自处以义也。由是百官万民遵守成式，莫敢不兴于义。盖有不言而喻者矣。夫一国化为仁义，此王道之成也。然其端始于君身，有治民之责者，可不以正身为本哉？"按：此二句已见前篇，但前篇指人臣正君说，此章指人君正己说。见仁义乃端本澄源之道，上下交修皆不能外也。

【原文】

孟子曰："非礼之礼，非义之义，大人弗为。"

【张居正注评】

孟子说："所贵乎礼义者，谓其中正而不偏也。礼而合乎中，固君子之所履矣，然亦有似礼而非礼者。如礼本尚敬，而足恭则涉于谄；礼贵有文，而文胜则疑于伪。名虽为礼实非礼之正也。义而合乎中，固君子之所由矣，然亦有似义而非义者。如以执持为义，而止其所不当止；以奋激为义，而行其所不必行。名虽为义实非义之正也。若盛德之大人，乃礼之所自出，其进退周旋，无一时不依于礼，却不为非礼之礼以取悦；其酬酢举措，无一事不由于义，却不为非义之义以要名。此所以为礼义之中正也。"有志于立身者，可不知所法哉。

【原文】

孟子曰："中也养不中，才也养不才，故人乐有贤父兄也。如中也弃不中，才也弃不才，则贤不肖之相去，其间不能以寸。"

【张居正注评】

中，是德性中和。养，是涵养熏陶的意思。孟子说："父兄之于子弟莫不愿其贤，而不能、无不肖亦在乎教之而已。如自己有中和之德，而子弟之德性或有所偏，则必抑其过，引其不及，从容涵养，使之自至于中而后已；自己有干济之才，而子弟之才能或有所短，则必开其昏，警其惰，优游渐渍，使之自成其才而后已。如此，则不中者有变化气质之功，而不伤于骤；不才者有开发聪明之益，而不苦其难。那时德修名立，才知父兄的善教，所以乐其父兄之贤，不独生我、长我，而又能成我也。若为父兄者见子弟之不中不才，则严加督责，以求其速成，及见其难成，遽舍之而不教，是弃之而已。"夫天下无不可化之人，君子惟欲与人为善，而家庭之近，子弟之亲，犹且教之无方，养之无术，则所谓中与才者，亦未免过中而不才矣。然则父兄之贤，与其子弟之不肖，相去之间能几何哉？为父兄者，慎不可轻弃其子弟矣。所以古之圣王，蚤建太子而豫教之，自孩提有识，即使之闻正言，见正事，使习与知长，化与心成，此养之之说也。为宗社长久计者，不可不知。

【原文】

孟子曰："人有不为也，而后可以有为。"

【张居正注评】

孟子说："大凡天下之事，有才能的，才会干济；有力量的，才肯担当。非不贵于有为也。然见之不明，守之不确，则或以轻为而取败，或以锐进而无成者，有之矣。故平居之时，有所不肯为，而后于临事之日无所不能为。如道义有所未安，则虽人之所追逐而恐后者，彼独有所退避而不趋；时势有所未便，则虽人之所眩鹜以求庸者，彼独有所敛藏而不露。这等的涵养精深，执持坚定，然后干济自有余才，担当自有全力。见得事理当为，则重大艰难之任，即毅然以身当之，而无所顾忌；遇着事机可为，则祸福利害之冲，即概然以身赴之，而无所畏缩。真有举世所不敢为，所不能为者，而彼独能为之矣，是其能有为者，乃于能不为养之也。若无所不为，则其识见操持亦小矣，安能有所为耶？"尝观伊尹耕于有莘之野，非其道义，一介不轻取予，及受汤之聘，而尧舜君民之业，直任之而不辞，其能有为如此。观人者，视其所不为可也。

【原文】

孟子曰："言人之不善，当如后患何？"

【张居正注评】

孟子说："君子成人之美，不成人之恶，故人有过失，往往曲为覆蔽，不肯播扬。此忠厚之心，亦远害之道也。若闻人有不善之事，便喜谈乐道，以快一时之口，惟务攻发其阴私，不思掩护其瑕玷，于人固有损矣。岂知言悖而出，亦悖而入，不但诬善之言，流传无实，有启衅之端，即嫉恶之言，讥诋过严，亦取祸之道也。其如后患何哉？"要之圣贤之心，与人为善，惟恐其或陷于过，而不能掩。故大舜隐恶，孔子无毁，皆非因虑患而然。孟子之言，为世之轻于毁人者戒也。

【原文】

孟子曰："仲尼不为已甚者。"

【张居正注评】

已字，解作太字。孟子说："天下之道，本有大中至正之则，不但贤智者不能抗之而使高也，虽圣如仲尼，天下后世所仰望以为不可及者，宜其有高世绝俗之行，以求异于人矣。然观其平日所为也，只是于日用常行之间，求合于天理人情之正；发为言语皆人之所易知，而无过高之谈；见之躬行皆人之所易从，而无过激之行，其不为太甚如此。一有太甚，则是求加于性分之外，而不合乎义理之中矣，何以为圣人哉？孔子尝自言不为索隐行怪，又以道之不行不明，归于贤智者之太过，正不为已甚之意也。"后世学圣人者，或持论太深，以玄虚为理奥；或处己太峻，以矫激为名高，皆叛于仲尼之道者也。可不戒哉。

【原文】

孟子曰："大人者，言不必信，行不必果，惟义所在。"

【张居正注评】

必，是期必。孟子说："君子之于言行，但当随事顺应，不可先有成心。且如言贵于信，使不择是非，而必期于信，则拘泥而不通矣。行贵于果，使不量可否而必期于果，则固执而不化矣。大人则不然，言非不信，而未尝有心于信，行非不果，而未尝有心于果，惟看义理上何如？义所当信，则久要不忘，如揆之义而不宜，则言有所不必践；义所当果，则勇往不挠，如质之义而不协，则行有所不必决。是非可否惟义是视，而无所容心，此大人之言行，所以为天下法也。"孔子尝说："君子无适、无莫，义之与比。"正与此互相发。盖必信必果便是适、莫，若取裁于义，而无所适、莫，则信果亦在其中，所谓廓然太公，物来顺应者如此。若中无所主，而以不必信果借口，则又未若小人之硁硁矣。

【原文】

孟子曰："大人者，不失其赤子之心者也。"

【张居正注评】

孟子说："世之称大人者，以为盛德大业高出于天下，若非人之所能及，殊不知大人之所以为大者，只是不失其赤子之心而已。盖赤子之心，情窦未开，所知所能纯是一团天理，而无一毫物欲之蔽，乃心体之本然也。自知诱物化之后，情识日长，真性日漓，而纯一之心始失矣。大人者，涵养极其精纯，而内不蔽于私欲；操持极其坚定，而外不夺于物诱。故自少至老，时时刻刻，只是这一点纯一无伪之心，不曾少有断丧。虽智周万物，无所不知，实皆赤子之良知；虽道济天下，无所不能，实皆赤子之良能。何尝有穿凿之智，机械之巧，加于心体之外者乎？所以说不失其赤子之心。欲为大人者，亦反求其本然之心而已。然赤子之心，由于天禀而所以能存是心者，必由于学力。若非涵育熏陶维持调护，使少成若性，习惯自然，则在孩提有识之时，已有攻取雕琢之患矣。何以不失其初心乎？"《易经》上说："蒙以养正，圣功也。"正是此意。故欲务大人之学者，必端蒙养之功而后可。

【原文】

孟子曰："养生者不足以当大事，惟送死可以当大事。"

【张居正注评】

当字，解做为字。孟子说："人子之于亲，生事死葬，无有不当自尽者。然以缓急较之，朝夕奉养犹为人道之常，纵使尽志尽物，致养无方，皆出于从容暇豫之时，随其分量大小，可以自致，还不叫做大事。惟至于送终之礼，乃人子事亲尽头的时节，自此以后更无可以用情于亲者，设使一有未至，悔将何及，这才为人子的大事。所以先王制礼，于丧葬之际，尤极周详，盖欲为人子者，必诚必信，而不至有后日之悔也。"孟子此言，非以养生为轻，盖见当时墨子之徒，以薄葬之说惑乱天下，至于伤一本之恩，故以此警之，亦维世教之意也。

【原文】

孟子曰："君子深造之以道，欲其自得之也。自得之，则居之安；居之安，则资之深；资之深，则取之左右逢其原。故君子欲其自得之也。"

【张居正注评】

造，是造诣。道，是进为的方法。资，是藉。左右，指身两旁，是形容其至近而非一处的模样。原，是本源，心为应事之本，就如水之源头一般，故谓之原。孟子说："天下无心外之道，亦无心外之学，君子为学奋其向往的工夫，致知力行，惟日孜孜而不已。又依着进为的方法，下学上达，循循有序而不骤。似这等深造而必以其道者，欲何为哉？盖欲其有所持循，以俟夫真积力久，默识心通，自然而得此理于己也。夫学非自得，则心与理不相融贯，居之必不能安。既自得矣，则心与理一，理与心会，精神凝定，外物不得而摇夺，居之岂有不安？惟居之安，则一真不挠，众善咸萃，溥博渊泉，自可藉用而不穷，资之岂有不深？资之既深，则事感于外，理应于中，左边事来有应左边的道理，右边事来有应右边的道理，或左或右，无不会逢其应用之本原，而天下之事，取之一心而裕如矣。自得之妙至于如此，此君子之学所以务于深造以道，而必欲其自得之者，真见其有益于得，而功不可不继，序不可不循也。向使一曝十寒，进锐退速，安望其有自得之益哉。"

【原文】

孟子曰："博学而详说之，将以反说约也。"

【张居正注评】

约字，解做要字，是简明精切的意思。孟子说："天下之理，不求于博，则识见浅陋而不能旁通；不反之于约，则工夫汗漫而无所归宿。是以君子为学，于凡天地民物之迹，《诗》、《书》、《六艺》之文，无不旁搜远览，偏观尽识，学之极其博矣。又于那所学的，无一事不究其折衷，无一物不穷其变化，或问于师，或辨于友，说之又极其详焉。如此者，岂是要夸多而斗靡哉？盖以理在吾心，本至约也，但散见于万殊，不能一蹴而会通之耳。今博观于事物，讨论其指归，正欲融会贯通，由支派而穷其本源，由节目而得其要领，反而说到至约之地耳。说至于约，则吾心之理方有真得，而向之博且详者，非徒从事于口耳之末也。是可见学不可以徒博，又不可以径约，由博以求约，斯为学之全功举矣。"

【原文】

孟子曰："以善服人者，未有能服人者也；以善养人，然后能服天下。天下不心服而王者，未之有也。"

【张居正注评】

服，是取胜。养，是涵育熏陶的意思。孟子说："人君孰不欲服天下，而所以服之者，有公私不同。或见力不足以服人，因欲以善去服人，不知善虽有服人之理，我不可有矜己之心，如已有一善乃即恃此以骄人，则是以善自私，谁肯倾心以服我？纵有服者，不过外貌之矫饰而已，非心服也。其必善不独善，而推以养人，涵育熏陶，务使同归于善而后已。此则以曲成万物为心，以兼善天下为度，若此者乃可以服天下，使之心悦诚服以归于我，而可为天下王矣。苟非以善养人之君，天下未必心服而能致王于天下，岂有是理哉？"夫善一也，以之服人，则人未必服；以之养人，则心服而王。心之公私少异，而人之向背顿殊，王霸之分，其端正在于此。君天下者，可不审其几乎！

【原文】

孟子曰："言无实不祥。不祥之实，蔽贤者当之。"

【张居正注评】

蔽，是蔽塞。孟子说道："人之言语有足以召祸启衅者，谓之不祥之言。然止于一身之吉凶，无关于天下国家之利害，不可的的确确便谓之不祥也。求其的确为不祥之言，惟是那谗邪小人，见人之有善，辄媚嫉之，使不得见知于君；见人之有技，辄排挤之，使不得见用于世。此其言，下蔽士庶之公议，上蔽人主之聪明，真个是巧言足以乱德，利口足以覆邦，贻害深而流毒远，其为不祥孰大于是？"夫蔽贤之言，其害如此，听言者诚能明以察其奸，断以除其祸，则嘉言罔伏，众贤毕进，而可拨乱为治，转灾为祥，邦其永孚于休矣。

【原文】

徐子曰："仲尼亟称于水，曰：'水哉！水哉！'何取于水也？"孟子曰："原泉混混，不舍昼夜，盈科而后进，放乎四海。有本者如是，是之取尔。"

【张居正注评】

徐子名辟，是孟子的门人。亟，是数。原泉，是有原之水。混混，是涌出的模样。科字，解做坎字，是低洼蓄水之处。放，是至。徐子问于孟子说："流水之为物，不过天地间之一物耳，乃仲尼每观于水而数数称之说：'水哉！水哉！'若有深契于心，而不觉其屡形于赞叹者。不知仲尼何取于水而亟称之如此？"孟子答说："欲知水之可取，当观水之源流，盖有原之泉，方其出于山下则混混然涌出，昼如是而夜亦如是，无止息也。及其过坎而止，则盈满于此，而后渐进于彼，无壅滞也。由是进而不已，则沛然莫御，必至于四海而后有所归宿焉。这等看来，可见有原之水，其蓄聚者深，故能常出而不竭，其发生者远，故能渐进而不穷，有本者固如是也。水惟有本则可以渐进而至于海，如人有实行则亦可以渐进而至于极。其于圣人重本之心，若有相为契合者，其乐，取而亟称之，不以是乎！"知仲尼取水之意，则知君子务本之学矣。

【原文】

"苟为无本，七、八月之间雨集，沟浍皆盈；其涸也，可立而待也。故声闻过情，君子耻之。"

【张居正注评】

浍，是田间水道。涸，是干。情字，解做实字。孟子告徐子说："有本之水，能渐进不已而至于海者，以其源远而流长也。若水之无本者则不然，当七八月间乃大雨时行之候也，彼时雨水骤至，则沟浍之中莫不盈满，及雨止水退，则沟浍之干涸可立而待，是其来也既非混混而不舍，其流也又非盈科而渐进，忽然而盈，亦忽然而涸，水之无本者固如此，何足取哉？观于水，而君子之为学可以类推矣。故人能反身修德，使养深而蓄厚，然后实大声宏，而名誉随之，这便是有本之水，渐进而不已的意思。此君子之所贵也，如道德本无足称，而声誉反过其实，则一时虽能掩饰，日久必然败露，就是沟浍之水易盈易涸的一般。岂非君子之所深耻而不居者乎？"然则仲尼之称水，盖取夫有本之学，而恶夫过情之誉也。彼蹑等干誉者，可以惕然而深省矣。

【原文】

孟子曰："人之所以异于禽兽者几希，庶民去之，君子存之。"

【张居正注评】

几希，是些少的意思。孟子说："天地之间人为最贵，与禽兽迥然不同，人皆知之。然其所以异于禽兽者，则未之知也。盖人物之生，其初受形受性也是一般，但禽兽则有偏而不全，塞而不通的去处，惟人心这点虚灵，理会得来，充拓得去，可以尽性而践形，只这些子与禽兽分别，其相去能有几何？此所以谓之几希也。既曰几希则出乎此，入乎彼，其端甚微，而操则存，舍则亡，所关亦甚重矣。乃众人则拘于气禀，夺于物欲，把那几希之理去之而不能存，是以陷于禽兽而不自知耳。惟君子能反观内省，察识扩充其几希之理，真能存之又存，不敢失坠者，是岂庸人所能及哉？"按：孟子所言"几希"，即《虞书》上说"人心惟危，道心惟微"的意思。盖"几希"不存，即入于禽兽，何危如之？"几希"之介，间不容发，何微如之？若择之惟精，守之惟一，则"几希"之理，自能常存矣。此圣学之渊源，而孟子独得其传者也。读者宜究心焉。

【原文】

"舜明于庶物，察于人伦，由仁义行，非行仁义也。"

【张居正注评】

孟子说："几希之理，君子固能存之矣。自君子而上，又有生知安行自无不存的圣人。盖物有物之理，人有人之伦，而贯彻于伦物之中者，则曰仁曰义，这就是几希的道理，未有不知之真而能行之至者也。惟舜则生而知之，见得世间万物，虽飞潜动植。形性各有不同，然成大成小，未有不待我以立命者，是物之所以异于人，其理既知之极其明矣。又见得人有五伦，虽亲、义、序、别、信施用亦各不同，然立爱立敬未有不如是而能成性者，是人之所以异于物，其理又察之极其详矣。至于吾性中之仁义，则能安而行之，其慈祥恻怛，从心上生发出来，自能无所不爱，是随其所行，无适而非仁，不是以仁为美，而有心以行仁也。其裁制区画，从心上运用出来，自能无所不

舜

宜，是随其所行，无适而非义，不是以义为美，而有心以行义也。"夫立人之道，曰仁与义而已。舜惟由仁义行，故能尽物之性，立人之极，而于几希之理毫无亏欠，此所以绍帝尧精一之统，而开万世心学之传也。岂特如君子之能存而已哉？

【原文】

孟子曰："禹恶旨酒，而好善言。"

【张居正注评】

旨酒，是甘美之酒。孟子说："古昔圣帝明王，莫不以忧勤惕厉为心。自舜开心学之源，而大禹继之，为能察理欲之几，得好恶之正，故于仪狄进酒才觉酒味甘美，便惕然深虑说道：'后世必有以酒亡其国者。'遂疏仪狄而绝旨酒。夫饮酒未便至于亡国，禹岂为是过计？其心只恐嗜饮不已，必将沉湎无节，以至于乱性情，妨政事，则亡国之祸皆从此而起矣。所以于旨酒则痛绝之，要以防嗜欲之端，戒荒湛之渐也，其忧勤惕厉之心，见于遏人欲者如此。及其闻一善言，但觉有切君身，有裨治理，便欣然听纳，甚至下拜以致其敬，不难屈己以服人，虚怀以受善。夫人言未便加于圣德，禹岂为是过谦？其心只恐取善不广，或致嘉言攸伏，则无以集众思，广忠益，而乐告之诚，皆从此而阻矣。所以于善言则笃好之，要以扩取善之，量为辅德之资也，其忧勤惕厉之心，见于崇天理者如此。"夫人主一心，众欲所攻，即其恶旨酒，则凡声色货利，快意滋毒者，无不深虑豫防可知已。朝廷之上，群贤毕集，即其好善言，则凡百司庶职亮采惠畴者，无不推诚委任可知已。理欲不淆，好恶克慎，此禹所以得统于舜，而侯后圣于无穷也。

【原文】

"汤执中，立贤无方。"

【张居正注评】

执，是执持。方，是方所，有区别的意思。孟子说："继禹而王者有商汤，汤之心，只是一个忧勤惕厉而已。以其行政用人言之，彼中道为揆事宰物之准，或居常守经，或处变行权，随事而应都有定理。若处事而徒任意见，将举措颇偏，上不免于有失政矣。汤则持一中之理，定万化之衡，疑似不能淆，始终不可易。观其制事制心，以建中于天下，则可知矣。贤人为修政立事之资，或近在州闾，或远伏岩穴，随处都有，原无定在。若求贤而拘于方所，则搜罗未广，下不免于有遗才矣。汤则大延访之公，广登庸之路，亲疏不问其类，贵贱不计其资，观其三使三聘，求元圣于莘野，则可知矣。"夫中以处天下之事，公以用天下之人，而一毫之偏私不得而与焉。推此念也，与大禹之慎好恶，其心一矣。此汤之所以得统于禹，而接道统之传也。

【原文】

"文王视民如伤，望道而未之见。"

【张居正注评】

孟子说："继汤而兴者有周文王。文王之心，也只是一个忧勤惕厉而已。以其爱民之心而言，文王发政施仁，怀保小民，当时百姓已自安了，乃犹不遑暇食，心里常常

念说：'民生甚众，博济甚难，若政教一有未修，刑罚一有未当，不免有妨害民生者。'看着那百姓，恻然常似有伤一般，所以汲汲孳孳，必欲无一民不得其所，而后其心始慰也。其爱民之深如此。以其求道之心而言，文王敬止缉熙，先登道岸，其于圣域已优入了。然犹不自满足，心里时时念说：'道无终穷，学无止法。若点检一时少疏，进修一日少懈，便有与道背驰者。'望着那道理，歉然常如未见的一般，所以亹亹翼翼，必欲无一理不造其极，而后其心始惬也。其求道之切如此。"夫民已安而犹若未安，故圣政益宏，道已见而犹未见，故圣德益盛，此文王所以得统于汤，而接道统之传也。

【原文】

"武王不泄迩，不忘远。"

【张居正注评】

泄，是玩忽的意思。迩，是近。孟子说："继文王而圣者，则有武王。武王之心，也只是一个忧勤惕厉而已。盖近者易于亵狎，此常情也。武王心思缜密，凡近的所在，耳目之所常接者，不敢一毫轻忽。如侍御仆从必择正士，几杖户牖皆有箴铭，虽寻常日用之间，都有个检束防闲之意，是其敬慎之心，无时或怠也，何泄之有？远者易于遗忘，亦常情也。武王志虑周详，就是远的所在，耳目之所不及者，不敢一些疏略，如封建诸侯，怀远为近，启佑后人咸正无缺。虽天下万世之远，莫不有注措经画之方，是其并包之度无处不到也，何忘之有？"夫近而不泄，则修之身心者严以密，可以见其德之盛；远而不忘，则施之政事者公而溥，可见其仁之至。此武王所以克承丕显之谟，而成永清之治也。

【原文】

"周公思兼三王，以施四事；其有不合者，仰而思之，夜以继日；幸而得之，坐以待旦。"

【张居正注评】

四事，即上文禹、汤、文、武所行的事。孟子说："禹、汤、文、武之后，以圣人而相天下者，则有周公。周公之心，亦只是忧勤惕厉而已。盖周公辅相成王，守成业而致太平，可谓盛矣。乃其心日有孜孜，不但近述诸今，觐扬文武之光烈，又欲远稽诸古，通求禹、汤之典型，务要兼着三王，把他所行的四事，件件都措之施行，无所遗失，然后望治之心始慰也。然古今之时势既殊，创守之规模亦异，容有宜于昔而不宜于今，便于此而不便于彼者，其间推移变化，宁无有不合者乎？周公则又反复思惟，求其所以然之故；日不足，则夜以继之，皇皇然真有夙夜匪懈者，何其思之切也；至于思极而通，这道理已融会于心，欣然有得了，则又勇往奋发，即欲见之行事，虽天尚未明，亦必坐以待之，汲汲然殆有不遑宁处者，何其行之决也。"夫周公有圣人之德，又有辅佐太平之功，而其兢兢业业劳心焦思，乃至于此，其于禹、汤、文、武之心，岂非先后一揆者乎？这一章书自禹以至周公，其事虽异，要旨皆以忧勤惕厉为心，故德业并隆于一时，而道统相传于万世。盖敬乃圣学始终之要，不可一息而不存者也。存之则为圣人，不存则几希一失，不免为凡人而已。《书》曰："惟圣罔念作狂，惟狂克念作圣。"希圣者宜绎思焉。

【原文】

孟子曰："王者之迹熄而《诗》亡，《诗》亡然后《春秋》作。晋之《乘》，楚之《梼杌》，鲁之《春秋》，一也。"

【张居正注评】

熄，是灭。诗有体：作于列国谓之风，作于王朝谓之雅；作于宗庙谓之颂。这诗，指二雅说。乘字，解做载字。梼杌，是恶兽名。孟子说："群圣之道莫备于孔子，孔子之事莫著于《春秋》。《春秋》何为而作也？盖自成周盛时，王道大行，朝廷之所作，列国之所贡，其诗具存，莫非治世之音也。及平王东迁，政教号令不及于诸侯，而王者之迹熄灭无存，由是朝会宴享之乐，不奏于朝廷，规谏献纳之诗，不陈于卿士。黍离以后，体制音节与列国无异，而雅亡矣。此时上下陵夷，名分倒置，天下之乱，将不知其所止。孔子忧之，于是作为《春秋》，详述二百四十二年之事，以明一王之法，使王者之政虽不得行于当时，犹可以昭示于来世，此《春秋》之所以作也。然是《春秋》虽孔子所作，亦非始于孔子，乃因《鲁史》之旧而修之耳。盖当时列国诸侯，各有史书，以记一国之事，其取名亦各不同，如晋国之史，叫做《乘》，谓其纪述事迹，如车之载物也。楚国之史，叫做《梼杌》，谓以恶兽比凶人，记之以垂戒也。鲁国之史，叫做《春秋》，谓记事者必标年月，故错举四时，以为所记之名也。这三国之史名虽不同，其为记事之书则一而已。使《春秋》不经孔子之笔削，则与晋、楚之史亦何以异乎？"

【原文】

"其事则齐桓、晋文，其文则史。孔子曰：'其义则窃取之矣。'"

【张居正注评】

孟子承上文说："《春秋》虽为鲁国之史，而实足以见圣人经世之心。盖周室东迁之后，五霸迭兴，惟齐桓、晋文二君功业特盛，故《春秋》所纪多是齐桓、晋文征伐会盟的事迹。至于文词之体，亦皆当时史官据列国赴告策书以记于年月之下，原非有褒贬也。及孔子假其旧文，加以笔削，惇典庸礼，命德讨罪，明君臣之义，正夷夏之防，使王者之法灿然大明于世，然后列为六经，而非一国之史也。所以孔子常说：'《春秋》之义，则我尝窃取而裁定之。'其词虽谦，而其断自圣心盖可知矣。此可见

《春秋》一书，乃所以继雅诗之亡，而存王迹之熄者，所系顾不大哉！"汉臣司马迁有言："为人君者不可以不知《春秋》。前有谗而不见，后有贼而不知；为人臣者不可以不知《春秋》，处经事而不知其宜，遭变事而不知其权。"然则《春秋》之作，不止一代之典章，真万世之权衡也。

【原文】

孟子曰："君子之泽五世而斩，小人之泽五世而斩。予未得为孔子徒也，予私淑诸人也。"

【张居正注评】

君子，是有位的。小人，是无位的。泽，是流风余韵。父子相承，叫做一世。斩字，解做绝字。淑，是善。孟子说："圣贤之生，其建立在一时而遗泽在后世，故在上而有位者，其功业闻望传于后人，须至五世而后绝；在下而无位者，其道德声名垂于后人，亦至五世而后绝。盖亲尽服穷，遗泽浸微，此理势之必然者。若在五世之内，则其泽固未亡也。况孔子继群圣之统，可传于万世之远，而我去孔子之时，乃犹在五世之内，故虽不得及门受业为之弟子，然遗泽尚存，微言未绝，渊源所自犹有可承，故得私闻孔子之道于人，以自善其身耳。"向使圣远言湮，则虽愿学孔子，亦不过闻而知之耳，安能如是其亲切哉？孟子历叙舜禹之事，至于周孔而以是终之。盖尧舜以来相传之道，孔子集其成，而孟子承其绪，其自任之重，见乎词矣。惜乎，孟子之没不得其传，而道统成几乎息也。继帝王之统者，可不勉哉。

【原文】

孟子曰："可以取，可以无取，取伤廉；可以与，可以无与，与伤惠；可以死，可以无死，死伤勇。"

【张居正注评】

孟子说："天下之事，固然有一定之理确然可守，然亦有可否涉于两端，而不可不择者。今夫义不苟取谓之廉，人于交际之时，初间见利而动，恰似在所当取。及仔细思之，非其义也，非其道也，却在所不当取，则辞之而勿取可也。乃贪得而竟取之，则是有见于利，无见于义，而廉介之操，不免于损伤矣，如之何其可耶？至如分人以财谓之惠，惠所当施，君子固不吝其有矣，使或爱人利物之情，偶发于一念，似乎当与，而施不必博，济不必众，又似乎不当与，则宁勿与可也。乃市恩而竟与之，此其沾沾利泽之微，不唯不足为惠，而反有伤于惠矣，君子欲全其惠，岂可轻于与耶？又如见危授命谓之勇，勇所当奋，君子固不爱其身矣，或损躯赴难之志，偶激于一时似乎当死，而仁未必成，义未必取，又似乎不当死，则宁勿死可以。乃轻身而竟死之，此其悻悻血气之私，不惟不足为勇，而反有害于勇矣，君子欲全其勇，岂可轻于死耶？"此可见天下之事，自取与之间，以至死生之际，大小难易，皆有中道，固不当徇欲害理，以流于不及，亦不必立异好名，以涉于太过。然其可否之几，间不容发，则在乎能择而已。孟子此章正中庸择善固执之功，学者不可不审也。

【原文】

逢蒙学射于羿，尽羿之道，思天下惟羿为愈己，于是杀羿。孟子曰："是亦羿有罪焉。"公明仪曰："宜若无罪焉。"曰："薄乎云尔，恶得无罪。"

【张居正注评】

羿，是有穷国之君。逢蒙，是羿之家臣。愈，是胜。从古以来皆称羿为善射，他有个家臣逢蒙从之习射，尽得其命中之巧术，亦以善射成名，却思想己之善射天下无敌，只有羿为胜己，若有羿在，难以独显其能。于是与浇浞同谋，乘羿射猎而归，杀而烹之，以专善射之名。孟子因论此事说："逢蒙以弟子而害师，罪固不容诛矣。乃羿以射教人，反致杀身之祸，是亦有罪焉。"公明仪说："羿为逢蒙所杀，罪在逢蒙，则羿似乎无罪。"孟子辩说："羿之教射，始初失于择人，其终至于祸己，此其罪但比逢蒙之悖逆为少轻耳，安得谓之无罪耶？"这是孟子为取友而发，归罪于羿，然其微意犹有所在。盖兵乃不祥之器，羿身为国君，若能以道德为威，谁敢不服。乃以弓矢之能，与其家臣相角，以此取祸，固其宜也。岂但择交非人为可罪哉？

【原文】

禹、稷当平世，三过其门而不入，孔子贤之。颜子当乱世，居于陋巷，一箪食，一瓢饮，人不堪其忧，颜子不改其乐，孔子贤之。孟子曰："禹、稷、颜回同道。"

【张居正注评】

这一章是孟子断禹、稷、颜回出处之同道。先述其事说："自古圣贤得位行道莫盛于禹、稷，隐居乐道莫过于颜子，然其事有不同。禹、稷当尧舜之世，天下治平，列在九官之位，一则平治水土，一则教民稼穑，周历四海不惮勤劳，甚至三过家门亦不暇入；其忘身以忧民如此，孔子上嘉唐虞，每以禹、稷为贤而推尊之。颜子当春秋之世，天下大乱，隐于陋巷之中，以一箪为食，以一瓢为饮，其贫窭之状，使他人当之必有不堪，而颜子处之泰然，不改其乐，其修身以遁世如此。孔子品第门人，每以颜子为贤而称许之。夫出处异致，而皆为圣人所与，故孟子因而断之说：'禹、稷、颜子其出处不同。然禹、稷进而救民，虽功盖天下，其道非有异于颜子；颜子退而修己，虽善止一身，其道非有异于禹稷。'"盖时可以行，则出而为禹、稷；时可以藏，则处而为颜子。其心一而已矣出处之迹，乌足以泥之哉？

【原文】

"禹思天下有溺者，由己溺之也；稷思天下有饥者，由己饥之也，是以如是其急也。"

【张居正注评】

孟子承上文说："禹、稷、颜回同道，而事有不同者，以所处之地异也。当禹之时，洪水滔天，下民昏垫，禹任司空之官，以治水为己责，心里时常思想，只要使天下百姓每皆得安居，其心始慰，若治水无功，尚有漂流陷溺的，就是我溺了他一般，有不能一息自安者矣。当稷之时，农功未作，黎民阻饥，稷任田正之官，以教稼为己责，心里时时思想，只要使天下百姓每皆得饱食，其心始安，若劝农无效，犹有枵腹饥馁的，就是我饥馁他一般，有不能一日少宁者矣。禹、稷以民之忧为己忧，其自任之重如此。故禹乘四载不惮胼胝之劳，稷播百谷不辞躬稼之苦，汲汲皇皇只要救天下之饥溺，所以过门不入，如是其急也。若颜子则不任其职，无治乱安危之寄，故得箪食瓢饮，自乐于陋巷之中耳。其所处之地不同，而要之各尽其道也。"

【原文】

"禹、稷、颜子易地则皆然。"

【张居正注评】

孟子承上文说："禹、稷、颜子地位不同，故出处各尽其道如此。设使禹、稷穷而在下，无济世安民之责，则所处者亦颜子之地也，必能乐颜子之乐，而思不出位矣，岂至于过门不入乎？使颜子达而在上，有辅世长民之任，则所处者亦禹、稷之地也，必能忧禹、稷之忧而为国忘家矣，何暇于箪瓢自乐乎？所以说易地则皆然。"可见圣贤之心本无偏倚，随感而应，用之则行，固未尝有心于用，而涉于徇人，舍之则藏，亦未尝有心于藏，而至于忘世。此其道之所以为同也。

【原文】

"今有同室之人斗者，救之，虽被发缨冠而救之，可也；乡邻有斗者，被发缨冠而往救之，则惑也，虽闭户可也。"

【张居正注评】

孟子发明禹、稷、颜子之同道，又比方说："今有同室之人，一旦互相争斗，这与我休戚相关，虽当洗沐之时，未及束发便加冠结缨，弃而往救，亦不为过。盖其地甚近，则其情甚急也。若是乡邻之人，互相争斗，这与我利害不切，却也要被发缨冠而救之，则不达于理矣，故虽闭户不出，亦不为忍。盖其地少疏，则其情少缓也。然则禹、稷身任其责，视天下就如同室，故急于救民；颜子不在其位，视天下就如乡邻，故安于修己。盖随其所遇，而各当于理，此其道无不同，而孔子所以皆称其贤也。"按：战国之时，杨、墨之说盛行，杨氏为我，不肯拔一毛而利天下，虽同室之斗亦将有闭户不出者，这与颜子之道不同；墨氏兼爱，不惜捐顶踵以利天下，虽乡邻之斗亦将有缨冠往救者，这与禹、稷之道不同。惟禹、稷可以为颜子，而不流于兼爱；惟颜子可以为禹、稷，而不涉于为我。出处进退一随乎时，此孔子时中之道，而孟子之所愿学者，故揭之以示人，亦辟杨、墨之意也。

【原文】

公都子曰："匡章，通国皆称不孝焉，夫子与之游，又从而礼貌之，敢问何也？"孟子曰："世俗所谓不孝者五：惰其四支，不顾父母之养，一不孝也；博弈好饮酒，不顾父母之养，二不孝也；好货财，私妻子，不顾父母之养，三不孝也；从耳目之欲，以为父母戮，四不孝也；好勇斗狠，以危父母，五不孝也。章子有一于是乎？

【张居正注评】

匡章，是齐人。礼貌，是敬重的意思。戮，是辱。狠，是忿戾。公都子问于孟子说："君子择人而与之交，非其善有足称，必其行无可议。若匡章之为人，举齐国之众皆以不孝称之，是其大节已亏，虽有小善不足取已，夫子乃与之游，且礼貌之，以致其敬重之意，敢问其所以不见绝于夫子者，何为也哉？"孟子答说："国人之论虽不可谓不公，而众恶之言亦不可以不察。人果何所据而谓章子为不孝乎？夫世俗所谓不孝之事总有五件：有等偷惰其四肢，惟知宴安之可怀，把父母的奉养恝然不顾，此则知有身而不知有亲，不孝之一也；有等博弈好饮酒，惟知朋从之可狎，把父母的奉养恝然不顾，此则知有交游而不知有亲，不孝之二也；有等贪好货财，偏爱妻子，惟知自私自利，把父母之奉养契然不顾，此则知有家室而不知有亲，不孝之三也；又有一等纵耳目之欲，嗜淫声悦美色，自放于礼度之外，以贻父母之羞，此则亏体而辱亲，不但失养而已，不孝之四也；又有一等逞血气之私，好小勇争小忿，自陷于刑辟之中，以贻父母之患，此则忘身以及亲，又不但辱之而已，不孝之五也。此五者事虽不同，其为不孝则一，使章子有一于此，而称之为不孝，彼将何辞？今即其素行观之，果有一事于其身乎？无其事而被之以不孝之名，此必有其故，而不可不察也。若概信其言而轻绝其人，则君子之心，必有所不忍矣。"

【原文】

"夫章子，子父责善而不相遇也。责善，朋友之道也。父子责善，贼恩之大者。"

【张居正注评】

遇，是投合。贼字，解作害字。孟子承上文说："章子身无不孝之事，而枉被不孝之名者，亦非无因而致然也。盖章子之心不忍陷父于不义，尝以善道责望于父而进匡救之言，固不料其机不相投，言不相入，其所以见忤于父而被逐者，惟其责善而不相合焉耳。夫道在伦理间各有攸当，不可概施，如过失相规，德义相劝，此朋友之道也，

乃若父子以恩为主，家庭之间蔼然慈孝，乃为道之当然耳。若以责善之道而行于父子之间，将见相责之过，必至于相夷，而天性由此以伤，真爱由此以夺，岂非贼恩之大者哉？"章子徒知责善于亲而不顾贼恩之祸，此则其罪之不容辞者，乃其心固不过欲谕亲于道耳，是安得与世俗之所谓不孝者同类而共议之哉？

【原文】

"夫章子，岂不欲有夫妻子母之属哉？为得罪于父，不得近，出妻屏子，终身不养焉。其设心以为不若是，是则罪之大者，是则章子已矣。"

【张居正注评】

不养，是不受其养。孟子承上文说："章子以子而责善于父，固不为无罪，及看他后来不自安之情，则亦有可矜者。彼身有夫妻之配，子有子母之属，人情之所甚欲也，章子岂不欲有此。只因责善而得罪于父，不得近父之前，其心有蹙然不自宁者，故于妻则逐出之，于子则屏斥之，终其身不受妻子之养焉。盖其设心以为我既不得尽一日之养于父，则又安敢受一日之养于妻子，如此而痛自责罚，亲心或因之以感动焉，未可知也，苟不如此，是见忤于父已有罪矣。乃又悍然不顾，而安心享妻子之养，岂非罪之大者乎？夫其设心如此，是其始焉责善于亲，既非有世俗不孝之实，而其罪为可原。继焉引咎于己，则又有人子怨慕之诚，而其情为可悯，是则章子之为人也。我所以与之游而礼貌之者，独有以谅其心耳。"夫匡章不孝之名，人共传之，其得罪之由与自责之心，人不知也。使非孟子怜其志而表章之，章之心几不白于天下矣。众恶必察圣贤至公至仁之心，固如此。

【原文】

曾子居武城，有越寇。或曰："寇至，盍去诸？"曰："无寓人于我室，毁伤其薪木。"寇退，则曰："修我墙屋，我将反。"寇退，曾子反。左右曰："待先生如此其忠且敬也，寇至则先去以为民望，寇退则反，殆于不可。"沈犹行曰："是非汝所知也。昔沈犹有负刍之祸，从先生者七十人，未有与焉。"

【张居正注评】

武城，是鲁邑。反，是还。左右，指曾子门人说。为民望，是倡率众人的意思。沈犹行，是弟子姓名。昔曾子设教于鲁，住居武城地方，适有越人来寇，或人说寇至矣，何不避而去之。曾子从其言，乃与守舍的人说："无使人寓居于我室，毁伤其室中之薪木。"以示去而复来之意也。及越寇已退，则又先与守舍的人说："室久不居，墙屋必有毁坏者，尚为我修葺，我将来归矣。"于是寇退之后，曾子遂还归武城，复居其室焉。当时门人在左右的，私相议说："武城大夫之待先生，内尽其诚，外尽其礼，这等的忠且敬可谓厚矣。乃寇至则先去，而为众人之倡率；寇退则反，而居处如故，视武城之患难漠然不加喜戚于其心，何厚施而薄报也，或者不可乎？"弟子中有沈犹行者乃解之说："夫子不与武城之难，良有深意，非汝等之所能知也。昔夫子曾舍于沈犹氏，与今日居武城相同，时有负刍的人作乱，与今日越寇相同，当时从者七十人，夫子皆引之而去，未有与其难者。"观昔日之处沈犹氏，则知今日之处武城，乃当去而去耳，岂常情之所能识哉？盖时当避难则以保身为哲，曾子之所处是或一道也。

【原文】

子思居于卫，有齐寇。或曰："寇至，盍去诸？"子思曰："如伋去，君谁与守？"

【张居正注评】

伋，是子思的名。昔子思仕于卫国，适齐人来寇。或人说："齐寇且至，何不避而去之。"子思答说："食人之食者，当忧人之忧。今齐寇方至，则主忧臣辱，主辱臣死，此其时也。若使伋去国以避难，于保身之计得矣，卫之社稷人民，谁与共守，人臣委质之义何如，而可如此耶？伋但知效死勿去而已。"盖时当捍患，则以徇国为忠，子思之所处是又一道也。

【原文】

孟子曰："曾子、子思同道。曾子，师也，父兄也；子思，臣也，微也。曾子、子思易地则皆然。"

【张居正注评】

微，是微贱。孟子就曾子、子思之事而断之说道："曾子居武城，惟知远害以全身；子思之居卫，乃欲守死而弗去。其事若迥然不同矣，然揆之于道，则无不同，何也？盖曾子之在武城，所居则宾师之位也，师道之尊等于父兄，彼武城之人皆子弟耳，岂有父兄而轻徇子弟之难者乎？此曾子所以去也。若子思之于卫则已委质而为臣矣，以臣事君，分犹微贱，是以奔走御侮为职者，岂有臣子而不急君父之难者乎？此子思所以不去也。盖君子之处世惟求理之所是，与心之所安。时当保身，不嫌于避害；时当徇国，不嫌于轻身。曾子、子思其道一而已矣。使曾子而居臣职，处子思之地则必不轻去武城，而避患以自全；使子思而为宾师，处曾子之地，则必不苟留卫国，而捐躯以赴难，便是交换过来也都是这等作用，此曾子、子思所以为同道也。"故观圣贤者不当泥其迹之异，而当求其心之同，微、箕、比干生死去就不同，而同为仁；夷惠、伊尹仕止久速不同，而同为圣。明乎此者，斯可以语精义之学矣。

【原文】

储子曰："王使人瞷夫子，果有以异于人乎？"孟子曰："何以异于人哉？尧舜与人同耳。"

【张居正注评】

储子，是齐人。瞯，是私窃窥视。当战国时，谋臣策士皆卑琐无奇，孟子独毅然以圣人之徒、王者之佐自任，人见其气象严严，遂谓其与人不同。故孟子初至齐国，齐王暗地使人窥看孟子，察其动静语默之间，欲以验其为人之实。而齐人有储子者因问孟子说："夫子享大名于当世，人皆称夫子有异于人，王近使人窃视夫子，审夫子之道德，果有超然异于众人，而非人之所可及者乎？"孟子答说："我何异于人哉？我之所知人都能知，我之所行人都能行，与人原不异也。岂但我无以异于人，就是古之大圣，如尧如舜，也只同得天地之气以成形，同得天地之理以成性，未尝有异人之知，异人之能也。夫尧舜且与人同，况吾岂有以异于人乎？则固无待于疑，而亦不必于瞯矣。"要之以性而言，圣贤本与人同；以习而言，圣贤始与人异。诚知反其异，以归于同，则人皆可以为尧舜矣。世之高视圣贤而谓其不可企及，岂不过哉？

【原文】

齐人有一妻一妾而处室者，其良人出，则必餍酒肉而后反。其妻问所与饮食者，则尽富贵也。其妻告其妾曰："良人出，则必餍酒肉而后反。问其与饮食者，尽富贵也，而未尝有显者来。吾将瞯良人之所也。"蚤起，施从良人之所之，遍国中无与立谈者。卒之东郭墦间，之祭者，乞其余，不足，又顾而之他。此其为餍足之道也。其妻归，告其妾，曰："良人者，所仰望而终身也，今若此！"与其妾讪其良人，而相泣于中庭，而良人未之知也，施施从外来，骄其妻妾。

【张居正注评】

良人，是妇人称夫之词。餍，是饱。显者，是富贵之人。施从，是从旁跟着行走。墦，是坟冢。讪，是怨詈。施施，是喜悦自得的模样。孟子见当时贪求富贵之可耻，乃托齐人以形状之说道："齐人有一妻一妾而处室者，其夫每日出外，则必餍酒肉然后回家。其妻问所与饮食者何人？其夫谎说某人与饮，某人与饭，尽都是富贵之交也。其妻疑而未信，向其妾说：'良人每出，则必餍饱酒肉而后归，问其所与饮食之人，尽是富贵尊显之辈，乃只见良人往而未尝见显者来，其迹可疑，我将私窥良人之去向，便可知矣。'乃蚤起，乘其夫出门之时，密从旁路随行，不使之知，因窃窥其所往。只见遍国中之人，无有一人与之并立而接谈者，后来走向东郭墟墓之间，见有祭祀的人，遂乞讨其祭余酒馔而饮食之，其欲未足，又转身顾望他处，往而乞之，直至饱食而后已。这是他酒食的来路，所以能致餍足者，用此道也。此但知有口腹，而不复有羞恶之心者，其妻备得其状，不胜愧恨，归家告其妾说：'良人者，我等所仰望将倚之以终身者也，乃今为乞丐污辱之事，所为如此，我等将何望之乎？'因与其怨詈其夫，而相哭泣于中庭。其良人尚未知其踪迹之败露也，仍施施然喜悦自得，从外归来，以餍足之态，富贵之容，夸示其妻妾焉。"夫齐人乞墦之为，已为妻妾之所窥，而犹作骄人之气象，是诚足羞已。盖人之常情，每粉饰于昭昭之地，而苟且于冥冥之中，或致饰于稠人广众之时，而难掩于妻妾居室之际。往往不知自耻，而人耻之；不暇自悲，而人悲之。当时世态多类此，此孟子所以有感而发也。

【原文】

"由君子观之，则人之所以求富贵利达者，其妻妾不羞也而不相泣者，几希矣。"

【张居正注评】

孟子承上文说："齐人乞墦于外，而骄其妻妾于家，其妻妾固羞而泣之矣。顾人但知齐人之乞哀为可悲，而不知求仕者之乞哀尤可悲；但知齐人之骄妻妾为可鄙，而不知求仕者之骄妻妾尤可鄙。盖世俗之见，知有利而不知有义，故不见其可羞也。若由守道之君子观之，今人之求富贵利达者，其未得之则枉道求合，而乞哀于昏夜，甘言卑词，与乞墦的一般；其既得之则怙宠恃势，而骄人于白日，扬眉吐气，与施施之状一般。幸而不为妻妾所见则已，倘其妻妾见而知之，有不以其卑污苟贱为可羞，而不相泣于中庭者盖少矣。"夫以丈夫而至为妻妾所羞，岂不可耻之甚哉？此士君子立身当以齐人为鉴也。故孔子论士大节只在行已有耻，孟子教人精义只在充其羞恶之心。盖能充其羞恶之心，斯能养其刚大之气，而不为富贵利达所摇夺。彼无所用其耻者，降志辱身，其将何所不至哉？司世教者，宜以厉士节为本。

万章章句上

凡九章。

【原文】

万章问曰："舜往于田，号泣于旻天，何为其号泣也。"孟子曰："怨慕也。"

【张居正注评】

万章，是孟子的门人。天虽至高而仁，覆闵下所以叫做旻天。万章问说："古称大孝莫如虞舜，然闻舜耕历山的时节，每往到田间便呼旻天而号泣。夫人情必至于抑郁无聊，莫可控诉，乃有号泣而呼天者。舜虽不得乎亲，岂没有感格的道理，却只这等号泣，何为其然也？"孟子答说："孝子之事亲，幸而安常处顺，固是天伦之至乐，然不幸而偶值其变，则其情亦有大不得已者。盖凡人有所图为而不得，则怨生；有所怀恋而不舍，则慕生。舜惟不得于父母，其怨艾之深，思慕之切，不可解于其心，是以呼天号泣，以自鸣其悲愁困苦之意，此圣人处人伦之变，不得已而然者也。然舜之怨在于己，慕在于亲，但求所以顺乎父母，非怨父母也。万章恶足以知之。"

【原文】

万章曰："'父母爱之，喜而不忘；父母恶之，劳而不怨'。然则舜怨乎？"曰："长息问于公明高曰：'舜往于田，则吾既得闻命矣；号泣于旻天，于父母，则吾不知也。'公明高曰：'是非尔所知也。'夫公明高以孝子之心为不若是恝：我竭力耕田，共为子职而已矣，父母之不我爱，于我何哉？"

【张居正注评】

长息、公明高都是古人的姓名。恝，是无愁的模样。共字，即是供字。万章不悟孟子怨慕之言，又问说："吾闻人子事亲，见父母爱他便欢忻喜乐，常存于心而不忘。就是父母恶他，加以劳苦之事，也起敬起孝，不敢有一毫怨恨之意，这才是孝子。若以号泣旻天为怨慕，则舜之于亲犹不免有所怨乎！"孟子晓之说道："圣人的心事，古人亦有疑而未达者。昔长息问于公明高说：'舜往于田，则吾既已知之，若号泣于旻天，于父母却不知何意。'公明高答说：'孝莫大于虞舜，其心自有独苦而难言者，是非尔之所知也。'吾推公明高未发之意，以为子之于亲，本有不可解之天性，而适当其变，则自有不容已之真情。若但恝然无愁，略不动意，薄亦甚矣！曾谓孝子而若是乎！吾想舜之存心，只说人子事亲，须要得亲之爱，我今竭力耕田，不过供子职之常事而已。今父母之不爱我，必是孝道有亏，诚意未至，不知我有何罪以至于此，求之而不得其故，此所以呼天呼父母而号泣也。我所谓怨慕者，盖怨己之不得乎亲而思慕耳，岂怨父母哉。"《书经》上说："负罪引慝，夔夔齐栗。"正是此意，惟其责己之诚，敬亲之至，所以终能感格亲心，而成万世之大孝也。

【原文】

"帝使其子九男二女，百官牛羊仓廪备，以事舜于畎亩之中，天下之士多就之者，帝将胥天下而迁之焉。为不顺于父母，如穷人无所归。"

【张居正注评】

帝，是帝尧。胥字，解做皆字。迁，是移此与彼。胥天下而迁之，是把天下尽皆与之，即禅之以帝位也。孟子说："舜之怨慕岂但躬耕历山之时为然，当四岳咸荐之初，玄德升闻之日，帝尧将历试诸艰，乃使其子九男事之，以观其治外何如。二女妻之，以观其治内何如。凡百官有司牛羊仓廪莫不备具，此时舜在畎亩之中，特一耕稼之夫耳。帝尧这等奉事他，其际遇之非常如此。那时天下之士翕然向慕都来归舜，始而所居成聚，继而成邑、成都，其人心之归服如此。帝尧见舜果有圣德，将欲尽天下而移以与之，使践天子之位，其帝心之简在又如此。夫舜以匹夫之微，一旦而享富贵尊荣之极，宜何如其为乐者，乃为不得顺于父母之故，其戚戚皇皇就如穷人无所归的一般。"盖以不得于亲，不可以为人，不顺乎亲，不可以为子，既不可以为人子，则此身无所依归，与穷人何异，其怨慕迫切之情，真有不能自解者矣。

【原文】

"天下之士悦之，人之所欲也，而不足以解忧；好色，人之所欲，妻帝之二女，而不足以解忧；富，人之所欲，富有天下，而不足以解忧；贵，人之所欲，贵为天子，而不足以解忧。人悦之、好色、富、贵，无足以解忧者，惟顺于父母可以解忧。"

【张居正注评】

孟子承上文说："舜起畎亩之中，而处富贵尊荣之极，乃其怨慕迫切如穷人之无归者，何哉？盖视亲为重，则视外物为轻，见可忧之在此，则不见可欲之在彼耳！夫天下之士悦而就之，是人之所欲也，舜乃视之如草芥而不足以解忧。好色是人之所欲，舜以帝尧二女为妻，其荣至矣，而亦不足以解忧。富，是人之所欲，舜有天下之大，其富极矣，而亦不足以解忧。贵，是人之所欲，舜居天子之位，其贵无以加矣，而亦不足以解忧。夫天下之人悦我，美色事我，至富至贵加我，都无足以解其忧者，则必何如而后可以自解乎？"看他心心念念只要顺着父母，感之以诚，使精神流通，无一毫间隔，谕之以道，使志意融洽，无一毫违忤，这等的才无愧于为人为子，而后怨已慕亲之念庶几可以尽释耳。夫父母未顺则中心无可解之忧，父母既顺则天下无可加之乐。舜之所以怨慕者如此。此圣人纯孝之心，非孟子其孰能知之。

【原文】

"人少，则慕父母；知好色，则慕少艾；有妻子，则慕妻子；仕则慕君，不得于君则热中。大孝终身慕父母。五十而慕者，予于大舜见之矣！"

【张居正注评】

艾，是美好。热中，是躁急心热。孟子既推舜怨慕之心，又申赞之说道："舜之心，不见外物之可欲，而惟知父母之当顺，其为大孝，是岂常人之所能及哉！大凡人生少时情窦未开，其良知良能，止知道慕着父母，依依恋恋不忍相离，这点纯一无伪之心，不为他念所夺，此天性之本然也。及稍长而知好色，即移其慕于少艾，而此心为情欲所诱矣。及既壮而有室家，即移其慕于妻子，而此心为室家所累矣。及出而求仕，即移其慕于事君，或不得于君而遭际不偶，便躁急心热，汲汲求用，而此心又溺于功名得失之际矣。夫人情之常。因物有迁如此。必是大孝的人，自少至老，终身只慕父母，那孩提爱亲的本心，始终如一。情欲不能为之牵，穷达不能为之变，此孝之所以为大，而超出乎寻常万万也。我观于古，惟大舜为然，盖舜自征庸之后，摄政之时，年已五十矣，而克谐以孝，爱慕其亲，犹如一日，所谓大孝终身慕父母，非舜其谁与归哉！"是可见耕田以供子职非难也，惟身处富贵而不异畎亩之中，则穷达一致，所以为难。少年而慕父母非难也。惟年至衰老而不异幼冲之日，则始终一节，所以为

难。古今帝王独称舜为大孝，正以其能为人之所难耳。欲尽天子之孝者，当以虞舜为法。

【原文】

万章问曰："《诗》云：'娶妻如之何？必告父母。'信斯言也，宜莫如舜。舜之不告而娶，何也？"孟子曰："告则不得娶。男女居室，人之大伦也。如告，则废人之大伦，以怼父母，是以不告也。"

【张居正注评】

怼，是仇怨。万章问于孟子说："婚娶人道之常，然未有不禀命于父母者。《诗·国风·南山》之篇有云：'娶妻（当）如之何？必告（于）父母。'而后敢娶。诚如《诗》之所言，能尽人子之礼而不失者，当莫如大舜矣。舜乃不告父母，而娶帝尧之二女，似与诗之所言，大相违背，此何说也？"孟子答说："告而后娶，婚礼之常。舜之所处人伦之变。盖舜父母顽嚚，每有害舜之心。若禀命而娶，必不听从，竟至于不得娶矣，而不娶则岂可哉！盖男女屋室，上以承祖考之统，下以衍嗣续之传，乃人之大伦也。若告而不得娶，既违室家之顾，废人之大伦，又伤父母之心，致亲之仇怨。舜之处此，诚有大不得已者，于是酌量于伦理两难之地，与其告而废伦，陷身于不孝之大，宁不告而废礼，犹可以全父子之恩，此所以不告而娶也。"盖事处其变，不得不通之以权耳！岂可以禀命之常礼而概律之哉！

【原文】

万章曰："舜之不告而娶，则吾既得闻命矣。帝之妻舜而不告，何也？"曰："帝亦知告焉则不得妻也。"

【张居正注评】

帝，指尧说，以女为人妻，叫做妻。万章又问孟子说："舜不告而娶，则吾既得闻夫子之命，而知其为通变之权矣。当时帝尧以女妻舜，据人情之常，亦当告于舜之父母而使之知。乃亦不告而妻舜，是何意也？"孟子答说："欲妻其子，宜通言于其父，帝尧岂不知此，但舜之亲既有害舜之心，则妻以二女，必其心之所不欲也，使帝告而后妻，顽如瞽瞍，虽不敢以臣而抗君，将必以父而制子。那时舜既不敢逆亲之命，尧亦不能强舜之从，竟至于不得妻矣！尧知其事必至于此，故可妻则妻，以君上之法治之，不必问其亲之知与不知耳！此所以不告而妻也，亦岂可以常礼概律之哉！"

【原文】

万章曰："父母使舜完廪，捐阶，瞽瞍焚廪。使浚井，出，从而掩之。象曰：'谟盖都君咸我绩，牛羊父母，仓廪父母，干戈朕，琴朕，弤朕，二嫂使治朕栖。'象往入舜宫，舜在床琴。象曰：'郁陶思君尔！'忸怩。舜曰：'惟兹臣庶，汝其于予治。'不识舜不知象之将杀己与？"曰："奚而不知也？象忧亦忧，象喜亦喜。"

【张居正注评】

完，是泥补。廪，是仓房。阶，是梯。掩，是盖。象，是舜异母弟。舜所居三年成都，故叫做都君。绩，是功。弤，是雕弓。栖，是床。郁陶，是忧思郁结。忸怩，是羞愧之色。万章又问孟子说："舜处父母之变，固子道之所难，乃其处兄弟之间，亦有非常情可测者。闻说舜之父母，偏爱少子，听象之言，每每设计害舜。一日使舜涂治仓廪，待其外屋，瞽瞍却从下面撤去梯子，纵火焚之。舜将两个斗笠自捍其身而下，幸得不死。又一日使舜掘井，舜防其害己，旁凿一穴，暗地走出，瞽瞍不知，乃下土掩盖其井。象只道舜已毙井中，自谓得计，乃夸说，今日谋盖都君于井中，皆我之功，凡都君所有之物，我当与父母共之。若牛羊、若仓廪皆以归之父母；若干戈、若琴、若弤，我自用之。二嫂娥皇、女英则使治我寝卧之榻，遂往入舜宫，欲分取所有，不意舜已先至其宫，在床鼓琴。象既见舜，无词可解，乃假意说弟因思兄之甚，气结而不得伸，故来见耳。乃其真情发见，则不觉有忸怩之色焉。此时舜更不嗔怪，却乃喜而谓之说：凡兹百官，我一人不能独理。汝其代予治之。夫怨莫深于杀身，情莫亲于托国，象欲杀舜，舜不以为怨，而反喜之如此。意者不知象之将杀己与？"孟子答说："家庭之间其事易见，而况焚廪盖井之谋，其迹甚彰，岂以舜之大智而有不知者哉！但圣人爱弟之心根于天性而不容已，故其待弟之情联若一体而无所间。见象之忧，则己亦恻然而为之忧；见象之喜，则己亦欢然而为之喜。欣戚相关，自无形骸之隔耳。彼以思兄而来，舜亦以其来见而喜，惟知亲就之为事，而岂暇计及于杀己之事哉？"据万章所问，其事有无虽未可知，而亦忧亦喜两言，大舜爱弟之情宛然如见，非孟子知舜之深，不能如此形容之也。

【原文】

曰："然则舜伪喜者与？"曰："否。昔者有馈生鱼于郑子产，子产使校人畜之池。校人烹之，反命曰：'始舍之，圉圉焉，少则洋洋焉，悠然而逝。'子产曰：'得其所哉！得其所哉！'校人出，曰：'孰谓子产智？予既烹而食之，曰：'得其所哉！得其所哉！'故君子可欺以其方，难罔以非其道。彼以爱兄之道来，故诚信而喜之，奚伪焉？"

【张居正注评】

校人，是主池沼的小吏。圉圉，是困顿未舒的模样。洋洋，是宽纵。悠然，是顺适的意思。方字解做道字。万章又问孟子说："舜既知象之将杀己，在常情必以为深恨矣，舜顾见其来而喜之，或者内疏而外亲，伪喜而非出于诚心者与？"孟子答说："圣人之心，纯一无伪。舜之待弟岂有伪哉。观子产处校人之事可知矣。昔者有人以生鱼馈郑子产，子产不忍戕其生，使校人畜之于池，校人乃私自烹而食之。假设其词以复

命于子产说：方鱼始舍于池中，圉圉然困顿而未舒，少顷则洋洋而放纵，久之遂攸然自得而远逝矣。子产信其言，而章鱼之得生。乃叹说：'得其所哉！得其所哉！'校人出而语人说：谁谓子产为智人，彼尝使我畜鱼，我既烹而食之矣，假以放鱼复命，而彼遂信之，乃叹曰：'得其所哉！得其所哉！'易欺若此，焉得为智？夫以校人欺子产之事观之。非校人智而子产愚也。校人所饰者，倘有之情；而子产所据者，可信之理。故君子虽明无不察，而或诳以理之所有，则亦间为所欺；虽未尝逆诈，而或昧之以理之所无，则必不为所罔。盖诚以待人，明以烛理，常并行而不悖也。若象执郁陶思君之言，而以爱兄之道来，此正理之所有者，也与校人欺子产之意一般。舜听其爱兄之言，以实心信之，因以实心喜之。此正可欺以其方，与子产之信校人一般，夫何伪之有哉！有伪则不足以为圣人矣。"观于此章之言，可见舜值父子之变，而能尽孝道之常；处兄弟之变，而不失友于之爱。天理人情于斯曲尽，此所以为人伦之至，而万世为父子兄弟者所当法也。

【原文】

万章问曰："象日以杀舜为事，立为天子则放之，何也？"孟子曰："封之也，或曰放焉。"

【张居正注评】

放，是安置一方，使不得他往的意思。万章问于孟子说："舜之弟名象者，其心傲狠，日每以杀舜为事，既欲焚之于廪上，又谋盖之于井中，处心积虑，必欲致舜于死而后已。这等的人，以情言，则为必报之深仇；以法言，则为不赦之元恶。舜既立为天子，操生杀之权，即明正其罪，亦不为过，乃仅止于放逐，安置一方，犹得保其首领，何其罚之轻也。"孟子答说："兄弟者，天性之亲；圣人者，人伦之至。象虽有害兄之意，而舜则不失其爱弟之心。当时处象于有庳者，乃分茅胙土，封建为一国之君耳。或者不知而谓之放，其实舜之处象原非放也。夫放之且不忍为，而况有重于放者，舜岂为之乎？子乃以常人之情度圣人，亦不知舜之心者矣。"

【原文】

万章曰："舜流共工于幽州，放驩兜于崇山，杀三苗于三危，殛鲧于羽山，四罪而天下咸服，诛不仁也。象至不仁，封之有庳。有庳之人奚罪焉？仁人固如是乎？在他人则诛之，在弟则封之？"曰："仁人之于弟也，不藏怒焉，不宿怨焉，亲爱之而已矣。"

【张居正注评】

流，是遣之远去。共工，是官名。三苗，是国名。驩兜、鲧，俱是人名。幽州、崇山、三危、羽山都是四方极边的去处。有庳，是舜封象的国名。万章又问孟子说：

"吾闻圣人之治天下,不以私情害公法。当舜之时,若共工、驩兜、三苗、伯鲧天下之所谓四凶也。舜于共工,则流之幽州;于驩兜,则放之崇山;于三苗,则杀之三危;于伯鲧,则诛之羽山。罪此四人,而天下之人,莫不心悦而诚服。盖为此四人者,皆凶恶不仁,天下之所共恶。舜为天下除害,所以刑当其罪,而人心咸服也。象日以杀兄为事,其凶恶不仁,可谓极矣!即与四凶同罪,何不可之有?乃封于有庳,使之治民,彼既欲杀兄,又何有于百姓!必将大肆残虐,而播恶于一方矣。有庳之民何罪,而受此荼毒,仁者固如此乎?在他人则用法以诛之,在弟则徇情以封之。不忍割一人之爱,而忍贻百姓之忧。仁人似不若是也。吾窃惑焉。"孟子答说:"处兄弟之际,只当论情,不当论法。舜之封象,是乃仁人之用心也。盖凡人于横逆之加,不胜其怨怒之意,虽或强制于外,而不能不藏宿于中。惟仁人之待弟不如此,忧喜则与之同,干犯不与之校,虽有可怒可怨之事,随即消释,未尝藏怒而宿怨也。但见其亲之爱之,务尽其友于之情,使相好而无相尤,如是而已矣!若因其仇己而待之无异于常人,是岂仁人处弟之道哉?"

【原文】

"亲之,欲其贵也;爱之,欲其富也。封之有庳,富贵之也,身为天子,弟为匹夫,可谓亲爱之乎?"

【张居正注评】

孟子承上文说:"仁人之于弟,固惟知亲之爱之矣。然使尊卑阔绝,则地分相隔,不可以言亲,贫富悬殊,则体恤未周,不可以言爱也。故亲之则欲其贵,使有舜位之崇;爱之则欲其富,使欲有贡赋之奉,然后友于之情始慰耳。舜封象于有庳,则富有一国,贵为诸侯,正所以致其亲爱之意也。若使身为天子,而弟为匹夫,则兄弟之间,一富一贫,一贵一贱,势分日远,而情义日疏,是岂亲爱其弟者乎?然则舜之封象,正仁人之用心也。子乃举四凶之事,而疑封象之非,其亦不达圣人之心矣。"

【原文】

"敢问或曰放者,何谓也?"曰:"象不得有为于其国,天子使吏治其国而纳其贡税焉,故谓之放。岂得暴彼民哉?虽然,欲常常而见之,故源源而来,'不及贡,以政接于有庳',此之谓也。"

【张居正注评】

吏,是官属。源源,是相继不绝的意思。万章又问孟子说:"如夫子之言,则舜之封象明矣,或人不谓之封,只谓之放,这是为何?"孟子答说:"舜之待弟,不独有亲爱之心,而尤有善处之术,但其用意深远,或人未能测识耳。盖象虽封为有庳之君,然不能专擅行事,有所作为。其国中的政务,则天子自命官属为之代理,但使百姓每

出办赋税，以供其费用而已，此则有封之名而不任其事，享国之利，而不治其民，却似安置他的模样，故或人误以为放耳。汝谓有庳之民无罪而遭象之虐，这等看来，象虽不仁，动有所制，岂能肆虐于无辜之民哉。舜之待弟，其不以恩掩义如此。然舜虽若制之，而实所以爱之。其意以为，若使象治民理事，则守土之臣不得擅离，兄弟之情，不得浃洽，其心有不能自己者，惟其念弟之切，欲常常而见之，故不烦以民事，不限以常期，使得源源而来，可以不时相接耳。古书之辞有云：舜不待及诸侯朝贡之期，而以政事接见于有庳之君，正此源源而来之谓也。"舜之待弟，其不以义断恩又如此。可见圣人以公心治天下，未尝以爱弟之故，示人以私。以厚道教天下，亦未尝以傲弟之故自处于薄。所谓仁之至，义之尽也。若汉景帝之于梁王，郑庄公之于叔假，始则纵之太过，终则治之太急，其于仁义，胥失之矣。欲尽伦者，宜以大舜为法。

【原文】

咸丘蒙问曰："语云：'盛德之士，君不得而臣，父不得而子。'舜南面而立，尧帅诸侯北面而朝之，瞽瞍亦北面而朝之。舜见瞽瞍，其容有蹙。孔子曰：'于斯时也，天下殆哉，岌岌乎！'不识此语诚然乎哉？"孟子曰："否。此非君子之言，齐东野人之语也。"

【张居正注评】

咸丘蒙，是孟子弟子。语，是古语。蹙，是颦蹙不安。岌岌，是危殆的意思。齐东，是齐国东鄙荒陋之处。咸丘蒙问于孟子说："尝闻古语相传有云，天下有非常之人，则必有非常之事。故君父之伦，以之加于常人，则有定分。若夫盛德之士，虽至尊如君，苟无其德，不得而以之为臣。至亲如父，苟无其德，不得而以之为子。大舜惟有圣人之德，一旦居天子之位，南面而立，尧虽为君，不得不帅诸侯北面而朝之。瞽瞍虽为其父，亦不得不北面而朝之。那时舜虽安于臣尧，而不能不动心于臣父。望见瞽瞍朝己，其容貌甚是颦蹙，盖有不能自安者。孔子有感于此事，因叹息说，当此之时，君失其所以为君，父失其所以为父。纲常紊乱，天下盖岌岌乎其危哉！此等言语，不识果有其事否也。"孟子答说："否。无是理也。盖天下惟君子之言，据实而可信。此等无稽之言，断不出于君子之口，必是齐东野人，目不睹礼义之俗，耳不闻典训之言，或者有此说耳。岂可遽据之以妄议圣人也哉！"

【原文】

"尧老而舜摄也。《尧典》曰：'二十有八载，放勋乃徂落，百姓如丧考妣，三年，四海遏密八音。'孔子曰：'天无二日，民无二王。'舜既为天子矣，又帅天下诸侯以为尧三年丧，是二天子矣！"

【张居正注评】

《尧典》是《虞书》篇名。放勋是帝尧之号。八音，是金、石、丝、竹、匏、土、革、木八样乐器之音。孟子说:"欲知舜无臣尧之事,当观尧未禅舜之时。盖方尧之举舜,舜之代尧,乃尧既老而倦于勤,舜只居摄而行其事也。当尧生存之日,舜原不曾即帝位,尧何由北面朝之乎?《虞书·尧典》上说:舜摄位二十有八年,尧乃徂落而终。国中百姓恸尧之殁,如丧父母一般,三年之间,四海断绝音乐,静密如一,更不闻有丝竹管弦之音,其思慕之深如此。据《尧典》所言,则舜之即位,在尧崩之后,不在其摄政之时明矣,何从南面而受尧之朝乎?孔子有云:'天无二日,民无二王。'此古今不易之定理也。若舜既已为天子矣,及尧终之后,又帅天下诸侯以为尧行三年之丧,则是舜一天子,尧又一天子,而有二天子矣,民岂有二王之理乎?然则臣尧之说可不辩而自见其谬矣,咸丘蒙尚何疑之有?"

【原文】

咸丘蒙曰:"舜之不臣尧,则吾既得闻命矣。《诗》云:'普天之下,莫非王土;率土之滨,莫非王臣。'而舜既为天子矣,敢问瞽瞍之非臣,如何?"曰:"是诗也,非是之谓也,劳于王事而不得养父母也,曰:'此莫非王事,我独贤劳也。'"

【张居正注评】

诗是《小雅·北山》篇。普,是遍。率,是循。贤劳,是以贤能任劳。咸丘蒙问说:"舜无臣尧之事,则我既得闻教矣,乃其不臣瞽瞍,则尚有可疑者。北山之诗有云:'普天之下,其地虽广,无尺地非王土,率土之滨,其人虽众,无一民非王臣。'当瞽瞍之时,舜既为天子矣,则瞽瞍亦,王臣中之一人耳,乃独不谓之臣,此何说耶?"孟子答说:"诗人之指,各有攸寓,这诗所言,非天子可臣其父之谓也。乃当时大夫行役于外,为王事所迫,身任奔走之劳,而不得归养其父母。因作为此诗,其意说道,今日之事,莫非王事,凡为王臣者,都该分任其劳,何为他人皆享其逸,偏我为贤而使之独劳,更无休息之期乎?"是诗人本意,但因独劳而发其不平之情耳,非谓天子可臣其父也。子乃疑瞽瞍之非臣,非惟不知舜,亦昧于诗人之旨矣。

【原文】

"故说诗者,不以文害辞,不以辞害志。以意逆志,是为得之,如以辞而已矣。《云汉》之诗曰:'周余黎民,靡有孑遗。'信斯言也,是周无遗民也。"

【张居正注评】

凡文辞,一字叫做文,一句叫做辞。逆,是探取的意思。云汉,是《大雅》篇名。孑,是单独。孟子又晓咸丘蒙说:"观北山之咏,其意在于独劳,而不在于莫非王臣之一言,可见诗之所贵者,意而已,不在文辞之间也。是以善说诗者,须有活法,不可泥着一字,害了那一句之义。又不可泥着一句,害了那设辞之志,当以自家的意思探取作诗者的本旨,则玩索久而理趣自融,涵泳深而情状如见,乃可以得古人之之心于

千载之下矣。若但拘泥其辞，而不求其意，则《大雅·云汉》之诗有云：'周遭饥馑之余，黎民无有孑遗独遗下者。'果如此言，是周家的百姓，残伤已尽，无复有遗种之存矣。岂知其意特在于忧旱之甚，若天绝其生耳，非真无遗民也。然则北山之诗，岂真谓莫非王臣，而天子可臣其父哉！子乃以辞而害其志，则亦不善于说诗矣。"

【原文】

"孝子之至，莫大乎尊亲；尊亲之至，莫大乎以天下养。为天子父，尊之至也；以天下养，养之至也。《诗》曰：'永言孝思，孝思维则。'此之谓也。"

【张居正注评】

《诗》，是《大雅·下武》篇。则，是法则。孟子又晓咸丘蒙说："欲知舜无臣父之事，当观其平日待亲之隆。盖人子能善事父母的，都可以言孝，然或分有所限，未可言至也。若论孝子之至，则莫大乎尊显其亲，而分得以自伸，这才叫做孝之至。人子能崇奉父母的，都可以言尊，然或势有所拘，未可言至也。若论尊亲之至，则莫大乎以天下养，而势莫与之抗，这才叫做尊之至。今舜尊为天子，即尊瞽瞍为天子之父，是举天下之名分无复可加其尊，非尊之极至而何。舜富有四海，即养瞽瞍以天下之富，是举天下之供奉无复可加其养，非养之极至而何？尊养并至，此舜之孝所以为不可及，而天下后世为人子者，莫不以之为法也。《下武》诗说：'人能长言孝思而不忘，即可以为天下法则。'正此尊亲养亲之至，而舜之所以称为大孝者也。若谓舜为天子而臣其父，则所以卑亲辱亲者至矣，大舜岂为之哉？瞽瞍北面而朝之说，信乎其为齐东野人之语矣。"

【原文】

"《书》曰：'祗载见瞽瞍，夔夔斋栗，瞽瞍亦允若。'是为'父不得而子'也？"

【张居正注评】

《书》是《大禹谟》篇。祗，是敬。载，是事。夔夔斋栗，是敬谨恐惧的模样。允，是信。若字解做顺字。孟子又晓咸丘蒙说："大孝如舜，固无臣父之事。而古语所云：'不得而子者。'亦自有一种道理。《书经·大禹谟》说：'舜敬事瞽瞍，每去进见，必夔夔然致斋庄之容，作战栗之色，无一念不处，无一时或息，由是积诚之所感格，瞽瞍亦遂化其顽而为慈，心以之孚，意以之顺矣。'夫父为子纲，父能立教，子从而化，理之常也。今瞽瞍不能以不善及舜，而反见化于舜，所谓父不得而子者如此，是岂可臣其父之谓哉？"所谓君不得而臣，即此亦可以类推矣。考之太甲之于伊尹，成王之于周公，皆赖于臣以成其德，亦若不得而臣者，而伊周称为大忠，太甲成王，并为商周令主，君道益有光焉。则知君臣之相临者，分也；其相成者，道也。使人主自恃其南面之尊，而卿大夫莫敢矫其非，虽普天率土皆臣仆焉，犹为孤立于上耳。君天下者所当知。

【原文】

万章曰："尧以天下与舜，有诸？"孟子曰："否，天子不能以天下与人。""然则舜有天下也，孰与之？"曰："天与之。"

伊尹

【张居正注评】

万章问于孟子说："帝，莫圣于尧舜；事，莫大于禅授。人皆言尧有天下，求可以禅帝位者，惟舜有圣德，因举天下而授之舜，果有此事乎？"孟子答说："舜虽得统于尧，而尧不能有私于舜，今说尧以天下与舜，殆不然也。盖凡物可得而与人者，必是自己私物，可得而自专者耳。若天下者，乃天下之天下，为天子者，但能以一身专统御之责，不能以一己专授受之权，安能以天下与人？若曰与之，则是尧以天下为一人之私，有之自我，与之自我，而非出于公天下之心矣，岂理也哉？"万章问说："帝王之统，必有所与，而后有所承。舜有天下，既非尧之所与，果谁与之乎？"孟子答说："帝王之兴皆由天命，故其位曰天位。禄曰天禄。见其为天之所授，非人力可得而与也。舜有天下，亦惟受命于天，而为天之所与耳。尧虽禅位于舜，不过承顺上天之命，而有不能不与者，岂得而专之哉？明乎天与之旨，而可以知帝尧公天下之心矣。"

【原文】

"天与之者，谆谆然命之乎？"曰："否。天不言，以行与事示之而已矣。"

【张居正注评】

谆谆，是语言详切。万章问孟子说："帝王传位，必有丁宁告谕之言，乃见其为与。今曰舜有天下，为天所与，则天亦谆谆然教命之乎？无以命之，则何从而见其为与也？"孟子答说："天意难知，人事易见，舜之受命于天，天固非谆谆然命之也，天载无声，何尝有言，惟就舜之行与事，默示其意而已。盖身之所行，叫做行；见诸事为，叫做事。舜凡有所行，而行无不得，这是天以行而示其与之之意也；舜凡有所为，而事无不利，这是天以事而示其与之之意也。意之所在，即命之所在，岂待谆谆然以言命之乎？知舜为天心所眷，则其奄有天下不在于禅授之时，而于穆之中固已预为之地矣，尧安得而与之哉？"

【原文】

曰："以行与事示之者，如之何？"曰："天子能荐人于天，不能使天与之天下；诸

侯能荐人于天子，不能使天子与之诸侯；大夫能荐人于诸侯，不能使诸侯与之大夫。昔者，尧荐舜于天，而天受之；暴之于民，而民受之。故曰：天不言，以行与事示之而已矣。"

【张居正注评】

暴，是显扬。万章又问孟子说："天之所以示舜在于行与事之间者，其实如之何？"孟子答说："凡人事可以力为，而天意难以取必。欲知天之命舜，但观舜之得天可见矣。盖人之才德有可托以天下者，天子能举而荐之于天，然天意之从违未可知也。不能使天必与之天下，正如诸侯能荐人于天子，许其可任一国之事，而不能取必于天子，使与之诸侯。大夫能荐人于诸侯，许其可任一家之事，而不能取必于诸侯，使与之大夫。盖荐举之责，虽在于下，予夺之权实操于上。家国皆然，而况天位之重乎。昔尧以舜之德可居天位，使之摄行大事，以致荐举之意，然不能必天之受也，乃其行与事克享乎天心，而天即受之。以舜之德可治天民，使之历试诸艰，以示暴扬之意，然亦不能必民之受也，乃其行与事，克协乎民心，而民即受之。夫荐舜于天，暴舜于民，此行与事之所在也。至于天受之，民受之，则天之所以示舜，而非尧之所能使矣。然何待于言哉？所以说天不言，以行与事示之而已矣。知此，则舜之有天下，谓尧荐之则可，谓尧与之则不可，天人相与之际，亦微矣哉！"

【原文】

曰："敢问荐之于天，而天受之，暴之于民，而民受之，如何？"曰："使之主祭，而百神享之，是天受之；使之主事，而事治，百姓安之，是民受之也。天与之，人与之，故曰：'天子不能以天下与人。'"

【张居正注评】

万章又问孟子说："天与人至难格矣。尧荐舜于天而天即受之，暴舜于民而民即受之，其事如何？"孟子答说："天人之分虽殊，感通之理则一。昔者尧尝命舜，使主天地山川之祭，其精诚之所感孚，幽无不格。百神皆歆其祀而享之，这便是荐之于天而天受之也。又尝命舜使主治教刑政之事，其德意之所注措，事无不治，百姓皆被其化而安之，这便是暴之民而民受之也。天与人，人与之，皆天意所在，帝尧不得而与焉，所以说：'天子不能以天下与人。'然则能以天下与人者，惟天而已，而天意所属，非盛德，其孰能当之乎？"

【原文】

"舜相尧二十有八载，非人之所能为也，天也。尧崩，三年之丧毕，舜避尧之子于南河之南，天下诸侯朝觐者不之尧之子而之舜，讼狱者不之尧之子而之舜，讴歌者不讴歌尧之子而讴歌舜，故曰：天也。夫然后之中国，践天子位焉。而居尧之宫，逼尧之子，是篡也，非天与也。"

【张居正注评】

南河之南即今开封等府地方。讴歌，是歌颂功德。孟子告万章说："天心与舜不特见诸行事之间，而揆之气数，卜之人情，皆有可验。观舜之辅相帝尧得君行政，至于二十八年，在相位最久，施泽于民最深，此岂人力之所能为哉？历数有归，天实为之也。乃舜之心，则何常有意于得天下哉？当尧崩之后，舜率天下诸侯行三年丧既毕，其心以为有尧之子丹朱在，天下不患无君，于是避而远去，居于南河之南，只要丹朱能嗣守帝尧之业，其心安矣！然天下诸侯凡执贽而朝觐的，不去朝见丹朱，而皆来朝见于舜；凡讼狱不平的，不去赴诉丹朱而皆来赴诉于舜；凡讴歌功德的，不去颂美丹朱而皆来颂美乎舜。人心翕然来归，有莫知其所以然而然者，所以说非人所能为，实天意之所在也。舜见天意如此，遁之而不可得，然后自河南复还中国，绍尧而践天子之位焉，无非承天之意而已。向使乘尧之崩，不为南河之避，而径居处于尧之宫，迫胁乎尧之子，是乃篡居之位而据之耳，岂得谓天与之哉！"观此则舜之有天下，不但尧不能容心于与，而舜亦未尝有心于得，徒泥其禅授之迹者，则亦未明乎天道矣。

【原文】

"《泰誓》曰：'天视自我民视，天听自我民听。'此之谓也。"

【张居正注评】

太誓，是《周书》篇名。孟子告万章说："即舜为民心之所归，便知为天心之所与，此非无征之言也。《书经·太誓》篇有云：'天未尝有目以视，而于人之善恶无所不见，但从我民众目所视以为视耳；未尝有耳以听，而于人之淑慝无所不闻，但从我民众耳所听以为听耳。'《书》之所言如此，可见帝天之命，主于民心，而民心所归，莫非天意，我以朝觐、讼狱、讴歌之归舜，而明其为天心之所与者，正谓此也。然则舜有天下，天之所以寄视听于民者审矣，岂待尧之荐，而遂与之哉？尧不能以天下与舜，益可见矣。"详观此章之言，可见帝王历数之传，皆有大命，神器至重，非可以妄得而窃据也。然天命固来易得，尤未易保。盖创业之主，收已集之人心易，守成之主，联不散之人心难。欲固结民心，以永保天命者，惟慎修其德，以无忝于受命之主而已。《诗》云："无念尔祖，聿修厥德。"守成之主，宜留意焉。

【原文】

万章问曰："人有言：'至于禹而德衰，不传于贤而传于子。'有诸？"孟子曰："否，不然也。天与贤，则与贤；天与子，则与子。"

【张居正注评】

万章问于孟子说："人皆言尧舜盛德之至，故以天下为公，不传之子而传之于贤，及至于禹，而其德遂衰，于是不传于贤而传之于子，始以天下为一家之私矣，果有此事乎？"孟子答说："人以德衰议禹，此言非是，禹之心殆不然也。盖天子不能以天下与贤，亦不能以天下与子，授受之际，但看天意何如？若使其子不肖，而天意欲属之贤，则举天下而与之贤，故尧以之禅舜，舜以之禅禹，非有意于公天下，天意在贤，不能违天而与子也。若使其子既贤，而天意欲属之子，则举天下而与之子。"故禹可以传启，启可以承家，非有意于私天下，天意在子，不能违天而与贤也。夫以帝位相传，一听于天，若此。则与贤者，其德固为至盛，与子者，其德亦非独衰，人乃执尧舜以议禹，何其所见之陋哉？

【原文】

"昔者，舜荐禹于天，十有七年，舜崩，三年之丧毕，禹避舜之子于阳城，天下之民从之，若尧崩之后不从尧之子而从舜也。禹荐益于天，七年，禹崩，三年之丧毕，益避禹之子于箕山之阴。朝觐讼狱者，不之益而之启，曰：'吾君之子也。'讴歌者不讴歌益而讴歌启，曰：'吾君之子也。'"

【张居正注评】

阳城、箕山之阴，都是地名，在今河南嵩山下。启，是禹之子。益，是禹之相。孟子告万章说："吾谓与贤与子，莫非天意，何以见之？昔者舜荐禹于天，任以为相，十有七年，迨舜崩三年之丧既毕，禹因舜有子商均在，乃远避于阳城之地，其心只欲让位于商均耳。乃天下之民，皆归心于禹，而翕然从之，凡朝觐、讼狱、讴歌者，皆不从商均而从禹，就与尧崩之后，不从尧之子而从舜的一般。当时人心如此，则天意在禹可知，舜安得不举天下而授之禹乎？若禹、益之时，则与此不同矣。禹亦尝荐益于天，任以为相者七年，迨禹崩三年之丧既毕，益因禹有子启在，亦远避启于箕山之阴，以让位焉。但见天下之臣民朝觐、讼狱的，不往归益而来归启，说道，启乃吾君之子也，吾不归吾君之子而谁归乎；讴歌的亦不讴歌益而讴歌启，说道，启乃吾君之子也，吾不戴吾君之子而谁戴乎。人心归启如此，则天意在启可知，禹安得不举天下而传之启也。观于舜、禹之事如此，则禹之不得不传子，与尧、舜之不得不传贤其心一而已，乃议禹为德衰，何其敢于诬圣乎？"

【原文】

"丹朱之不肖，舜之子亦不肖。舜之相尧，禹之相舜也，历年多，施泽于民久。启贤，能敬承继禹之道。益之相禹也，历年少，施泽于民未久。舜、禹、益相去久远，其子之贤不肖，皆天也，非人之所能为也。"

【张居正注评】

孟子告万章说："舜、禹、益皆有圣人之德，而当时民心所以归舜、禹而不归益者，其故为何？由其所遇之时不同耳。盖尧之子丹朱，其德不类于尧，舜之子商均，其德亦不类于舜，民心既已不服矣。而舜之相尧二十有八年，禹之相舜十有七年，其历年既多，施恩泽于民最久。以相之贤，而遇子之不肖，此民所以不归尧舜之子而归舜禹也。若启之贤，能以敬德相承，嗣守禹之典则，民心之归服，既有素矣。而益之相禹仅仅七年，其德泽施于民者又非如舜禹之久。以子之贤，而又遇相之不久，此民之所以不归益而归启也。夫均之为相，而舜、禹之历年俱多。益之历年独少，其久近相去如此。均之为子，而尧、舜之子独不肖，禹之子独贤，其贤不肖相去又如此。以气数言，若似乎不齐；以机会言，则适相凑合。是皆冥冥之中有为之主宰者，一天之所为而已，岂人力之所能与哉？"盖人力可以荐贤于天，而不能使为相之皆久；人力可以传位于子，而不能使其子之必贤。其有久、近，贤、不肖者，皆天意之所为。圣人一惟听天之命而顺受之耳，岂能容心于其间哉！

【原文】

"莫之为而为者，天也；莫之致而至者，命也。"

【张居正注评】

天，是理之自然。命，是人所禀受。孟子承上文说："尧、舜、禹之时，相不皆久，子不皆贤，固皆有天命存乎其间，而所谓天命，又非可以强为而力致也。盖凡事有待于经营而成者，皆属人为，未可以言天。惟是因物付物，不见其作为之迹。而予夺去就，冥冥之中，自有主张，此则理之自然而不可测者。父不能为其子谋，君不能为其臣谋，所以叫做天。天岂可得而违之乎？凡事有可以希望而得者，皆属人力，未可以言命。惟是与生俱生，不由于冀望之私。而穷通得失，禀受之初，自有分量，此则数之一定而不可移者。子不能得之于父，臣不能得之于君，所以叫做命。命岂可得而拒之乎？然则舜、禹之有天下，固此天命，益之不有天下，亦此天命，岂可以禹之传子而遂议其德之衰也哉？"

【原文】

"匹夫而有天下者，德必若舜禹，而又有天子荐之者，故仲尼不有天下。"

【张居正注评】

孟子告万章说："益之不有天下，固由于天，而自古圣人不有天下者，则非独一益为然也。盖凡起匹夫之微，至于登帝位而有天下者，非是说德为圣人，而即可以有天下也。必玄德若舜而又有天子如尧者以荐之，然后能继唐而帝于虞；祗德若禹而又有天子如舜者以荐之，然后继虞而王于夏。向使徒有圣人之德，而无天子之荐，则舜终于侧微，禹终于躬稼而已，安能以匹夫而遂有天下哉！所以天纵大圣如仲尼者，其德虽无愧于舜禹，然而上无尧舜之荐，则亦徒厄于下位，老于春秋而已。此仲尼所以不

有天下也。"观仲尼不有天下，则大德受命，固有不能尽必之于天者，而益之不有天下，又何疑哉？

【原文】

"继世以有天下，天之所废，必若桀、纣者也，故益、伊尹、周公不有天下。"

【张居正注评】

孟子告万章说："观仲尼之事，则知有德者、有荐者，方可以有天下。然亦有不尽然者，盖天命固不轻以予人，亦不轻以夺人。故凡继先世之统而有天下者，非是说德不如舜禹，而天遂废之也。其祖宗之功德未泯，天心之眷顾未衰，若自绝于天，而为天心之所弃者，必减德如桀，然后废之南巢，暴虐如纣，然后废之牧野。向使桀、纣之恶未甚，则商未必能灭夏，周未必能灭商，何至于遽失天下哉？所以继世之君如夏启、太甲、成王，其德虽不及益、尹、周公之贤圣，然皆能嗣守先世之业，则天亦不能废子而立贤，夺此以与彼也，此益、伊尹、周公所以不有天下也。"夫以伊尹、周公之圣，而不有天下，其何疑于益？以太甲、成王之为君，皆足以继世，又何疑于禹？比类以观，而天之所以与子之意见矣。

【原文】

"百里奚，虞人也。晋人以垂棘之璧与屈产之乘，假道于虞以伐虢。宫之奇谏，百里奚不谏。"

【张居正注评】

虞、虢都是国名。垂棘、屈，都是地名。宫之奇，是虞臣。孟子又告万章说："吾于百里奚而谅其无食牛干主之事者何？亦观其平日去就之间而已。盖百里奚虽仕于秦，而生长于虞，本虞国之人也。当其在虞，何尝知有秦。只因晋人听荀息之计，兴伐虢之师，恐道经于虞，为虞所阻，乃以垂棘所出之璧玉，与夫屈地所产之良马，行赂于虞，以为假道之资。因越虞以伐虢，实欲先取虢而并及于虞也。虞公贪受璧马之赂而不顾亡国之患。是时虞臣宫之奇以为虞之与虢，有辅车唇齿之义，虢亡则虞不能独存，于是谆谆然谏止虞公，而虞公不能听也。百里奚见得晋人之计已成，虞公之昏难悟，以为空言何补，遂不谏而去之秦，此其去虞从秦之由如此。向使虞公能听忠言而郤晋人之赂，则虞可以不亡，而百里奚可以不去。其去虞而适秦乃迫于虞之亡，而非有利于秦之用也。何为而有食牛干主之事哉？"夫以虞公一贪璧马之赂，而良臣遂去，国随以亡。货利之足以坏君心，速败亡之祸如此。是以明君贱货而贵德，不宝珠玉而宝善人也。

【原文】

"知虞公之不可谏而去，之秦，年已七十矣，曾不知以食牛干秦穆公之为污也，可谓智乎？不可谏而不谏，可谓不智乎？知虞公之将亡而先去之，不可谓不智也。时举于秦，知穆公之可与有行也而相之，可谓不智乎？"

【张居正注评】

孟子既述百里奚处虞之事，遂断之说道："凡出处大节，惟智者能辨之。百里奚知虞公之不可谏，脱身去秦，此时年已七十矣。其阅世既久，见理甚明，若食牛干主之事污贱可耻显然易见，而百里奚曾不知其为辱，贪昧甚矣，岂可谓之老成有智虑者乎？然不智则必不能知语默之宜，百里奚知虞公之惑于利，谏之必不肯听，遂止而不谏，此其当默而默，非有见几之明者不能，岂可谓之不智乎？不智则必不能知去就之分，百里奚知虞公之将亡，不去且及于难，乃先去以远祸，此其可行则行，非有保身之哲者不能，不可谓之不智也。不智则必不能知废兴之机，当其去虞而举于秦，知穆公之贤，可与有为也。遂委质以相从，受任而辅国，此其可仕则仕，非有择主之智者不能，岂可谓之不智矣乎？其智既有足程，其中必有定见，彼食牛干主，少知礼义者所不屑，而谓智者肯为之哉？"

【原文】

"相秦而显其君于天下，可传于后世，不贤而能之乎？自鬻以成其君，乡党自好者不为，而谓贤者为之乎？"

【张居正注评】

自好，是自爱其身。孟子承上文说："百里奚之为人，不但其有过人之识，而且有辅世之功。盖使其仕秦而得君行政，曾无功业之可闻，则亦未足以见其贤也。今观其相秦而佐穆公以治国，使其君威令布于诸侯，声名显于天下，而其余休遗烈，且可传之后世，保子孙而泽黎民，其功业之显盛如此，是何等样贤相，而岂庸庸琐琐，不贤者之所能为乎？夫既有贤者之事功，则必有贤者之志节，若使自卖其身，以成就其君，冒污辱之羞，赴功名之会，此虽乡党之常人，稍知自爱其身，而顾礼义，惜廉耻者，亦不肯甘心于此。曾谓贤如百里奚者，有尊主庇民之功，而肯为降志辱身之事哉？好事者之言，诬亦甚矣！"观于此章百里奚一人之身耳，在虞无救亡国之祸，在秦遂成致主之功，非其佞于虞，而忠于秦也，听与不听，用与不用耳。贤才之用舍，关人国之废兴如此，任贤图治者，宜鉴于斯。

万章章句下

凡九章。

【原文】

孟子曰："伯夷，目不视恶色，耳不听恶声。非其君，不事；非其民，不使。治则进，乱则退。横政之所出，横民之所止，不忍居也。思与乡人处，如以朝衣朝冠坐于涂炭也。当纣之时，居北海之滨，以待天下之清也。故闻伯夷之风者，顽夫廉，懦夫有立志。"

【张居正注评】

横，是不循法度。顽，是愚蠢。懦，是柔弱。孟子说："圣人之德，本无不盛，而其制行，则各不同。古之人有伯夷者，以言其持己，则目不视非礼之色，耳不听非礼之声，何等样严正。以言其处世，则择君而仕，非可事之君弗事；择民而使，非可使之民弗使。世治则进而效用于世，世乱则退而独善其身，何等样高洁。其视横政所出之朝，横民所止之地，惟恐有累于己，不忍一朝居也。思与乡里之常人相处，如着了朝衣朝冠坐于涂炭一般，惟恐有浼于己，不能一息安也。那时商纣在位，举世

伯夷

昏浊，正是朝有横政，野有横民之时，于是洁身远去，避居于北海之滨。盖将待清明之世而后出，苟非其时，宁遁世而无闷矣。此其志操，真可谓矍然自立，而流俗不能污，邪世不能乱者。是以后世之人闻其遗风，不但有识见的知所兴起，即顽钝无知之辈，亦皆化而有廉介之操。不但有志气的知所感奋，即柔懦不振之夫，亦皆化而有卓立之志矣。其孤介既足以守己，流风又足以感人，伯夷之行盖如此。"

【原文】

"伊尹曰：'何事非君？何使非民？'治亦进，乱亦进，曰：'天之生斯民也，使先知觉后知，使先觉觉后觉。予，天民之先觉者也，予将以此道觉此民也。'思天下之民匹夫匹妇有不与被尧舜之泽者，若己推而内之沟中：其自任以天下之重也。"

【张居正注评】

孟子又说："古之人有伊尹者，尝自家说道：苟可以事，即是吾君，何所事而非君乎？苟可以使，即是吾民，何所使而非民乎？遇治世，固进而行道以济时；遇乱世，亦进而拨乱以反正。其一于进，而不必于退者，为何？其意以为天之生此民也，将使先知的启迪后知，先觉的开发后觉，而与之共明此道也。今我在天民中，能尽人道，则我固天民之先觉者。我将举此道，以觉当世之民，其责有不得诿诸人者矣。推其心，

但是当世之民，有匹夫匹妇颠连失所，不与被尧舜之泽的，皆其心之所不忍者。其痛自刻责，就如己推而纳之沟中的一般，有不能一日安者矣。是其举宇宙之大，兆庶之众，无一民一物不在其担当负荷之中：其自任以天下之重如此。此伊尹之行也。"

【原文】

"柳下惠不羞污君，不辞小官，进不隐贤，必以其道。遗佚而不怨，厄穷而不悯。与乡人处，由由然不忍去也。'尔为尔，我为我，虽袒裼裸裎于我侧，尔焉能浼我哉？'故闻柳下惠之风者，鄙夫宽，薄夫敦。"

【张居正注评】

鄙，是狭陋。敦，是厚重。孟子又说："古之人有柳下惠者，苟可以事，不必明主，虽遇着污君，亦委身事之而不以为耻。苟可以居，不必尊位，虽与他小官，亦屈意为之而不必于辞。其不择君而事，若疑于易进矣，而实不肯韬晦以蔽己之贤，必期直道以行己之志。其不择官而居，若疑于难退矣，而放弃亦不以为怨，困穷亦略无所忧。其处进退之际，真率坦夷，有如此者。至于处乡里之常人，和光同俗，由由然与之偕，而不忍去。其平日尝自说：'形骸既分，尔我各异，尔自为尔，无与于我。我自为我，何关于尔。虽使合袒裼露臂，裸裎露身，在于我侧，彼自无礼耳，安能玷辱于我哉？'其言如此，是真旷然有度，而置得丧于不较，合人己而两忘者。故后世之人，闻其遗风，虽狭陋之鄙夫，皆化而有宽宏之量；虽吝啬之薄夫，亦化而为敦厚之行矣。盖其和德之近人为易亲，故其流风之感人尤易入。柳下惠之行固如此。"

【原文】

"孔子之去齐，接淅而行；去鲁，曰：'迟迟吾行也，去父母国之道也。'可以速而速，可以久而久，可以处而处，可以仕而仕，孔子也。"

【张居正注评】

淅，是渍米的水。接淅，是将炊之时，以手承水取米而行，盖欲去之速，而不及炊也。孟子又说："三子之行，各有不同，若孔子则兼而有之。当其在齐，齐景公托言老不能用，义不可留而去。时炊饭未熟，遂承水取米而行，虽一饭之顷，亦有所不能待焉。其在于鲁，因鲁定公受女乐不朝，知其不足与有为而去，然又不忍遽去。乃曰：迟迟吾行，必待膰肉不至而后行焉。夫去齐如彼其急，而去鲁如此其缓者何？盖鲁乃孔子父母之国。见幾固当明决，用意尤宜忠厚，去父母国之道当然耳。即此去鲁去齐之两事观之，可见孔子之处世，有不倚于一偏，不拘于一节者。道之不行，去可以速矣，则从而速去，不俟终日。如其可留，则又栖栖眷恋，而不妨于久淹也。世莫我知身可以处矣，则从而退处。若将终身，如有用我，则又汲汲行道，而不妨于仕进也。此则内无成心，而意必尽泯。行无辙迹，而用舍随时。孔子所以异于三子者又如此。"

【原文】

孟子曰："伯夷，圣之清者也；伊尹，圣之任者也；柳下惠，圣之和者也；孔子，圣之时者也。"

【张居正注评】

孟子既历叙群圣之事，因断之说道："大凡行造其极者，皆可以为圣。然非道会其全者，未可以言圣之至也。今伯夷以节自高，而视斯世之人，无一可与。其皭然洁白之行，已造到清之极处，而无纤毫之混浊矣，其圣之清者乎？伊尹以道自负，而视宇宙内事皆吾分内。其毅然担当之志，已造到任之极处，而无一念之退托矣，其圣之任者乎？柳下惠以量容天下，而视斯世无不可与之人。其由然与偕之度，已造到和之极处，而无纤毫之乖戾矣，其圣之和者乎？至若孔子，仕止久速，不倚一偏，变化推移总归之顺应。此则清而未尝不任，任而未尝不和，兼三子之长而时出之，乃圣之时者也。"谓之曰时，则三子之行，不过四时之一气，而孔子之道，殆如元气之流行于四时，有不得而测其运用之妙者矣，夫岂三子之可及哉！

【原文】

"孔子之谓集大成。集大成也者，金声而玉振之也。金声也者，始条理也；玉振之也者，终条理也。"

【张居正注评】

凡作乐，一音独奏一遍叫做一成，八音合奏一遍叫做大成。金，是钟。声，是引起的意思。玉，是磬。振，是收煞的意思。条理，是音律中之脉络。孟子又说："清如伯夷，任如伊尹，和如柳下惠，虽各造其极，然圣矣而未大也。惟孔子以一身而兼三子之长，是其总群圣之事，而为一大圣。譬之于乐，其犹集众音之小成，而为一大成者乎。何以谓之集大成？盖乐有八音，若独奏一音，则一音自为起落，这是小成。惟于众音未作之时，而击镈钟以宣其声。俟众音既阕之时，而击特磬以收其韵，金声于先，玉振于后，这才是集众音之小成，而为一大成也。金石二音，何以能集众音之大成？盖金石者众音之纲纪，金不鸣，则众音无由而始，自镈钟一击，然后众音翕然而作，而律吕为之相宣矣。是金声也者，岂非开众乐之端，而为之始条理者乎？玉不振，则众音无由而终，惟特磬一击，于是众音诎然而止，而条贯为之具毕矣。是玉振也者，岂非收众乐之节，而为之终条理者乎？始终之间，脉络贯通，无所不备，此乐之所以为集大成也。孔子集群圣之大成，何以异于是哉！"

【原文】

"始条理者，智之事也；终条理者，圣之事也。"

【张居正注评】

智，是知之精明。圣，是德之成就。孟子又说："合始终条理而无不备，此乐之大成也，而孔子之圣实似之。盖大乐之作，有始有终，而圣德之全，有智有圣。金以声之，此乐之始条理也，而比之孔子，与其知之贯彻处，实同一发端。盖孔子智由天纵，而睿哲所照，洞见夫道体之全。于凡清、任、和之理，条分缕析，无一理之不精，是智以启作圣之始，与金以开音乐之先者，其事一而已矣。所以说始条理者，智之事也。玉以振之，此乐之终条理也，而比之孔子，与其德之成就处，实同一究竟。"盖孔子德本性成，而众善兼该，竟造于圣修之极。于凡清、任、和之事，经纬错综，无一事之不当，是圣以要知至之终，与玉以收音乐之止者，其事一而已矣。所以说终条理者，圣之事也。智圣兼全，而圣德始终之条理备矣，此孔子之所以为集大成也。彼三子者，不过众音之小成耳，岂能比德于孔子哉。

【原文】

"智，譬则巧也；圣，譬则力也。由射于百步之外也，其至，尔力也；其中，非尔力也。"

【张居正注评】

孟子又说："圣智兼备，固孔子之所以集大成矣。而智以成始，圣以成终，则圣又由于智也。不观之射乎？射有巧有力。孔子神明内蕴，合清、任、和之理而兼照之，是智也，譬则射者之巧焉。德行默成，体清、任、和之理而时出之，是圣也，譬则射者之力焉。必知之真，然后行之至，必有定见，然后有全力，譬如射于百步之外的一般。凡射疏及远，到得那地步，这是膂力之强，尔力之所能为也。若夫舍矢如破，正中其的，这是得手应心，妙在于命中之先，乃巧之所为，不专在于力也。夫射之能中者，不专于力而在于巧，则孔子所以为圣之至，不专于圣而实由于智矣。彼三子者，力有余而巧不足，此所以倚于一偏，而难以语时中之圣也。"按：孟子此章形容孔子之德，既以天道为喻，曰圣之时；又举乐为喻，曰集大成；复举射为喻，曰智、巧也。圣，力也。岂智之外，复有圣？大成之外，复有时中哉？大成即圣之全体，而时中即智之妙用。智而后能圣，圣而后能时，理固一原，而圣心之纯，实贯始终而无间者也。观其自言，亦谓由志学而驯至于从心不逾矩。夫志学，智也，不逾矩，时也，合而观之，而圣德之全益见矣。

【原文】

北宫锜问曰："周室班爵禄也，如之何？"孟子曰："其详不可得闻也，诸侯恶其害己也，而皆去其籍，然而轲也尝闻其略也。

【张居正注评】

北宫锜，是卫人。班，是班定次第。北宫锜问于孟子说："朝廷设官分职，莫重于爵禄，而爵禄之制，莫备于成周。周室之班爵禄，必有个贵贱之等，厚薄之差，敢问其制如之何？"孟子答说："周室爵禄之制，其品式章程，至精至密，今已不可得而闻其详矣。盖制度之详，载在典籍，典籍存而后制度可考也。自周室衰微，诸侯放恣。僭窃名号的，以卑而拟尊，兼并土地的，以大而吞小，反厌恶先王之制度，以为不便己之所为，遂灭去其籍，使上下名分无从稽考，因得以纷更变乱而无忌，此所以典籍散失，欲闻其详而不可得。顾其详虽不可得闻，然而规模之建立，体统之昭垂，尚有幸存而未泯者。轲也，亦尝闻其什一于千百，而可举其大略，为子告焉。"夫当典籍残缺之余，而能考究圣王之制，非孟子学识其大，其孰能知之？

【原文】

"天子一位，公一位，侯一位，伯一位，子、男同一位，凡五等也。君一位，卿一位，大夫一位，上士一位，中士一位，下士一位，凡六等。"

【张居正注评】

这一节，是周室班爵之制。孟子告北宫锜说："成周爵禄之制，册籍虽亡，而名分未泯。其班爵之大略，有通行于天下的，有单行于国中的。自其通于天下者而言，父天母地，而为天下之所共宗，这是天子。天子之贵，自为一位，尊无二上矣。然天下之大，非天子一人所能独理也，于是分天下为万国，而使同姓之亲，异姓之贤，与之共治焉。自天子而下，有公一位，公之下，有侯一位，侯之下，有伯一位，伯之下，有子与男同一位。天子总治于内，公、侯、伯、子、男分治于外，内外相维，体统不紊，然后举天下之大，无一国之不治矣。爵之通于天下者，此其大略也。自其施于国中者而言，出命正众，而为一国之所奉戴，这是君。天子君于王畿，诸侯君于列国，各自为一位矣。然一国之众，亦非君一身所能独理也，于是分庶绩于百官，而使贤者在位，能者在职，与之共治焉。自君而下，有卿一位，卿之下，有大夫一位，大夫之下，有上士一位，中士一位，下士一位。君出令于上，卿、大夫、士奉令于下，上下相承，事使不乱，然后举一国之事，而无一事之不治矣。爵之施于国中者，此其大略也。据我所闻周室班爵之制，如此而已。若其创制立法之盛，则典籍尽去，今亦安从而考其详哉。"

【原文】

"天子之制，地方千里，公、侯皆方百里，伯七十里，子、男五十里，凡四等。不能五十里，不达于天子，附于诸侯，曰附庸。"

【张居正注评】

　　这以下是周室班禄之制。不能,是不足的意思。孟子又告北宫锜说:"周室班爵之制其略固可得而言矣。其班禄之制何如?试以禄之班于天下者言之。天子食赋于畿内,其制地方千里,盖天子爵为至尊,故其地至广也。公侯而下,则皆食赋于列国,故公、侯之地,方广都是百里,其田赋之入,视天子而杀矣。伯之地,方广七十里,其田赋之入,又视公侯而杀矣。子、男之地,方广都是五十里,其田赋之入,视伯而又杀矣。自天子以至于子男,分田制禄之法,凡有此四等。在天子非独丰,在诸侯非独啬,厚薄之等,一因其尊卑之分而已。此外更有地不足五十里之数者,遇凡朝觐聘问等礼,不能以姓名自达于天子,但附属于邻邦诸侯,以通其姓名,这叫做附庸,则其爵愈卑,而其禄愈薄矣。"盖先王于疆理天下之中,而寓则壤成赋之制,故其禄之班于天下者,有如此。

【原文】

　　"天子之卿受地视侯,大夫受地视伯,元士受地视子、男。"

【张居正注评】

　　这一节,是禄之班于王国者。视,是比照的意思。孟子又告北宫锜说:"周室之班禄,其在王畿之内者各有差等。盖天子以一人宰治于上,而有卿、大夫、士,分治于下,其效忠宣力,本与外臣均劳,而地近职亲,较之外臣尤重。故王朝之卿,所受采地,比照于大国之侯,侯百里,卿亦百里也。大夫所受之地,比于次国之伯,伯七十里,大夫亦七十里也。元士所受之地,比于小国之子、男,子、男五十里,元士亦五十里也。"当其时,诸侯入则为王朝之卿士,卿士出则为列国之诸侯,其分本相等,故其受禄不得不同耳。然以王朝之臣,而同于列国之君,所以尊王室而重内朝之意,又自可见焉。其班禄于天子之国者有如此。

【原文】

　　"大国地方百里,君十卿禄,卿禄四大夫,大夫倍上士,上士倍中士,中士倍下士,下士与庶人在官者同禄,禄足以代其耕也。"

【张居正注评】

　　这以下是禄之班于侯国者。十,是十倍。四,是四倍。倍,是一倍。庶人在官者,是府史胥徒,如今杂职吏员之类。孟子说:"周室之班禄,其在列国者,亦各有差等。以公侯之大国而言,地方百里,提封十万井,君与卿、大夫、士,及在官之庶人,皆仰给于其中焉。君享一国之奉,为田三万二千亩,比之卿禄,盖加十倍之多。卿田三千二百亩,较之于君,才是十分之一,而实四倍于大夫。大夫之田八百亩,较之于卿,才是四分之一，而实加倍于上士。上士得田四百亩，其禄则倍于中士。中士得田二百亩，其禄则倍于下士。下士与庶人在官者，若府史胥徒之流，其禄相等，皆得食百亩之人焉。"盖庶人身役于官，既不得自食其力，因给之以一夫之养，使足以代其耕而已。此则禄颁于上，或加数倍之入，而不嫌于丰；禄给于下，或准一夫之田，而不病于啬。尊卑有序，丰约适宜，大国班禄之制固如此。

【原文】

"次国地方七十里，君十卿禄，卿禄三大夫，大夫倍上士，上士倍中士，中士倍下士，下士与庶人在官者同禄，禄足以代其耕也。"

【张居正注评】

三，是三倍。孟子又说："公侯之下有伯，比大国次一等，谓之次国，其班禄亦次之。盖伯爵之国，地方七十里，较之百里之地狭矣。而国中之有卿、大夫、士，及在官之庶人，则与大国一也。故其因田制赋，君之禄亦十倍于卿，得田二万四千亩。卿之禄，则止三倍于大夫，得田二千四百亩。至于大夫则一倍于上士，而得八百亩。上士则一倍于中士，而得四百亩。中士则一倍于下士，而得二百亩。下士与庶人在官者，皆得以食百亩之入，使足以代其耕，则与大国之制，无一之不同矣。"盖自卿以上，禄限于地，固不得与大国同其丰。自大夫以下，食因其事，则不得不与大国同其约，次国班禄之制盖如此。

【原文】

"小国地方五十里，君十卿禄，卿禄二大夫，大夫倍上士，上士倍中士，中士倍下士，下士与庶人在官者同禄，禄足以代其耕也。"

【张居正注评】

二，是二倍。孟子又说："伯之下有子、男，比次国又降一等，谓之小国，其班禄抑又次之。盖子、男之国，地方五十里，较之七十里之地，则又狭矣。而国中之有卿、大夫、士，与庶人之在官者，亦与次国一也。故其因田制赋，君之禄，亦十倍于卿，得田一万六千亩。卿之禄，则止二倍于大夫，得田一千六百亩。至于大夫，则一倍于上士，而得八百亩。上士则一倍于中士，而得四百亩。中士则一倍于下士，而得二百亩。下士与庶人在官者，皆得以食百亩之入，使足以代其耕，则亦与次国之制，无一之不同矣。"盖自卿而上，其禄厚，厚而不减，则国小不足以供，故不得不杀。大夫以下，其禄薄，薄而复减，则养赡不足以给，故不得不同。班禄于小国之中者，其制又如此。

【原文】

"耕者之所获：一夫百亩，百亩之粪，上农夫食九人，上次食八人，中食七人，中次食六人，下食五人。庶人在官者，其禄以是为差。"

【张居正注评】

获，是受田。差，是等级。孟子又说："庶人在官者之禄，固取其足以代耕矣，而代耕之分数，又自不同。盖耕者所受之田，每夫以百亩为则。百亩之田必加以粪，粪多而力勤的，是上等农夫，计其所入，可以供九人之食。若稍次于上农的，其所入，仅可以食八人。中等的仅可以食七人。中等又次的，仅可以食六人。若下农夫，则不过能供五人之食而已。人事之勤惰不齐，而收入之多寡随异，其所食之数，大约有此五等。庶人在官者，职有大小，事有繁简，其受禄之多寡，即照此农夫之次序以为等差。事繁者食以上农夫之食，其余以次递减，事最简者亦不失下农夫之食焉。所谓禄足代耕者，其详悉有条，又如此。"夫列爵有尊卑，而中外殊其制；班禄有多寡，而上下异其规。此周制之大略，而我之所可闻者也，乃其详，则不可得而闻矣。大抵战国之时，诸侯侈肆，先王封建井田之制，坏乱已尽，孟子有慨于中久矣，故因北宫锜之问，而摭拾大略以示之，使后世得闻圣王治天下之大法者，独赖此篇之存。有天下者，不可不究心也。

【原文】

万章问曰："敢问友。"孟子曰："不挟长，不挟贵，不挟兄弟而友。友也者，友其德也，不可以有挟也。"

【张居正注评】

挟，是挟持所有以傲人的意思。万章问于孟子说："朋友五伦之一，自天子至于庶人，未有不须友以成者。敢问友道如何？"孟子答说："交友之道无他，只在忘势，分略形迹，除去矜己骄人之念而已。如己虽长，也不可挟我之长，以加于少者，而与之友。己虽贵，也不可挟我之贵，以加于贱者，而与之友。己虽有兄弟之盛，也不可挟我之兄弟，以加于寡弱者，而与之友。所以不可以挟者为何？盖友也者，非为其年相若势相敌，而与之为友也。必其道义可尊，斯取为辅仁之助；言行可法，斯联为同志之交。因其有德，而与之友耳。既友其德，则当折节以亲贤，虚怀以受善，岂可以有所挟乎？若一有挟长、挟贵、挟兄弟之心，则在我不胜其骄矜之念，而贤者亦不肯有乐，就之诚矣，所以说不可以有挟也。人能持无所挟之心，以择友于天下，则益友日至，辅德有资，交道岂有不善者哉。"

【原文】

"孟献子，百乘之家也，有友五人焉，乐正裘、牧仲，其三人，则予忘之矣。献子之与此五人者友也，无献子之家者也。此五人者，亦有献子之家，则不与之友矣。

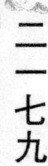

【张居正注评】

乐正裘、牧仲，是人姓名。孟子告万章说："交友之道，能无所挟固难，能不挟贵为尤难。处贵而能不挟者，在大夫中则有若孟献子。孟献子者，百乘之家，为大夫而有采地，其势分亦贵显矣。当时择人而交，有友五人焉。其一人为乐正裘，其一人为牧仲，其三人者，则予不记其姓名而忘之矣。献子与此五人为友，是漫然与之交游，盖有所以取之者矣。大凡贱与贵交，非资其势，则利其有。惟此五人者，但知道义为重，其于献子之富贵，眼中全不见得，心上全不着意，无献子之家者也。惟其无献子之家，所以为献子所重，而与之为友耳。向使此五人者，视献子之家，一有羡慕之心，则是充诎于富贵，陨获于贫贱，可鄙甚矣，献子岂肯与之为友乎？夫以五人，而能忘人之势，固可见五人之高，以献子而能忘自之势，以成五人之高，抑可见友德之义矣。不挟贵之交，征于百乘之家者有如此。"

【原文】

"非惟百乘之家为然也，虽小国之君亦有之。费惠公曰：'吾于子思，则师之矣；吾于颜般，则友之矣；王顺、长息则事我者也。'"

【张居正注评】

费惠公，是费邑之君。王顺、长息是人姓名。孟子又告万章说："孟献子以百乘之家，而下交五人，固可见其不挟贵矣。然不但百乘之家为然也，等而上之虽小国之君，亦有不可恃其势位者焉。昔者费惠公尝说道：'人君取友之途，不可以一端而尽，而尊贤之礼，不可以一概而施。大贤如子思，其道德高于一世，是人之师表也。吾则致敬尽礼，以师道尊之，庶有所仪刑，以成吾之德焉。次贤如颜般，其行谊著于一时，是邦之司直也。吾则平等纳交，以友谊接之，庶有所切磋，以辅吾之仁焉。至于王顺、长息，才不逾中人，能不过奔走，仅可承顺左右，充我之使令，事我而已，岂可与子思、颜般同其体貌之隆哉？'"观惠公之言，是不敢以待王顺、长息者而待颜般，不敢以待颜般者而待子思，尊德之诚，有隆无替，其不挟贵而友，征之小国之君者，又如此。

【原文】

"非惟小国之君为然也，虽大国之君亦有之。晋平公之于亥唐也，入云则入，坐云则坐，食云则食，虽蔬食菜羹，未尝不饱，盖不敢不饱也。然终于此而已矣。弗与共天位也，弗与治天职也，弗与食天禄也，士之尊贤者也，非王公之尊贤也。"

【张居正注评】

亥唐，是晋国的贤人。孟子又告万章说："费惠公以小国之君，而尊师取友，固可见其不挟贵矣。然又不但小国之君为然也，等而上之，虽大国之君，亦有不可恃其势位者焉。昔者晋平公之于亥唐也，尝慕其贤而往造其家，以千乘之尊下问巷之士，宜其以君道自处矣，乃执礼甚恭，而受命唯谨。当其至门，唐命之入即入，而不嫌于屈尊。及其既入，唐命之坐即坐，而不嫌于抗礼。其上食也，唐命之食即食，虽粗粝之饭，蔬菜之羹，未尝不饱，而不嫌于菲薄，非饱其食也。敬贤者之命，不敢不饱耳。夫以坐起饮食，一惟贤者之命是从，真可谓曲尽尊贤之礼矣。然此特仪文之末，而尊贤之道，尚有不止于此者。天位以官有德，而公不与之共焉；天职以任有德，而公不与之治焉；天禄以养有德，而公不与之食焉。其所以尊之者，不过造请承顺之间，此乃无位之士，所可自尽其尊贤之情者耳。岂以王公操爵禄之权，可以贵人富人者，而其尊贤之道，仅止于此而已哉。"然平公虽未尽尊贤之道，而已曲尽尊贤之礼，其视世之负其位，不肯下交者，固有间矣。不挟贵而友，征之于大国之君者又如此。

【原文】

"舜尚见帝，帝馆甥于贰室，亦飨舜，迭为宾主，是天子而友匹夫也。"

【张居正注评】

"尚"字，与"上"字同。甥，是婿，尧以女妻舜，故谓舜为甥。贰室，是副宫。孟子又告万章说："晋平公以大国之君，而尊礼亥唐，固可谓不挟贵而友矣。然亦非但大国之君为然也，虽天子亦有之。当初虞舜一侧陋之匹夫耳，尧知其贤，举于畎亩之中，妻之以二女，舜由是得以上见于尧。尧以甥礼待舜，馆之于副宫，亦时就副宫，与舜同饮食而飨舜。舜尚见帝，则舜为宾而尧为主；尧就飨舜，则尧为宾而舜为主。以君臣之间，而更迭为宾主之交，是其以天子之贵，下友匹夫之微；知有道德之可尊，而不知有名位之足恃；知有情意之当洽，而不知有势分之可拘也。尧之友德而无所挟固如此。以天子之贵，尚不可以有挟，而况于有国有家者乎？贵且不足挟，而况于挟长挟兄弟者乎？此友之所以不可以有挟也。"

【原文】

"用下敬上，谓之贵贵；用上敬下，谓之尊贤。贵贵尊贤，其义一也。"

【张居正注评】

孟子又告万章说："历观古人不挟贵而下交如此，非其过自贬损也，惟有见于理之当然而已。盖自君臣之位定，而上下之分殊，以在下之士庶，而奔走承顺以敬其上，非无谓也。朝廷莫如爵，名分所在，虽贤者不得而抗，因彼可贵而我贵之，这叫做贵贵。以在上之君、公、大夫，而虚怀隆礼以敬其下，非无谓也。长民莫如德，道德所在，虽贵者不得而慢，因彼为贤而我尊之，这叫做尊贤。贵贵尊贤，其事若有不同，然以礼言之，上下相敬，各有攸当，同归于义而已。"盖义者，宜也。位之所在，则尊

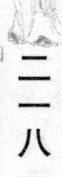

君为重，故用下敬上而不为谄，此安分之理宜然也；德之所在，则尊贤为重，故用上敬下而不为屈，此忘分之理宜然也。分之则为各欲自尽之心，合之则为一德相成之道，所以说其义一也。世之人，但知贵贵，而不知尊贤，则亦昧于义之所在矣。按：孟子此章，因论朋友，遂及于君臣。盖君、臣、朋友，皆以义合者也，义合则从，不合则去，故定交甚难，而全交为尤难。止于定交而已，如献子于五人，惠公于颜般，平公于亥唐。能不挟者，皆可以得友，必欲心孚意契，终始相敬，以全其交，则必如尧之于舜，元首股肱，赓歌喜起于一堂，而后可以言泰交之盛，此则非有任贤勿贰之心者不能，不但不挟其贵而已。

【原文】

万章问曰："敢问交际何心也？"孟子曰："恭也。"曰："'却之却之为不恭。'何哉？"曰："尊者赐之，曰：'其所取之者义乎，不义乎？'而后受之。以是为不恭，故弗却也。"

【张居正注评】

交际，是以礼往来。却，是拒而不受。万章问于孟子说："君子以一身酬酢万变，无一不本之于心。至于以礼仪币帛彼此往来交际，敢问此心果何心也？"孟子答说："人有恭敬之心存于中，而后假币帛之仪将于外。交际之礼，乃彼此相敬，其心主于恭而已矣。"万章问说："交际固所以将敬，辞让亦所以明礼，乃有却之，却之而不受的，人便以为不恭，何哉？"孟子答说："凡处人之馈，未有无故而却者。如尊者有赐于我，我心必私自忖度，说：此所赐之物，必是取于人者，不知其取此物果合于义，而当得者乎？抑不合于义，而不当得者乎？必所取合义，而后可受。如其非义，便不可受，而当却还之矣。夫以尊者之赐，计其不义而不受，则是鄙其物而轻其人，傲慢莫大焉，此所以却之为不恭也。惟以此为不恭，故宁受之而不敢却，以卑承尊之礼，宜然也。知不却之为恭，而交际之心益可见矣。"

【原文】

曰："请无以辞却之，以心却之，曰：'其取诸民之不义也。'而以他辞无受，不可乎？"曰："其交也以道，其接也以礼，斯孔子受之矣。"

【张居正注评】

万章又问孟子说："尊者之赐，固不可却，而不义之物，终不可受，于此而求善处之术。当其以物来馈，心虽知其不义，请勿显言其不受之故，而以辞却之。但心中暗地计较说，此其物是不义而取之于民者，但假托他事以为辞，而却之不受。则在我既无不义之污，在彼亦难加我以不恭之罪，人己之间，两无所失，不亦可乎？"孟子答说："处人之馈，以辞却之，固嫌于径直而不逊；以心却之，亦失之诡故而不情。但看道与礼何如耳。如使其交于我者，当馈而馈，当赆而赆，而有道以相与，其接于我者，申之以词，将之以物，而有礼以相加。这等的交际，则虽圣如孔子，为礼义之中正，亦有见于道之可受，而不问其所从来，有见于礼之可受，而不疑其为非义，斯受之而已矣。以孔子而犹不为已甚之行，则有赐于我，而以心却之者，亦岂得顺应之道哉。"

【原文】

万章曰："今有御人于国门之外者，其交也以道，其馈也以礼，斯可受御与？"曰："不可。《康诰》曰：'杀越人于货，闵不畏死，凡民罔不譈。'是不待教而诛者也。殷受夏，周受殷，所不辞也；于今为烈，如之何其受之？"

【张居正注评】

御，是拦夺财物。《康诰》，是《周书》篇名。越，是颠越。譈，是怨恶。万章又问孟子说："夫子谓受赐者但当观其交际之礼，不必更问其所从来。设若有人于国门之外，旷野之所，截人而杀之，因用其御得之货，交我以道，馈我以礼，若此者，亦可不问其所从来而受之乎？"孟子答说："若是御人之货，则岂可受？《书经·康诰》之篇有云：'杀人而颠越之，因取其所有之货，闵然不知畏死。'这等凶恶之人，人所共愤，凡民无有不譈怨者。可见御人之盗，乃天理之所不容，王法之所不宥，不待教戒，即当诛戮者也，岂可受其馈乎？盖义所当受，即殷受夏之天下，周受殷之天下，亦有所不辞者，其功烈至今光显，人孰得而议之。若夫御得之货，不义甚矣，如之何其可受也哉！此可见君子虽重于绝人，而未尝不严于律己，尊者之赐，虽有所弗却，而义利之辨，固未尝不审也。"

【原文】

"位卑而言高，罪也；立乎人之本朝，而道不行，耻也。"

【张居正注评】

孟子又说："为贫而仕，所以必辞尊富而居卑贫者，非无故也。小臣之与大臣，其责任固自不同耳。盖官卑者，分亦卑，若使身在卑微之位，本无行道之责，却乃高谈阔论，上与人主争是非，下为国家谋理乱。此则位之所在，不可以言而妄言，越职侵官之罚，必有所不能免矣，岂非取罪之道乎？官大者，任亦大，若使身立朝堂之上，本非窃禄之官，却乃受直怠事，上无以补益君德，下无以康济民生。此则道之所在，可行而不能行，尸位素餐之讥，必有所不能免矣，岂非可耻之甚乎？"夫出位为可罪，则卑贫固易称之官，道不行为可耻，则尊富非窃禄之地，此为贫而仕者，所以当辞尊富居卑贫，而以孔子为法也。此章见小臣大臣各有当尽之职，能举其职，即委吏乘田为宜；不能举其职，即秉政立朝为辱。是以人臣笃奉公之义，宜度己而处官；人君操驭下之权，宜量能而授任也。

【原文】

万章曰："士之不托诸侯，何也？"孟子曰："不敢也。诸侯失国，而后托于诸侯，礼也；士之托于诸侯，非礼也。"万章曰："君馈之粟，则受之乎？"曰："受之。""受之何义也？"曰："君之于氓也，固周之。"

【张居正注评】

托，是寄食于人。万章问于孟子说："贤非后不食。士当未仕时，虽寄身于诸侯而食其禄，似不为过，乃不肯寄食于诸侯者，果何谓也？"孟子答说："士之不托诸侯，非其心之不欲，乃分之所不敢也。盖诸侯本有爵土之封，不幸失国出奔，托身他国。他国之君待之以寓公之禄，岁有常廪，此乃诸侯之礼也。若士本无爵土，乃寄寓于诸侯，不仕而食其禄，是以匹夫而拟邦君之尊，犯分而非礼矣，此所以不敢也。"万章又问说："士之不托诸侯固矣。若国君以粟馈之士，则将受之否乎？"孟子答说："君馈粟于士，士固当受之也。"万章又问说："士于诸侯，既不敢以寄食，而馈粟则又可受，敢问此何义乎？"孟子答说："君子之于民也，分若相悬，情关一体，固有振穷恤匮之义焉。士而未仕，无异于编氓，则君之馈士，是亦周之之惠也。"士安氓庶之分，而无僭礼之嫌，如之可不受之乎？盖士固当知守身之礼，又不可昧处馈之义也。

【原文】

曰："周之则受，赐之则不受，何也？"曰："不敢也。"曰："敢问其不敢何也？"曰："抱关击柝者皆有常职以食于上，无常职而赐于上者，以为不恭也。"

【张居正注评】

赐，是予以常禄。万章又问孟子说："人君待士，馈之以粟，赐之以禄，同一赐予也。乃士于所周之粟则受，于所赐之禄则不受，此何谓乎？"孟子答说："士之不敢受赐，即是不敢托于诸侯之意，分有所不敢也。"万章问说："敢问不敢受君之赐，何谓也？"孟子答说："君之待民，与所以待臣，其礼不同。人臣受职任事，虽微如抱关击柝之吏，皆有所守之常职，自当有所赐之常禄，以食于上，此人臣之分，而亦人君待臣之礼也。若士而未仕，则无常职矣。无常职，则不当受常禄矣。若无常职，而受所赐之常禄，则是以庶人，而上同于在位之臣，越礼犯分，不恭孰甚焉，此所以不敢受其赐也。夫为士者，上既不敢比于有国之君而托其身，下又不敢比于有位之臣而受其赐，则其所遇，亦甚穷矣。穷而能以礼自处，不为苟得，此士之所以可贵也。"

【原文】

曰："君馈之，则受之，不识可常继乎？"曰："缪公之于子思也，亟问，亟馈鼎肉。子思不悦。于卒也，摽使者出诸大门之外，北面稽首再拜而不受，曰：'今而后知君之犬马畜伋。'盖自是台无馈也。悦贤不能举，又不能养也，可谓悦贤乎？"

【张居正注评】

亟，是频数。卒，是末后。摽，是以手麾斥。伋，是子思的名。台，是使令人役。万章又问孟子说："士不敢受君之赐，独君馈之则受之，不识君之致馈于士，亦可常常继续乎？"孟子答说："人君致馈于士，固不可不继而失之疏，亦不可常继而失之数。昔者鲁缪公之于子思也，慕其贤而尊礼之，数使人问候以通其意，且数馈鼎肉以致其飧，自以为能敬贤矣。但数以君命来馈，未免使子思有数拜之劳，子思因是不悦，乃于其末后来馈之时，麾使者出于大门之外，北面稽首再拜而辞其馈，说道：始吾以君致馈于伋，待伋甚厚也。自今而后，知君之于伋，食而弗爱，但以畜犬马者，畜之而已。缪公闻子思之言，幡然悔悟，从此不敢复遣台官，将命而致馈也。盖人君悦贤之道，固贵于能养，尤贵于能举。缪公之于子思，既不能与共天位以用贤，又不能曲尽诚意以养贤，乃徒屑屑于问馈之间，岂可谓悦贤之道乎？此子思所以不悦于卒，而力辞其馈也。然则人君之致馈于贤者，固当求为可继，尤当顾其所安。而君子之受馈，亦自有道，而不可苟矣。"

【原文】

曰："敢问国君欲养君子，如何斯可谓养矣？"曰："以君命将之，再拜稽首而受。其后廪人继粟，庖人继肉，不以君命将之。子思以为鼎肉使己仆仆尔亟拜也，非养君子之道也。"

【张居正注评】

仆仆，是烦琐的意思。万章又问孟子说："缪公于子思，固未可谓悦贤矣。敢问国君欲养君子，必如何方为能尽其道乎？"孟子答说："国君养贤，始而不将之以君命，则为简礼。故当始馈之时，于凡粟肉之赐，必遣人以君命致之，使道其礼意之诚，时则贤者敬君之命，再拜稽首而受，此始馈之礼宜然也。自是以后，则但分命有司供其匮乏，使廪人继之以粟，庖人继之以肉，不复以君命将之，使免于拜赐之劳，此继馈之礼宜然也。缪公昧于此礼，数以君命致馈，子思意以为鼎肉之微，而使己仆仆然拜赐之不暇，非养君子之道也。此所以摽使者于门外，而不肯受其馈也。知子思所以不受缪公之馈，则知国君养贤之礼，不在于供馈之频烦，而在于体恤之周至矣。"

【原文】

"尧之于舜也，使其子九男事之，二女女焉，百官牛羊仓廪备，以养舜于畎亩之中，后举而加诸上位，故曰，王公之尊贤者也。"

【张居正注评】

孟子又告万章说："国君馈士，而曲尽其礼，此但可谓之养贤，未可谓之尊贤也。

其惟尧之于舜乎？昔者帝尧之于舜也，知其有非常之德，因待之以非常之礼。使其子九男事之，以治其外；二女妻之，以治其内；又承之以百官，给之以牛羊、仓廪，无一之不备，以养舜于畎亩之中。后乃举而加之上位，任以百揆四岳之职，与之治天位焉，食天禄焉。此乃能养能举，所以谓之王公之尊贤也。岂但廪人继粟，庖人继肉，徒饰问馈之弥文而已哉？"然则人君欲尽养贤之道，诚不可不知所以用贤矣。养之而无以用之，贤者尚不可以虚拘，而况于并废养贤之礼者乎？

【原文】

万章曰："敢问不见诸侯，何义也？"孟子曰："在国曰市井之臣，在野曰草莽之臣，皆谓庶人。庶人不传质为臣，不敢见于诸侯，礼也。"

【张居正注评】

传，是相通的意思。质，是相见所执之物。万章问于孟子说："士以行道为心，则当以得君为急。乃高尚其志，不肯往见诸侯，敢问此何义乎？"孟子答说："士之不见诸侯，非自尊大也，分有所不敢耳。盖朝野之地位悬殊，臣民之名分亦异。有居于国都之中，日往来于廛市的，这叫做市井之臣；有居于郊野之外，日作息于田亩的，这叫做草莽之臣。这两样人，通叫做庶人。大凡在位之臣，必执贽以通于君，而后敢见。乃庶人则未尝传质为臣，是其迹犹未离乎市井之微，草莽之贱也。其不敢见于诸侯，正所以安庶人之分，而不敢同于在位之臣，以礼自守而已。使越礼以求见，岂能免于干进之辱哉？"

【原文】

万章曰："庶人，召之役，则往役；君欲见之，召之，则不往见之，何也？"曰："往役，义也；往见，不义也。"

【张居正注评】

万章又问孟子说："士未传贽为臣，既以庶人自处，则当惟君命是从矣。今国君召庶人而役之，庶人则往役而不敢后，君欲见士而召之，士则不肯轻身往见，何也？"孟子答说："士与庶人，语分则不异，语道则有异。为庶人者，率子民之职，供力役之征，其所以趋事赴工而不敢后者，乃是以分自守，义当然也。若为士者，欲以道而见用于世，必以道而自重其身。若召之而即往，则未免枉道以徇人，守己之义，不如是也。然则士之可使往役，而不可使往见者，惟其以道自重焉耳。然则人君欲见贤，而可不隆下贤之礼哉。"

【原文】

"且君之欲见之也，何为也哉？"曰："为其多闻也，为其贤也。"曰："为其多闻也，则天子不召师，而况诸侯乎？为其贤也，则吾未闻欲见贤而召之也。"

【张居正注评】

孟子以士不可召之义告万章，恐其未达，乃问之说道："士所以不往见诸侯者，非一见之难也，盖必有其故矣。吾且问子，诸侯之于士，所以汲汲然欲求其一见者，其意果何所为也哉？"万章答说："国君所资于士者，有两件。一件为其博闻多识，可以为考德向业之资；一件为其体道成身，可以为正君善俗之助，此其所以欲见之也。"孟子说道："国君见士之意，使不为其多闻与贤则已，如为其多闻，而欲资之以讲明道理，是师道之所在也。既有师道，虽尊如天子，犹且学而不臣，不敢召见，而况诸侯一国之主耳，独可以召师乎？既为其贤，而欲资之以赞襄治化，是德义之可尊也。既尊其德，虽折节下交，欲有谋焉就之，亦不为屈，乃欲召之往见，则岂吾之所闻者乎？知国君之不可召士，则士之不可往见明矣。"

【原文】

"缪公亟见于子思，曰：'古千乘之国以友士，何如？'子思不悦，曰：'古之人有言，曰事之云乎，岂曰友之云乎？'子思之不悦也，岂不曰：'以位，则子，君也，我，臣也，何敢与君友也？以德，则子事我者也，奚可以与我友？'千乘之君求与之友而不可得也，而况可召与？"

【张居正注评】

孟子又告万章说："欲知国君不可召士，观缪公于子思之事可见矣。昔者缪公知子思之贤而数见之，因问于子思说，古者千乘之君，忘分下交，与韦布之士为友，则何如？缪公此言，分明有自矜之意，于是子思怫然不悦，答说：吾闻古之人有言，国君之于贤者，当尊之以师道，事之云乎，岂但如君所言，友之云乎？吾想子思不悦缪公之意，岂不以为君臣之际，以爵位言之，则子尊而在上为君，我卑而在下为臣，势分悬绝，何敢与君友也？若以道德言之，我则系师表之望，子当以师道事我者也，奚可与我平交而为友乎？由子思之言推之，千乘之君求与一介之士为友，且不可得，况欲召之往见，则所以待士之礼，又出缪公之下矣，士岂肯应其召哉。"

【原文】

"齐景公田，招虞人以旌，不至，将杀之。志士不忘在沟壑，勇士不忘丧其元。孔子奚取焉？取非其招不往也。"曰："敢问招虞人何以？"曰："以皮冠。庶人以旃，士以旂，大夫以旌。"

【张居正注评】

虞人，是守苑囿之吏。皮冠，是田猎之冠。通帛为旗叫做旃，旗上有交龙叫做旂，析羽叫做旌。孟子又告万章说："君不可以召士，不但征诸子思之言，观虞人之事又可知矣。昔者齐景公将有事于田猎，使人执析羽之旌，招虞人以供事，虞人不至，景公怒，将执而杀之。孔子赞美说：志士固穷，常念弃沟壑而不悔；勇士轻生，常念丧其首而不顾。若虞人者，足以当之矣。夫孔子何取于虞人而赞美若此，盖旌本非招虞人之物，招非其物，虽死不往，孔子所以取之也。"万章因问孟子说："旌非所以招虞人，然则招虞人当用何物乎？"孟子答说："虞人以田猎为职，则招虞人者，当以皮冠，从其所有事也。若庶人未仕者，则招之以通帛之旃，盖有取于朴素之质。士已仕在位者，则招之以交龙之旂，盖有取于变化之象。然皆不敢用旌，惟有家之大夫，方用析羽之旌招之。"盖以大夫羽仪朝著，有文明之德，故招之以旌，以明其不同于士庶也。景公乃以之而招虞人，此虞人所以虽死而不敢应其招耳。夫以虞人贱役，尚知守官如此，士乃不知守道，而应诸侯之召，曾虞人不若此，贤者肯为之哉。

【原文】

"以大夫之招招虞人，虞人死不敢往；以士之招招庶人，庶人岂敢往哉？况乎以不贤人之招招贤人乎？"

【张居正注评】

孟子又告万章说道："天下有一定之名分，则各有一定之法守。今以招大夫之旌招虞人，虞人宁死而不敢往。即此推之，便以招士之旂而招庶人，庶人岂敢不安其分，而往应其召哉？夫旌之与旂，贵者之招也。以贵者之招招贱者，虽非其物，犹为宠异之、优厚之，而尚不肯往，况乎召使往见，此乃招不贤人之道也。以不贤人之招招贤人，则轻慢之、屈辱之甚矣。贤人以道自重者，岂肯往应其召乎？知贤者之不可召，而国君见贤，固必有其道矣。"

【原文】

"欲见贤人而不以其道，犹欲其入而闭之门也。夫义，路也；礼，门也。惟君子能由是路，出入是门也。《诗》云：'周道如底，其直如矢；君子所履，小人所视。'"

【张居正注评】

底，是砥石，取其平正的意思。孟子又告万章说："即贤人之不可召，则知国君见贤，或近而就见，或远而币聘，当必以道而后可也。使以不贤人之招，招之，则是欲见而不以其道，就如欲人之入室，却闭了门的一般，贤者何由而得见乎？盖欲见贤人，须先开其门路。所谓门路，礼义而已。义以制事，坦然为荡平之道，是人所共由之路也；礼以治躬，截然为中正之闲，是人所当出入之门也，而能循之者少矣。唯是君子识见高明，志趣端正，为能非义无行，所往来者，必由是路焉；非礼弗履，所出入者必由是门焉。其立身行己，一于道而不苟如此。《诗经·小雅·大东》之篇有云：瞻彼周道，其宽平如砥而不险陂，正直如矢而不邪曲。是乃君子之所践履，小人之所视效者也。"观诗之所言，所谓君子能由义路，而出入礼门，因可知矣。夫君子以义礼自守如此，若往应不贤人之招，则是舍正路而不由，逾大闲而妄入，失己甚矣，岂其所肯为者哉？此欲见贤人者，必不可不由其道也。

【原文】

万章曰："孔子，君命召，不俟驾而行。然则孔子非与？"曰："孔子当仕有官职，而以其官召之也。"

【张居正注评】

万章又问孟子说："士以礼义自守，可以不应君召矣。乃若孔子承君之召，不待驾而即行，其趋命如此之速，独不知有礼义之可守与？"孟子答说："未仕之士，与已仕之臣，所处不同。孔子当仕于鲁，田中都宰而为司空，由司空而为司寇，时皆有官职之当守。鲁君以其官来召，则当以其官应召，此正人臣官守之常，义不可违，礼不容缓者，所以不俟驾而行也。若士未传质为臣而无官职，是亦市井草莽之臣耳，安得与孔子应召之事并论乎？此章见上下有相临之分，分之所在，圣如孔子，不可得而违。士人有自守之节，节之所在，贱如虞人，不可得而屈。人君待之，各尽其道，则名分辨，而节义亦无不伸矣。"

【原文】

孟子谓万章曰："一乡之善士斯友一乡之善士，一国之善士斯友一国之善士，天下之善士斯友天下之善士。"

【张居正注评】

孟子教万章说道："君子进善之益，固当博资于人，尤当兼备于己。试以取友而言，人孰不欲尽善士而与之为友，然在我之善未广，则在人之善难兼，其所友者几何？是必我之德行道艺，盖于一乡，而卓然为一乡之善士，然后举一乡之贤者、能者，我可得而友之。而一乡之善，皆吾善矣。我之德行道艺，盖于一国，而卓然为一国之善士，然后举一国之贤者、能者，我可得而友之，而一国之善，皆吾善矣。推而至于天下之大，使我之德行道艺，足以度越一世，而卓然为天下之善士，则将尽天下之贤者、能者，我皆得而友之，而天下之善，皆吾善矣。取友而至于尽天下之善士，斯可以为天下之一人，而一乡一国，岂足道哉？"然则君子取友，欲以广受善之益，诚不可不自力于进善之功矣。

【原文】

"以友天下之善士为未足，又尚论古之人。颂其诗，读其书，不知其人，可乎？是

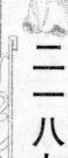

以论其世也，是尚友也。"

【张居正注评】

　　尚字，与上字同。孟子又告万章说："君子取友而至于尽天下之善士，则其取善之量，固已通天下为一身矣。乃其向往之念，看得宇宙甚大，虽友天下之善士，只做眼前世界中人，其心犹以为未足也。又进而考论乎千百世之上，稽古帝王贤圣之为人焉。古人之言载于诗也，则颂其诗而讽咏乎雅颂之音；古人之言载于书也，则读其书而探索乎典谟之指。此于言语文字之间，固可以仰窥古人之遗训矣。使不详其为人之实，则所诵说者，亦徒陈言而已，可乎？是以必论其世代之殊，考其行事之异。如论唐虞之世，则当知尧舜之道德，何以独隆；论三代之世，则当知禹汤文武之功业，何以独盛。如此，则诵读之传，不但为口耳之资，而体验之真，尽契其精神之蕴。是身居于千载之下，而心孚于千载之上，真与古之帝王同游，圣贤为侣，而所友者，不止于今世之士矣，所以说是尚友也。至于尚友，而后取友之道无以复加，以此见友道之无穷，而君子进善之心，未可以自足也。自足则满，满则不复有进矣。"《易》曰："君子以虚受人。"戒自满也，进善者所当知。